D1001688

Ogniem
i mieczem

Henryk Sienkiewicz

Ogniem i mieczem

1

Ilustrował
Stanisław Rozwadowski

Świat Książki

Tekst oparto na zbiorowym wydaniu „Dzieł" Henryka Sienkiewicza
pod redakcją Juliana Krzyżanowskiego
t. 5, 6, 7, 8, 9, 10, Warszawa 1949

Projekt obwoluty i oprawy
Jarosław Jasiński

Ilustracja na obwolucie
Stanisław Rozwadowski

Korekta
Teresa Steinhagen

Świat Książki, Warszawa 1995
Drukowano w GGP

ISBN 83-7129-163-9
Nr 1251

Rozdział I

Rok 1647 był to dziwny rok, w którym rozmaite znaki na niebie i ziemi zwiastowały jakoweś klęski i nadzwyczajne zdarzenia.

Współcześni kronikarze wspominają, iż z wiosny szarańcza w niesłychanej ilości wyroiła się z Dzikich Pól i zniszczyła zasiewy i trawy, co było przepowiednią napadów tatarskich. Latem zdarzyło się wielkie zaćmienie słońca, a wkrótce potem kometa pojawiła się na niebie. W Warszawie widywano też nad miastem mogiłę i krzyż ognisty w obłokach; odprawiano więc posty i dawano jałmużny, gdyż niektórzy twierdzili, że zaraza spadnie na kraj i wygubi rodzaj ludzki. Nareszcie zima nastała tak lekka, że najstarsi ludzie nie pamiętali podobnej. W południowych województwach lody nie popętały wcale wód, które podsycane topniejącym każdego ranka śniegiem wystąpiły z łożysk i pozalewały brzegi. Padały częste deszcze. Step rozmókł i zmienił się w wielką kałużę, słońce zaś w południe dogrzewało tak mocno, że — dziw nad dziwy! — w województwie bracławskim i na Dzikich Polach zielona ruń okryła stepy i rozłogi już w połowie grudnia. Roje po pasiekach poczęły się burzyć i huczeć, bydło ryczało po zagrodach. Gdy więc tak porządek przyrodzenia zdawał się być wcale odwróconym, wszyscy na Rusi oczekując niezwykłych zdarzeń zwracali niespokojny umysł i oczy szczególniej ku Dzikim Polom, od których łatwiej niźli skądinąd mogło się ukazać niebezpieczeństwo.

Tymczasem na Polach nie działo się nic nadzwyczajnego i nie było innych walk i potyczek jak te, które się odprawiały tam zwykle, a o których wiedziały tylko orły, jastrzębie, kruki i zwierz polny.

Bo takie to już były te Pola. Ostatnie ślady osiadłego życia kończyły się, idąc ku południowi, niedaleko za Czehrynem ode Dniepru, a od Dniestru — niedaleko za Humaniem, a potem już hen, ku limanom i morzu, step i step, w dwie rzeki jakby w ramę ujęty. Na łuku Dnieprowym, na Niżu, wrzało jeszcze kozacze życie za porohami, ale w samych Polach nikt nie mieszkał i chyba po brzegach tkwiły gdzieniegdzie „polanki" jakoby wyspy wśród morza. Ziemia była *de nomine* Rzeczypospolitej, ale pustynna, na której pastwisk Rzeczpospolita Tatarom pozwalała, wszakże gdy Kozacy często bronili, więc to pastwisko było i pobojowiskiem zarazem.

Ile tam walk stoczono, ilu ludzi legło, nikt nie zliczył, nikt nie spamiętał. Orły, jastrzębie i kruki jedne wiedziały, a kto z daleka dosłyszał szum skrzydeł i krakanie, kto ujrzał wiry ptasie nad jednym kołujące miejscem, to wiedział, że tam trupy lub kości nie pogrzebione leżą... Polowano w trawach na ludzi jakby na wilki lub suhaki. Polował, kto chciał. Człek prawem ścigan chronił się w dzikie stepy, orężny pasterz trzód strzegł, rycerz przygód tam szukał, łotrzyk łupu, Kozak Tatara, Tatar Kozaka. Bywało, że i całe watahy broniły trzód przed tłumami napastników. Step to był pusty i pełny zarazem, cichy i groźny, spokojny i pełen zasadzek, dziki od Dzikich Pól, ale i od dzikich dusz.

Czasem też napełniała go wielka wojna. Wówczas płynęły po nim jak fale czambuły tatarskie, pułki kozackie, to chorągwie polskie lub wołoskie; nocami rżenie koni wtórowało wyciom wilków, głos kotłów i trąb mosiężnych leciał aż do Owidowego jeziora i ku morzu, a na Czarnym

Szlaku, na Kuczmańskim — rzekłbyś: powódź ludzka. Granic Rzeczypospolitej strzegły od Kamieńca aż do Dniepru stanice i „polanki" i — gdy szlaki miały się zaroić, poznawano właśnie po niezliczonych stadach ptactwa, które, płoszone przez czambuły, leciały na północ. Ale Tatar, byle wychylił się z Czarnego Lasu lub Dniestr przebył od strony wołoskiej, to stepem równo z ptakami stawał w południowych województwach.

Wszelako zimy owej ptactwo nie ciągnęło z wrzaskiem ku Rzeczypospolitej. Na stepie było ciszej niż zwykle. W chwili gdy rozpoczyna się powieść nasza, słońce zachodziło właśnie, a czerwonawe jego promienie rozświecały okolicę pustą zupełnie. Na północnym krańcu Dzikich Pól, nad Omelniczkiem, aż do jego ujścia, najbystrzejszy wzrok nie mógłby odkryć jednej żywej duszy ani nawet żadnego ruchu w ciemnych, zeschniętych i zwiędłych burzanach. Słońce połową tylko tarczy wyglądało jeszcze zza widnokręgu. Niebo było już ciemne, a potem i step z wolna mroczył się coraz bardziej. Na lewym brzegu, na niewielkiej wyniosłości podobniejszej do mogiły niż do wzgórza, świeciły tylko resztki murowanej stanicy, którą niegdyś jeszcze Teodoryk Buczacki wystawił, a którą potem napady starły. Od ruiny owej padał długi cień. Opodal świeciły wody szeroko rozlanego Omelniczka, który w tym miejscu skręca się ku Dnieprowi. Ale blaski gasły coraz bardziej na niebie i na ziemi. Z nieba dochodziły tylko klangory żurawi ciągnących ku morzu; zresztą ciszy nie przerywał żaden głos.

Noc zapadła nad pustynią, a z nią nastała godzina duchów. Czuwający w stanicach rycerze opowiadali sobie w owych czasach, że nocami wstają na Dzikich Polach cienie poległych, którzy zeszli tam nagłą śmiercią w grzechu, i odprawują swoje korowody, w czym im żaden krzyż ani kościół nie przeszkadza. Toteż gdy sznury wskazujące północ poczynały się dopalać, odmawiano po stanicach modlitwy za umarłych. Mówiono także, że one cienie jeźdźców snując się po pustyni zastępują drogę podróżnym jęcząc i prosząc o znak krzyża świętego. Między nimi trafiały się upiory, które goniły za ludźmi wyjąc. Wprawne ucho z daleka już rozeznawało wycie upiorów od wilczego. Widywano również całe wojska cieniów, które czasem przybliżały się tak do stanic, że straże grały larum. Zapowiadało to zwykle wielką wojnę. Spotkanie pojedynczych cieniów nie znaczyło również nic dobrego, ale nie zawsze należało sobie źle wróżyć, bo i człek żywy zjawiał się nieraz i niknął jak cień przed podróżnymi, dlatego często i snadnie za ducha mógł być poczytanym.

Skoro więc noc zapadła nad Omelniczkiem, nie było w tym nic dziwnego, że zaraz koło opustoszałej stanicy pojawił się duch czy człowiek. Miesiąc wychynął właśnie zza Dniepru i obielił pustkę, głowy bodiaków i dal stepową. Wtem niżej na stepie ukazały się inne jakieś nocne istoty. Przelatujące chmurki przesłaniały co chwila blask księżyca, więc owe postacie to wybłyskiwały z cienia, to znowu gasły. Chwilami nikły zupełnie i zdawały się topnieć w cieniu. Posuwając się ku wyniosłości, na której stał pierwszy jeździec, skradały się cicho, ostrożnie, z wolna, zatrzymując się co chwila.

W ruchach ich było coś przerażającego, jak i w całym tym stepie, tak spokojnym na pozór. Wiatr chwilami podmuchiwał ode Dniepru sprawując żałosny szelest w zeschłych bodiakach, które pochylały się i trzęsły, jakby przerażone. Na koniec postacie znikły, schroniły się w cień ruiny. W bladym świetle nocy widać było tylko jednego jeźdźca stojącego na wyniosłości.

Wreszcie szelest ów zwrócił jego uwagę. Zbliżywszy się do skraju wzgórza począł wpatrywać się w step uważnie. W tej chwili wiatr przestał wiać, szelest ustał i zrobiła się cisza zupełna.

Nagle dał się słyszeć przeraźliwy świst. Zmieszane głosy poczęły wrzeszczeć przeraźliwie: „Hałła! Hałła! Jezu Chryste! ratuj! bij!" Rozległ się huk samopałów,

czerwone światła rozdarły ciemności. Tętent koni zmieszał się z szczękiem żelaza. Nowi jacyś jeźdźce wyrośli jakby spod ziemi na stepie. Rzekłbyś: burza zawrzała nagle w tej cichej, złowrogiej pustyni. Potem jęki ludzkie zawtórowały wrzaskom strasznym, wreszcie ucichło wszystko: walka była skończona.

Widocznie rozegrywała się jedna ze zwykłych scen na Dzikich Polach.

Jeźdźcy zgrupowali się na wyniosłości, niektórzy pozsiadali z koni, przypatrując się czemuś pilnie.

Wtem w ciemnościach ozwał się silny i rozkazujący głos.

— Hej tam! skrzesać ognia i zapalić!

Po chwili posypały się naprzód iskry, a potem buchnął płomień suchych oczeretów i łuczywa, które podróżujący przez Dzikie Pola wozili zawsze ze sobą.

Wnet wbito w ziemię drąg od kaganka i jaskrawe, padające z góry światło oświeciło wyraźnie kilkunastu ludzi pochylonych nad jakąś postacią leżącą bez ruchu na ziemi.

Byli to żołnierze ubrani w barwę czerwoną, dworską, i w wilcze kapuzy. Z tych jeden, siedzący na dzielnym koniu, zdawał się reszcie przywodzić. Zsiadłszy z konia zbliżył się do owej leżącej postaci i spytał:

— A co, wachmistrzu? żyje czy nie żyje?

— Żyje, panie namiestniku, ale charcze; arkan go zdławił.

— Co zacz jest?

— Nie Tatar, znaczny ktoś.

— To i Bogu dziękować.

Tu namiestnik popatrzył uważniej na leżącego męża.

— Coś jakby hetman — rzekł.

— I koń pod nim tatar zacny, jak lepszego u chana nie znaleźć — odpowiedział wachmistrz. — A ot, tam go trzymają.

Porucznik spojrzał i twarz mu się rozjaśniła. Obok

dwóch szeregowych trzymało rzeczywiście dzielnego rumaka, który tuląc uszy i rozdymając chrapy wyciągał głowę i poglądał przerażonymi oczyma na swego pana.

— Ale koń, panie namiestniku, będzie nasz? — wtrącił tonem pytania wachmistrz.

— A ty, psiawiaro, chciałbyś chrześcijanowi konia w stepie odjąć?

— Bo zdobyczny...

Dalszą rozmowę przerwało silniejsze chrapanie zduszonego męża.

— Wlać mu gorzałki w gębę — rzekł pan namiestnik — pas odpiąć.

— Czy zostaniemy tu na nocleg?

— Tak jest, konie rozkulbaczyć, stos zapalić.

Żołnierze skoczyli co żywo. Jedni poczęli cucić i rozcierać leżącego, drudzy ruszyli po oczerety, inni rozesłali na ziemi skóry wielbłądzie i niedźwiedzie na nocleg.

Pan namiestnik, nie troszcząc się więcej o zduszonego męża, odpiął pas i rozciągnął się na burce przy ognisku. Był to młody jeszcze bardzo człowiek, suchy, czarniawy, wielce przystojny, ze szczupłą twarzą i wydatnym orlim nosem W oczach jego malowała się okrutna fantazja i zadzierżystość, ale w obliczu miał wyraz uczciwy. Wąs dość obfity i nie golona widocznie od dawna broda dodawały mu nad wiek powagi.

Tymczasem dwaj pachołkowie zajęli się przyrządzaniem wieczerzy. Położono na ogniu gotowe ćwierci baranie; zdjęto też z koni kilka dropiów upolowanych w czasie dnia, kilka pardew i jednego suhaka, którego pachoł wnet zaczął obłupywać ze skóry. Stos płonął rzucając na step ogromne, czerwone koło światła. Zduszony człowiek począł z wolna przychodzić do siebie.

Przez czas jakiś wodził nabiegłymi krwią oczyma po obcych badając ich twarze; następnie usiłował powstać. Żołnierz, który poprzednio rozmawiał z namiestnikiem, dźwignął go w górę pod pachy; drugi włożył mu obuszek w dłoń, na którym nieznajomy wsparł się z całej siły. Twarz jego była jeszcze czerwona, żyły jej nabrzmiałe. Na koniec przyduszonym głosem wykrztusił pierwszy wyraz:

— Wody!

Podano mu gorzałki, którą pił i pił, co mu widocznie dobrze zrobiło, bo odjąwszy wreszcie flaszę od ust, czystszym już głosem spytał:

— W czyich jestem ręku?

Namiestnik powstał i zbliżył się ku niemu:

— W ręku tych, co waści salwowali.

— Przeto nie waszmościowie schwycili mnie na arkan?

— Mosanie, nasza rzecz szabla, nie arkan. Krzywdzisz waść dobrych żołnierzów podejrzeniem. Złapali cię jakowiś łotrzykowie udający Tatarów, których jeśliś ciekaw, oglądać możesz, bo oto leżą tam porżnięci jak barany.

To mówiąc wskazał ręką na kilka ciemnych ciał leżących poniżej wyniosłości.

A nieznajomy na to:

— To pozwólcie mi spocząć.

Podłożono mu wojłokową kulbakę, na której siadł i pogrążył się w milczeniu.

Był to mąż w sile wieku, średniego wzrostu, szerokich ramion, prawie olbrzymiej budowy ciała i uderzających rysów. Głowę miał ogromną, cerę zawiędłą, bardzo ogorzałą, oczy czarne i nieco ukośne jak u Tatara, a nad wąskimi ustami zwieszał mu się cienki wąs rozchodzący się dopiero przy końcach w dwie szerokie kiście. Twarz jego potężna zwiastowała odwagę i dumę. Było w niej coś pociągającego i odpychającego zarazem — powaga hetmańska ożeniona z tatarską chytrością, dobrotliwość i dzikość.

Posiedziawszy nieco na kulbace, wstał i nad wszelkie spodziewanie, zamiast dziękować, poszedł oglądać trupy.

— Prostak! — mruknął namiestnik.

Nieznajomy tymczasem przypatrywał się uważnie każdej twarzy, kiwając głową jak człowiek, który odgadł wszystko, po czym wracał z wolna do namiestnika, klepiąc się po bokach i szukając mimowolnie pasa, za który widocznie chciał zatknąć rękę.

Nie podobała się młodemu namiestnikowi ta powaga w człeku oderżniętym przed chwilą od powroza, więc rzekł z przekąsem:

— Rzekłby kto, że wasze znajomych szukasz między owymi łotrzykami albo że pacierz za ich dusze odmawiasz.

Nieznajomy odparł z powagą:

— I nie mylisz się waść, i mylisz: nie mylisz się, bom szukał znajomych; a mylisz się, bo to nie łotrzykowie, jeno słudzy pewnego szlachcica, mego sąsiada.

— Tedy widocznie nie z jednej studni pijacie z onym sąsiadem.

Dziwny jakiś uśmiech przeleciał po cienkich wargach nieznajomego.

— I w tym się waść mylisz — mruknął przez zęby.

Po chwili dodał głośniej:

— Ale wybacz waszmość pan, żem mu naprzód powinnej nie złożył dzięki za *auxilium* i skuteczny ratunek, który mnie od tak nagłej śmierci wybawił. Waści męstwo stanęło za moją nieostrożność, bom się od ludzi swoich odłączył, ale też wdzięczność moja dorównywa waszmościnej ochocie.

To rzekłszy wyciągnął ku namiestnikowi rękę.

Ale butny młodzieńczyk nie ruszył się z miejsca i nie spieszył z podaniem swojej; natomiast rzekł:

— Chciałbym naprzód wiedzieć, jeżeli ze szlachcicem mam sprawę, bo chociaż o tym nie wątpię, jednakże bezimiennych podzięków przyjmować mi się nie godzi.

— Widzę w waszmości prawdziwie kawalerską fantazję — i słusznie mówisz. Powinienem był zacząć od nazwiska mój dyskurs i moją podziękę. Jestem Zenobi Abdank, herbu Abdank z krzyżykiem, szlachcic z województwa kijowskiego, osiadły i pułkownik kozackiej chorągwi księcia Dominika Zasławskiego.

— A ja Jan Skrzetuski, namiestnik chorągwi pancernej J. O. księcia Jeremiego Wiśniowieckiego.

— Pod sławnym wojownikiem waść służysz. Przyjmże teraz moją wdzięczność i rękę.

Namiestnik nie wahał się dłużej. Towarzysze pancerni z góry wprawdzie patrzyli na żołnierzów spod innych chorągwi, ale pan Skrzetuski był na stepie, na Dzikich Polach, gdzie takie rzeczy mniej szły pod uwagę. Zresztą miał do czynienia z pułkownikiem, o czym zaraz naocznie się przekonał, bo gdy jego żołnierze przynieśli panu Abdankowi pas i szablę, i krótki buzdygan, z których go rozpasano dla cucenia, podali mu zarazem i krótką buławę o osadzie z kości, o głowie ze ślinowatego rogu, jakich zażywali zwykle pułkownicy kozaccy. Przy tym ubiór imci Zenobiego Abdanka był dostatni, a mowa kształtna znamionowała umysł bystry i otarcie się w świecie.

Więc pan Skrzetuski zaprosił go do kompanii. Zapach pieczonych mięs jął właśnie rozchodzić się od stosu, łechcąc nozdrza i podniebienie. Pachoł wydobył je z żaru i podał na latercynowej misie. Poczęli jeść, a gdy przyniesiono spory worek mołdawskiego wina uszyty z koźlej skóry, wnet zawiązała się żywa rozmowa.

— Oby nam się szczęśliwie do domu wróciło! — rzekł pan Skrzetuski.

— To waszmość wracasz? skądże, proszę? — spytał Abdank.

— Z daleka, bo z Krymu.

— A cóżeś waszmość tam robił? z wykupnem jeździłeś?

— Nie, mości pułkowniku; jeździłem do samego chana.

Abdank nastawił ciekawie ucha.

— Ano to, proszę, w piękną waść wszedłeś komitywę! I z czymże do chana jeździłeś?

— Z listem J. O. księcia Jeremiego.

— To waść posłował! O cóż jegomość książę do chana pisał?

Namiestnik popatrzył bystro na towarzysza.

— Mości pułkowniku — rzekł — zaglądałeś w oczy łotrzykom, którzy cię na arkan ujęli — to twoja sprawa; ale co książę do chana pisał, to ani twoja, ani moja, jeno ich obydwóch.

— Dziwiłem się przed chwilą — odparł chytrze Abdank — że jegomość książę tak młodego człowieka posłem sobie do chana obrał, ale po waścinej odpowiedzi już się nie dziwię, bo widzę, żeś młody laty, ale stary eksperiencją i rozumem.

Namiestnik połknął gładko pochlebne słówko, pokręcił tylko młodego wąsa i pytał:

— A powiedzże mi waszmość, co porabiasz nad Omelniczkiem i jakeś się tu wziął sam jeden?

— Nie jestem sam jeden, jenom ludzi zostawił po drodze, a jadę do Kudaku, do pana Grodzickiego, któren tam jest przełożonym nad prezydium i do którego jegomość hetman wielki wysłał mnie z listami.

— A czemu waść nie bajdakiem, wodą?

— Taki był ordynans, od którego odstąpić mi się nie godzi.

— To dziw, że jegomość hetman taki wydał ordynans, gdyż właśnie na stepie w tak ciężkie popadłeś terminy, których wodą jadąc pewno byłbyś uniknął.

— Mosanie, stepy teraz spokojne; znam ja się z nimi nie od dziś; a to, co mnie spotkało, to jest złość ludzka i *invidia*.

— I któż to na jegomości tak nastaje?

— Długo by gadać. Sąsiad to zły, mości namiestniku, który substancję mi zniszczył, z włości mnie ruguje, syna mi zbił — i ot — widziałeś waść, tu jeszcze na szyję moją nastawał.

— A to wać nie nosisz szabli przy boku?

W potężnej twarzy Abdanka zabłysła nienawiść, oczy zaświeciły mu posępnie i odrzekł z wolna a dobitnie:

— Noszę, i tak mi dopomóż Bóg, jako innych rekursów przeciw wrogom moim szukać już nie będę.

Porucznik chciał coś mówić, gdy nagle na stepie rozległ się tętent koni, a raczej pośpieszne chlupotanie końskich nóg po rozmiękłej trawie. Wnet też i czeladnik namiestnika, trzymający straż, nadbiegł z wieścią, że jakowiś ludzie się zbliżają.

— To pewnie moi — rzekł Abdank — którzy zaraz za Taśminą zostali. Jam też, nie spodziewając się zdrady, tu na nich czekać obiecał.

Jakoż po chwili gromada jeźdźców otoczyła półokręgiem wzgórze. Przy blasku ognia ukazały się głowy końskie z otwartymi chrapami, prychające ze zmęczenia, a nad nimi pochylone twarze jeźdźców, którzy przysłaniając rękoma od blasku oczy patrzyli bystro w światło.

— Hej, ludzie! kto wy? — spytał Abdank.

— Raby boże! — odpowiedziały głosy z ciemności.

— Tak, to moi mołojce — powtórzył Abdank zwracając się do namiestnika. — Bywajcie! bywajcie!

Niektórzy zeszli z koni i zbliżyli się do ognia.

— A my śpieszyli, śpieszyli, bat'ku. Szczo z toboju?

— Zasadzka była. Chwedko, zdrajca, wiedział o miejscu i tu już czekał z innymi. Musiał podążyć dobrze przede mną. Na arkan mnie ujęli!

— Spasi Bih! spasi Bih! A to co za Laszek koło ciebie?

Tak mówiąc spoglądali groźnie na pana Skrzetuskiego i jego towarzyszów.

— To druhy dobre — rzekł Abdank. — Sława Bogu, całym i żyw. Zaraz będziemy ruszać dalej.

— Sława Bogu! my gotowi.

Nowo przybyli poczęli rozgrzewać dłonie nad ogniem, bo noc była zimna, choć pogodna. Było ich do czterdziestu ludzi rosłych i dobrze zbrojnych. Nie wyglądali wcale na Kozaków regestrowych, co nie pomału zdziwiło pana Skrzetuskiego, zwłaszcza że była ich garść tak spora. Wszystko to wydało się namiestnikowi mocno podejrzanym. Gdyby hetman wielki wysłał imci Abdanka do Kudaku, dałby mu przecież straż z regestrowych, a po wtóre, z jakiejże by racji kazał mu iść stepem od Czehryna, nie wodą? Konieczność przeprawiania się przez wszystkie rzeki idące Dzikimi Polami do Dniepru mogła tylko pochód opóźnić. Wyglądało to raczej tak, jakby imć pan Abdank chciał właśnie Kudak ominąć.

Ale zarówno i sama osoba pana Abdanka zastanawiała wielce młodego namiestnika. Zauważył wraz, że Kozacy, którzy ze swymi pułkownikami obchodzili się dość poufale, jego otaczali czcią niezwyczajną, jakby prawego hetmana. Musiał to być jakiś rycerz dużej ręki, co tym dziwniejsze było panu Skrzetuskiemu, że znając Ukrainę i z tej, i z tamtej strony Dniepru, o takim przesławnym Abdanku nic nie słyszał. Było przy tym w twarzy tego męża coś szczególnego — jakaś moc utajona, która tak biła z oblicza jak żar od płomienia, jakaś wola nieugięta, znamionująca, że człek ten przed nikim i niczym się nie cofnie. Taką właśnie wolę w obliczu miał książę Jeremi Wiśniowiecki, ale co w księciu było przyrodzonym natury darem, właściwym wielkiemu urodzeniu i władzy, to mogło zastanowić w mężu nieznanego nazwiska, zabłąkanym w głuchym stepie.

Pan Skrzetuski długo deliberował. Chodziło mu po głowie, że to może jaki potężny banita, który, wyrokiem ścigan, chronił się w Dzikie Pola — to znów, że to watażka watahy zbójeckiej; ale to ostatnie nie było prawdopodobne. I ubiór, i mowa tego człowieka pokazywały co innego. Zgoła więc nie wiedział namiestnik, czego się trzymać, miał się tylko na baczności, a tymczasem Abdank kazał konia sobie podawać.

— Mości namiestniku — rzekł — komu w drogę, temu czas. Pozwólże podziękować sobie raz jeszcze za ratunek. Oby Bóg pozwolił mi odpłacić ci równą usługą!

— Nie wiedziałem, kogo ratuję, przetom i na wdzięczność nie zasłużył.

— Modestia to twoja tak mówi, która jest męstwu równa. Przyjmijże ode mnie ten pierścień.

Namiestnik zmarszczył się i krok w tył odstąpił mierząc oczyma Abdanka, ten zaś mówił dalej z ojcowską niemal powagą w głosie i postawie:

— Spojrzyj jeno. Nie bogactwo tego pierścienia, ale inne cnoty ci zalecam. Za młodych jeszcze lat w bisurmańskiej niewoli będąc dostałem go od pątnika, który z Ziemi Świętej powracał. W tym oczku zamknięty jest proch z grobu Chrystusa. Takiego daru odmawiać się nie godzi, choćby i z osądzonych rąk pochodził. Jesteś waść młodym człowiekiem i żołnierzem, a gdy nawet i starość bliska grobu nie wie, co ją przed ostateczną godziną spotkać może, cóż dopiero adolescencja, która mając przed sobą wiek długi, na większą liczbę przygód trafić musi! Pierścień ten ustrzeże cię od przygody i obroni, gdy dzień sądu nadejdzie, a to ci powiadam, że dzień ten idzie już przez Dzikie Pola.

Nastała chwila ciszy; słychać było tylko syczenie płomienia i parskanie koni.

Z dalekich oczeretów dochodziło żałosne wycie wilków. Nagle Abdank powtórzył raz jeszcze, jakby do siebie:

— Dzień sądu idzie już przez Dzikie Pola, a gdy nadejdzie — zadywytsia wsij swit bożyj...

Namiestnik przyjął pierścień machinalnie, tak był zdumiały słowami tego dziwnego męża.

A ten zapatrzył się w dal stepową, ciemną.

Potem zwrócił się z wolna i siadł na koń. Mołojcy jego czekali już u stóp wzgórza.

— W drogę! w drogę!... Bywaj zdrów, druhu żołnierzu! — rzekł do namiestnika. — Czasy teraz takie, że brat bratu nie ufa, przeto i nie wiesz, kogoś ocalił, bom ci nazwiska swego nie powiedział.

— Więc waść nie Abdank?

— To klejnot mój...

— A nazwisko?

— Bohdan Zenobi Chmielnicki.

To rzekłszy zjechał ze wzgórza, a za nim ruszyli mołojcy. Wkrótce okryły ich tuman i noc. Dopiero gdy odjechali już z pół stajania, wiatr przyniósł od nich słowa kozackiej pieśni:

Oj wyzwoły, Boże, nas wsich, bidnych newilnykiw,
Z tiażkoj newoli,
Z wiry bisurmanskoj —
Na jasni zori,
Na tychi wody,
U kraj wesełyj,
U mir chreszczennyj —
Wysłuchaj, Boże, u prośbach naszych,
U neszczasnych mołytwach,
Nas bidnych newilnykiw.

Głosy cichły z wolna, potem stopiły się z powiewem szumiącym po oczeretach.

Rozdział II

Nazajutrz z rana przybywszy do Czehryna pan Skrzetuski stanął w mieście w domu księcia Jeremiego, gdzie też miał kęs czasu zabawić, aby ludziom i koniom dać wytchnienie po długiej z Krymu podróży, którą z przyczyny wezbrania i nadzwyczaj bystrych prądów na Dnieprze trzeba było lądem odbywać, gdyż żaden bajdak nie mógł owej zimy płynąć pod wodę. Sam też Skrzetuski zażył nieco wczasu, a potem szedł do pana Zaćwilichowskiego, byłego komisarza Rzplitej, żołnierza dobrego, któren, nie służąc u księcia, był jednak jego zaufanym i przyjacielem. Namiestnik pragnął się go wypytać, czy nie ma jakich z Łubniów dyspozycji. Książę wszelako nic szczególnego nie polecił; kazał Skrzetuskiemu, w razie gdyby odpowiedź chanowa była pomyślna, wolno iść, tak aby ludzie i konie mieli się dobrze. Z chanem zaś miał książę taką sprawę, że chodziło mu o ukaranie kilku murzów tatarskich, którzy własnowolnie puścili mu w jego zadnieprzańskie państwo zagony, a których sam zresztą srodze zbił. Chan rzeczywiście dał odpowiedź pomyślną: obiecał przysłać osobnego posła na kwiecień, ukarać nieposłusznych, a chcąc sobie zyskać życzliwość tak wsławionego jak książę wojownika, posłał mu przez Skrzetuskiego konia wielkiej krwi i szłyk soboli. Pan Skrzetuski wywiązawszy się z niemałym zaszczytem z poselstwa, które już samo było dowodem wielkiego książęcego faworu, bardzo był rad, że mu w Czehrynie zabawić pozwolono i nie naglono z powrotem. Natomiast stary Zaćwilichowski wielce był zafrasowany tym, co działo się od niejakiego czasu w Czehrynie. Poszli tedy razem do Dopuła, Wołocha, który w mieście zajazd i winiarnię trzymał, i tam, choć była godzina jeszcze wczesna, zastali szlachty huk, gdyż to był dzień targowy, a oprócz tego w tymże dniu wypadał w Czehrynie postój bydła pędzonego ku obozowi wojsk koronnych, przy czym ludzi nazbierało się w mieście mnóstwo. Szlachta zaś gromadziła się zwykle w rynku, w tak zwanym Dzwonieckim Kącie, u Dopuła. Byli tam więc i dzierżawcy Koniecpolskich, i urzędnicy czehryńscy, i właściciele ziem pobliskich siedzący na przywilejach, szlachta osiadła i od nikogo niezależna, dalej urzędnicy ekonomii, trochę starszyzny kozackiej i pomniejszy drobiazg szlachecki, bądź to na kondycjach żyjący, bądź na swoich futorach.

Ci i tamci pozajmowali ławy stojące wedle długich dębowych stołów i rozprawiali głośno, a wszyscy o ucieczce Chmielnickiego, która była największym w mieście ewenementem. Skrzetuski więc z Zaćwilichowskim siedli sobie w kącie osobno i namiestnik począł wypytywać, co by to za feniks był ten Chmielnicki, o którym wszyscy mówili.

— To wać nie wiesz? — odpowiedział stary żołnierz. — To jest pisarz wojska zaporoskiego, dziedzic Subotowa i — dodał ciszej — mój kum. Znamy się dawno. Bywaliśmy w różnych potrzebach, w których niemało dokazywał, szczególniej pod Cecorą. Żołnierza takiej eksperiencji w wojskowych rzeczach nie masz może w całej Rzeczypospolitej. Tego się głośno nie mówi, ale to hetmańska głowa: człek wielkiej ręki i wielkiego rozumu; jego całe kozactwo słucha więcej niż koszowych i atamanów, człek nie pozbawiony dobrych stron, ale hardy, niespokojny i gdy nienawiść weźmie w nim górę — może być straszny.

— Co mu się stało, że z Czehryna umknął?

— Koty ze starostką Czaplińskim darli, ale to furda! Zwyczajnie szlachcic szlachcicowi z nieprzyjaźni sadła zalewał. Nie jeden on i nie jednemu jemu. Mówią przy tym, że żonę starostce bałamucił: starostka mu kochanicę odebrał i z nią się ożenił, a on mu ją za to później bałamucił; a to jest podobna rzecz, bo zwyczajnie... kobieta lekka. Ale to są tylko pozory, pod którymi głębsze jakieś praktyki się ukrywają. Widzisz waść, rzecz jest taka: w Czerkasach mieszka stary Barabasz, pułkownik kozacki, nasz przyjaciel. Miał on przywileje i jakoweś pisma królewskie, o których mówiono, że Kozaków do oporu przeciw szlachcie zachęcały. Ale że to ludzki, dobry człek, trzymał je u siebie i nie publikował. Owóż Chmielnicki Barabasza na ucztę zaprosiwszy tu do Czehryna, do swego domu, spoił, potem posłał ludzi do jego futoru, którzy pisma i przywileje u żony podebrali — i z nimi umknął. Strach, by z nich jaka rebelia, jako była Ostranicowa, nie korzystała, bo *repeto*: że to człek straszny, a umknął nie wiadomo gdzie.

Na to pan Skrzetuski:

— A to lis! w pole mnie wywiódł. Toć ja jego tej nocy na stepie spotkałem i od arkana uwolniłem!

Zaćwilichowski aż się za głowę porwał.

— Na Boga, co wać powiadasz? Nie może to być!

— Może być, kiedy było. Powiadał mi się pułkownikiem u księcia Dominika Zasławskiego i że do Kudaku, do pana Grodzickiego, od hetmana wielkiego jest posłany, alem już temu nie wierzył, gdyż nie wodą jechał, jeno się stepem przekradał.

— To człek chytry jak Ulisses. I gdzieżeś go wać spotkał?

— Nad Omelniczkiem, po prawej stronie Dnieprowej. Widno do Siczy jechał.

— Kudak chciał minąć. Teraz *intelligo*. Ludzi siła było przy nim?

— Było ze czterdziestu. Ale za późno przyjechali. Gdyby nie moi, byliby go słudzy starostki zdławili.

— Czekajże waszmość. To jest ważna rzecz. Słudzy starostki, mówisz?

— Tak sam powiadał.

— Skądże starostka mógł wiedzieć, gdzie jego szukać, kiedy tu w mieście wszyscy głowy tracą nie wiedząc, gdzie się podział?

— Tego i ja wiedzieć nie mogę. Może też Chmielnicki zełgał i zwykłych łotrzyków na sług starostki kreował, by swoje krzywdy tym mocniej afirmować.

— Nie może to być. Ale to jest dziwna rzecz. Czy waszmość wie, że są listy hetmańskie przykazujące Chmielnickiego łapać i *in fundo* zadzierżyć?

Namiestnik nie zdążył odpowiedzieć, bo w tej chwili wszedł do izby jakiś szlachcic z ogromnym hałasem. Drzwiami trzasnął raz i drugi, a spojrzawszy hardo po izbie zawołał:

— Czołem waszmościom!

Był to człek czterdziestoletni, niski, z twarzą zapalczywą, której to zapalczywości przydawały jeszcze bardziej oczy jakby śliwy na wierzchu głowy siedzące, bystre, ruchliwe — człek widocznie bardzo żywy, wichrowaty i do gniewu skory.

— Czołem waszmościom! — powtórzył głośniej i ostrzej, gdy mu zrazu nie odpowiadano.

— Czołem, czołem — ozwało się kilka głosów.

Był to pan Czapliński, podstarości czehryński, sługa zaufany młodego pana chorążego Koniecpolskiego.

W Czehrynie nie lubiono go, bo był zawadiaka wielki, pieniacz, prześladowca, ale miał niemniej wielkie plecy, przeto ten i ów z nim politykował.

Zaćwilichowskiego jednego szanował, jak i wszyscy, dla jego powagi, cnoty i męstwa. Ujrzawszy go, wnet też zbliżył się ku niemu i skłoniwszy się dość dumnie Skrzetuskiemu zasiadł przy nich ze swoją lampką miodu.

— Mości starostko — spytał Zaćwilichowski — czy wiesz, co się dzieje z Chmielnickim?

— Wisi, mości chorąży, jakem Czapliński, wisi, a jeśli dotąd nie wisi, to będzie wisiał. Teraz gdy są listy hetmańskie, niech jedno go dostanę w swoje ręce.

To mówiąc, uderzył pięścią w stół, aż płyn rozlał się ze szklenic.

— Nie wylewaj waćpan wina! — rzekł pan Skrzetuski.

Zaćwilichowski przerwał:

— A czy go wać dostaniesz? Przecie uciekł i nikt nie wie, gdzie jest?

— Nikt nie wie? Ja wiem, jakem Czapliński! Waszmość, panie chorąży, znasz Chwedka. Owóż Chwedko jemu służy, ale i mnie. Będzie on Judaszem Chmielowi. Siła mówić. Wdał się Chwedko w komitywę z mołojcami Chmielnickiego. Człek sprytny. Wie o każdym kroku. Podjął się mi go dostawić żywym czy zmarłym i wyjechał w step równo przed Chmielnickim, wiedząc, gdzie ma go czekać!... A, didków syn przeklęty!

To mówiąc znowu w stół uderzył.

— Nie wylewaj waćpan wina! — powtórzył z przyciskiem pan Skrzetuski, który dziwną jakąś awersję uczuł do tego podstarościego od pierwszego spojrzenia.

Szlachcic zaczerwienił się, błysnął swymi wypukłymi oczami, sądząc, że mu dają okazję, i spojrzał zapalczywie na Skrzetuskiego, ale ujrzawszy na nim barwę Wiśniowieckich zmitygował się, gdyż jakkolwiek chorąży Koniecpolski wadził się wówczas z księciem, wszelako Czehryn zbyt był blisko Łubniów i niebezpiecznie było barwy książęcej nie uszanować.

Książę też i ludzi dobierał takich, że każdy dwa razy pomyślał, nim z którym zadarł.

— Więc to Chwedko podjął się waci Chmielnickiego dostawić? — pytał znów Zaćwilichowski.

— Chwedko. I dostawi, jakem Czapliński.

— A ja waci mówię, że nie dostawi. Chmielnicki zasadzki uszedł i na Sicz podążył, o czym trzeba pana krakowskiego dziś jeszcze zawiadomić. Z Chmielnickim nie ma żartów. Krótko mówiąc, lepszy on ma rozum, tęższą rękę i większe szczęście od waci, który zbyt się zapalasz. Chmielnicki odjechał bezpiecznie, powtarzam waci, a jeśli mnie nie wierzysz, to ci ten kawaler powtórzy, który go wczoraj na stepie widział i zdrowym go pożegnał.

— Nie może być! nie może być! — wrzeszczał targając się za czuprynę Czapliński.

— I co większa — dodał Zaćwilichowski — to ten kawaler tu obecny sam go salwował i waścinych sług wygubił, w czym mimo listów hetmańskich nie jest winien, bo z Krymu z poselstwa wraca i o listach nie wiedział, a widząc człeka przez łotrzyków, jak sądził, w stepie oprymowanego, przyszedł mu z pomocą. O którym to wyratowaniu się Chmielnickiego wcześniej waci zawiadamiam, bo gotów cię z Zaporożcami w twej ekonomii odwiedzić, a znać nie byłbyś mu rad bardzo. Nadtoś się z nim warcholił. Tfu, do licha!

Zaćwilichowski nie lubił także Czaplińskiego.

Czapliński zerwał się z miejsca i aż mu mowę ze złości odjęło; twarz tylko spąsowiała mu zupełnie, a oczy coraz bardziej na wierzch wyłaziły. Tak stojąc przed Skrzetuskim puszczał tylko urywane wyrazy:

— Jak to! waść mimo listów hetmańskich!... Ja waści... ja waści...

A pan Skrzetuski nie wstał nawet z ławy, jeno wsparłszy się na łokciu patrzył na podskakującego Czaplińskiego jak raróg na uwiązanego wróbla.

— Czego się waść mnie czepiasz jak rzep psiego ogona? — spytał.

— Ja waści do grodu ze sobą... Waść mimo listów... Ja waści Kozakami!...

Krzyczał tak, że w izbie uciszyło się trochę. Obecni poczęli zwracać głowy w stronę Czaplińskiego. Szukał on okazji zawsze, bo taka była jego natura, robił burdy każdemu, kogo napotkał, ale to zastanowiło wszystkich, że teraz zaczął przy Zaćwilichowskim, którego jednego się obawiał, i że zaczął z żołnierzem noszącym barwę Wiśniowieckich.

— Zamilknij no wasze — rzekł stary chorąży. — Ten kawaler jest ze mną.

— Ja wa... wa... waści do grodu... w dyby! — wrzeszczał dalej Czapliński nie uważając już na nic i na nikogo.

Teraz pan Skrzetuski podniósł się także całą wysokością swego wzrostu, ale nie wyjmował szabli z pochew, tylko jak ją miał spuszczoną nisko na rapciach, chwycił w środku i podsunął w górę tak, że rękojeść wraz z krzyżykiem poszła pod sam nos Czaplińskiemu.

— Powąchaj no to waść — rzekł zimno.

— Bij, kto w Boga!... Służba! — krzyknął Czapliński chwytając za rękojeść.

Ale nie zdążył szabli wydobyć. Młody namiestnik obrócił go w palcach, chwycił jedną ręką za kark, drugą za hajdawery poniżej krzyża, podniósł w górę rzucającego się jak cyga i idąc ku drzwiom między ławami wołał:

— Panowie bracia, miejsce dla rogala, bo pobodzie!

To rzekłszy doszedł do drzwi, uderzył w nie Czaplińskim, roztworzył i wyrzucił podstarościego na ulicę.

Po czym spokojnie usiadł na dawnym miejscu obok Zaćwilichowskiego.

W izbie przez chwilę zapanowała cisza. Siła, jakiej dowód złożył pan Skrzetuski, zaimponowała zebranej szlachcie. Po chwili jednak cała izba zatrzęsła się od śmiechu.

— *Vivant* wiśniowiecczycy! — wołali jedni.

— Omdlał, omdlał i krwią oblan! — krzyczeli inni, którzy zaglądali przeze drzwi, ciekawi, co też pocznie Czapliński. — Słudzy go podnoszą!

Mała tylko liczba stronników podstarościego milczała i nie mając odwagi ująć się za nim, spoglądała ponuro na namiestnika.

— Prawdę rzekłszy, w piętkę goni ten ogar — rzekł Zaćwilichowski.

— Kundys to, nie ogar — rzekł zbliżając się gruby szlachcic, który miał bielmo na jednym oku, a na czole dziurę wielkości talara, przez którą świeciła naga kość. — Kundys to, nie ogar! Pozwól waść — mówił dalej zwracając się do Skrzetuskiego — abym mu służby moje ofiarował. Jan Zagłoba herbu Wczele, co każdy snadno poznać może choćby po onej dziurze, którą w czele kula rozbójnicka mi zrobiła, gdym się do Ziemi Świętej za grzechy młodości ofiarował.

— Dajże waść pokój — rzekł Zaćwilichowski — powiadałeś kiedy indziej, że ci ją kuflem w Radomiu wybito.

— Kula rozbójnicka, jakom żyw! W Radomiu było co innego.

— Ofiarowałeś się waść do Ziemi Świętej... może, aleś w niej nie był, to pewna.

— Nie byłem, bom już w Galacie palmę męczeńską otrzymał. Jeśli łżę, jestem arcypies, nie szlachcic.

— A taki breszesz i breszesz!

— Szelmą jestem bez uszu. W wasze ręce, panie namiestniku!

Tymczasem przychodzili i inni zawierając z panem Skrzetuskim znajomość i afekt mu swój oświadczając, nie lubili bowiem ogólnie Czaplińskiego i radzi byli, że go taka spotkała konfuzja. Rzecz dziwna i trudna dziś do zrozumienia, że tak cała szlachta w okolicach Czehryna, jak i pomniejsi właściciele słobód, dzierżawcy ekonomii, ba! nawet ze służby Koniecpolskich, wszyscy wiedząc, jako zwyczajnie w sąsiedztwie, o zatargach Czaplińskiego z Chmielnickim, byli po stronie tego ostatniego. Chmielnicki bowiem miał sławę znamienitego żołnierza, któren niemałe zasługi w różnych wojnach położył. Wiedziano także, że sam król się z nim znosił i wysoce jego zdanie cenił, na całe zaś zajście patrzano tylko jak na zwykłą burdę szlachcica ze szlachcicem, jakich to burd na tysiące się liczyło, zwłaszcza w ziemiach ruskich. Stawano więc po stronie tego, kto sobie więcej przychylności zjednać umiał, nie przewidując, by z tego takie straszliwe skutki wyniknąć miały. Później dopiero zapłonęły serca nienawiścią ku Chmielnickiemu, ale zarówno serca szlachty i duchowieństwa obydwóch obrządków.

Przychodzili tedy do pana Skrzetuskiego z kwartami mówiąc: „Pij, panie bracie! Wypij i ze mną! — Niech żyją wiśniowiecczycy! Tak młody, a już porucznik u księcia. *Vivat* książę Jeremi, hetman nad hetmany! Z księciem Jeremim pójdziemy na kraj świata! — Na Turków i Tatarów! — Do Stambułu! Niech żyje miłościwie nam panujący Władysław IV!" Najgłośniej zaś krzyczał pan Zagłoba, który sam jeden gotów był cały regiment przepić i przegadać.

— Mości panowie! — wrzeszczał, aż szyby w oknach dzwoniły — pozwałem ja już jegomości sułtana do grodu za gwałt, którego się na mnie w Galacie dopuścił.

— Nie powiadajże waćpan lada czego, żeby ci się gęba nie wystrzępiła!

— Jak to, mości panowie? *Quatuor articuli judicii castrensis: stuprum, incendium, latrocinium et vis armata alienis aedibus illata* — a czyż nie była to właśnie *vis armata?*

— Krzykliwy z waści głuszec.

— I choćby do trybunału pójdę!

— Przestańże wasze...

— I kondemnatę uzyskam, i bezecnym go ogłoszę, a potem wojna, ale już z infamisem.

— Zdrowie waszmościów!

Niektórzy wszelako śmieli się, a z nimi i pan Skrzetuski, bo mu się z czupryny trochę kurzyło, szlachcic zaś tokował dalej naprawdę jak głuszec, który się własnym głosem upaja. Na szczęście dyskurs jego przerwany został przez innego szlachcica, który zbliżywszy się pociągnął go za rękaw i rzekł śpiewnym litewskim akcentem:

— Poznajomijże waćpan, mości Zagłobo, i mnie z panem namiestnikiem Skrzetuskim... poznajomijże!

— A i owszem, i owszem. Mości namiestniku, oto jest pan Powsinoga.

— Podbipięta — poprawił szlachcic.

— Wszystko jedno! herbu Zerwipludry...

— Zerwikaptur — poprawił szlachcic.

— Wszystko jedno. Z Psichkiszek.

— Z Myszykiszek — poprawił szlachcic.

— Wszystko jedno. *Nescio*, co bym wolał, czy mysie czy psie kiszki. Ale to pewna, żebym w żadnych mieszkać nie chciał, bo to i osiedzieć się tam niełatwo, i wychodzić niepolitycznie. Mości panie! — mówił dalej do Skrzetuskiego ukazując Litwina — oto tydzień już piję wino za pieniądze tego szlachcica, któren ma miecz za pasem równie ciężki jak trzos, a trzos równie ciężki jak dowcip. Ale jeślim pił kiedy wino za pieniądze większego cudaka, to pozwolę się nazwać takim kpem, jak ten, co mi wino kupuje.

— A to go objechał! — wołała śmiejąc się szlachta.

Ale Litwin nie gniewał się, kiwał tylko ręką, uśmiechał się łagodnie i powtarzał:

— At, dałbyś waćpan pokój... słuchać hadko!

Pan Skrzetuski przypatrywał się ciekawie tej nowej figurze, która istotnie zasługiwała na nazwę cudaka. Przede wszystkim był to mąż wzrostu tak wysokiego, że głową prawie powały dosięgał, a chudość nadzwyczajna wydawała go wyższym jeszcze. Szerokie jego ramiona i żylasty kark zwiastowały niepospolitą siłę, ale była na nim tylko skóra i kości. Brzuch miał tak wpadły pod piersią, że można by go wziąć za głodomora, lubo ubrany był dostatnio, w szarą opiętą kurtę ze świebodzińskiego sukna, z wąskimi rękawami, i wysokie szwedzkie buty, które na Litwie zaczynały wchodzić w użycie. Szeroki i dobrze wypchany łosiowy pas nie mając na czym się trzymać opadał mu aż na biodra, a do pasa przywiązany był krzyżacki miecz tak długi, że temu olbrzymiemu mężowi prawie do pachy dochodził.

Ale kto by się miecza przeląkł, wnet by się uspokoił spojrzawszy na twarz jego właściciela. Była to twarz chuda, również jak i cała osoba, ozdobiona dwiema zwiśniętymi ku dołowi brwiami i parą tak samo zwisłych konopnego koloru wąsów, ale tak poczciwa, tak szczera, jak u dziecka. Owa obwisłość wąsów i brwi nadawała jej wyraz stroskany, smutny i śmieszny zarazem. Wyglądał na człeka, którego ludzie popychają, ale panu Skrzetuskiemu podobał się z pierwszego wejrzenia za ową szczerość twarzy i doskonały moderunek żołnierski.

— Panie namiestniku — rzekł — to waszmość od księcia pana Wiśniowieckiego?

— Tak jest.

Litwin ręce złożył jako do modlitwy i oczy podniósł w górę.

— Ach, co to za wielki wojennik! co to za rycerz! co to za wódz!

— Daj Boże Rzeczypospolitej takich jak najwięcej.

— I pewno, i pewno! A czyby nie można do niego pod znak?

— Będzie waści rad.

Tu pan Zagłoba wtrącił się do rozmowy:

— Będzie miał książę dwa rożny do kuchni: jeden z waćpana, drugi z jego miecza, albo najmie waści za mistrza, albo każe na wasanu zbójów wieszać lub sukno na barwę będzie waspanem mierzył! Tfu, jak się waćpan nie wstydzisz, będąc człowiekiem i katolikiem, być tak długim, jak *serpens* lub jak pogańska włócznia!

— Słuchać hadko — rzekł cierpliwie Litwin.

— Jakże też godność waszeci? — spytał pan Skrzetuski — bo gdyś mówił, pan Zagłoba tak waści podrywał, że z przeproszeniem nic nie mogłem zrozumieć.

— Podbipięta.

— Powsinoga.

— Zerwikaptur z Myszykiszek.

— Masz babo pociechę! Piję jego wino, ale kpem jestem, jeśli to nie pogańskie imiona.

— Dawno waść z Litwy? — pytał namiestnik.

— At, już dwie niedziele w Czehrynie. Dowiedziawszy się od pana Zaćwilichowskiego, że waść tędy ciągnąć będziesz, czekam, by pod jego opieką księciu moje prośby przedstawić.

— Powiedzże mi waszmość, proszę, bom ciekaw, czemu też taki katowski miecz pod pachą nosisz?

— Nie katowski to, mości namiestniku, ale krzyżacki, a noszę, bo zdobyczny i dawno w rodzie. Już pod Chojnicami służył w litewskim ręku — tak i noszę.

— Ale to sroga machina i ciężka być musi okrutnie — chyba do obu rąk?

— Można do obu, można do jednej.

— Pokażże wasze!

Litwin wydobył i podał, ale panu Skrzetuskiemu ręka zwisła od razu. Ni się złożyć, ni cięcia wymierzyć swobodnie. Na dwie ręce poradził, ale jeszcze było za ciężko. Więc pan Skrzetuski zawstydził się trochę i zwróciwszy się do obecnych:

— No, mości panowie — rzekł — kto krzyż uczyni?

— My już próbowali — odrzekło kilkanaście głosów. — Jeden pan komisarz Zaćwilichowski podniesie, ale krzyża i on nie uczyni.

— No, a waćpan? — pytał pan Skrzetuski zwracając się do Litwina.

Szlachcic podniósł miecz jak trzcinę i machnął nim kilkanaście razy z największą łatwością, aż powietrze warczało w izbie, a wiatr powiał po twarzach.

— A niechże waści Bóg sekunduje! — zawołał Skrzetuski. — Pewną masz służbę u księcia pana!

— Bóg widzi, że jej pragnę, bo mi miecz w niej nie zardzewieje.

— Ale dowcip do reszty — rzekł pan Zagłoba — gdyż nie umiesz waść tak samo nim obracać.

Zaćwilichowski wstał i obaj z namiestnikiem zabierali się do odejścia, gdy naraz wszedł do izby biały jak gołąb człowiek i spostrzegłszy Zaćwilichowskiego rzekł:

— Mości chorąży komisarzu, ja tu do pana umyślnie!

Był to Barabasz, pułkownik czerkaski.

— To chodźże waszmość do mnie na kwaterę — rzekł Zaćwilichowski. — Tu już się tak ze łbów kurzy, że i świata nie widać.

Wyszli razem, a Skrzetuski z nimi. Zaraz za progiem Barabasz spytał:

— Czy nie ma wieści o Chmielnickim?

— Są. Uciekł na Sicz. Oto ten oficer spotkał go wczoraj na stepie.

— To nie wodą pojechał? Pchnąłem gońca do Kudaku, by go łapano, ale jeśli tak, to na próżno.

To rzekłszy Barabasz zatknął rękami oczy i począł powtarzać:

— Ej! spasi Chryste! spasi Chryste!

— Czego wać trwożysz?

— A czy waszmość wiesz, co on mi zdradą wydarł? Czy wiesz, co to znaczy takie dokumenta w Siczy opublikować? Spasi Chryste! Jeśli król wojny z bisurmanem nie uczyni, to iskra na prochy...

— Rebelię waszmość przepowiadasz?

— Nie przepowiadam, bo ją widzę, a Chmielnicki lepszy od Nalewajki i od Łobody.

— A kto za nim pójdzie?

— Kto? Zaporoże, regestrowi, mieszczanie, czerń, futornicy — i tacy ot!

Tu pan Barabasz wskazał na rynek i na uwijających się po nim ludzi. Cały rynek był zapchany wielkimi siwymi wołami pędzonymi ku Korsuniowi dla wojska, a przy wołach szedł mnogi lud pastuszy, tak zwani czabanowie, którzy całe życie w stepach i pustyniach spędzali — ludzie zupełnie dzicy, nie wyznający żadnej religii — *religionis nullius*, jak mówił wojewoda Kisiel. Spostrzegałeś między nimi postacie podobniejsze do zbójów niż do pasterzy, okrutne, straszne, pokryte łachmanami rozmaitych ubiorów. Większa ich część była przybrana w tołuby baranie albo w niewyprawne skóry wełną na wierzch, rozchełstane na przodzie i ukazujące, choć była to zima, nagą pierś spaloną od wiatrów stepowych. Każden zbrojny, ale w najrozmaitszą broń: jedni mieli łuki i sajdaki na plecach, niektórzy samopały albo tak zwane z kozacka „piszczele", inni szable tatarskie, inni kosy lub wreszcie tylko kije z przywiązaną na końcu szczęką końską. Między nimi kręcili się mało co mniej dzicy, choć lepiej zbrojni Niżowcy wiozący do obozu na sprzedaż rybę suszoną, zwierzynę i tłuszcz barani; dalej czumacy z solą, stepowi i leśni pasiecznicy oraz woskoboje z miodem, osadnicy leśni ze smołą i dziegciem; dalej chłopi z podwodami, Kozacy regestrowi, Tatarzy z Białogrodu i Bóg wie nie kto — włóczęgi — siromachy z końca świata. W całym mieście pełno było pijanych, w Czehrynie bowiem wypadał nocleg, więc i hulatyka przed nocą. Na rynku rozkładano ognie, gdzieniegdzie paliła się beczka ze smołą. Zewsząd dochodził gwar i wrzaski. Przeraźliwy głos piszczałek tatarskich i bębenków mieszał się z ryczeniem bydła i z łagodniejszymi głosami lir, przy których wtórze ślepcy śpiewali ulubioną wówczas pieśń:

Sokołe jasnyj,
Brate mij ridnyj,
Ty wysoko łetajesz,
Ty dałeko widajesz.

A obok tego rozlegały się dzikie okrzyki: „hu! ha! — hu! ha!", Kozaków tańczących na rynku trepaka, pomazanych dziegciem i pijanych zupełnie. Wszystko to razem było dzikie i rozszalałe. Dość było Zaćwilichowskiemu jednego spojrzenia, by się przekonać, że Barabasz miał słuszność, że lada podmuch mógł rozpętać te niesforne żywioły skłonne do grabieży, a przywykłe do boju, których pełno było na całej Ukrainie. A poza tymi tłumami stała jeszcze Sicz, stało Zaporoże od niedawna okiełznane i w karby po Masłowym Stawie ujęte, ale gryzące niecierpliwie munsztuk, pomne dawnych przywilejów, nienawidzące komisarzy, a stanowiące uorganizowaną siłę. Siła ta miała przecie za sobą sympatię niezmiernych mas chłopstwa mniej cierpliwego niż w innych Rzplitej stronach, bo mającego pod bokiem Czertomelik, a na nim bezpaństwo, rozbój i wolę. Więc pan chorąży, choć sam Rusin i gorliwy wschodniego obrządku stronnik, zadumał się smutno.

Jako człek stary, pamiętał dobrze czasy Nalewajki, Łobody, Kremskiego, znał ukraińskie rozbójnictwo lepiej może jak ktokolwiek na Rusi, a znając jednocześnie Chmielnickiego wiedział, że on wart dwudziestu Łobodów i Nalewajków. Zrozumiał tedy całe niebezpieczeństwo jego na Sicz ucieczki, zwłaszcza z listami królewskimi, o których pan Barabasz powiadał, że były pełne obietnic dla Kozaków i zachęcające ich do oporu.

— Mości pułkowniku czerkaski — rzekł do Barabasza — powinien byś waszmość na Sicz jechać, wpływy Chmielnickiego równoważyć i pacyfikować, pacyfikować!

— Mości chorąży — odparł Barabasz — powiem tylko tyle waszmości, że na samą wieść o ucieczce Chmielnickiego z papierami połowa moich czerkaskich ludzi dzisiejszej nocy także na Sicz za nim zbiegła. Moje czasy już minęły — mnie mogiła, nie buława!

Rzeczywiście Barabasz był żołnierz dobry, ale człowiek stary i bez wpływu.

Tymczasem doszli do kwatery Zaćwilichowskiego; stary chorąży odzyskał już trochę pogody umysłu właściwej jego gołębiej duszy i gdy zasiedli nad półgarncówką miodu, rzekł raźniej:

— Wszystko to furda, jeśli, jak mówią, wojna z bisurmanem *praeparatur*, a podobno że tak i jest, bo choć Rzeczpospolita wojny nie chce i niemało już sejmy królowi krwi napsuły, wszelako król może na swoim postawić. Cały ten ogień można będzie na Turka obrócić, a w każdym razie mamy przed sobą czas. Ja sam pojadę do pana krakowskiego i zdam mu sprawę, i będę prosił, by się jako najbliżej ku nam z wojskiem przymknął. Czy co wskóram, nie wiem, bo chociaż to pan mężny i wojownik doświadczony, ale okrutnie w swoim zdaniu i swoim wojsku dufny. Waść, mości pułkowniku czerkaski, trzymaj w ryzie Kozaków — a waszeć, mości namiestniku, po przybyciu do Łubniów ostrzeż księcia, by na Sicz baczność obrócił. Choćby mieli co począć — *repeto*: mamy czas. Na Siczy teraz ludzi niewiele: za rybą i za zwierzem się porozchodzili i po całej Ukrainie we wsiach siedzą. Nim się ściągną, dużo wody w Dnieprze upłynie. Przy tym imię księcia straszne i gdy się zwiedzą, że na Czertomelik oczy ma obrócone, może będą cicho siedzieli.

— Ja z Czehryna choćby we dwóch dniach ruszyć gotowy — rzekł namiestnik.

— To i dobrze. Dwa i trzy dni nic nie znaczą. Waszmość, panie czerkaski, pchnij też gońców z oznajmieniem sprawy do pana chorążego koronnego i do księcia Dominika. Ale waszmość już śpisz, jak widzę?

Rzeczywiście, Barabasz złożył ręce na brzuchu i zdrzemnął się głęboko; po chwili nawet chrapać zaczął. Stary pułkownik, gdy nie jadł i nie pił, co oboje nad wszystko lubił, to spał.

— Patrz, waszeć — rzekł cicho do namiestnika Zaćwilichowski — i przez takiego to starca warszawscy statyści chcieliby Kozaków w ryzie utrzymać. Bóg z nimi! Ufali też i samemu Chmielnickiemu, z którym kanclerz w jakoweś układy wchodził, a któren podobno srodze ufność zawiedzie.

Namiestnik westchnął na znak współczucia staremu chorążemu. Barabasz zaś chrapnął silniej, a potem mruknął przez sen:

— Spasi Chryste! spasi Chryste!

— Kiedyż waść myślisz z Czehryna ruszyć? — spytał chorąży.

— Wypada mi ze dwa dni Czaplińskiemu poczekać, któren pewnie będzie chciał konfuzji, jaka go spotkała, dochodzić.

— Nie uczyni tego. Prędzej by na waści sług swoich nasłał, gdybyś barwy książęcej nie nosił — ale z księciem zadrzeć straszna rzecz nawet dla sługi Koniecpolskich.

— Oznajmię mu, że czekam, a w dwa lub w trzy dni ruszę. Zasadzki też nie obawiam się mając przy boku szablę i garść ludzi.

To rzekłszy namiestnik pożegnał starego chorążego i wyszedł.

Nad miastem świeciła tak jasna łuna od stosów nałożonych na rynku, że rzekłbyś: cały Czehryn się pali, a gwar i krzyki wzmogły się jeszcze z nastaniem nocy. Żydzi nie wychylali się wcale ze swych domostw. W jednym kącie tłumy czabanów wyły posępne pieśni stepowe. Dzicy Zaporożcy tańczyli koło ognisk rzucając w górę czapki, paląc z piszczeli i pijąc kwartami gorzałkę. Tu i ówdzie zrywała się bijatyka, którą uśmierzali ludzie starostki. Namiestnik musiał torować sobie drogę rękojeścią szabli i słuchając tych wrzasków i szumu kozaczego, chwilami myślał sobie, że to już rebelia tak przemawia. Zdawało mu się także, że widzi groźne spojrzenia i słyszy ciche, zwracane ku sobie klątwy. W uszach brzęczały mu jeszcze słowa Barabasza: „Spasi Chryste, spasi Chryste!", i serce biło mu żywiej.

A tymczasem w mieście czabanowie zawodzili coraz głośniej chorowody, a Zaporożcy palili z samopałów i kąpali się w gorzałce.

Strzelanina i dzikie „u-ha! u-ha!" dochodziły do uszu namiestnika nawet wówczas, gdy już położył się spać w swojej kwaterze.

Rozdział III

W kilka dni później poczet naszego namiestnika posuwał się raźno w stronę Łubniów. Po przeprawie przez Dniepr szli szeroką drogą stepową, która łączyła Czehryn z Łubniami idąc na Żuki, Semi-Mogiły i Chorol. Drugi taki gościniec wiódł ze stolicy książęcej do Kijowa. Za dawniejszych czasów, przed rozprawą hetmana Żółkiewskiego pod Sołonicą, dróg tych nie było wcale. Do Kijowa jechało się z Łubniów stepem i puszczą; do Czehryna była droga wodna — z powrotem zaś jeżdżono na Chorol.

W ogóle zaś owe naddnieprzańskie państwo — stara ziemia połowiecka — była pustynią mało co więcej od Dzikich Pól zamieszkaną, przez Tatarów często zwiedzaną, dla watah zaporoskich otwartą.

Nad brzegami Suły szumiały ogromne, prawie stopą ludzką nie dotykane lasy — miejscami, po zapadłych brzegach Suły, Rudej, Śleporodu, Korowaja, Orżawca, Pszoły i innych większych i mniejszych rzek i przytoków, tworzyły się mokradła zarośnięte częścią gęstwiną krzów i borów, częścią odkryte, pod postacią łąk. W tych borach i bagniskach znajdował łatwy przytułek zwierz wszelkiego rodzaju; w najgłębszych mrokach leśnych żyła moc niezmierna turów brodatych, niedźwiedzi i dzikich świń, a obok nich liczna szara gawiedź wilków, rysiów, kun, stada sarn i kraśnych suhaków; w bagniskach i w łachach rzecznych bobry zakładały swoje żeremia, o których to bobrach chodziły wieści na Zaporożu, że są między nimi stuletnie starce, białe jak śnieg ze starości.

Na wysokich, suchych stepach bujały stada koni dzikich o kudłatych głowach i krwawych oczach. Rzeki roiły się rybą i ptactwem wodnym. Dziwna to była ziemia, na wpół uśpiona, ale nosząca ślady dawniejszego życia ludzkiego. Wszędzie pełno popieliszcz po jakichś przedwiecznych grodach; same Łubnie i Chorol były z takich popieliszcz podniesione; wszędzie pełno mogił nowszych i starszych, porosłych już borem. I tu, jak na Dzikich Polach, nocami wstawały duchy i upiory, a starzy Zaporożcy opowiadali sobie przy ogniskach dziwy o tym, co się czasami działo w owych głębinach leśnych, z których dochodziły wycia nie wiadomo jakich zwierząt, krzyki półludzkie, półzwierzęce, gwary straszne, jakoby bitew lub łowów. Pod wodami odzywały się dzwony potopionych miast. Ziemia była mało gościnna i mało dostępna, miejscami zbyt rozmiękła, miejscami cierpiąca na brak wód, spalona, sucha a do mieszkania niebezpieczna, osadników bowiem, gdy się jako tako osiedli i zagospodarowali, ścierały napady tatarskie. Odwiedzali ją tylko często Zaporożcy dla gonów bobrowych, dla zwierza i ryby, w czasie bowiem pokoju większa część Niżowców rozłaziła się z Siczy na łowy, czyli, jak mówiono, na „przemysł" po wszystkich rzekach, jarach, lasach i komyszach, bobrując w miejscach, o których istnieniu nawet mało kto wiedział.

Jednakże i życie osiadłe próbowało uwiązać się do tych ziem jak roślina, która próbuje, gdzie może, chwycić się gruntu korzonkami i raz wraz wyrywana, gdzie może, odrasta.

Powstawały na pustkach grody, osady, kolonie, słobody i futory. Ziemia była miejscami żywna, a nęciła swoboda. Ale wtedy dopiero zakwitło życie, gdy ziemie te przeszły w ręce kniaziów Wiśniowieckich. Kniaź Michał po ożenieniu się z Mohilanką począł starowniej urządzać swoje zadnieprzańskie państwo; ściągał ludzi, osadzał pustki, zapewniał swobody do lat trzydziestu, budował monastery i wprowadzał prawo swoje książęce. Nawet taki osadnik, który przymknął do tych ziem nie wiadomo kiedy i sądził, że siedzi na własnym gruncie, chętnie schodził do roli kniaziowego czynszownika, gdyż za ów czynsz szedł pod potężną książęcą opiekę, która go ochraniała, broniła od Tatarów i od gorszych nieraz od Tatarów Niżowców. Ale prawdziwe życie zakwitło dopiero pod żelazną ręką młodego księcia Jeremiego. Za Czehrynem zaraz zaczynało się jego państwo, a kończyło het! aż pod Konotopem i Romnami. Nie stanowiło ono całej kniaziowej fortuny, bo od województwa sandomierskiego począwszy ziemie jego leżały w województwach: wołyńskim, ruskim, kijowskim, ale naddnieprzańskie państwo było okiem w głowie zwycięzcy spod Putywla.

Tatar długo czyhał nad Orłem, nad Worsklą i wietrzył jak wilk, nim ośmielił się na północ konia popędzić; Niżowcy nie próbowali zatargu. Miejscowe niespokojne watahy poszły w służbę. Dziki i rozbójniczy lud, żyjący dawniej z gwałtów i napadów, teraz ujęty w karby, zajmował „polanki" na rubieżach i leżąc na granicach państwa jak brytan na łańcuchu groził zębem najeźdźcy.

Toż zakwitło i zaroiło się wszystko. Pobudowano drogi na śladach dawnych gościńców; rzeki ujęto groblami, które sypał niewolnik Tatar lub Niżowiec schwytany z bronią w ręku na rozboju. Tam, gdzie niegdyś wiatr grywał dziko nocami na oczeretach i wyły wilki i topielcy, teraz hurkotały młyny. Przeszło czterysta kół, nie licząc rzęsiście rozsianych wiatraków, mełło zboże na samym Zadnieprzu. Czterdzieści tysięcy czynszowników wnosiło czynsz do kas książęcych, lasy zaroiły się pasiekami, na rubieżach powstawały wsie coraz nowe, futory, słobody. Na stepach, obok tabunów dzikich, pasły się całe stada swojskiego bydła i koni. Nieprzejrzany, jednostajny widok borów i stepów ubarwił się dymami chat, złoconymi wieżami cerkwi i kościołów — pustynia zamieniła się w kraj dość ludny.

Jechał tedy pan namiestnik Skrzetuski wesoło i nie śpiesząc się, jakoby swoją ziemią, mając po drodze wszelkie wczasy zapewnione. Był to dopiero początek stycznia 48 roku, ale dziwna, wyjątkowa zima nie dawała się wcale we znaki. W powietrzu tchnęła wiosna; ziemia rozmiękła i przeświecała wodą roztopów; na polach zieleniała ruń, a słońce dogrzewało tak mocno, że w podróży o południu kożuchy prażyły grzbiet jak latem.

Orszak namiestnika zwiększył się znacznie, w Czehrynie bowiem przyłączyło się do niego poselstwo wołoskie, które hospodar do Łubniów wysłał w osobie pana Rozwana Ursu. Przy poselstwie było kilkunastu karałaszów eskorty i wozy z czeladzią. Prócz tego z namiestnikiem jechał nasz znajomy pan Longinus Podbipięta herbu Zerwikaptur ze swoim długim mieczem pod pachą i z kilkoma czeladzi służbowej.

Słońce, cudna pogoda i woń zbliżającej się wiosny napawały wesołością serca, a namiestnik tym był weselszy, że wracał z długiej podróży pod dach książęcy, który był zarazem jego dachem, wracał sprawiwszy się dobrze, więc i przyjęcia dobrego pewny.

Ale wesołość jego miała i inne powody.

Oprócz łaski księcia, którego namiestnik z całej duszy kochał, czekały go w Łubniach jeszcze i pewne czarne oczy, tak słodkie jak miód.

Oczy te należały do Anusi Borzobohatej-Krasieńskiej, panienki respektowej księżny Gryzeldy, najpiękniejszej dziewczyny z całego fraucymeru, bałamutki wielkiej, za którą przepadali wszyscy w Łubniach, a ona za nikim. U księżny Gryzeldy mores był wielki i surowość obyczajów niepomierna, co jednak nie przeszkadzało młodym spoglądać na się jarzącymi oczyma i wzdychać. Pan Skrzetuski posyłał tedy swoje westchnienia ku czarnym oczom na równi z innymi, a gdy bywało, zostawał sam w swojej kwaterze, wówczas chwytał lutnię w rękę i śpiewywał:

> Tyś jest specjał nad specjały...

lub też:

> Jak tatarska orda
> Bierzesz w jasyr *corda*!

Ale że to był człek wesoły i przy tym żołnierz wielce w swym zawodzie zamiłowany, więc nie brał zbyt do serca tego, że Anusia uśmiechała się tak samo do niego, jak i do pana Bychowca z chorągwi wołoskiej, jak do pana Wurcla z artylerii, jak do pana Wołodyjowskiego z dragonów, a nawet do pana Baranowskiego z husarii, chociaż ten ostatni był już dobrze szpakowaty i szeplenił mając podniebienie potrzaskane kulą z samopału. Nasz namiestnik bił się już nawet raz z panem Wołodyjowskim w szable o Anusię, ale gdy przyszło za długo siedzieć w Łubniach bez jakowejś wyprawy na Tatarów, to sobie nawet i przy Anusi przykrzył, a gdy przyszło ciągnąć — to ciągnął z ochotą, bez żalu, bez wspominków.

Za to też i witał z radością. Teraz więc oto wracając z Krymu po pomyślnym rzeczy załatwieniu podśpiewywał wesoło i czwanił koniem, jadąc obok pana Longinusa, który siedząc na ogromnej inflanckiej kobyle strapiony był i smutny jak zawsze. Wozy poselstwa, karałasze i eskorta zostały znacznie za nimi.

— Jegomość poseł leży na wozie jak kawał drzewa i śpi ciągle — rzekł namiestnik. — Cudów mi naprawił o swojej Wołoszczyźnie, aż i ustał. Jam też słuchał z ciekawością. Nie ma co! kraj bogaty, klima przednie, złota, wina, bakaliów i bydła dostatek. Pomyślałem sobie tedy, że nasz książę rodzi się z Mohilanki i że ma takie dobre prawo do hospodarskiego tronu, jak kto inny, których praw przecie książę Michał dochodził. Nie nowina to naszym paniętom Wołoszczyzna. Bijali już tam i Turków, i Tatarów, i Wołochów, i Siedmiogrodzian...

— Ale lud tam miększy niż u nas, o czym mi i pan Zagłoba w Czehrynie opowiadał — rzekł pan Longinus — a gdybym jemu nie wierzył, to tedy w książkach od nabożeństwa potwierdzenie tej prawdy się znajduje.

— Jak to w książkach?

— Ja sam mam taką i mogę ją waszmości pokazać, bo ją zawsze wożę ze sobą.

To rzekłszy odpiął troki przy terlicy i wydobywszy niewielką książeczkę, starannie w cielę oprawioną, naprzód ucałował ją pobożnie, potem przewróciwszy kilkanaście kartek rzekł:

— Czytaj waść.

Pan Skrzetuski rozpoczął:

— „Pod Twoją obronę uciekamy się, Święta Boża Rodzicielko..." Gdzież zaś tu jest o Wołochach? co waść mówisz! — to antyfona!

— Czytaj waść dalej.

— „...Abyśmy się stali godnymi obietnic Pana Chrystusowych. Amen".

— No, a teraz pytanie...

Skrzetuski czytał:

— „Pytanie: Dlaczego jazda wołoska zowie się lekką? Odpowiedź: Bo lekko ucieka. Amen". — Hm! prawda! Wszelako w tej książce dziwne jest materii pomieszanie.

— Bo to jest książka żołnierska, gdzie obok modlitw rozmaite *instructiones militares* są przyłączone, z których nauczysz się waść o wszystkich nacjach, która z nich zacniejsza, która podła; co do Wołochów zaś, to się pokazuje, iż tchórzliwe z nich pachołki, a przy tym zdrajcy wielcy.

— Że zdrajcy, to pewno, bo pokazuje się to i z przygód księcia Michała. Co prawda, to i ja słyszałem, iż żołnierz to z przyrodzenia nieszczególny. Ma przecie książę jegomość chorągiew wołoską bardzo przednią, w której pan Bychowiec porucznikuje, ale *stricte* to w owej wołoskiej chorągwi nie wiem, czy i dwudziestu Wołochów się znajduje.

— Jak też waszmość myślisz, panie namiestniku, siła książę ma ludzi pod bronią?

— Będzie z ośm tysięcy nie licząc Kozaków, co po pałankach stoją. Ale powiadał mi Zaćwilichowski, że teraz nowe zaciągi są czynione.

— To może Bóg da jakową wyprawę pod księciem panem?

— Tak mówią, że wielka wojna z Turczynem się gotuje i że sam król z całą potęgą Rzplitej ma ruszyć. Wiem też, że upominki Tatarom są wstrzymane, którzy przecie od strachu nie śmią zagonów ruszyć. O tym słyszałem i w Krymie, gdzie bodaj dlatego przyjmowano mnie tak *honeste*, bo jest wieść, że gdy król z hetmany pociągnie, książę ma na Krym uderzyć i całkiem Tatarów zetrzeć. Jakoż to jest pewne, że takowej imprezy innemu nie powierzą.

Pan Longinus podniósł do góry ręce i oczy.

— Dajże, Boże miłosierny, daj takową świętą wojnę na chwałę chrześcijaństwu i naszemu narodowi, a mnie grzesznemu pozwól w niej wota moje spełnić, abym *in luctu* mógł być pocieszony albo też śmierć chwalebną znaleźć!

— To waść ślub wedle wojny uczynił?

— Tak zacnemu kawalerowi wszystkie arkana duszy mojej otworzę, choć siła mówić, ale gdy waćpan ucha chętnego skłaniasz, przeto *incipiam*: Wiesz waszmość, że herb mój zwie się Zerwikaptur, co z takowej przyczyny pochodzi, że gdy jeszcze pod Grunwaldem przodek mój Stowejko Podbipięta ujrzał trzech rycerzy w mniszych kapturach w szeregu jadących, zajechawszy ich, ściął wszystkich trzech od razu, o którym to sławnym czynie stare kroniki piszą z wielką dla przodka mego chwałą...

— Nie lżejszą miał on przodek od waści rękę, ale i słusznie Zerwikapturem go nazwali.

— Któremu też król herb nadał, a w nim trzy kozie głowy w srebrnym polu na pamiątkę owych rycerzy, gdyż takie same głowy były na ich tarczach wyobrażone. Ten herb wraz z tym tu oto mieczem przodek mój Stowejko Podbipięta przekazał potomkom swoim z zaleceniem, by starali się splendor rodu i miecza podtrzymać.

— Nie ma co mówić, z grzecznego rodu waszmość pochodzisz!

Tu pan Longinus zaczął wzdychać rzewnie, a gdy na koniec ulżyło mu trochę, tak mówił dalej:

— Będąc tedy z rodu ostatni, ślubowałem w Trokach Najświętszej Pannie żyć w czystości i nie prędzej stanąć na ślubnym kobiercu, póki za sławnym przykładem przodka mego Stowejki Podbipięty trzech głów tymże samym mieczem od jednego zamachu nie zetnę. O Boże miłosierny, widzisz, żem wszystko uczynił, co było w mocy mojej! Czystości dochowałem do dnia dzisiejszego, sercu czułemu milczeć kazałem, wojny szukałem i walczyłem, ale szczęścia nie miałem...

Porucznik uśmiechnął się pod wąsem.

— I nie ściąłeś waćpan trzech głów?

— Ot! nie zdarzyło się! Szczęścia nie ma! Po dwie naraz nieraz bywało, ale trzech nigdy. Nie udało się zajechać, a trudno prosić wrogów, by się ustawili równo do cięcia. Bóg jeden widzi moje smutki: siła w kościach jest, fortuna jest... ale *adolescentia* uchodzi, czterdziestu pięciu lat dobiegam, serce do afektów się wyrywa, ród ginie, a trzech głów jak nie ma, tak nie ma!... Taki i Zerwikaptur ze mnie. Pośmiewisko dla ludzi, jak słusznie mówi pan Zagłoba, co wszystko cierpliwie znoszę i Panu Jezusowi ofiaruję.

Litwin począł znowu tak wzdychać, że aż i jego inflancka kobyła, widać ze współczucia dla swego pana, jęła stękać i chrapać żałośnie.

— To tylko mogę waszmości powiedzieć — rzekł namiestnik — iż jeśli pod księciem Jeremim nie znajdziesz okazji, to chyba nigdy.

— Daj Boże! — odparł pan Longinus. — Dlatego i jadę prosić o łaskę księcia pana.

Dalszą rozmowę przerwał im nadzwyczajny łopot skrzydeł. Jako się rzekło, zimy tej ptactwo nie szło za morza, rzeki nie zamarzały, przeto szczególniej wodnego ptactwa wszędzie było pełno nad błotami. Właśnie w tej chwili porucznik z panem Longinem zbliżyli się do brzegu Kahamliku, gdy nagle zaszumiało im nad głowami całe stado żurawi, które przeciągały tak nisko, że można by niemal kijem do nich dorzucić. Stado leciało z wrzaskiem okrutnym i zamiast zapaść w oczerety, podniosło się niespodziewanie w górę.

— Mkną jakby gonione — rzekł pan Skrzetuski.

— A o! widzisz waść — rzekł pan Longinus ukazując na białego ptaka, który tnąc powietrze ukośnym lotem starał się podlecieć pod stado.

— Raróg, raróg! przeszkadza im zapaść! — wołał namiestnik. — Poseł ma rarogi — musiał puścić.

W tej chwili pan Rozwan Ursu nadjechał pędem na czarnym anatolskim dzianecie, a za nim kilku karałaszów służbowych.

— Panie poruczniku, proszę na zabawę — rzekł.

— Czy to raróg waszej cześci?

— Tak jest, i zacny bardzo, zobaczysz waść...

Popędzili naprzód we trzech, a za nimi Wołoch sokolniczy z obręczą, który utkwiwszy oczy w ptaki, krzyczał z całych sił, zachęcając raroga do walki.

Dzielny ptak zmusił już tymczasem stado do podniesienia się w górę, potem sam wzbił się jak błyskawica jeszcze wyżej i zawisł nad nim. Żurawie zbiły się w jeden ogromny wir szumiący jak burza skrzydłami. Groźne wrzaski napełniały powietrze. Ptaki powyciągały szyje, powytykały ku górze dzioby jak włócznie i czekały ataku.

Raróg tymczasem krążył nad nimi. To zniżał się, to podnosił, jak gdyby wahał się runąć na dół, gdzie na pierś jego czekało sto ostrych dziobów. Jego białe pióra, oświecone słońcem, błyszczały jak samo słońce na pogodnym błękicie nieba.

Nagle, zamiast rzucić się na stado, pomknął jak strzała w dal i wkrótce zniknął za kępami drzew i oczeretów.

Pierwszy Skrzetuski ruszył za nim z kopyta. Poseł, sokolnik i pan Longinus poszli za jego przykładem.

Wtem na skręcie drogi namiestnik wstrzymał konia, gdyż nowy a dziwny widok uderzył jego oczy. W pośrodku gościńca leżała na boku kolaska ze złamaną osią. Odprzężone konie trzymało dwóch kozaczków. Woźnicy nie było wcale, widocznie odjechał w celu szukania pomocy. Przy kolasce stały dwie niewiasty, jedna ubrana w lisi tołub i takąż czapkę z okrągłym dnem, twarzy surowej, męskiej; druga była to młoda panna wzrostu wyniosłego, rysów pańskich i bardzo foremnych. Na ramieniu tej młodej pani siedział spokojnie raróg i rozstrzępiwszy pióra na piersiach muskał je dziobem.

Namiestnik osadził konia, aż kopyta wryły się w piasek gościńca, i rękę podniósł do czapki zmieszany i nie wiedzący, co ma mówić: czy witać, czy o raroga się dopominać? Zmieszany był jeszcze i dlatego, że spod kuniego kapturka spojrzały nań takie oczy, jakich jak życie swoje nie widział, czarne, aksamitne, a łzawe, a mieniące się, a ogniste, przy których oczy Anusi Borzobohatej zgasłyby jak świeczki przy pochodniach. Nad tymi oczami jedwabne ciemne brwi rysowały się dwoma delikatnymi łukami, zarumienione policzki kwitnęły jak kwiat najpiękniejszy, przez malinowe wargi, trochę otwarte, widniały ząbki jak perły, spod kapturka spływały bujne czarne warkocze. „Czy Juno we własnej osobie, czy inne jakoweś bóstwo?" — pomyślał namiestnik widząc ten wzrost strzelisty, pierś wypukłą i tego białego sokoła na ramieniu. Stał tedy nasz porucznik bez czapki i zapatrzył się jak w cudowny obraz, i tylko oczy mu się świeciły, a za serce chwytało go coś jak ręką. I już miał rozpocząć mowę od słów: „Jeśliś jest śmiertelną istotą, a nie bóstwem..." — gdy w tej chwili nadjechał poseł i pan Longinus, a z nimi sokolnik z obręczą. Co widząc bogini nadstawiła rarogowi rękę, na której ten zaraz, zszedłszy z ramienia, usadowił się przestępując z nogi na nogę. Namiestnik uprzedzając sokolniczego chciał zdjąć ptaka, gdy nagle stał się dziwny omen. Oto raróg, pozostawiwszy jedną nogę na ręku panny, drugą chwycił się namiestnikowej dłoni i zamiast przesiąść się, począł kwilić radośnie i przyciągać te ręce ku sobie tak silnie, że się musiały zetknąć. Po namiestniku mrowie przeszło, raróg zaś dopiero wtedy dał się przenieść na obręcz, gdy sokolnik nałożył mu kaptur na głowę. A wtem starsza pani poczęła wyrzekać:

— Rycerze! — mówiła — ktokolwiek jesteście, nie odmawiajcie pomocy białogłowom, które zostawszy na drodze bez pomocy, same nie wiedzą, co począć. Do domu nam już nie dalej jak trzy mile, ale w kolasce osie popękały i chyba nam nocować w polu przyjdzie; woźnicę posłałam do synów, by nam choć wóz przysłali, ale nim woźnica dojedzie i wróci, ciemno będzie, a na tym uroczysku strach zostać, bo tu w pobliżu mogiły.

Stara szlachcianka mówiła prędko i głosem tak grubym, że namiestnik aż się zadziwił, wszelako odrzekł grzecznie:

— Nie dopuszczajże jejmość tej myśli, byśmy panią i nadobną jej córkę mieli bez pomocy zostawić. Jedziemy do Łubniów, gdyż żołnierzami w służbie J. O. księcia Jeremiego jesteśmy, i podobno nam droga w jedną stronę wypada, a choćby też nie, to zboczymy chętnie, byle się nasza asystencja nie uprzykrzyła. Co zaś do wozów, to ich nie mam, bo z towarzyszami po żołniersku komunikiem idę, ale pan poseł ma i tuszę, że jako uprzejmy kawaler, chętnie nimi pani i jejmościance służyć będzie.

Poseł uchylił sobolowego kołpaka, gdyż znając mowę polską, zrozumiał, o co idzie, i zaraz z pięknym komplimentem, jako grzeczny bojar, wystąpił, po czym rozkazał sokolniczemu skoczyć po wozy, które były znacznie z tyłu zostały. Przez ten czas namiestnik patrzył na pannę, która pożerczego wzroku jego znieść nie mogąc opuściła oczy na ziemię, a dama o kozackim obliczu tak mówiła dalej:

— Niech Bóg zapłaci imć panom za pomoc. A że do Łubniów droga jeszcze daleka, nie pogardzicie moim i moich synów dachem, pod którym radzi wam będziem. My z Rozłogów-Siromachów, ja wdowa po kniaziu Kurcewiczu Bułyże, a to nie jest moja córka, jeno córka po starszym Kurcewiczu, bracie mego męża, któren sierotę swą nam na opiekę oddał. Synowie moi teraz w domu, a ja wracam z Czerkas, gdziem się do ołtarza Świętej-Przeczystej ofiarowała. Aż oto w powrocie spotkał nas ten wypadek i gdyby nie polityka waszmościów, chybaby na drodze nocować przyszło.

Kniaziowa mówiłaby jeszcze dłużej, ale wtem z dala

pokazały się wozy nadjeżdżające kłusem wśród gromady karałaszów poselskich i żołnierzy pana Skrzetuskiego.

— To jejmość pani wdowa po kniaziu Wasylu Kurcewiczu? — spytał namiestnik.

— Nie! — zaprzeczyła żywo i jakby gniewliwie kniahini. — Jam wdowa po Konstantynie, a to jest córka Wasyla, Helena — rzekła wskazując pannę.

— O kniaziu Wasylu wiele w Łubniach rozpowiadają. Był to żołnierz wielki i nieboszczyka księcia Michała zaufany.

— W Łubniach nie byłam — rzekła z pewną wyniosłością Kurcewiczowa — i o jego żołnierstwie nie wiem, a o późniejszych postępkach nie ma co wspominać, gdyż i tak wszyscy o nich wiedzą.

Słysząc to kniaziówna Helena zwiesiła głowę na piersi właśnie jak kwiat podcięty kosą, a namiestnik odparł żywo:

— Tego waćpani nie mów. Kniaź Wasyl, przez straszliwy *error* sprawiedliwości ludzkiej skazany na utratę gardła i mienia, musiał się ucieczką salwować, ale później wykryła się jego niewinność, którą też promulgowano i do sławy go jako cnotliwego męża przywrócono; a sława tym większą być powinna, im większą była krzywda.

Kniahini spojrzała bystro na namiestnika, a w jej nieprzyjemnym, ostrym obliczu gniew odbił się wyraźnie. Ale pan Skrzetuski, choć człowiek młody, tyle miał w sobie jakowejś powagi rycerskiej i tak jasne wejrzenie, że mu zaoponować nie śmiała, natomiast zwróciła się do kniaziówny Heleny:

— Waćpannie tego słuchać nie przystoi. Idź oto dopilnuj, aby toboły z kolaski były przełożone na wozy, na których z pozwoleniem ichmościów siedzieć będziem.

— Pozwolisz jejmość panna pomóc sobie — rzekł namiestnik.

Poszli oboje ku kolasce, ale skoro tylko stanęli naprzeciw siebie po obu stronach jej drzwiczek, jedwabne frędzle oczu kniaziówny podniosły się i wzrok jej padł na twarz porucznika jakoby jasny, ciepły promień słoneczny.

— Jakże mam waszmości panu dziękować... — rzekła głosem, któren namiestnikowi wydał się tak słodką muzyką, jak dźwięczenie lutni i fletów — jakże mam dziękować, żeś się za sławę ojca mego ujął i za tę krzywdę, która go od najbliższych krewnych spotyka.

— Mościa panno! — odpowiedział namiestnik, a czuł, że serce tak mu taje, jako śnieg na wiosnę.— Tak mi Pan Bóg dopomóż, jakobym dla takiej podzięki w ogień skoczyć gotowy albo zgoła krew przelać, ale gdy ochota tak wielka, przeto zasługa mniejsza, dla której małości nie godzi mi się dziękczynnego żołdu z ust imć panny przyjmować.

— Jeżeli waszmość pan nim pogardzasz, to jako uboga sierota, nie mam jak inaczej wdzięczności mojej okazać.

— Nie pogardzam ja nim — mówił ze wzrastającą siłą namiestnik — ale na tak wielki fawor zarobić długą i wierną służbą pragnę i o to tylko proszę, abyś mnie imć panna przyjąć na ową służbę raczyła.

Kniaziówna słysząc te słowa zapłoniła się, zmieszała, potem przybladła nagle i ręce do twarzy podnosząc odrzekła żałosnym głosem:

— Nieszczęście by chyba waćpanu taka służba przynieść mogła.

A namiestnik przechylił się przez drzwiczki kolaski i tak mówił z cicha a tkliwie:

— Przyniesie, co Bóg da, a choćby też i ból, przeciem ja do nóg waćpanny upaść i prosić o nią gotowy.

— Nie może to być, rycerzu, abyś waćpan dopiero mnie ujrzawszy, tak wielką miał do onej służby ochotę.

— Ledwiem cię ujrzał, jużem o sobie zgoła zapomniał i widzę, że wolnemu dotąd żołnierzowi chyba w niewolnika zmienić się przyjdzie, ale taka widać wola boża. Afekt jest jako strzała, która niespodzianie pierś przeszywa, i oto czuję jej grot, choć wczoraj sam bym nie wierzył, gdyby mi kto powiadał.

— Jeślibyś waszmość wczoraj nie wierzył, jakże ja uwierzyć dzisiaj mogę?

— Czas o tym najlepiej waćpannę przekona, a szczerości choćby zaraz nie tylko w słowach, ale i w obliczu dopatrzyć się możesz.

I znowu jedwabne zasłony oczu kniaziówny podniosły się, a wzrok jej napotkał męskie i szlachetne oblicze młodego żołnierza i spojrzenie tak pełne zachwytu, że ciemny rumieniec pokrył jej twarz. Ale nie spuszczała już wzroku ku ziemi i przez chwilę on pił słodycz jej cudnych oczu. I tak patrzyli na siebie, jak dwie istoty, które spotkawszy się choćby na gościńcu na stepie, czują, że się wybrały od razu, i których dusze poczynają zaraz lecieć wzajemnie ku sobie jak dwa gołębie.

Aż tę chwilę zachwytu przerwał im ostry głos kniahini Konstantowej wołającej na kniaziównę. Wozy nadeszły. Karałasze poczęli przenosić na nie pakunki z kolaski i za chwilę wszystko było gotowe.

Pan Rozwan Ursu, grzeczny bojar, ustąpił obydwom niewiastom własnej kolaski, namiestnik siadł na koń. Ruszono w drogę.

Dzień też miał się już ku spoczynkowi. Rozlane wody Kahamliku świeciły złotem od zachodzącego słońca i purpury zorzy. Wysoko na niebie ułożyły się stada lekkich chmurek, które czerwieniejąc stopniowo, zsuwały się z wolna ku krańcom widnokręgu, jakby zmęczone lataniem po niebie, szły spać gdzieś do nieznanej kolebki. Pan Skrzetuski jechał po stronie kniaziówny, ale nie zabawiał jej rozmową, bo tak z nią mówić, jak przed chwilą, przy obcych nie mógł, a błahe słowa nie chciały mu się przez usta przecisnąć. W sercu jeno czuł błogość, a w głowie szumiało mu coś jak wino.

Cała karawana poruszała się raźno naprzód, a ciszę przerywało tylko parskanie koni lub brzęk strzemienia o strzemię. Potem karałasze poczęli na tylnych wozach smutną pieśń wołoską, wkrótce jednak ustali, a natomiast rozległ się nosowy głos pana Longina śpiewającego pobożnie: „Jam sprawiła na niebie, aby wschodziła światłość nieustająca, i jako mgła — pokryłam wszystką ziemię". Tymczasem ściemniało. Gwiazdki zamigotały na niebie, a z wilgotnych łąk wstały białe tumany jako morza bez końca.

Wjechali w las, ale zaledwie ujechali kilka staj, gdy dał się słyszeć tętent koni i pięciu jeźdźców ukazało się przed karawaną. Byli to młodzi kniaziowie, którzy zawiadomieni przez woźnicę o wypadku, jaki spotkał matkę, śpieszyli na jej spotkanie prowadząc z sobą wóz zaprzężony w cztery konie.

— Czy to wy, synkowie? — wołała stara kniahini.

Jeźdźcy przybliżyli się do wozów.

— My, matko!

— Bywajcie! Dzięki tym oto ichmościom nie potrzebuję już pomocy. To moi synkowie, których polecam łasce mości panów: Symeon, Jur, Andrzej i Mikołaj — a to kto piąty? — rzekła przypatrując się pilniej — hej! jeśli stare oczy widzą po ciemku, to Bohun — co?

Kniaziówna cofnęła się nagle w głąb kolaski.

— Czołem wam, kniahini, i wam, kniaziówno Heleno! — rzekł piąty jeździec.

— Bohun! — mówiła stara. — Od pułku przybyłeś, sokole? A z teorbanem? Witajże, witaj! Hej, synkowie! Prosiłam już ichmościów panów na nocleg do Rozłogów, a teraz wy im się pokłońcie! Gość w dom, Bóg w dom! Bądźcież ichmościowie na nasz dom łaskawi.

Bułyhowie uchylili czapek.

— Prosimy pokornie waszmościów w niskie progi.

— Już mi też obiecali i jego wysokość pan poseł, i imć pan namiestnik. Zacnych kawalerów będziemy przyjmowali, tylko że przywykłym do specjałów na dworach, nie wiem, czyli będzie smakowała nasza uboga pasza.

— Na żołnierskim my chlebie, nie na dworskim chowani — rzekł pan Skrzetuski.

A pan Rozwan Ursu dodał:

— Próbowałem ja już gościnnego chleba w szlacheckich domach i wiem, że i dworski mu nie wyrówna.

Wozy ruszyły naprzód, a stara kniahini mówiła dalej:

— Dawno to, dawno już minęły lepsze dla nas czasy. Na Wołyniu i na Litwie są jeszcze Kurcewicze, którzy poczty trzymają i wcale po pańsku żyją, ale ci biedniejszych krewnych znać nie chcą, za co niech ich Bóg skarze. U nas prawie kozacza bieda, którą nam waszmościowie musicie wybaczyć i szczerym sercem przyjąć to, co szczerze ofiarujemy. Ja i pięciu synów siedzimy na jednej wiosce i kilkunastu słobodach, a z nami i ta jeszcze jejmościanka na opiece.

Namiestnika zdziwiły te słowa, gdyż słyszał w Łubniach, że Rozłogi były niemałą fortuną szlachecką, a po wtóre, że należały ongi do kniazia Wasyla, ojca Heleny. Nie zdało mu się jednak rzeczą stosowną pytać, jakim sposobem przeszły w ręce Konstantyna i jego wdowy.

— To jejmość pani pięciu masz synów? — zagadnął pan Rozwan Ursu.

— Miałam pięciu jak lwów — rzecze kniahini — ale najstarszemu, Wasylowi, poganie w Białogrodzie oczy wykapali pochodniami, od czego mu też i rozum się nadwerężył. Gdy młodzi pójdą na wyprawę, ja sama w domu zostaję, z nim tylko i z jejmościanką, z którą większa bieda niż pociecha.

Pogardliwy ton, z jakim stara kniahini mówiła o swej synowicy, tak był widoczny, że nie uszedł uwagi porucznika. Pierś mu zawrzała gniewem i o mało nie zaklął szpetnie, ale słowa zamarły mu na ustach, gdy spojrzawszy na kniaziównę ujrzał przy świetle księżyca oczy jej zalane łzami...

— Co waćpannie jest? czego płaczesz? — spytał z cicha.

Kniaziówna milczała.

— Ja nie mogę znieść łez waćpanny — mówił pan Skrzetuski i pochylił się ku niej, a widząc, że stara kniahini rozprawia z panem Rozwanem Ursu i nie patrzy w tę stronę, nalegał dalej:

— Na Boga, przemów choć słowo, bo Bóg widzi, że i krew, i zdrowie bym oddał, byle ciebie pocieszyć.

Nagle uczuł, że jeden z jeźdźców napiera go tak silnie, że aż konie poczynają się trzeć bokami.

Rozmowa z kniaziówną była przerwana, więc pan Skrzetuski zdziwiony, ale i rozgniewany, zwrócił się ku śmiałkowi.

Przy świetle księżyca ujrzał dwoje oczu, które patrzyły na niego zuchwale, wyzywająco i szyderczo zarazem. Straszne te oczy świeciły jak ślepie wilka w ciemnym borze.

„Co, u kaduka? — pomyślał namiestnik — bies czy co?" — i z kolei zajrzawszy z bliska w te pałające źrenice, spytał:

— A czego to waść tak koniem najeżdżasz i oczyma we mnie wiercisz?

Jeździec nie odpowiedział nic, ale patrzył wciąż równie uporczywie i zuchwale.

— Jeślić ciemno, to mogę ognia skrzesać, a jeślić gościniec za ciasny, to hajda w step! — rzekł już podniesionym głosem namiestnik.

— A ty odlitaj, Laszku, od kolaski, koły step baczysz — odparł jeździec.

Namiestnik, jako był człowiek do czynu skory, zamiast odpowiedzieć, uderzył tak silnie nogą w brzuch konia napastnika, że rumak jęknął i w jednym szczupaku znalazł się na samym brzegu gościńca.

Jeździec osadził go na miejscu i przez chwilę zdawało się, że pragnie rzucić się na namiestnika, ale wtem zabrzmiał ostry, rozkazujący głos starej kniahini:

— Bohun, szczo z toboju?

Słowa te miały natychmiastowy skutek. Jeździec zwrócił konia młyńcem i przejechał na drugą stronę kolaski do kniahini, która mówiła dalej:

— Szczo z toboju? Ej, ty nie w Perejasławiu ani w Krymie, ale w Rozłogach — bacz na to. A teraz skocz mi naprzód i prowadź wozy, bo jar zaraz, a w jarze ciemno. Hodi, siromacha!

Pan Skrzetuski równie był zdziwiony, jak rozgniewany. Ten Bohun widocznie szukał okazji i byłby ją znalazł, ale dlaczego szukał? skąd ta niespodziewana napaść?

Przez głowę namiestnika przeleciała myśl, że tu kniaziówna wchodziła do gry, i utwierdził się w tej myśli, gdy spojrzawszy na twarz jej ujrzał mimo mroków nocnych, że twarz ta była blada jak płótno i że widoczne malowało się na niej przerażenie.

Tymczasem Bohun ruszył z kopyta naprzód wedle rozkazu kniahini, która spoglądając za nim rzekła wpół do siebie, wpół do namiestnika:

— To szalona głowa i bies kozaczy.

— Widać, niespełna rozumu — odpowiedział pogardliwie pan Skrzetuski. — Czy to Kozak w służbie synów imci pani?

Stara kniahini rzuciła się w tył kolaski.

— Co waćpan mówisz! To jest Bohun, podpułkownik, przesławny junak, synom moim druh, a mnie jak szósty syn przybrany. Nie może też to być, abyś waszmość o nazwisku jego nie słyszał, bo wszyscy o nim wiedzą.

I rzeczywiście, panu Skrzetuskiemu dobrze było znane to nazwisko. Spośród imion różnych pułkowników i atamanów kozackich wypłynęło ono na wierzch i było na wszystkich ustach po obu stronach Dniepru. Ślepcy śpiewali o Bohunie pieśni po jarmarkach i karczmach, na wieczornicach opowiadano dziwy o młodym watażce. Kto on był, skąd się wziął, nikt nie wiedział. To pewna, że kolebką były mu stepy, Dniepr, porohy i Czertomelik ze swoim labiryntem cieśnin, zatok, kołbani, wysp, skał, jarów i oczeretów. Od wyrostka zżył się i zespolił z tym dzikim światem.

Czasu pokoju chodził z innymi „za rybą i zwierzem", tłukł się po zakrętach Dnieprowych, brodził po bagniskach i oczeretach wraz z gromadą półnagich towarzyszów — to znów całe miesiące spędzał w głębinach leśnych. Szkołą były mu wycieczki na Dzikie Pola po trzody i tabuny tatarskie, zasadzki, bitwy, wyprawy przeciw brzegowym ułusom, do Białogrodu, na Wołoszczyznę lub czajkami na Czarne Morze. Innych dni nie znał, jak na koniu, innych nocy, jak przy ognisku na stepie. Wcześnie stał się ulubieńcem całego Niżu, wcześnie sam zaczął wodzić innych; i wkrótce odwagą wszystkich przewyższał. Gotów był w sto koni iść choćby do Bakczysaraju i samemu chanowi zaświecić w oczy pożogą; palił ułusy i miasteczka, wycinał w pień mieszkańców, schwytanych murzów rozdzierał końmi, spadał jak burza, przechodził jak śmierć. Na morzu rzucał się jak wściekły na galery tureckie. Zapuszczał się w środek Budziaku, właził, jak mówiono, w paszczę lwa. Niektóre jego wyprawy były wprost szalone. Mniej odważni, mniej ryzykowni konali na palach w Stambule lub gnili przy wiosłach na tureckich galerach — on zawsze wychodził zdrowo i z łupem obfitym. Mówiono, że zebrał skarby ogromne i że trzyma je ukryte po Dnieprowych komyszach, ale też nieraz go widziano, jak deptał zabłoconymi nogami po złotogłowiach i lamach, koniom słał kobierce pod kopyta albo jak, ubrany w adamaszki, kąpał się w dziegciu, umyślnie kozaczą pogardę dla onych wspaniałych tkanin i ubiorów okazując. Miejsca długo nigdzie nie zagrzał. Czynami jego powodowała fantazja. Czasem przybywszy do Czehryna, Czerkas lub Perejasławia hulał na śmierć z innymi Zaporożcami, czasem żył jak mnich, do ludzi nie gadał, w stepy uciekał. To znów otaczał się ślepcami, których grania i pieśni po całych dniach słuchał, a samych złotem obrzucał. Między szlachtą umiał być dwornym kawalerem, między Kozaki najdzikszym Kozakiem, między rycerzami rycerzem, między łupieżcami łupieżcą. Niektórzy mieli go za szalonego, bo też i była to dusza nieokiełznana i rozszalała. Dlaczego na świecie żył i czego chciał, dokąd dążył, komu służył — sam nie wiedział. Służył stepom, wichrom, wojnie, miłości i własnej fantazji. Ta właśnie fantazja wyróżniała go od innych watażków grubianów i od całej rzeszy rozbójniczej, która tylko grabież miała na celu i której za jedno było grabić Tatarów czy swoich. Bohun brał łup, ale wolał wojnę od zdobyczy, kochał się w niebezpieczeństwach dla własnego ich uroku; złotem za pieśni płacił, za sławą gonił, o resztę nie dbał.

Ze wszystkich watażków on jeden najlepiej uosabiał Kozaka-rycerza, dlatego też pieśń wybrała go sobie na kochanka, a imię jego rozsławiło się na całej Ukrainie.

W ostatnich czasach został podpułkownikiem perejasławskim, ale pułkownikowską władzę sprawował, bo stary Łoboda słabo już trzymał buławę krzepnącą dłonią.

Pan Skrzetuski dobrze tedy wiedział, kto był Bohun, a jeśli pytał starej kniahini, czy to Kozak w służbie jej synów, to czynił to przez umyślną pogardę, bo przeczuł w nim wroga, a mimo całej sławy watażki wzburzyła się krew w namiestniku, że Kozak poczynał sobie z nim tak zuchwale.

Domyślał się też, że skoro się zaczęło, to się na byle czym nie skończy. Ale cięty to był jak osa człowiek, pan Skrzetuski, dufny aż nadto w siebie i również nie cofający się przed niczym, a na niebezpieczeństwa chciwy prawie. Gotów był choćby i zaraz wypuścić konia za Bohunem, ale jechał przy boku kniaziówny. Zresztą wozy minęły już jar i z dala ukazały się światła w Rozłogach.

Rozdział IV

Kurcewicze Bułyhowie był to stary książęcy ród, który się Kurczem pieczętował, od Koriata wywodził, a podobno istotnie szedł od Ruryka. Z dwóch głównych linii jedna siedziała na Litwie, druga na Wołyniu, a na Zadnieprze przeniósł się dopiero kniaź Wasyl, jeden z licznych potomków linii wołyńskiej, który, ubogim będąc, nie chciał wśród możnych krewnych zostawać i wszedł na służbę księcia Michała Wiśniowieckiego, ojca przesławnego „Jaremy".

Okrywszy się sławą w tej służbie i znaczne posługi rycerskie księciu oddawszy, otrzymał od tegoż w dziedzictwo Krasne Rozłogi, które potem dla wielkiej mnogości wilków Wilczymi Rozłogami przezwano, i stale w nich osiadł. W roku 1629 przeszedłszy na obrządek łaciński ożenił się z Rahozianką, panną z zacnego domu szlacheckiego, któren się z Wołoszczyzny wywodził. Z małżeństwa tego w rok później przyszła na świat córka Helena; matka umarła przy jej urodzeniu, książę Wasyl zaś, nie myśląc już o powtórnym ożenku, oddał się całkiem gospodarstwu i wychowaniu jedynaczki. Był to człowiek wielkiego charakteru i niepospolitej cnoty. Dorobiwszy się dość szybko średniej fortuny pomyślał zaraz o starszym swym bracie Konstantynie, któren na Wołyniu w biedzie został i odepchnięty od możnej rodziny, zmuszony był chodzić po dzierżawach. Tego wraz z żoną i pięcioma synami do Rozłogów sprowadził i każdym kawałkiem chleba się z nimi dzielił. W ten sposób obaj Kurcewicze żyli w spokoju aż do końca 1634 roku, w którym Wasyl z królem Władysławem pod Smoleńsk ruszył. Tam to zaszedł ów nieszczęsny wypadek, który zgubę jego spowodował. W obozie królewskim przejęto list pisany do Szehina, podpisany nazwiskiem kniazia i przypieczętowany Kurczem. Tak jawny dowód zdrady ze strony rycerza, który aż dotąd nieskazitelnej sławy używał, zdumiał i przeraził wszystkich. Na próżno Wasyl świadczył się Bogiem, że ni ręka, ni podpis na liście nie są jego — herb Kurcz na pieczęci usuwał wszelkie wątpliwości, w zgubienie zaś sygnetu, czym się kniaź tłumaczył, nikt wierzyć nie chciał — ostatecznie nieszczęśliwy kniaź, *pro crimine perduelionis* skazany na utratę czci i gardła, musiał się ucieczką salwować. Przybywszy nocą do Rozłogów zaklął brata Konstantyna na wszystkie świętości, by jak ojciec opiekował się jego córką — i odjechał na zawsze. Mówiono, że raz jeszcze z Baru pisał do księcia Jeremiego z prośbą, by nie odejmował kawałka chleba Helenie i spokojnie ją w Rozłogach na opiece Konstantyna zostawił; potem głos o nim zaginął. Były wieści, że zmarł zaraz, to że przystał do cesarskich i zginął na wojnie w Niemczech — ale któż mógł co wiedzieć na pewno? Musiał zginąć, skoro się więcej o córkę nie pytał. Wkrótce przestano o nim mówić, a przypomniano go sobie dopiero, gdy wyszła na jaw jego niewinność. Niejaki Kupcewicz, Witebszczanin, umierając zeznał, jako on pisał pod Smoleńskiem list do Szehina i znalezionym w obozie sygnetem go przypieczętował. Wobec takiego świadectwa żałość i konsternacja ogarnęła wszystkie serca. Wyrok został zmieniony, imię księcia Wasyla do sławy przywrócone, ale dla niego samego nagroda za mękę przyszła za późno. Co do Rozłogów, to Jeremi nie myślał ich zagarniać, bo Wiśniowieccy, znając lepiej Wasyla, nigdy o jego winie nie byli zupełnie przekonani. Mógłby on był nawet zostać i drwić z wyroku pod ich potężną opieką i jeżeli uszedł, to dlatego, że niesławy znieść nie umiał.

Helena chowała się więc spokojnie w Rozłogach pod czułą opieką stryja — i dopiero po jego śmierci zaczęły się dla niej ciężkie czasy. Żona Konstantyna, z rodziny wątpliwego pochodzenia, była to kobieta surowa, popędliwa a energiczna, którą mąż jeden utrzymać w ryzie umiał. Po jego śmierci zagarnęła w żelazne ręce rządy w Rozłogach. Służba drżała przed nią — dworzyszczowi bali się jej jak ognia, sąsiadom dała się wkrótce we znaki. W trzecim roku swych rządów po dwakroć zbrojno najeżdżała Siwińskich w Browarkach, sama przebrana po męsku, konno przywodząc czeladzi i najętym Kozakom. Gdy raz pułki księcia Jeremiego pogromiły watahę Tatarów swawolącą koło Siedmiu Mogił, kniahini na czele swoich ludzi zniosła ze szczętem kupę niedobitków, która się aż pod Rozłogi zapędziła. W Rozłogach też usadowiła się na dobre i poczęła je uważać za swoją i swoich synów własność. Synów tych kochała jak wilczyca młode, ale sama będąc prostaczką, nie pomyślała o przystojnym dla nich wychowaniu. Mnich greckiego obrządku, sprowadzony z Kijowa, wyuczył ich czytać i pisać — na czym też skończyła się edukacja. A przecie niedaleko było Łubnie, a w nich dwór książęcy, na którym by młodzi kniaziowie mogli nabrać poloru, wyćwiczyć się w kancelarii w sprawach publicznych lub — zaciągnąwszy się pod chorągwie — w szkole rycerskiej. Kniahini miała wszelako swoje powody, dla których nie oddawała ich do Łubniów.

A nużby książę Jeremi przypomniał sobie, czyje są Rozłogi i wejrzał w opiekę nad Heleną albo sam dla pamięci Wasyla tę opiekę chciał sprawować? Przyszłoby chyba wówczas wynosić się z Rozłogów — wolała więc kniahini, by w Łubniach zapomniano, że jacy Kurcewicze żyją na świecie. Ale też za to młodzi kniaziowie hodowali się wpół dziko i więcej po kozacku niż po szlachecku. Pacholętami jeszcze będąc brali udział w poswarkach starej kniahini, w zajazdach na Siwińskich, w wyprawach na kupy tatarskie. Czując wrodzony wstręt do książek i pisma, po całych dniach strzelali z łuków lub wprawiali ręce we władanie kiścieniami, szablą, w rzucaniu arkanów. Nie zajmowali się nawet i gospodarstwem, bo go nie puszczała z rąk matka. I żal było patrzyć na tych potomków znakomitego rodu, w których żyłach płynęła krew książęca, ale których obyczaje były surowe i grube, a umysły i zatwardziałe serca przypominały step nieuprawny. Tymczasem powyrastali jak dęby; wiedząc wszelako to do siebie, iż są prostakami, wstydzili się żyć ze szlachtą, a natomiast milszym im było towarzystwo dzikich watażków kozackich. Wcześnie też weszli w komitywę z Niżem, gdzie ich za towarzyszów uważano. Czasem po pół roku i więcej siedzieli na Siczy; chodzili na „przemysł" z Kozakami, brali udział w wyprawach na Turków i Tatarów, które w końcu stały się głównym i ulubionym ich zajęciem. Matka nie sprzeciwiała się temu, bo często przywozili zdobycz obfitą. Wszelako na jednej z takich wypraw najstarszy Wasyl dostał się w ręce pogańskie. Bracia przy pomocy Bohuna i jego Zaporożców odbili go wprawdzie, ale z wykapanymi oczami. Od tej pory ten w domu siedzieć musiał; a jako dawniej był najdzikszy, tak potem złagodniał bardzo i w rozmyślaniach a nabożeństwie się zatopił. Młodzi prowadzili dalej wojenne rzemiosło, które w końcu przydomek kniaziów-Kozaków im zjednało. Dość też było spojrzeć na Rozłogi-Siromachy, by odgadnąć, jacy w nich ludzie mieszkali. Gdy poseł i pan Skrzetuski zajechali przez bramę ze swymi wozami, ujrzeli nie dwór, ale raczej obszerną szopę z ogromnych bierwion dębowych zbitą, z wąskimi, podobnymi do strzelnic oknami. Mieszkania dla czeladzi i Kozaków, stajnie, spichlerze i lamusy przytykały do tego dworu bezpośrednio, tworząc budowę nieforemną, z wielu to wyższych, to niższych części złożoną, na zewnątrz tak ubogą i prostacką, że gdyby nie światła w oknach, trudno by ją za mieszkanie ludzi poczytać. Na majdanie przed domem widać było dwa żurawie studzienne, bliżej bramy słup z kołem na szczycie, na którym siadywał niedźwiedź chowany. Brama potężna, z takichże bierwion dębowych, dawała przejście na majdan, który cały był otoczony rowem i palisadą.

Widocznie było to miejsce obronne, przeciw napadom i zajazdom zabezpieczone. We wszystkim też przypominało kresową pałankę kozacką, a lubo większość siedzib szlacheckich na kresach takiego, a nie innego była pokroju, ta przecie bardziej jeszcze od innych wyglądała na jakieś drapieżne gniazdo. Czeladź, która naprzeciw gości wyszła z pochodniami, podobniejsza była do zbójów niż do ludzi służbowych. Wielkie psy na majdanie targały za łańcuchy, jakby chciały się urwać i rzucić na przybyłych, ze stajen dobywało się rżenie koni, młodzi Bułyhowie wraz z matką poczęli wołać na służbę, rozkazywać jej i przeklinać. Wśród takiego harmidru goście weszli do środka domu, ale tu dopiero pan Rozwan Ursu, który widząc poprzednio dzikość i mizerię siedliska, prawie żałował, iż się dał zaprosić na nocleg, zdumiał prawdziwie na widok tego, co ujrzały jego oczy. Wnętrze domu zgoła nie odpowiadało jego lichym zewnętrznym pozorom. Najprzód weszli do obszernej sieni, której ściany całkiem prawie pokryte były zbroją, orężem i skórami dzikich zwierząt.

W dwóch ogromnych grubach paliły się kłody drzewa, a przy jasnym ich blasku widać było bogate rzędy końskie, błyszczące pancerze, karaceny tureckie, na których tu i owdzie świeciły drogie kamienie, druciane koszulki ze złoconymi guzami na spięciach, półpancerze, nabrzuszniki, ryngrafy, stalowe harnasze wielkiej ceny, hełmy polskie i tureckie oraz misiurki z wierzchami od srebra. Na przeciwległej ścianie wisiały tarcze, których już nie używano w wieku ówczesnym; obok nich kopie polskie i dżiryty wschodnie; siecznego oręża też dosyć, od szabli aż do gindżałów i jataganów, których głownie migotały różnymi kolorami jak gwiazdki w blasku ognia. Po kątach zwieszały się wiązki skór lisich, wilczych, niedźwiedzich, kunich i gronostajowych — owoc myślistwa kniaziów. Niżej, wzdłuż ścian, drzemały na obręczach jastrzębie, sokoły i wielkie berkuty sprowadzane z dalekich stepów wschodnich a używane do pościgu wilków.

Z sieni owej goście przeszli do wielkiej gościnnej komnaty. I tu na kominie z okapem palił się rzęsisty ogień. W komnacie tej większy był jeszcze przepych niż w sieni. Gołe belki w ścianach pookrywane były makatami, na podłodze rozściełały się przepyszne wschodnie kobierce. W pośrodku stał długi stół na krzyżowych nogach, sklecony z prostych desek, na nim zaś roztruchany całe złocone lub rznięte ze szkła weneckiego. Pod ścianami mniejsze stoły, komody i półki, na nich sepety, puzdra nabijane brązem, mosiężne świeczniki i zegary zrabowane czasu swego przez Turków Wenecjanom, a przez Kozaków Turkom. Cała komnata założona była mnóstwem przedmiotów zbytkownych, częstokroć niewiadomego dla gospodarzy użycia. Wszędzie przepych mieszał się z największą stepową prostotą. Cenne komody tureckie, nabijane brązem, hebanem, perłową macicą, stały obok nie heblowanych półek, proste drewniane krzesła obok miękkich sof krytych kobiercami. Poduszki, leżące modą wschodnią na sofach, miały pokrowce z altembasu lub bławatów, ale rzadko były wypchane kwapiem, częściej sianem lub grochowinami. Kosztowne tkaniny i zbytkowne przedmioty było to tak zwane „dobro" tureckie, tatarskie, częścią kupione za byle co od Kozaków, częścią zdobyte na licznych wojnach jeszcze przez starego kniazia Wasyla, częścią w czasie wypraw z Niżowcami przez młodych Bułyhów, którzy woleli puszczać się czajkami na Czarne Morze niż żenić się lub gospodarstwa pilnować. Wszystko to nie dziwiło zgoła pana Skrzetuskiego znającego dobrze domy kresowe, ale bojar wołoski zdumiewał się widząc wśród tego przepychu Kurcewiczów ubranych w jałowicze buty i w kożuchy niewiele lepsze od tych, jakie nosiła służba; dziwił się również i pan Longin Podbipięta, przywykły na Litwie do innych porządków.

Tymczasem młodzi kniaziowie podejmowali gości szczerze i z wielką ochotą, lubo — mało otarci w świecie — czynili to manierą tak niezgrabną, iż namiestnik zaledwo mógł uśmiech powściągnąć.

Starszy Symeon mówił:

— Radziśmy waszmościom i wdzięczni za łaskę. Dom nasz — dom wasz, tak też i bądźcie jak u siebie. Kłaniamy panom dobrodziejstwu w niskich progach.

I lubo nie znać było w tonie jego mowy żadnej pokory ani rozumienia, jakoby przyjmował wyższych od siebie, przecież kłaniał im się obyczajem kozackim w pas, a za nim kłaniali się i młodsi bracia sądząc, że tego gościnność wymaga, i mówiąc:

— Czołem waszmościom, czołem!...

Tymczasem kniahini, szarpnąwszy Bohuna za rękaw, wyprowadziła go do innej komnaty.

— Słysz, Bohun — rzekła pośpiesznie — nie mam czasu długo gadać. Widziałam, że ty tego młodego szlachcica na ząb wziął i zaczepki z nim szukasz?

— Maty! — odpowiedział Kozak całując starą w rękę. — Świat szeroki, jemu inna droga, mnie inna. Ani ja go znał, ni o nim słyszał, ale niech mi się nie pochyla do kniaziówny, bo jakem żyw, szablą w oczy zaświecę.

— Hej, oszalał, oszalał! A gdzie głowa, Kozacze? Co się z tobą dzieje? Czy ty chcesz zgubić nas i siebie? To jest żołnierz Wiśniowieckiego i namiestnik, człowiek znaczny, bo od księcia do chana posłował. Niech mu włos z głowy spadnie pod naszym dachem, wiesz, co będzie? Oto wojewoda obróci oczy na Rozłogi, jego pomści, nas wygna na cztery wiatry, a Helenę do Łubniów zabierze — i co wówczas? Czy i z nim zadrzesz? Czy na Łubnie napadniesz? Spróbuj, jeśli chcesz pala posmakować, Kozacze zatracony!... Chyla się szlachcic do dziewczyny, nie chyla, ale jak przyjechał, pojedzie, i będzie spokój. Hamujże ty się, a nie chcesz, to ruszaj, skądeś przybył, bo nam tu nieszczęścia naprowadzisz!

Kozak gryzł wąs, sapał, ale zrozumiał, że kniahini ma słuszność.

— Oni jutro odjadą, matko — rzekł — a ja się pohamuję, niech jedno czarnobrewa nie wychodzi do nich.

— A tobie co? Żeby myśleli, że ją więżę. Otóż wyjdzie, bo ja tego chcę! Ty mi tu w domu nie przewodź, boś nie gospodarz.

— Nie gniewajcie się, kniahini. Skoro inaczej nie można, to będę im jako tureckie bakalie słodki. Zębem nie zgrzytnę, do głowni nie sięgnę, choćby mnie gniew i pożarł, choćby dusza jęczeć miała. Niechże będzie wasza wola!

— A to tak gadaj, sokole, teorban weź, zagraj, zaśpiewaj, to ci i na duszy lżej się zrobi. A teraz chodź do gości.

Wrócili do gościnnej komnaty, w której kniaziowie, nie wiedząc, jak gości bawić, wciąż ich zapraszali, by byli sobie radzi, i kłaniali im się w pas. Tu zaraz pan Skrzetuski spojrzał ostro a dumnie w oczy Bohunowi, ale nie znalazł w nich ni zaczepki, ni wyzwania. Twarz młodego watażki jaśniała uprzejmą wesołością tak dobrze symulowaną, że mogłaby omylić najwprawniejsze oko. Namiestnik przyglądał mu się bacznie, gdyż poprzednio w ciemności nie mógł dojrzeć jego rysów. Teraz ujrzał mołojca smukłego jak topola, z obliczem smagłym, zdobnym w bujny, czarny wąs zwieszający się ku dołowi. Wesołość na tej twarzy przebijała przez ukraińską zadumę jako słońce przez mgłę. Czoło miał watażka wysokie, na które spadała czarna czupryna w postaci grzywki ułożonej w pojedyncze kosmyki obcięte w równe ząbki nad siną brwią. Nos orli, rozdęte nozdrza i białe zęby, połyskujące przy każdym uśmiechu, nadawały tej twarzy wyraz trochę drapieżny, ale w ogóle był to typ piękności ukraińskiej, bujnej, barwnej i zawadiackiej. Nad podziw świetny ubiór wyróżniał także stepowego mołojca od przybranych w kożuchy kniaziów. Bohun miał na sobie żupan z cienkiej lamy srebrnej i czerwony kontusz, którą to barwę nosili wszyscy Kozacy perejasławscy. Biodra otaczał mu pas krepowy, od którego bogata szabla zwieszała się na jedwabnych rapciach; ale i szabla, i ubiór gasły przy bogactwie tureckiego gindżału, zatkniętego za pas, którego głownia tak była nasadzona kamieniami, że aż skry sypały się od niej. Tak przybranego każdy by snadnie poczytał raczej za jakie paniątko wysokiego rodu niż za Kozaka, zwłaszcza że i jego swoboda, jego wielkopańskie maniery nie zdradzały niskiego pochodzenia. Zbliżywszy się do pana Longina wysłuchał historii o przodku Stowejce i o ścięciu trzech Krzyżaków, a potem zwrócił się do namiestnika i jak gdyby nic pomiędzy nimi nie zaszło, spytał z całą swobodą:

— Wasza mość, słyszę, z Krymu powracasz?

— Z Krymu — odparł sucho namiestnik.

— Byłem tam i ja, a chociażem się do Bakczysaraju nie zapędzał, przecie mniemam, że i tam będę, jeśli się one pomyślne wieści sprawdzą.

— O jakich wieściach waść mówisz?

— Są głosy, że jeśli król miłościwy wojnę z Turczynem zacznie, to książę wojewoda Krym ogniem i mieczem nawiedzi, od których wieści wielka jest radość na całej Ukrainie i na Niżu, bo jeśli pod takim wodzem nie pohulamy w Bakczysaraju, tedy pod żadnym.

— Pohulamy, jako Bóg w niebie! — ozwali się Kurcewicze.

Porucznika ujął respekt, z jakim watażka odzywał się o księciu, przeto uśmiechnął się i rzekł łagodniejszym już tonem:

— Waści, widzę, nie dość wypraw z Niżowcami, które cię przecie sławą okryły.

— Mała wojna, mała sława; wielka wojna, wielka sława. Konaszewicz Sahajdaczny nie na czajkach, ale pod Chocimiem jej nabył.

W tej chwili drzwi się otworzyły i do komnaty wszedł z wolna Wasyl, najstarszy z Kurcewiczów, prowadzony za rękę przez Helenę. Był to człowiek dojrzałych lat, wybladły i wychudły, z twarzą ascetyczną i smętną, przypominającą bizantyjskie obrazy świętych. Długie włosy, posiwiałe przedwcześnie od nieszczęść i bólu, spadały mu aż na ramiona, a zamiast oczu miał dwie czerwone jamy; w ręku trzymał krzyż mosiężny, którym począł żegnać komnatę i wszystkich obecnych.

— W imię Boga i Ojca, w imię Spasa i Świętej-Przeczystej! — mówił. — Jeśli apostołami jesteście i dobre nowiny niesiecie, witajcie w progach chrześcijańskich. Amen.

— Wybaczcie waszmościowie — mruknęła kniahini — on ma rozum pomieszany.

Wasyl zaś żegnał wciąż krzyżem i mówił dalej:

— Jako stoi w *Biesiadach apostolskich*: „Którzy przeleją krew za wiarę, zbawieni będą; którzy polegną dla dóbr ziemskich, dla zysku lub zdobyczy — mają być potępieni..." Módlmy się! Gorze wam, bracia! gorze mnie, bośmy dla zdobyczy wojnę czynili! Boże, bądź miłościw nam grzesznym! Boże, bądź miłościw... A wy, mężowie, którzy przybyliście z daleka, jakie nowiny niesiecie? Jesteście apostołami?

Umilkł i zdawał się czekać na odpowiedź, więc namiestnik odpowiedział po chwili:

— Daleko nam od tak wysokiej szarży. Żołnierzami tylko jesteśmy, gotowymi polec za wiarę.

— Tedy będziecie zbawieni — rzekł ślepy — ale dla nas nie nadeszła jeszcze godzina wyzwolenia... Gorze wam, bracia! Gorze mnie!

Ostatnie słowa wymówił prawie jęcząc i taka niezmierna rozpacz malowała się na jego twarzy, że goście nie wiedzieli, co mają począć. Tymczasem Helena posadziła go na krześle, sama zaś, wybiegłszy do sieni, wróciła po chwili z lutnią w ręku.

Ciche dźwięki ozwały się w komnacie, a do wtóru im kniaziówna poczęła śpiewać pieśń pobożną:

I w noc, i we dnie wołam do Cię, Panie!
Pofolguj męce i łzom żałośliwym,
Bądź mnie grzesznemu ojcem miłościwym,
Usłysz wołanie!

Niewidomy przechylił w tył głowę i słuchał słów pieśni, które zdawały się działać jak balsam kojący, bo z twarzy znikały mu stopniowo ból i przerażenie; na koniec głowa spadła mu na piersi i tak pozostał jakby w półśnie, półodrętwieniu.

— Byle nie przerywać śpiewania, już on się całkiem uspokoi — rzekła z cicha kniahini. — Widzicie, waszmościowie, wariacja jego polega na tym, że ciągle czeka apostołów i byle kto do domu przyjechał, zaraz wychodzi pytać, czy nie apostołowie...

Tymczasem Helena śpiewała dalej:

Wskażże mi drogę, o Panie nad pany,
Bom jako pątnik na pustyń bezdrożu
Lub jak wśród fali na niezmiernym morzu
Korab zbłąkany.

Słodki głos jej brzmiał coraz silniej i z tą lutnią w ręku, z oczyma wzniesionymi do góry, była tak cudna, że namiestnik oczu nie mógł od niej oderwać. Zapatrzył się w nią, utonął w niej — o świecie zapomniał.

Z zachwytu rozbudziły go dopiero słowa starej kniahini:

— Dość tego! Już on się teraz nieprędko rozbudzi. A tymczasem proszę ichmościów na wieczerzę.

— Prosimy na chleb i sól! — ozwali się za matką młodzi Bułyhowie.

Pan Rozwan, jako kawaler wielkich manier, podał ramię kniahini, co widząc pan Skrzetuski sunął zaraz do kniaziówny Heleny. Serce zmiękło w nim jak wosk, gdy czuł jej rękę na swojej, z oczu aż skry poszły — i rzekł:

— Snadź już chyba i anieli w niebie cudniej nie śpiewają od waćpanny.

— Grzeszysz, rycerzu, przyrównywając moje śpiewanie do anielskiego — odpowiedziała Helena.

— Nie wiem, czy grzeszę, ale to pewno, że chętnie dałbym sobie oczy wykapać, byle twego śpiewania do śmierci słuchać. Ale cóż mówię! Ślepym będąc nie mógłbym ciebie widzieć, co również byłoby męką nieznośną.

— Nie mów tego waszmość, gdyż wyjechawszy stąd jutro, jutro zapomnisz.

— O, nie stanie się to, gdyż takem się w waćpannie rozkochał, iż po wiek żywota mego innego afektu znać nie chcę, a tego nigdy nie zapomnę.

Na to szkarłatny rumieniec oblał twarz kniaziówny, pierś poczęła falować mocniej. Chciała odpowiedzieć, ale tylko wargi jej drżały — więc pan Skrzetuski mówił dalej:

— Waćpanna raczej zapomnisz o mnie przy owym kraśnym watażce, który twemu śpiewaniu na bałabajce przygrywać będzie.

— Nigdy, nigdy! — szepnęła dziewczyna. — Ale waćpan się jego strzeż, bo to straszny człowiek.

— Co mi tam jeden Kozak znaczy, a choćby też i cała Sicz z nim trzymała, jam się dla ciebie na wszystko ważyć gotowy. Tyś mi jest właśnie jako klejnot bez ceny, tyś mój świat, jeno niech wiem, żeś mi jest wzajemną.

Ciche „tak" zadźwięczało jak rajska muzyka w uszach pana Skrzetuskiego i zaraz wydało mu się, że w nim przynajmniej dziesięć serc bije; w oczach mu pojaśniało wszystko, jakoby promienie słoneczne na świat padły; uczuł w sobie jakieś moce nieznane, jakieś skrzydła u ramion. Przy wieczerzy mignęła mu kilkakroć twarz Bohuna, która była zmieniona bardzo i blada, ale namiestnik mając wzajemność Heleny nie dbał o tego współzawodnika. „Jechał go sęk! — myślał sobie — niechże mi w drogę nie włazi, bo go zetrę". Zresztą myśli jego szły w inną stronę.

Czuł oto, że Helena siedzi przy nim tak blisko, iż prawie ramieniem dotyka jej ramienia, widział rumieńce nie schodzące z jej twarzy, od których bił żar, widział pierś falującą i oczy, to skromnie spuszczone i rzęsami nakryte, to błyszczące jak dwie gwiazdy. Bo też Helena, choć zahukana przez Kurcewiczową, choć żyjąca w sieroctwie, smutku i obawie, była przecie Ukrainką o krwi ognistej. Gdy tylko padły na nią ciepłe promienie miłości, zaraz zakwitła jak róża i do nowego, nie znanego rozbudziła się życia. W jej twarzy zabłysło szczęście, odwaga, a te porywy, walcząc ze wstydem dziewiczym, umalowały jej policzki w śliczne kolory różane. Więc pan Skrzetuski mało ze skóry nie wyskoczył. Pił na umór, ale miód nie działał na niego, bo już był pijany miłością. Nie widział nikogo więcej przy stole, tylko swoją dziewczynę. Nie widział, że Bohun bladł coraz bardziej i coraz to macał głowni swego gindżału; nie słyszał, jak pan Longin opowiadał po raz trzeci o przodku Stowejce, a Kurcewicze o swoich wyprawach po „dobro tureckie". Pili wszyscy prócz Bohuna, a najlepszy przykład dawała stara kniahini wznosząc kusztyki to za zdrowie gości, to za zdrowie miłościwego księcia pana, to wreszcie hospodara Lupuła. Była też mowa o ślepym Wasylu, o jego dawniejszych przewagach rycerskich, o nieszczęsnej wyprawie i teraźniejszej wariacji, którą najstarszy, Symeon, tak tłumaczył:

— Zważcie, waszmościowie, iż gdy najmniejsze źdźbło w oku patrzyć przeszkadza, jakże tedy znaczne kawały smoły dostawszy się do rozumu nie miały go o pomieszanie przyprawić?

— Bardzo to jest delikatne *instrumentum* — zauważył na to pan Longin.

Wtem stara kniahini spostrzegła zmienioną twarz Bohuna:

— Co tobie, sokole?

— Dusza boli, maty — rzekł posępnie — ale kozacze słowo nie dym, więc zdzierżę.

— Terpy, synku, mohorycz bude.

Wieczerza była skończona — ale miodu dolewano ciągle do kusztyków. Przyszli też kozaczkowie wezwani do tańcowania na tym większą ochotę. Zadźwięczały bałabajki i bębenek, przy których odgłosach zaspane pacholęta musiały pląsać. Później i młodzi Bułyhowie poszli w prysiudy. Stara kniahini, wziąwszy się pod boki, poczęła dreptać w miejscu, a podrygiwać, a podśpiewywać, co widząc pan Skrzetuski sunął z Heleną do tańca. Gdy ją objął rękoma, zdawało mu się, iż kawał nieba przyciska do piersi. W zawrotach tańca długie jej warkocze omotały mu szyję, jakby dziewczyna chciała go przywiązać do siebie na zawsze. Nie wytrzymał tedy szlachcic, ale gdy rozumiał, że nikt nie patrzy, pochylił się i z całej mocy pocałował jej słodkie usta.

Późno w noc znalazłszy się sam na sam z panem Longinem w izbie, w której posłano im do spania, porucznik, zamiast iść spać, siadł na tapczanie i rzekł:

— Z innym to już człowiekiem jutro waćpan do Łubniów pojedziesz!

Podbipięta, który właśnie ukończył pacierze, otworzył szeroko oczy i spytał:

— Tak bo cóż? czy waszmość tu zostaniesz?

— Nie ja zostanę, ale serce zostanie, a jedno *dulcis recordatio* ze mną pojedzie. Widzisz mnie waćpan w wielkiej alteracji, gdyż od żądz tkliwych ledwie że tchu *oribus* mogę złapać.

— To waćpan zakochał się w kniaziównie?

— Nie inaczej, jako żyw tu przed waćpanem siedzę. Sen ucieka mnie od powiek i jeno do wzdychania mam ochotę, od którego chyba cały w parę się rozpłynę — co waćpanu powiadam dlatego, że mając serce czułe i afektów głodne, snadnie mękę moją zrozumiesz.

Pan Longin sam wzdychać począł na znak, że męczarnie miłości rozumie, po chwili zaś spytał żałośnie:

— A może waćpan takoż czystość ślubował?

— Pytanie waścine jest nie do rzeczy, bo gdyby wszyscy podobne śluby czynili, tedy by *genus humanum* zaginąć musiało.

Wejście sługi przerwało dalszą rozmowę. Był to stary Tatar o bystrych, czarnych oczach i pomarszczonej jak suszone jabłko twarzy. Wszedłszy rzucił znaczące spojrzenie na Skrzetuskiego i spytał:

— A czy nie trzeba czego waszmościom? może miodu po kusztyczku do poduszki?

— Nie trzeba.

Tatar zbliżył się do Skrzetuskiego i mruknął:

— Mam dla waszmości pana słówko od panny.

— Bądźże mi Pandarem! — zawołał radośnie namiestnik. — Możesz też mówić przy tym kawalerze, bom się przed nim spuścił z sekretu.

Tatar wydobył zza rękawa kawałek wstążki:

— Panna przysyła waszmość panu tę szarfę i to kazała powiedzieć, że miłuje go z całej duszy.

Porucznik porwał szarfę i począł ją z uniesieniem całować i do piersi przyciskać, a dopiero ochłonąwszy nieco spytał:

— Co ci zleciła powiedzieć?

— Że miłuje waszmość pana z całej duszy.

— Naściże talera za musztuluk. Rzekła tedy, że mię miłuje?

— Tak jest!

— Naściże jeszcze talera. Niechże ją Bóg błogosławi,

boć i ona mi najmilsza. Powiedzże jej... albo czekaj; sam ja do niej pisać będę; przynieś mi jeno inkaustu, piór i papieru.

— Czego? — spytał Tatar.

— Inkaustu, piór i papieru.

— Tego u nas w domu nie ma. Za kniazia Wasyla było — i potem, jak się młodzi kniaziowie pisać od czerńca uczyli — ale to już dawno.

Pan Skrzetuski klasnął palcami.

— Mości Podbipięto, nie masz wasze inkaustu i piór?

Litwin rozłożył ręce i wzniósł oczy do góry.

— Tfy, do licha! — rzecze porucznik — otom jest w kłopocie!

Tymczasem Tatar usiadł w kuczki przed ogniem.

— Po co pisać — rzekł grzebiąc w węglach. Panna spać poszła. A co masz wasza miłość jej napisać, to jutro powiedzieć można.

— Kiedy tak, to co innego. Wiernyś, jak widzę, sługa kniaziówny. Naściże trzeciego talera. Dawno służysz?

— Ho! ho! czterdzieści lat temu, jako mnie kniaź Wasyl w jasyr wziął — i od tej pory służyłem mu wiernie, a gdy onej nocy odjeżdżał na przepadłe imię, to dziecko Konstantynu zostawił, a do mnie rzekł: „Czechły! i ty nie odstąpisz dziewczyny, i będziesz jej strzegł jak oka w głowie". Łacha ił Ałła!

— Tak też i czynisz?

— Tak też i czynię, i patrzę.

— Mów, co widzisz: Jak tu kniaziównie?

— Źle tu myślą o niej, bo ją chcą dać Bohunowi, który jest pies potępiony.

— O! nie będzie z tego nic! znajdzie się komu za nią ująć!

— Tak! — rzekł stary potrząsając palące się głownie. — Oni ją chcą dać Bohunowi, by ją wziął i poniósł jako wilk jagnię, a ich w Rozłogach zostawił — bo Rozłogi jej, nie ich, po kniaziu Wasylu. On też Bohun to uczynić gotów, bo po komyszach więcej ma złota i srebra niżeli piasku w Rozłogach, ale ona ma go w nienawiści od pory, jak przy niej człowieka czekanem rozszczepił. Krew padła między nich i nienawiść wyrosła. Bóg jest jeden!

Namiestnik tej nocy usnąć nie mógł. Chodził po izbie, patrzył w księżyc i w myśli różne ważył postanowienia. Zrozumiał teraz grę Bułyhów. Gdyby kniaziównę szlachcic jakiś okoliczny pojął, to by się upomniał o Rozłogi i miałby słuszność, bo się jej należały; a może zażądałby jeszcze rachunków z opieki. Dla tej to przyczyny i tak już skozaczeni Bułyhowie postanowili dać dziewczynę Kozakowi. O czym myśląc pan Skrzetuski pięście ściskał i miecza szukał wedle siebie. Postanowił więc rozbić te machinacje i czuł się na siłach to uczynić. Przecie opieka nad Heleną należała i do księcia Jeremiego, raz, że Rozłogi były puszczone od Wiśniowieckich staremu Wasylowi, po wtóre, że sam Wasyl z Baru pisał list do księcia prosząc o opiekę. Tylko nawał spraw publicznych, wojny i wielkie przedsięwzięcia mogły sprawić, że wojewoda dotąd w opiekę nie wejrzał. Ale dość będzie słowem mu przypomnieć, a sprawiedliwość uczyni.

Szaro już robiło się na świecie, gdy pan Skrzetuski rzucił się na posłanie. Spał twardo i nazajutrz zbudził się z gotowym postanowieniem. Ubrali się tedy z panem Longinem śpiesznie, ile że i wozy stały już w gotowości, a żołnierze pana Skrzetuskiego siedzieli na koniach, gotowi do odjazdu. W gościnnej izbie poseł pokrzepiał się polewką w towarzystwie Kurcewiczów i starej kniahini; Bohuna tylko nie było; nie wiadomo: spał jeszcze czy odjechał.

Posiliwszy się Skrzetuski rzekł:

— Mościa pani! *Tempus fugit*, za chwilę na koń nam siadać trzeba, nim więc podziękujemy wdzięcznym sercem za gościnę, mam ja tu ważną sprawę, o której bym chciał z jejmość panią i z ichmość jej synami kilka słów na osobności pomówić.

Na twarzy kniahini odmalowało się zdziwienie; spojrzała na synów, na posła i na pana Longina, jakby pragnąc z ich twarzy odgadnąć, o co idzie, i z pewnym niepokojem w głosie rzekła:

— Służę waszmości.

Poseł chciał wstawać, ale mu nie dozwoliła, natomiast przeszli do owej sieni pokrytej zbroją i orężem. Młodzi kniaziowie ustawili się szeregiem za matką, która stanąwszy naprzeciw Skrzetuskiego, spytała:

— O jakiejże sprawie waćpan chcesz mówić?

Namiestnik utkwił w niej wzrok bystry, surowy prawie, i rzekł:

— Wybacz, jejmość, i wy, młodzi kniaziowie, że przeciw zwyczajowi postępując, zamiast przez zacnych posłów mówić, sam w sprawie mej rzecznikiem będę. Ale nie może być inaczej, a gdy z musem nikt walczyć nie zdoła, przeto bez dłuższego kunktatorstwa przedstawiam jejmość pani i ichmościom, jako opiekunom, moją pokorną prośbę, byście mi księżniczkę Helenę za żonę oddać raczyli.

Gdyby w tej chwili, w czasie zimy piorun runął na majdan w Rozłogach, mniejsze by sprawił wrażenie na kniahini i jej synach niż owe słowa namiestnika. Przez chwilę spoglądali ze zdumieniem na mówiącego, który stał przed nimi wyprostowany, spokojny i dziwnie dumny, jakby nie prosić, ale rozkazywać zamierzał, i nie umieli znaleźć słowa odpowiedzi — a natomiast kniahini pytać zaczęła:

— Jak to? waść? o Helenę?

— Ja, mościa pani — i to jest niewzruszony mój zamiar.

Nastała chwila milczenia.

— Czekam na odpowiedzi imość pani.

— Wybacz waćpan — odrzekła ochłonąwszy kniahini, a głos jej stał się suchy i ostry — zaszczyt to dla nas niemały prośba takiego kawalera, ale nie może z niej nic być, gdyż Helenę obiecałam już komu innemu.

— Zważ wszelako waćpani, jako troskliwa opiekunka, czy to nie było przeciw woli kniaziówny i czym nie lepszy niźli ten, komu ją waćpani obiecałaś.

— Mości panie! Kto lepszy, mnie sądzić. Możesz być i najlepszy, wszystko nam jedno, bo cię nie znamy.

Na to namiestnik wyprostował się jeszcze dumniej, a spojrzenia jego stały się jako noże ostre, choć zimne.

— Ale ja was znam, zdrajcy! — huknął. — Chcecie krewniaczkę chłopu oddać, byle was tylko w zagarniętej nieprawnie włości zostawił...

— Sam zdrajco! — krzyknęła kniahini. — Tak to za gościnę płacisz? taką to wdzięczność w sercu żywisz? O żmijo! Coś za jeden? Skądeś się wziął?

Młodzi Kurcewicze poczęli w palce trzaskać i po ścianach za bronią się oglądać, namiestnik zaś wołał:

— Poganie! zagarnęliście włość sierocą, ale nic z tego. Za dzień książę już o tym wiedzieć będzie.

Usłyszawszy to kniahini rzuciła się w tył izby i chwyciwszy rohatynę szła z nią do namiestnika. Kniaziowie też porwawszy, co który mógł, ten szablę, ten kiścień, ten nóż, otoczyli go półkolem, dysząc jak stado wilków wściekłych.

— Do księcia pójdziesz? — wołała kniahini — a wiesz--li, czy żyw stąd wyjdziesz? czy to nie ostatnia twoja godzina?

Skrzetuski skrzyżował ręce na piersiach i okiem nie mrugnął.

— Jako książęcy poseł z Krymu wracam — rzekł — i niech tu jedną kroplę krwi uronię, a w trzy dni i popiołu z tego miejsca nie zostanie, wy zaś pognijecie w lochach łubniańskich. Jest-li na świecie moc, co by was uchronić zdołała? Nie groźcie, bo was się nie boję!

— Zginiemy, ale ty pierwej zginiesz.

— Tedy uderzaj — oto pierś moja.

Kniaziowie z matką na czele trzymali wciąż ostrza skierowane ku piersi namiestnika, ale rzekłbyś, jakieś niewidzialne łańcuchy skrępowały im ręce. Sapiąc i zgrzytając zębami, szarpali się w bezsilnej wściekłości — wszelako nie uderzał żaden. Ubezwładniło ich straszliwe imię Wiśniowieckiego.

Namiestnik był panem położenia.

Bezsilny gniew kniahini wylał się tylko potokiem obelg:

— Przechero! szaraku! hołyszu! kniaziowej krwi ci się zachciało — ale nic z tego! Każdemu oddamy, byle nie tobie, czego nam i sam książę nakazać nie jest w stanie.

Na to pan Skrzetuski:

— Nie pora mi się z mego szlachectwa wywodzić, ale tak myślę, że wasze księstwo mogłoby snadnie za nim mieczyk i tarczę nosić. Zresztą, skoro chłop był wam dobry, to jam lepszy. Co do fortuny mojej, i ta wejść może z waszą w paragon, a że mówicie, iż mnie Heleny nie dacie, to słuchajcie, co powiem: i ja ostawię was przy Rozłogach, rachunków z opieki nie żądając.

— Nie darowywuj tego, co nie twoje.

— Nie darowuję, jeno obietnicę na przyszłość daję i rycerskim słowem ją poręczam. Tedy wybierajcie: albo rachunki księciu z opieki złożyć i z Rozłogów ustąpić, albo-li mnie dziewkę oddać, a włość zatrzymać...

Rohatyna wysuwała się z wolna z rąk kniahini. Po chwili upadła z brzękiem na podłogę.

— Wybierajcie — powtórzył pan Skrzetuski: *aut pacem, aut bellum!*

— Szczęście to — rzekła już łagodniej Kurcewiczowa — że Bohun z sokoły pojechał nie chcąc na waszmości patrzyć, bo on już wczora podejrzewał. Inaczej nie byłoby tu bez krwi rozlania.

— Mościa pani, i ja szablę nie po to noszę, by mi pas obciągała.

— Uważ jednak waszmość, czy to politycznie ze strony takiego kawalera, wszedłszy po dobremu w dom, tak na ludzi nastawać i dziewkę impetem brać, tak właśnie, jakby z niewoli tureckiej?

— Godzi się, gdy po niewoli miała być chłopu zaprzedana.

— Tego waść o Bohunie nie mów, bo on choć rodziców nieświadom, przecie wojownik jest zawołany i rycerz sławny, a nam od dziecka znajomy, w domu jakoby krewny. Któremu za jedno, czyby mu tę dziewkę odjąć, czyby go nożem pchnąć.

— Mościa pani, a mnie czas w drogę, wybaczcie więc, że raz jeszcze powtórzę: wybierajcie!

Kniahini zwróciła się do synów:

— A co, synkowie, mówicie na tak pokorną prośbę tego kawalera?

Bułyhowie spoglądali po sobie, trącali się łokciami i milczeli.

Na koniec Symeon mruknął:

— Każesz bić, maty, to będziem; każesz dać dziewkę, to damy.

— Bić źle i dać źle.

Potem zwracając się do Skrzetuskiego:

— Przycisnąłeś nas waść tak do ściany, że choć łopnąć. Bohun jest człowiek szalony, gotów się ważyć na wszystko. Kto nas przed jego zemstą osłoni? Sam zginie od księcia, ale nas pierwej zgubi. Co nam począć?

— Wasza głowa.

Kniahini milczała przez chwilę.

— Słuchajże, mości kawalerze. Musi to wszystko w tajemnicy zostać. Bohuna wyprawim do Perejasławia, sami z Heleną do Łubniów zjedziem, a waść uprosisz księcia, by nam prezydium do Rozłogów przysłał. Bohun ma w pobliżu półtorasta semenów, z których część tu jest. Nie możesz Heleny zaraz brać, bo ją odbije. Inaczej to nie może być. Jedźże więc, nikomu sekretu nie powiadając, i czekaj nas.

— Byście mnie zdradzili?

— Byśmy tylko mogli! — ale nie możem, sam to widzisz. Daj słowo, że sekret do czasu utrzymasz!

— Daję — a wy dajecie dziewkę?

— Bo nie możemy nie dać, choć nam Bohuna żal...

— Tfy! tfy! mości panowie — rzekł nagle namiestnik zwracając się do kniaziów — czterech was jak dębów i jednego Kozaka się bojąc, zdradą go brać chcecie. Chociem wam winien dziękować, jednakże powiem: nie przystoi to zacnej szlachcie!

— Waść się w to nie mieszaj — zakrzyknęła kniahini. — Nie twoja to rzecz. Co nam począć? Ilu waść masz żołnierzów na jego półtorasta semenów? Osłoniszże nas? osłoniszże samą Helenę, którą on gwałtem porwać gotów? To nie waścina rzecz. Jedźże sobie do Łubniów, a co my poczniemy, to nam wiedzieć, byleśmy Helenę ci przywieźli.

— Czyńcie, co chcecie: jedno wam tylko jeszcze powiem. Gdyby się tu krzywda kniaziównie działa — tedy bieda wam!

— Nie poczynajże sobie tak z nami, byś nas do desperacji nie przywiódł.

— Boście jej gwałt uczynić chcieli, a i teraz, przedając ją za Rozłogi, do głowy wam nie przyszło spytać: zali będzie jej po myśli moja persona?

— Za czym spytamy jej wobec ciebie — rzekła kniahini tłumiąc gniew, który na nowo poczynał wrzeć w jej piersi, czuła bowiem doskonale pogardę w słowach namiestnika.

Symeon poszedł po Helenę i po chwili ukazał się z nią w sieni.

Wśród tych gniewów i gróźb, które zdawały się huczeć jeszcze w powietrzu jak odgłosy przemijającej nawałnicy, wśród tych zmarszczonych brwi, srogich spojrzeń i surowych twarzy, jej śliczne oblicze zabłysło jakoby słońce po burzy.

— Mościa panno! — rzekła ponuro kniahini ukazując na Skrzetuskiego — jeśli masz wolę po temu to jest twój przyszły mąż.

Helena zbladła jak ściana i krzyknąwszy zakryła oczy rękoma, a potem nagle wyciągnęła je ku Skrzetuskiemu.

— Prawda-li to? — szeptała w upojeniu.

W godzinę później orszak posła i namiestnikowy posuwał się z wolna leśnym gościńcem w stronę Łubniów. Skrzetuski z panem Longinem Podbipiętą jechali na czele; za nimi wozy poselskie wyciągnęły się długim pasem. Namiestnik cały był pogrążony w zadumie i tęsknocie, gdy wtem z owej zadumy zbudziły go urwane słowa pieśni:

Tużu, tużu, serce bołyt...

W głębi lasu na wąskiej wyjeżdżonej przez chłopów drożynie ukazał się Bohun. Koń jego całkiem był pokryty pianą i błotem.

Widocznie Kozak, wedle swego obyczaju, puścił się był na stepy i lasy, by się wiatrem spić, zgubić w dali i zapamiętać, i to, co duszę bolało — przeboleć.

Teraz wracał właśnie do Rozłogów.

Patrząc na tę przepyszną, iście rycerską postać, która mignęła tylko i znikła, pan Skrzetuski mimo woli pomyślał sobie, a nawet mruknął pod nosem:

— Wszelako to szczęście, że on człowieka przy niej rozszczepił.

Nagle jakiś żal ścisnął mu serce. Żal mu było jakoby i Bohuna, ale więcej jeszcze tego, że związawszy się słowem kniahini, nie mógł, ot teraz, popędzić za nim konia i rzec:

— Kochamy jedną, więc jednemu z nas nie żyć na świecie. Dobądź, Kozacze, serpentyny!

Rozdział V

Przybywszy do Łubniów nie zastał pan Skrzetuski w domu księcia, który był do pana Suffczyńskiego, dawniejszego swego dworzanina, do Sieńczy na chrzciny pojechał, a z nim księżna, dwie panny Zbaraskie i wiele osób ze dworu. Dano tedy znać do Sieńczy i o powrocie z Krymu namiestnika, i o przybyciu posła; tymczasem znajomi i towarzysze witali radośnie po długiej podróży Skrzetuskiego, a zwłaszcza pan Wołodyjowski, który po ostatnim pojedynku był najbliższym naszemu namiestnikowi przyjacielem. Odznaczał się ten kawaler tym, iż ustawicznie był zakochany. Przekonawszy się o nieszczerości Anusi Borzobohatej, zwrócił był czułe serce ku Anieli Leńskiej, pannie również z fraucymeru, a gdy i ta przed miesiącem właśnie zaślubiła pana Staniszewskiego, wówczas Wołodyjowski dla pociechy jął wzdychać do starszej księżniczki Zbaraskiej, Anny, synowicy księcia Wiśniowieckiego.

Wszelako sam rozumiał, iż podniósłszy tak wysoko oczy nie mógł choćby najmniejszą pokrzepiać się nadzieją, tym bardziej że i po księżniczkę zgłosili się już dziewosłębowie, pan Bodzyński i pan Lassota, w imieniu pana Przyjemskiego, wojewodzica łęczyckiego. Opowiadał więc nieszczęsny Wołodyjowski te nowe strapienia naszemu namiestnikowi, wcielając go we wszystkie sprawy i tajemnice dworskie, których ten półuchem słuchał mając umysł i serce czym innym zajęte. Gdyby nie owe duszne niepokoje, które z miłością, choćby wzajemną, zawsze w parze chodzić zwykły, byłby się czuł pan Skrzetuski szczęśliwym wróciwszy po długiej nieobecności do Łubniów, gdzie otoczyły go twarze życzliwe i ów gwar życia żołnierskiego, z którym od dawna był zżyły. Albowiem Łubnie, jakkolwiek jako zamczysta rezydencja pańska, mogły pod względem wspaniałości równać się ze wszystkimi siedzibami „królewiąt", tym się wszelako od nich różniły, iż życie w nich było surowe, prawdziwie obozowe. Kto nie znał tamtejszych zwyczajów i ordynku, ten przyjechawszy choćby w porze najspokojniejszej mógł sądzić, że się tam jaka wyprawa wojenna gotuje. Żołnierz przeważał tam nad dworzaninem, żelazo nad złotem, dźwięk trąb obozowych nad gwarem uczt i zabaw. Wszędy panował wzorowy ład i nie znana gdzie indziej dyscyplina; wszędy roiło się od rycerstwa spod różnych chorągwi: pancernych, dragońskich, kozackich, tatarskich i wołoskich, pod którymi służyło nie tylko całe Zadnieprze, ale i ochocza szlachta ze wszystkich okolic Rzplitej. Kto się chciał w prawdziwej rycerskiej szkole wyćwiczyć, ten ciągnął do Łubniów; nie brakło więc tam obok Rusinów ani Mazurów, ani Litwy, ani Małopolan, ba! nawet i Prusaków. Piesze regimenta i artyleria, czyli tak zwany „lud ognisty", złożone były przeważnie z wyborowych Niemców najętych za żołd wysoki; w dragonach służyli głównie miejscowi, Litwa w tatarskich chorągwiach, Małopolanie garnęli się najchętniej pod znaki pancerne. Książę nie pozwalał też gnuśnieć rycerstwu; dlatego w obozie panował ruch ustawiczny. Jedne pułki wychodziły na zmianę do stanic i polanek, inne wchodziły do stolicy; po całych dniach odbywały się musztry i ćwiczenia. Czasem też, chociaż i spokojnie było od Tatar, książę przedsiębrał dalekie wyprawy w głuche stepy i pustynie, by żołnierzy do pochodów przyuczyć, dotrzeć tam, gdzie nikt nie dotarł, i roznieść sławę swego imienia. Tak zeszłej jesieni zapuścił się lewym brzegiem Dniepru do Kudaku, gdzie go pan Grodzicki, trzymający prezydium, jak monarchę udzielnego przyjmował; potem pociągnął obok porohów aż do Chortycy i na uroczyszczu Kuczkasów kazał mogiłę wielką z kamieni usypać na pamiątkę i na znak, że tamtą stroną żaden jeszcze pan nie bywał tak daleko[1].

Pan Bogusław Maszkiewicz, żołnierz dobry, choć młody, a zarazem człowiek uczony, który tę wyprawę również jak i inne pochody książęce opisał, cuda o niej opowiadał Skrzetuskiemu, co pan Wołodyjowski zaraz potwierdzał, gdyż i on brał udział w wyprawie. Widzieli tedy porohy i dziwili im się; a zwłaszcza strasznemu Nienasytcowi, który rokrocznie jak ongi Scylla i Charybda po kilkadziesiąt ludzi pożerał. Potem puścili się na wschód, na spalone stepy, gdzie od niedogarków jazda postępować nie mogła, i aż musieli koniom nogi skórami obwijać. Spotkali tam mnóstwo gadzin, padalców i olbrzymie węże połozy, na dziesięć łokci długie, a grube jak ramię męża. Po drodze na samotnych dębach ryli *pro aeterna rei memoria* herby książęce, na koniec zaszli w tak głuche stepy, gdzie już i śladów człowieka nie było można dopatrzyć.

— Myślałem — mówił uczony pan Maszkiewicz — że nam w końcu na wzór Ulissesa i do Hadu zstąpić przyjdzie.

Na to pan Wołodyjowski:

— Przysięgali też ludzie spod chorągwi pana strażnika Zamoyskiego, która szła na przodku, jako już widzieli owe *fines*, na których *orbis terrarum* się kończy.

Namiestnik opowiadał wzajemnie towarzyszom o Krymie, gdzie prawie pół roku spędził czekając na respons chana jegomości, o tamtejszych miastach pozostałych z dawnych czasów, o Tatarach i o potędze ich wojennej,

---

[1] Są to słowa Maszkiewicza, który mógł nie wiedzieć o bytności Samuela Zborowskiego na Siczy.

a na koniec o postrachu, w jakim żyli usłyszawszy o walnej na Krym wyprawie, w której wszystkie siły Rzeczypospolitej miały wziąć udział.

Tak gwarząc, co wieczór oczekiwali powrotu księcia; tymczasem namiestnik przedstawiał co bliższym towarzyszom pana Longina Podbipiętę, który jako człek słodki, od razu pozyskał serca, a okazawszy przy próbach z mieczem nadludzką swą siłę, powszechny sobie zjednywał szacunek. Opowiedział on już temu i owemu o przodku Stowejce i o ściętych trzech głowach, zamilczał tylko o swoim ślubie nie chcąc się na żarty narażać. Szczególniej podobali się sobie z Wołodyjowskim, a to dla zobopólnej serc czułości; po kilku też dniach chodzili razem wzdychać na wały, jeden do gwiazdki za wysoko świecącej, by ją mógł dostać, *alias* do księżniczki Anny — drugi do nieznanej, od której go trzy ślubowane głowy oddzielały.

Ciągnął nawet Wołodyjowski pana Longina do dragonów, ale Litwin postanowił sobie koniecznie zapisać się pod znak pancerny, by pod Skrzetuskim służyć, o którym z rozkoszą dowiedział się w Łubniach, że wszyscy mają go za rycerza pierwszej wody i jednego z najlepszych oficerów książęcych. A właśnie w chorągwi, w której pan Skrzetuski porucznikował, otwierał się wakans po panu Zakrzewskim, przezwiskiem *Miserere mei*, który od dwóch tygodni obłożnie chorował i był bez nadziei życia, bo mu się wszystkie rany od wilgoci pootwierały. Do trosk miłosnych namiestnika dołączył się jeszcze i smutek z grożącej straty starego towarzysza i doświadczonego przyjaciela; nie odstępował też po kilka godzin dziennie ani piędzią od jego wezgłowia, pocieszając go, jak umiał, i krzepiąc go nadzieją, że jeszcze niejedną wyprawę razem odbędą.

Ale starzec nie potrzebował pociechy. Konał sobie wesoło na twardym łożu rycerskim obciągniętym końską skórą i z uśmiechem prawie dziecinnym spoglądał na krucyfiks zawieszony nad łożem, Skrzetuskiemu zaś odpowiadał:

— *Miserere mei*, mości poruczniku, już ja sobie idę po swoją lafę niebieską. Ciało na mnie takie od ran dziurawe, że o to się tylko boję, czy święty Piotr, który jest marszałkiem bożym i ochędóstwa w niebie doglądać musi, puści mnie do raju w tak podziurawionej sukni. Ale mu powiem: „Święty Pietruńku! zaklinam się na ucho Malchusowe, nie czyńże mi wstrętu, boć to poganie tak mi popsowali szatki cielesne... *Miserere mei!* a będzie jaka wyprawa św. Michała na potencję piekielną, to się stary Zakrzewski przyda jeszcze".

Więc porucznik, choć jako żołnierz tyle razy śmierć oglądał i sam ją zadawał, nie mógł łez wstrzymać słuchając tego starca, którego zgon do pogodnego zachodu słońca był podobny.

Aż jednego ranka zabrzmiały dzwony we wszystkich kościołach i cerkwiach łubniańskich zwiastujące śmierć pana Zakrzewskiego. Tegoż dnia książę z Sieńczy przyjechał, a z nim panowie Bodzyński i Lassota oraz cały dwór i dużo szlachty w kilkudziesięciu kolaskach, bo zjazd u pana Suffczyńskiego był niezmierny. Książę wyprawił wspaniały pogrzeb chcąc uczcić zasługi zmarłego i okazać, jak się w ludziach rycerskich kocha. Asystowały więc w pochodzie żałobnym wszystkie regimenty stojące w Łubniach, na wałach bito z hakownic i rusznic. Kawaleria szła od zamku aż do kościoła farnego w mieście bojowym ordynkiem, ale ze zwiniętymi banderiami; za nią piesze regimenta z kolbami do góry. Sam książę przybrany w żałobę jechał za trumną w pozłocistej karecie zaprzężonej w ośm białych jak mleko koni mających grzywy i ogony pofarbowane na pąsowo i kiście strusich piór czarnej barwy na głowach. Przed kolaską postępował oddział janczarów stanowiących przyboczną straż książęcą, tuż za kolaską paziowie przybrani z hiszpańska, na dzielnych koniach, dalej wysocy urzędnicy dworscy, dworzanie rękodajni, pokojowcy, na koniec hajducy i pajucy. Kondukt zatrzymał się naprzód u drzwi kościoła, gdzie ksiądz Jaskólski powitał trumnę mową poczynającą się od słów: „Gdzie tak spieszysz, mości Zakrzewski?" Potem przemawiało jeszcze kilku z towarzystwa, a między nimi i pan Skrzetuski, jako zwierzchnik i przyjaciel zmarłego. Następnie wniesiono ciało do kościoła i tu dopiero zabrał głos najwymowniejszy z wymownych: ksiądz jezuita Muchowiecki, które mówił tak górnie i ozdobnie, że sam książę zapłakał. Był to bowiem pan nadzwyczaj tkliwego serca i dla żołnierzów ojciec prawdziwy. Dyscypliny przestrzegał żelaznej, ale pod względem hojności, łaskawego traktowania ludzi i opieki, jaką otaczał nie tylko ich samych, ale ich dzieci i żony, nikt się z nim nie mógł porównać. Dla buntów straszny i niemiłosierny, był jednak prawdziwym dobrodziejem nie tylko dla szlachty, ale i całego swego ludu. Gdy w czterdziestym szóstym roku szarańcza zniszczyła plony, to czynszownikom za cały rok czynsz odpuścił, poddanym kazał wydawać zboże ze spichlerzów, a po pożarze w Chorolu wszystkich mieszczan przez dwa miesiące swoim kosztem żywił. Dzierżawcy i podstarościowie w ekonomiach drżeli, by do uszu księcia wieść o jakowych nadużyciach lub krzywdach ludowi czynionych nie doszła. Sierotom taka była opieka zapewniona, że przezywano je na Zadnieprzu „książęcymi detynami". Czuwała nad tym sama księżna Gryzelda przy pomocy ojca Muchowieckiego. Ład tedy panował we wszystkich ziemiach książęcych, dostatek, sprawiedliwość, spokój ale i strach, bo w razie najmniejszego oporu nie znał książę miary w gniewie i karaniu, tak w jego naturze łączyła się wspaniałomyślność ze srogością. Ale w owych czasach i w owych krainach tylko ta srogość pozwalała się krzewić i plenić ludzkiemu życiu i pracy, jej tylko dzięki powstawały miasta i wsie, rolnik wziął górę nad hajdamaką, kupiec spokojnie towar swój prowadził, dzwony spokojnie wzywały wiernych na modlitwę, wróg nie śmiał granicy przestąpić, kupy łotrów ginęły na palach lub zmieniały się w rządnych żołnierzy, a kraj pustynny rozkwitał.

Dzikiej krainie i dzikim mieszkańcom takiej potrzeba było ręki, na Zadnieprze bowiem szły najniespokojniejsze z Ukrainy żywioły, ciągnęli osadnicy nęceni rolą i żyznością ziemi, zbiegli chłopi ze wszystkich ziem Rzeczypospolitej, przestępcy uciekający z więzień, słowem, jakoby rzekł Livius: „*pastorum convenarumque plebs transfuga ex suis populis*". Utrzymać ich w ryzie, zmienić w spokojnych osadników i wtłoczyć w karby osiadłego życia mógł tylko taki lew, na którego ryk drżało wszystko.

Pan Longinus Podbipięta, pierwszy raz w życiu księcia na pogrzebie ujrzawszy, własnym oczom uwierzyć nie mógł. Słysząc bowiem tyle o sławie jego wyobrażał sobie, że musi to być jakiś olbrzym o głowę rodzaj ludzki przewyższający, a tymczasem książę był wzrostu prawie małego i dość szczupły. Młody był jeszcze, liczył dopiero trzydziesty szósty rok życia, ale na twarzy jego widne już były trudy wojenne. O ile bowiem w Łubniach żył jak król prawdziwy, o tyle w czasie licznych wypraw i pochodów dzielił niewczasy prostego towarzysza, jadał czarny chleb i sypiał na ziemi na wojłoku, a że większa część życia schodziła mu na pracach obozowych, więc odbiły się one na jego twarzy. Wszelako oblicze to na pierwszy rzut oka zdradzało nadzwyczajnego człowieka. Malowała się w nim żelazna, nieugięta wola i majestat, przed którym każdy mimo woli musiał uchylić głowy. Widać było, że ten człowiek zna swoją potęgę i wielkość — i gdyby mu jutro włożyć koronę na głowę, nie czułby się ani zdziwionym, ani przygniecionym jej ciężarem. Oczy miał duże, spokojne, prawie słodkie, jednakże gromy zdawały się być w nich uśpione, i czułeś, że biada temu, kto by je rozbudził. Nikt też znieść nie mógł spokojnego blasku tego spojrzenia i widywano posłów, wytrawnych dworaków, którzy stanąwszy przed Jeremim mieszali się i nie umieli zacząć dyskursu. Był to zresztą na swoim Zadnieprzu król prawdziwy. Z kancelarii jego wychodziły przywileje i nadania: „My po bożej myłosti kniaź i hospodyn” etc. Niewielu też i panów za równych sobie poczytywał. Kniaziowie z krwi dawnych władców bywali u niego marszałkami. Takim był w swoim czasie i ojciec Heleny, Wasyl Bułyha Kurcewicz, który to ród przecie, jak się wyżej wspomniało, wyprowadzał się od Koriata, a w samej rzeczy od Rurykowiczów pochodził.

Było w księciu Jeremim coś, co mimo wrodzonej mu łaskawości trzymało ludzi w oddaleniu. Kochając żołnierzów, on sam poufalił się z nimi; z nim nikt nie śmiał się poufalić. A jednakże rycerstwo, gdyby mu kazał konno w przepaście Dnieprowe skoczyć, uczyniłoby to bez wahania.

Po matce Wołoszce odziedziczył on cerę białą tą białością rozpalonego żelaza, od której żar bije, i czarny jak skrzydło kruka włos, który na całej głowie podgolony, z przodu tylko spadał bujniej i obcięty nad brwiami, zasłaniał mu połowę czoła. Nosił się po polsku, o ubiór niezbyt dbał i tylko na wielkie uroczystości nakładał szaty kosztowne, ale wówczas świecił cały od złota i kamieni. Pan Longin w kilka dni później był obecny na takiej uroczystości, gdy książę dawał posłuchanie panu Rozwanowi Ursu. Audiencje posłów odbywały się zawsze w sali tak zwanej niebieskiej, gdyż na jej suficie firmament niebieski wraz z gwiazdami pędzlem gdańszczanina Helma był wyobrażony. Zasiadał tedy książę pod baldachimem z aksamitu i gronostajów, na wyniosłym krześle do tronu podobnym, którego podnóżek był blachą pozłocistą obity, za księciem zaś stał ksiądz Muchowiecki, sekretarz, marszałek kniaź Woronicz, pan Bogusław Maszkiewicz, dalej paziowie i dwunastu trabantów z halabardami, przybranych po hiszpańsku; głębie sali przepełnione były rycerstwem w świetnych strojach i ubiorach. Pan Rozwan prosił w imieniu hospodara, by książę swym wpływem i grozą imienia wyrobił u chana zakaz Tatarom budziackim wpadania do Wołoszczyzny, w której corocznie straszliwe szkody i spustoszenia czynili, na co książę odpowiedział piękną łaciną, że Budziaccy nie bardzo samemu chanowi byli posłuszni, że jednakże gdy na kwiecień spodziewa się czausa murzy, posła chanowego, u siebie, będzie przez niego upominał się u chana o krzywdy wołoskie. Pan Skrzetuski poprzednio już zdał relację ze swego poselstwa i podróży oraz ze wszystkiego, co słyszał o Chmielnickim i jego na Sicz ucieczce. Książę postanowił posunąć kilka pułków ku Kudakowi, ale nie przywiązywał wielkiej do tej sprawy wagi. Tak więc, gdy nic nie zdawało się zagrażać spokojowi i potędze zadnieprzańskiego państwa, rozpoczęły się w Łubniach uroczystości i zabawy, tak z powodu bytności posła Rozwana, jak i dlatego, że panowie Bodzyński i Lassota oświadczyli się wreszcie uroczyście w imieniu wojewodzica Przyjemskiego o rękę starszej księżniczki Anny, na którą prośbę otrzymali i od księcia, i od księżny Gryzeldy odpowiedź pomyślną.

Jeden tylko mały Wołodyjowski cierpiał nad tym niemało, a gdy Skrzetuski próbował wlać mu otuchę w serce, odpowiedział:

— Dobrze tobie, bo gdy jeno zechcesz, Anusia Borzobohata cię nie minie. Już tu ona o tobie bardzo wdzięcznie przez cały czas wspominała; rozumiałem z początku, iż w tej myśli, by zazdrość w Bychowcu *excitare*, ale widzę, że chciała go na hak przywieść i chyba dla ciebie jednego czulszy w sercu żywi sentyment.

— Co tam Anusia! Wróćże sobie do niej — *non prohibeo*. Ale o księżniczce Annie przestań myśleć, gdyż to jest to samo, jakbyś chciał feniksa czapką na gnieździe przykryć.

— Wiem ci to, że ona jest feniksem, i dlatego z żalu po niej pewnie umrzeć mi przyjdzie.

— Żyw będziesz i wraz się zakochasz, byle jeno nie w księżniczce Barbarze, bo ci ją drugi wojewodzic sprzed nosa sprzątnie.

— Zali serce jest pachołkiem, któremu rozkazać można? zali oczom zabronisz patrzyć na tak cudną istotę, jak księżniczka Barbara, której widok dzikie nawet bestie poruszyć byłby zdolny?

— Masz diable kubrak! — wykrzyknął pan Skrzetuski.

— Widzę, że się bez mojej pomocy pocieszysz, aleć to powtarzam: wróć do Anusi, bo z mojej strony żadnych impedimentów mieć nie będziesz.

Anusia jednak ani myślała rzeczywiście o Wołodyjowskim. Natomiast drażniła ją, zaciekawiała i gniewała obojętność pana Skrzetuskiego, który wróciwszy po tak długiej nieobecności, prawie na nią nie spojrzał. Wieczorami tedy, gdy książę z co przedniejszymi oficerami i dworzany przychodził do bawialnej komnaty księżny, by zabawić się rozmową, Anusia wyglądając zza pleców swej pani (bo księżna była wysoka, a Anusia niska) świdrowała swymi czarnymi oczkami w twarzy namiestnika, chcąc mieć rozwiązanie tej zagadki. Ale oczy Skrzetuskiego, również jak myśl, błądziły gdzie indziej, a gdy wzrok jego padał na dziewczynę, to taki zamyślony i szklany, jak gdyby nie na tę patrzył, do której śpiewał niegdyś:

Jak tatarska orda,
Bierzesz w jasyr *corda!*...

„Co mu się stało?" — pytała sama siebie rozpieszczona faworytka całego dworu i tupiąc drobną nóżką, czyniła postanowienie rzecz tę zbadać. Nie kochała się ona wprawdzie w Skrzetuskim, ale przyzwyczaiwszy się do hołdów nie mogła znieść, by na nią nie zważano, i gotowa była ze złości sama się rozkochać w zuchwalcu.

Razu tedy jednego biegnąc z motkami dla księżny spotkała pana Skrzetuskiego wychodzącego z przyległej sypialnej komnaty książęcej. Naleciała na niego jak burza, prawie go potrąciła piersią i cofnąwszy się nagle, rzekła:

— Ach! jakem się przestraszyła! Dzień dobry waćpanu!

— Dzień dobry pannie Annie! Czyliż takowe *monstrum* ze mnie, bym aż miał pannę Annę przestraszać?

Dziewczyna stała ze spuszczonymi oczkami, kręcąc w palcach niezajętej ręki końce warkoczów, przestępując z nóżki na nóżkę i niby zmieszana odpowiedziała z uśmiechem:

— E nie! to to nie... wcale nie... jak matkę kocham!

Nagle spojrzała na porucznika i znów zaraz spuściła oczy.

— Czy się waćpan gniewasz na mnie?

— Ja? Alboż panna Anna dba o mój gniew?

— Co prawda, to nie. Miałabym też o co dbać! Może waćpan myślisz, że zaraz będę płakała? Pan Bychowiec grzeczniejszy...

— Jeśli tak, to nie pozostaje mnie nic innego, jak ustąpiwszy pola panu Bychowcowi, zejść z oczu panny Anny.

— A czy ja trzymam?

To rzekłszy Anusia zastąpiła mu drogę.

— To waćpan z Krymu powraca? — spytała.

— Z Krymu.

— A co waćpan z Krymu przywiózł?

— Przywiozłem pana Podbipiętę. Wszakże go panna Anna już widziała? Bardzo to miły i stateczny kawaler.

— Pewnie, że milszy od waćpana. A po co on tu przyjechał?

— By panna Anna miała na kim swojej mocy popróbować. Aleć radzę ostro się brać, bo wiem jeden sekret o tym kawalerze, dla którego jest on niezwyciężony... i nawet panna Anna z nim nic nie wskóra.

— Dlaczegóż to on jest niezwyciężony?

— Bo się nie może żenić.

— A co mnie to obchodzi! Czemuż to on nie może się żenić?

Skrzetuski pochylił się do ucha dziewczyny, ale rzekł bardzo głośno i dobitnie:

— Bo czystość ślubował!

— Niemądryś waćpan! — zawołała prędko Anusia i w tejże chwili furknęła jak ptak spłoszony.

Tego wieczora jednak popatrzyła pierwszy raz uważniej na pana Longina. Gości dnia tego było niemało, bo książę wyprawiał pożegnalną ucztę dla pana Bodzyńskiego. Nasz Litwin, przybrany starannie w biały atłasowy żupan i ciemnoniebieski aksamitny kontusz, wyglądał bardzo okazale, tym bardziej że przy boku zamiast katowskiego Zerwikaptura zwieszała mu się lekka, krzywa szabla w pozłocistej pochwie.

Oczki Anusi strzelały na pana Longina po trochu umyślnie, na złość panu Skrzetuskiemu. Byłby tego jednakże namiestnik nie zauważył, gdyby nie Wołodyjowski, który trąciwszy go łokciem rzekł:

— Niechże mnie jasyr spotka, jeśli Anusia nie wdzięczy się do tej chmielowej tyczki litewskiej.

— Powiedzże to jemu samemu.

— Pewnie, że powiem. Dobrana będzie z nich para.

— Będzie ją mógł nosić zamiast spinki u żupana, taka właśnie jest między nimi proporcja.

— Albo zamiast kitki na czapce.

Wołodyjowski podszedł do Litwina.

— Mospanie! — rzekł — niedawno jakeś tu przybył, ale frant, widzę, z waści nie lada.

— A to czemu, bratenku dobrodzieju? a to czemu?

— Boś nam tu najgładszą dziewkę z fraucymeru już zbałamucił.

— Dobrodzieju! — rzekł Podbipięta składając ręce — co waćpan mówisz najlepszego?

— Spojrzyj waszmość na pannę Annę Borzobohatą, w której się tu wszyscy kochamy, jak to ona na waści dziś oczkiem strzyże. Pilnuj się jeno, żeby z waści dudka nie wystrzygła, jako z nas powystrzygała.

To rzekłszy Wołodyjowski zakręcił się na pięcie i odszedł pozostawiając pana Longina w zdumieniu. Nie śmiał on nawet zrazu spojrzeć w stronę Anusi i po niejakim dopiero czasie rzucił znienacka okiem — ale aż zadrżał. Spoza ramienia księżny Gryzeldy dwoje jarzących ślepków patrzyło na niego istotnie z ciekawością i uporem. „*Apage, satanas!*" — pomyślał Litwin i oblawszy się jak żaczek rumieńcem, uciekł w drugi kąt sali.

Jednakże pokusa była ciężka. Ten szatanek wyglądający zza pleców księżny tyle miał ponęt, te oczki tak świeciły jasno, że pana Longina aż ciągnęło coś, by w nie choć jeszcze raz tylko spojrzeć. Ale wtem wspomniał na swój ślub, w oczach stanął mu Zerwikaptur, przodek Stowejko Podbipięta, trzy ścięte głowy, i strach go zdjął. Przeżegnał się i tego wieczora nie spojrzał więcej.

Natomiast rankiem nazajutrz przyszedł na kwaterę Skrzetuskiego.

— Panie namiestniku — rzekł — a prędko pociągniemy? Co też tam waszmość słyszał o wojnie?

— Przypiliło waści. Bądźże cierpliwy, póki się pod znak nie zaciągniesz.

Pan Podbipięta bowiem nie był jeszcze zapisany na miejsce zmarłego Zakrzewskiego. Musiał czekać z tym, aż ćwierć wyjdzie, co miało nastąpić dopiero pierwszego kwietnia.

Ale było mu rzeczywiście pilno, dlatego pytał namiestnika w dalszym ciągu:

— A nicże J. O. książę w tej materii nie mówił?

— Nic. Król pono do śmierci nie przestanie o wojnie myśleć, ale Rzeczpospolita jej nie chce.

— A mówili w Czehrynie, że rebelia kozacka zagraża?

— Znać, że waści mocno ślub dolega. Co do rebelii, wiedzże, iż jej przed wiosną nie będzie, bo choć to zima lekka, ale zima zimą. Mamy dopiero 15 *februarii*, lada dzień mrozy jeszcze mogą nastać, a Kozak w pole nie rusza, póki się nie może okopać, bo oni za wałem biją się okrutnie, w polu zaś nie umieją dotrzymać.

— Tak i trzeba czekać nawet na Kozaków?

— Zważ waćpan i to, że choćbyś w czasie rebelii swoje trzy głowy znalazł, to nie wiadomo, czy od ślubu wolnym będziesz, boć co innego Krzyżacy lub Turcy, a co innego swoi — jakoby rzec, dzieci *eiusdem matris*.

— O wielki Boże! A toś mi waćpan sęka w głowę zadał! Ot, desperacja! Niechże mnie ksiądz Muchowiecki te wątpliwości rozstrzygnie, bo inaczej nie będę miał i chwili spokoju.

— Pewnie, że rozstrzygnie, gdyż jest człek uczony i pobożny, ale pewnie nie powie nic innego. *Bellum civile* to wojna braci.

— A gdyby rebelizantom obca potęga na pomoc przyszła?

— Tedy miałbyś pole. Ale teraz jedno mogę waści zalecić: czekaj i bądź cierpliwy.

Jednakże pan Skrzetuski sam nie umiał pójść za tą radą. Ogarniała go tęskność coraz większa, nudziły go uroczystości dworskie i te twarze, na które dawniej było mu tak mile spoglądać. Panowie Bodzyński, Lassota i pan Rozwan Ursu wyjechali wreszcie, a po ich wyjeździe nastał spokój głęboki. Życie zaczęło płynąć jednostajnie. Książę zajęty był lustracjami dóbr ogromnych i co rano zamykał się z komisarzami nadjeżdżającymi z całej Rusi i Sandomierskiego — więc nawet i ćwiczenia wojskowe rzadko tylko mogły się odbywać. Gwarne uczty oficerskie, na których rozprawiano o przyszłych wojnach, nużyły niewymownie Skrzetuskiego, więc z guldynką na ramieniu uciekał nad Sołonicę, gdzie ongi Żółkiewski tak strasznie Nalewajkę, Łobodę i Krępskiego pogromił. Ślady owej bitwy już się były zatarły i w pamięci ludzkiej, i na pobojowisku. Czasem tylko jeszcze ziemia wyrzucała z łona zbielałe kości, a za wodą sterczał nasyp kozacki, spoza którego bronili się tak rozpaczliwie Zaporożcy

Łobody i Nalewajkowa wolnica. Ale już i na nasypie puścił się gęsto gaj zarośli. Tam to Skrzetuski chronił się przed gwarem dworskim i zamiast strzelać do ptaków, rozpamiętywał; tam to przed oczyma jego duszy stawała przywoływana pamięcią i sercem postać kochanej dziewczyny; tam wśród mgły, szumu oczeretów i melancholii owych miejsc doznawał ulgi we własnej tęsknocie.

Ale później jęły padać obfite, zapowiadające wiosnę deszcze. Sołonica zamieniła się w topielisko, głowy spod dachu trudno było wychylić, więc namiestnik i tej pociechy, jaką znajdował w błąkaniu się samotnym, został pozbawiony. A tymczasem wzrastał jego niepokój — i słusznie. Miał on z początku nadzieję, że Kurcewiczowa z Heleną, jeśli tylko kniahini potrafi wyprawić Bohuna, zjadą zaraz do Łubniów, a teraz i ta nadzieja zgasła. Słota zepsuła drogi, step na kilka mil, po obu brzegach Suły, stał się ogromnym bagniskiem, na przebycie którego trzeba było czekać, póki wiosenne gorące słońce nie wyssie zbytku wód i wilgoci. Przez cały ten czas Helena miała pozostawać pod opieką, której Skrzetuski nie ufał, w prawdziwym wilczym gnieździe, wśród ludzi nieokrzesanych, dzikich, a Skrzetuskiemu niechętnych. Wprawdzie dla własnego dobra powinni mu byli słowa dotrzymać — i prawie nie mieli innej drogi — ale któż mógł odgadnąć, co wymyślą, na co się odważą, zwłaszcza gdy ciążył nad nimi straszliwy watażka, którego widocznie i kochali, i bali się jednocześnie. Łatwo by mu przyszło zmusić ich do oddania mu dziewczyny, bo nierzadkie były i podobne wypadki. Tak samo swego czasu towarzysz nieszczęsnego Nalewajki, Łoboda, zmusił panią Poplińską, by mu oddała za żonę swą wychowankę, choć dziewczyna była szlachcianką dobrego rodu i chociaż z całej duszy nienawidziła watażki. A jeśli było prawdą, co mówiono o niezmiernych bogactwach Bohuna, to przecie mógł im i dziewczynę, i utratę Rozłogów zapłacić. A potem co? „Potem — myślał p. Skrzetuski — doniosą mi szyderczo, że jest «po harapie», a sami umkną gdzieś w puszcze litewskie lub mazowieckie, gdzie ich nawet książęca potężna ręka nie dosięgnie". Pan Skrzetuski trząsł się jak w febrze na tę myśl, targał się jak wilk na łańcuchu, żałował swego rycerskiego słowa danego kniahini — i nie wiedział, co ma począć. A był to człowiek, który nierad pozwalał się ciągnąć za brodę wypadkom. W jego naturze leżała wielka przedsiębiorczość i energia. Nie czekał on na to, co mu los zdarzy; wolał los brać za kark i zmuszać, by zdarzał fortunnie — dlatego trudniej mu było niż komu innemu siedzieć z założonymi rękoma w Łubniach. Postanowił więc działać. Miał on pacholika Rzędziana, szlachcica chodaczkowego z Podlasia, lat szesnastu, ale franta kutego na cztery nogi, z którym niejeden stary wyga nie mógł iść o lepsze, i tego postanowił wysłać do Heleny oraz na przeszpiegi. Skończył się też już był luty; deszcze przestały lać, marzec zapowiadał się dość pogodnie i drogi musiały się nieco poprawić. Wybierał się więc Rzędzian w drogę. Pan Skrzetuski zaopatrzył go w list, papier, pióra i flaszkę inkaustu, której kazał mu jak oka w głowie pilnować, bo pamiętał, że tych rzeczy nie masz w Rozłogach. Miał także chłopak polecone, by nie powiadał, od kogo jest, by udawał, że do Czehryna jedzie, i pilnie na wszystko zwracał oko, a zwłaszcza wywiedział się dobrze o Bohunie, gdzie jest i co porabia. Rzędzian nie dał sobie dwa razy instrukcji powtarzać, czapkę na bakier nasunął, nahajem świsnął i pojechał.

Dla pana Skrzetuskiego rozpoczęły się ciężkie dni oczekiwania. Dla zabicia czasu ścinał się w palcaty z panem Wołodyjowskim, wielkim mistrzem w tej sztuce, lub dzirytem do pierścienia rzucał. Zdarzył się też w Łubniach wypadek, którego namiestnik o mało zdrowiem nie przypłacił. Pewnego dnia niedźwiedź, zerwawszy się z łańcucha na podwórcu zamkowym, poszczerbił dwóch masztalerzy, popłoszył konie pana komisarza Chlebowskiego i na koniec rzucił się na namiestnika, któren szedł właśnie z cekhauzu do księcia, bez szabli przy boku, mając w ręku tylko lekki nadziak z mosiężną główką. Namiestnik byłby zginął niezawodnie, gdyby nie pan Longin, który ujrzawszy z cekhauzu, co się dzieje, porwał za swój Zerwikaptur i przybiegł na ratunek. Pan Longin okazał się w zupełności godnym potomkiem przodka Stowejki, gdyż w oczach całego dworu odwalił jednym zamachem łeb niedźwiedziowi wraz z łapą, któren to dowód nadzwyczajnej siły podziwiał z okna sam książę i wprowadził następnie pana Longina do pokojów księżny, gdzie Anusia Borzobohata tak wabiła go oczkiem, że nazajutrz musiał iść do spowiedzi i następnie przez trzy dni nie pokazywał się w zamku, póki żarliwą modlitwą wszelkich pokus nie odpędził.

Tymczasem upłynęło dni dziesięć, a Rzędziana nie było widać z powrotem. Nasz pan Jan schudł z oczekiwania i tak wymizerniał, że aż Anusia poczęła się wypytywać przez posły, co mu jest — a Carboni, doktor książęcy, zapisał mu jakąś driakiew na melancholię. Ale innej on driakwi potrzebował, gdyż dniem i nocą o swojej kniaziównie rozmyślał — i czuł coraz mocniej, że to nie żadne płoche uczucie zagnieździło się w jego sercu, ale miłość wielka, która musi być zaspokojona, bo inaczej pierś ludzką jak słabe naczynie rozsadzić gotowa.

Łatwo więc sobie wyobrazić radość pana Jana, gdy pewnego dnia o świcie wszedł do jego kwatery Rzędzian, zabłocony, zmęczony, wymizerowany, ale wesół i z dobrą wieścią wypisaną na czole. Namiestnik jak się zerwał wprost z łoża, tak przybiegłszy do niego chwycił go za ramiona i krzyknął:

— Listy masz?

— Mam, panie. Oto są.

Namiestnik porwał i zaczął czytać. Długi czas wątpił, czy mu nawet w razie najpomyślniejszym Rzędzian list przywiezie, gdyż nie był pewny, czy Helena pisać umie. Kresowe niewiasty nie bywały uczone, a Helena chowała się do tego między prostakami. Jednakże widocznie ojciec nauczył ją jeszcze tej sztuki, gdyż skreśliła długi list na cztery strony papieru. Biedaczka nie umiała wprawdzie wyrażać się ozdobnie, retorycznie, ale wprost od serca pisała, co następuje:

„Już ja waćpana nigdy nie zapomnę, waćpan mnie prędzej, bo słyszę, że są i płosi między wami. Ale gdyś pacholika umyślnie tyle mil drogi przysłał, to widać, żem ci miła jak i ty mnie, za coć sercem wdzięcznym dziękuję. Nie myśl też waćpan, aby to nie było przeciw skromności mojej tak ci o tym kochaniu pisać, ale snadź lepiej już prawdę powiedzieć niż zełgać albo ją ukrywać, gdy zgoła co innego jest w sercu. Wypytywałam też imć Rzędziana, co w Łubniach porabiasz i jakie są wielkiego dworu obyczaje, a gdy mnie o urodzie i gładkości tamtejszych panien powiadał, prawie że łzami od wielkiego smutku się zalałam..."

Tu namiestnik przerwał czytanie i spytał Rzędziana:

— Coś ty tam, kpie, powiadał?

— Wszystko dobrze, panie! — odpowiedział Rzędzian.

Namiestnik czytał dalej:

„...Bo jakże mnie prostaczce porównywać się z nimi. Ale powiedział mi pachołek, iż waćpan na żadną i patrzeć nie chcesz..."

— Toś dobrze powiedział! — rzekł namiestnik.

Rzędzian nie wiedział wprawdzie, o co idzie, bo namiestnik czytał list po cichu, ale zrobił mądrą minę i chrząknął znacząco. Skrzetuski zaś czytał dalej:

„...I zaraz pocieszyłam się prosząc Boga, by cię nadal w takowej dla mnie życzliwości utrzymał i obojgu nam błogosławił — amen. Jużem się tak też za waćpanem stęskniła, jako właśnie za matką, bo mnie sierocie smutno na świecie, ale nie przy waćpanu... Bóg patrzy na moje serce, że jest czyste, a co innego jest prostactwo, które mnie wybaczyć musisz..."

W dalszym ciągu donosiła śliczna kniaziówna, że do Łubniów ze stryjenką wyjadą, jak tylko drogi będą lepsze, i że sama kniahini chce wyjazd przyśpieszyć, gdyż z Czehryna dochodzą wieści o jakichś niespokojnościach kozackich, czeka więc tylko na powrót młodych kniaziów, którzy do Bogusławia na jarmark koński pojechali.

„Prawdziwy z waćpana czarownik — pisała dalej Helena — żeś sobie i stryjnę zjednać umiał".

Tu namiestnik uśmiechnął się, przypomniał sobie bowiem, jakimi to sposoby musiał tę stryjnę zjednywać. List kończył się zapewnieniami stałej a poczciwej miłości, jaką właśnie przyszła żona mężowi winna. W ogóle zaś przeglądało z niego istotnie serce czyste, dlatego też namiestnik odczytywał ten list serdeczny po kilkanaście razy od początku do końca, powtarzając sobie w duszy: „Moja wdzięczna dziewko! niechże mnie Bóg opuści, jeśli cię kiedy zaniecham".

Potem zaś począł wypytywać o wszystko Rzędziana.

Sprytny pachołek zdał mu dokładnie sprawę z całej podróży. Przyjęto go uczciwie. Stara kniahini wybadywała go o namiestnika, a dowiedziawszy się, że był rycerzem znakomitym i księcia poufnym, a przy tym człowiekiem zamożnym, rada była.

— Pytała mnie też — rzekł Rzędzian — czy jegomość, jak co obiecnie, zawsze słowo zdzierży, a ja jej na to: „Moja mościa pani! gdyby ten wołoszynek, na którym przyjechałem, był mnie obiecany, wiedziałbym, że już mnie nie minie..."

— Frant z ciebie — rzecze namiestnik — ale kiedyś tak za mnie zaręczył, to go już trzymaj. Nie symulowałeś tedy nic? powiedziałeś, że ja cię przysłałem?

— Powiedziałem, bom obaczył, że można, i zaraz jeszcze wdzięczniej mnie przyjęli, a szczególniej panna, która jest tak cudna, jak drugiej na świecie nie znaleźć. A dowiedziawszy się, że od jegomości jadę, już też nie wiedziała, gdzie mnie posadzić, i gdyby nie post, opływałbym we wszystko jako w niebie. Czytając list jegomościn, łzami go oblewała od radości.

Namiestnik zamilkł również od radości i po chwili dopiero spytał znowu:

— A o onym Bohunie niceś się nie dowiedział?

— Nie zdawało mi się panny albo pani o to pytać, alem wszedł w konfidencję ze starym Tatarem Czechłym, któren choć poganin, jest wiernym panienki sługą. Ten mnie powiadał, że z początku mruczeli oni wszyscy na jegomości bardzo, ale potem się ustatkowali, a to gdy stało się im wiadomo, iż co prawią o skarbach tego Bohuna, to bajki.

— Jakimże sposobem o tym się przekonali?

— A to, widzi jegomość, było tak: Mieli oni dyferencję z Siwińskimi, którą potem obowiązali się spłacić. Jak przyszedł termin, tak do Bohuna: „Pożycz!" A on na to: „Dobra tureckiego — powiada — trochę mam, ale skarbów żadnych, bo com miał, tom — powiada — i rozrzucił". Jak też to usłyszeli, zaraz im był tańszy, i do jegomości afekt zwrócili.

— Nie ma co mówić, dobrześ się o wszystkim wywiedział.

— Mój jegomość, gdybym ja się jednego wywiedział, a drugiego nie, tedyby jegomość mógł do mnie rzec: „Konia mi darowałeś, a terlicyś nie dał". Co by jegomości było po koniu bez terlicy?

— No, no, to weźże i terlicę.

— Dziękuję pokornie jegomości. Oni też Bohuna do Perejasławia zaraz wyprawili, więc jakem się o tym dowiedział, tak sobie myślę: czemu bym i ja nie miał do Perejasławia dotrzeć? Będzie ze mnie pan kontent, to mnie barwa prędzej dojdzie...

— Dojdzie cię na nową ćwierć. To byłeś i w Perejasławiu?

— Byłem. Alem Bohuna tam nie znalazł. Stary pułkownik Łoboda chory. Mówią, że rychło po nim Bohun pułkownikiem zostanie... Ale tam się dzieje coś dziwnego. Semenów ledwie garść przy chorągwi została — reszta, mówią, za Bohunem pociągnęła czy też na Sicz zbiegła i to jest, mój jegomość, ważna rzecz, bo tam się podobno jakaś rebelia knuje. Chciałem się koniecznie czegoś dowiedzieć o Bohunie, aleć tylko tyle mi powiedziano, że się na ruski brzeg[1] przeprawił. Ano! myślę sobie: kiedy tak, to nasza panienka od niego bezpieczna — i wróciłem.

— Dobrześ się sprawił. A przygody jakiej w podróży nie miałeś?

— Nie, mój jegomość, jeno mi się jeść okrutnie chce.

Rzędzian wyszedł, a namiestnik zostawszy sam zaczął na nowo odczytywać list Heleny i do ust przyciskać te literki nie tak kształtne jak ręka, która je kreśliła. Ufność wstąpiła mu w serce i myślał sobie: „Niedługo drogi podeschną, byle Bóg dał pogodę. Kurcewicze też dowiedziawszy się, że Bohun hołysz, pewnie mnie już nie zdradzą. Puszczę im Rozłogi i jeszcze swego dołożę, byle onej kochanej gwiazdki dostać..."

I przybrawszy się, z jaśniejącą twarzą, z pełną od szczęścia piersią, szedł do kaplicy, by Bogu naprzód za dobrą nowinę pokornie podziękować.

---

[1] Prawy brzeg Dniepru nazywano ruskim, lewy — tatarskim.

Rozdział VI

Na całej Ukrainie i Zadnieprzu poczęły zrywać się jakieś szumy, jakoby zwiastuny burzy bliskiej; jakieś dziwne wieści przelatywały od sioła do sioła, od futoru do futoru, na kształt owych roślin, które jesienią wiatr po stepach żenie, a które lud perekotypolem zowie. W miastach szeptano sobie o jakiejś wielkiej wojnie, lubo nikt nie wiedział, kto i przeciwko komu ma wojować. Coś zapowiadało się wszelako. Twarze ludzkie stały się niespokojne. Rolnik niechętnie z pługiem na pole wychodził, chociaż wiosna przyszła wczesna, cicha, ciepła, a nad stepami dzwoniły od dawna skowronki. Wieczorami ludzie po siołach gromadzili się w kupy i stojąc na drodze gwarzyli półgłosem o rzeczach strasznych. Ślepców krążących z lirami i pieśnią wypytywano o nowiny. Niektórym zdało się, że nocami widzą jakieś odblaski na niebie i że księżyc czerwieńszy niż zwykle podnosi się zza borów. Wróżono klęski lub śmierć królewską — a wszystko to było tym dziwniejsze, że do ziem onych, przywykłych z dawna do niepokojów, walk, najazdów, strach niełatwy miał przystęp; musiały więc jakieś wyjątkowo złowrogie wichry grać w powietrzu, skoro niepokój stał się powszechnym.

Tym ciężej, tym duszniej było, że nikt nie umiał niebezpieczeństwa wskazać. Wszelako między oznakami złej wróżby dwie szczególnie zdawały się wskazywać, że istotnie coś zagraża. Oto naprzód niesłychane mnóstwo dziadów lirników pojawiło się po wszystkich wsiach i miastach, a były między nimi jakieś postacie obce, nikomu nie znane, o których szeptano sobie, że to są dziady fałszywe. Ci, włócząc się wszędzie, zapowiadali tajemniczo, iż dzień sądu i gniewu bożego się zbliża. Po wtóre, że Niżowcy poczęli pić na umór.

Druga oznaka była jeszcze niebezpieczniejsza. Sicz, w zbyt szczupłych granicach objęta, nie mogła wszystkich swych ludzi wyżywić, wyprawy nie zawsze się zdarzały, przeto stepy nie dawały chleba Kozakom, mnóstwo więc Niżowców rozpraszało się rokrocznie, w spokojnych czasach, po okolicach zamieszkanych. Pełno ich było na Ukrainie, ba! nawet na całej Rusi. Jedni zaciągali się do pocztów starościńskich, inni szynkowali wódkę po drogach, inni trudnili się po wsiach i miastach handlem i rzemiosłami. W każdej prawie wsi stała opodal od innych chata, w której mieszkał Zaporożec. Niektórzy mieli w takich chatach żony i gospodarstwo. A Zaporożec taki, jako człek zwykle kuty i bity, był poniekąd dobrodziejstwem wsi, w której mieszkał. Nie było nad nich lepszych kowali, kołodziejów, garbarzy, woskobojów, rybitwów i myśliwych. Kozak wszystko umiał, wszystko zrobił: dom postawił i siodło uszył. Powszechnie jednak nie byli to osadnicy spokojni, bo żyli życiem tymczasowym. Kto chciał wyrok zbrojno wyegzekwować, na sąsiada najazd zrobić lub się od spodziewanego obronić, potrzebował tylko krzyknąć, a wnet mołojcy zlatywali się jak krucy na żer gotowi. Używała ich też szlachta, używało duchowieństwo wschodnie, wiecznie spory ze sobą wiodące, gdy jednak i takich wypraw brakło, to mołojcy siedzieli cicho po wsiach pracując do upadłego i w pocie czoła zdobywając chleb powszedni.

I trwało tak czasem rok, dwa, aż nagle przychodziła wieść o jakowejś walnej wyprawie czy to jakiego atamana na Tatarów, czy na Lachiw, czy wreszcie paniąt polskich na Wołoszczyznę i wnet ci kołodzieje, kowale, garbarze, woskoboje porzucali spokojne zajęcie i przede wszystkim poczynali pić na śmierć we wszystkich szynkach ukraińskich.

Przepiwszy wszystko, pili dalej na borg, ne na to, szczo je, ałe na to, szczo bude. Przyszłe łupy miały zapłacić hulatykę.

Zjawisko owo powtarzało się tak stale, że później doświadczeni ludzie ukraińscy zwykli mawiać: „Oho! trzęsą się szynki od Niżowców — w Ukrainie coś się gotuje".

I starostowie wzmacniali zaraz załogi w zamkach, pilnie dając na wszystko baczenie, panowie ściągali poczty, szlachta wysyłała żony i dzieci do miast.

Owóż wiosny tej Kozacy poczęli pić jak nigdy, trwonić na ślepo wszelakie zapracowane dobro, i to nie w jednym powiecie, nie w jednym województwie, ale na całej Rusi, jak długa i szeroka.

Coś się więc gotowało naprawdę, chociaż sami Niżowcy nie wiedzieli zgoła, co takiego. Zaczęto mówić o Chmielnickim, o jego na Sicz ucieczce i o grodowych z Czerkas, Bogusławia, Korsunia i innych miast, zbiegłych za nim — ale powiadano też i co innego. Od lat całych krążyły już wieści o wielkiej wojnie z pogany, której król chciał, by dobrym mołojcom łupu przysporzyć, ale Lachy nie chcieli — a teraz te wszystkie wieści pomieszały się z sobą i zrodziły w głowach ludzkich niepokój i oczekiwanie czegoś nadzwyczajnego.

Niepokój ów przedarł się i za mury łubniańskie. Na te wszystkie oznaki niepodobna było oczu zamykać, a zwłaszcza nie miał tego zwyczaju książę Jeremi. W jego państwie niepokój nie przeszedł wprawdzie we wrzenie — strach trzymał w ryzie wszystkich — ale po niejakim czasie z Ukrainy zaczęły dolatywać słuchy, że tu i owdzie chłopi zaczynają dawać opór szlachcie, że mordują Żydów, że chcą się gwałtem zaciągać do regestru na wojnę z pogany i że liczba zbiegów na Sicz coraz się powiększa.

Porozsyłał więc książę posłańców: do pana krakowskiego, do pana Kalinowskiego, do Łobody w Perejasławiu, a sam ściągał stada ze stepów i wojsko z pałanek. Tymczasem przyszły wieści uspokajające. Pan hetman wielki donosił wszystko, co wiedział o Chmielnickim, nie uważał jednak, aby jaka zawierucha mogła z tej sprawy wyniknąć; pan hetman polny pisał, że „hultajstwo zwykle jako roje burzy się na wiosnę". Jeden stary chorąży Zaćwilichowski przesłał list zaklinający księcia, żeby niczego nie lekceważyć, bo wielka burza idzie od Dzikich Pól. O Chmielnickim donosił, że z Siczy do Krymu pognał, by chana o pomoc prosić. „A jako mnie z Siczy przyjaciele donoszą — pisał — iż tam koszowy ze wszystkich ługów i rzeczek piesze i konne wojsko ściąga nie mówiąc nikomu, dlaczego to czyni, mniemam przeto, iż ta burza na nas się zwali, co jeżeli z pomocą tatarską się stanie, daj Boże, by zguby wszystkim ziemiom ruskim nie przyniosło".

Książę ufał Zaćwilichowskiemu więcej niż samym hetmanom, bo wiedział, iż nikt na całej Rusi nie zna tak Kozaków i ich fortelów, postanowił więc jak najwięcej wojsk ściągnąć, a jednocześnie do gruntu prawdy dotrzeć.

Pewnego więc ranka kazał przywołać do siebie pana Bychowca, porucznika chorągwi wołoskiej, i rzekł mu:

— Pojedziesz waść ode mnie w poselstwie na Sicz do pana atamana koszowego i oddasz mu ten list z moją hospodyńską pieczęcią. Ale żebyś wiedział, czego się trzymać, to ci powiem tak: list jest pozór, a zaś waga cała poselstwa w waszmościnym rozumie spoczywa, abyś na wszystko patrzył, co się tam dzieje, ile wojska zwołali i czy jeszcze zwołują. To szczególniej polecam, byś sobie jakich ludzi skaptował i o Chmielnickim mi się wszystkiego dobrze wywiedział, gdzie jest i jeżeli prawda, że do Krymu pojechał Tatarów o pomoc prosić. Rozumiesz waść?

— Jakoby mi kto na dłoni wypisał.

— Pojedziesz na Czehryn, po drodze nie wytchniesz dłużej jak noc jedną. Przybywszy udasz się do chorążego Zaćwilichowskiego, by cię w listy do swoich przyjaciół w Siczy opatrzył, które sekretnie im oddasz. Owi wszystko ci opowiedzą. Z Czehryna ruszysz bajdakiem do Kudaku, pokłonisz się ode mnie panu Grodzickiemu i to pismo mu wręczysz. On cię przez porohy każe przeprawić i przewoźników potrzebnych dostarczy. W Siczy też nie baw, patrz, słuchaj i wracaj, jeśli żyw będziesz, bo to ekspedycja niełatwa.

— Wasza książęca mość jest szafarzem krwi mojej. Ludzi siła mam wziąć?

— Weźmiesz czterdziestu pocztowych. Ruszysz dziś pod wieczór, a przed wieczorem przyjdziesz jeszcze po instrukcje. Ważną to misję waszmości powierzam.

Pan Bychowiec wyszedł uradowany; w przedpokoju spotkał Skrzetuskiego z kilku oficerami z artylerii.

— A co tam? — spytali go.

— Dziś ruszam w drogę.

— Gdzie? gdzie?

— Do Czehryna, a stamtąd dalej.

— To chodźże ze mną — rzekł Skrzetuski.

I zaprowadziwszy go do kwatery, nuż molestować, by mu tę funkcję odstąpił:

— Jakeś przyjaciel — rzecze — żądaj, czego chcesz: konia tureckiego, dzianeta — dam, niczego nie będę żałował, bym jeno mógł jechać, bo się we mnie dusza w tamtą stronę rwie! Chcesz pieniędzy, pozwolę, byleś ustąpił. Sławyć to nie przyniesie, bo tu pierwej wojna, jeśli ma być, to się rozpocznie — a zginąć możesz. Wiem także, że ci Anusia miła jako i innym — pojedziesz, to ci ją zbałamucą.

Ten ostatni argument lepiej od innych trafił do myśli pana Bychowca, ale jednak opierał się. Co by książę powiedział, gdyby ustąpił? czyby mu nie miał za złe? Toć to jest fawor książęcy taka funkcja.

Usłyszawszy to Skrzetuski poleciał do księcia i natychmiast kazał się przez pazia meldować.

Po chwili paź powrócił z oznajmieniem, iż książę wejść pozwala.

Namiestnikowi biło serce jak młotem z obawy, że usłyszy krótkie „nie"!, po którym nie zostawało nic innego, jak wszystkiego poniechać.

— A co powiesz? — rzekł książę ujrzawszy namiestnika.

Skrzetuski schylił mu się do nóg.

— Mości książę, przyszedłem błagać najpokorniej, by mnie ekspedycja na Sicz była powierzoną. Bychowiec może by ustąpił, bo mi jest przyjacielem, a mnie tak właśnie na niej, jako na samym życiu zależy — boi się tylko Bychowiec, czy wasza książęca mość krzyw za to nie będziesz.

— Na Boga! — rzekł książę — toż ja bym nikogo innego jak ciebie nie wysyłał, ale rozumiałem, że niechętnie ruszysz, niedawno taką długą drogę odbywszy.

— Mości książę, choćbym też i co dzień był wysyłany, zawsze *libenter* w tamtą stronę jeździć będę.

Książę popatrzył na niego przeciągle swymi czarnymi oczyma i po chwili spytał:

— Co ty tam masz?

Namiestnik stał zmieszany jak winowajca, nie mogąc znieść badawczego spojrzenia.

— Już widzę, że muszę prawdę mówić — rzekł — gdyż przed rozumem waszej książęcej mości żadne *arcana* ostać się nie mogą, jedno nie wiem, znajdę-li łaskę w uszach waszej książęcej mości.

I tu zaczął opowiadać, jak poznał córkę kniazia Wasyla, jak się w niej rozkochał i jakby pragnął teraz ją odwiedzić, a za powrotem z Siczy do Łubniów ją sprowadzić, by przed zawieruchą kozacką i natarczywością Bohuna ją uchronić. Zamilczał tylko o machinacjach starej kniahini, gdyż w tym był słowem związany. Natomiast tak począł błagać księcia, iżby mu funkcję Bychowca powierzył, iż książę rzekł:

— Ja bym ci i tak jechać pozwolił i ludzi dał, ale gdyś tak wszystko mądrze ułożył, by własny afekt z oną funkcją pogodzić, tedy muszę już to dla ciebie uczynić.

To rzekłszy w ręce klasnął i kazał paziowi przywołać pana Bychowca.

Namiestnik ucałował z radością rękę księcia, ten zaś za głowę go ścisnął i spokojnym być rozkazał. Lubił on niezmiernie Skrzetuskiego, jako dzielnego żołnierza i oficera, na którego we wszystkim można się było spuścić. Prócz tego był między nimi taki związek, jaki wytwarza się między podwładnym uwielbiającym z całej duszy zwierzchnika a zwierzchnikiem, który to czuje dobrze. Około księcia kręciło się niemało dworaków służących i schlebiających dla własnej korzyści, ale orli umysł Jeremiego wiedział dobrze, co o kim trzymać. Wiedział, że Skrzetuski był człowiek jak łza — cenił go więc i był mu wdzięczny za uczucie.

Z radością dowiedział się także, że jego ulubieniec pokochał córkę Wasyla Kurcewicza, starego sługi Wiśniowieckich, którego pamięć była tym droższą księciu, im była żałośniejszą.

— Nie z niewdzięczności to przeciw kniaziowi — rzekł — nie dowiadywałem się o dziewczynę, ale gdy opiekunowie nie zaglądali do Łubniów i żadnych skarg na nich nie odbierałem, sądziłem, iż są poczciwi. Skoroś mi jednak teraz ją przypomniał, będę o niej jak o rodzonej pamiętał.

Skrzetuski słysząc to nie mógł się nadziwić dobroci tego pana, któren zdawał się sobie samemu robić wyrzuty, że wobec nawału spraw rozlicznych nie zajął się losami dziecka dawnego żołnierza i dworzanina.

Tymczasem nadszedł pan Bychowiec.

— Mosanie — rzekł mu książę — słowo się rzekło; jeśli zechcesz, pojedziesz, aleć proszę, uczyń to dla mnie i ustąp funkcji Skrzetuskiemu. Ma on swoje szczególne, słuszne racje, by jej pożądać, a ja o innej pomyślę dla waści rekompensie.

— Mości książę — odparł Bychowiec — łaska to wysoka waszej książęcej mości, że mogąc rozkazać, na moją wolę to zdajesz, której łaski nie byłbym godzien nie przyjmując jej najwdzięczniejszym sercem.

— Podziękujże przyjacielowi — rzekł książę zwracając się do Skrzetuskiego — i idź gotować się do drogi.

Skrzetuski istotnie dziękował gorąco Bychowcowi, a w kilka godzin potem był gotów. W Łubniach od dawna trudno już mu było wysiedzieć, a ta ekspedycja dogadzała wszelkim jego życzeniom. Naprzód miał zobaczyć Helenę, a potem — prawda, że trzeba było się od niej na dłuższy czas oddalić, ale właśnie taki czas był potrzebny, by drogi po niezmiernych deszczach stały się dla kół możliwe do przebycia. Prędzej kniahini z Heleną nie mogły zjechać do Łubniów, musiałby więc Skrzetuski albo w Łubniach czekać, albo w Rozłogach przesiadywać, co byłoby przeciw układowi z kniahinią i — co więcej — obudziłoby podejrzenia Bohuna. Helena prawdziwie bezpieczną przeciw jego zamachom mogła być dopiero w Łubniach, gdy więc musiała koniecznie jeszcze dość długo w Rozłogach pozostawać, najlepiej wypadało Skrzetuskiemu odjechać, a za to z powrotem już pod zasłoną siły wojskowej książęcej ją zabrać. Tak obrachowawszy kwapił się namiestnik z wyjazdem, i ułatwiwszy wszystko, wziąwszy listy i instrukcje od księcia, a pieniądze na ekspedycję od skarbnika, dobrze jeszcze przed nocą puścił się w drogę mając z sobą Rzędziana i czterdziestu semenów z kozackiej książęcej chorągwi.

Rozdział VII

Było to już w drugiej połowie marca. Trawy puściły się bujno; perektypola zakwitły, step zawrzał życiem. Rankiem namiestnik, jadąc na czele swych ludzi, jechał jakby morzem, którego falą ruchliwą była kołysana wiatrem trawa. A wszędy pełno wesołości i głosów wiosennych, krzyków, świergotu, pogwizdywań, kląskań, trzepotania skrzydeł, radosnego brzęczenia owadów: step brzmiący jak lira, na której gra ręka boża. Nad głowami jeźdźców jastrzębie tkwiące nieruchomie w błękicie na kształt pozawieszanych krzyżyków, trójkąty dzikich gęsi, sznury żurawiane; na ziemi gony zdziczałych tabunów: ot, leci stado koni stepowych, widać je, jak porą trawy piersią, idą jak burza i stają jak wryte otaczając jeźdźców półkolem; grzywy ich rozwiane, chrapy rozdęte, oczy zdziwione! Rzekłbyś: chcą roztratować nieproszonych gości. Ale chwila jeszcze — i pierzchają nagle, i nikną równie szybko, jak przybiegły; jeno trawy szumią, jeno kwiaty migocą! Tętent ucichł, znowu słychać tylko granie ptactwa. Niby wesoło, a jakiś smutek śród tej radości, niby gwarno, a pusto — o! a szeroko, a przestronno! Koniem nie zgonić, myślą nie zgonić... chyba te smutki, tę pustosz, te stepy pokochać i tęskną duszą krążyć nad nimi, na ich mogiłach spoczywać, głosu ich słuchać i odpowiadać.

Ranek był. Wielkie krople błyszczały na bylicach i burzanach, rzeźwe powiewy wiatru suszyły ziemię, na której po deszczach stały szerokie kałuże, jakoby jeziorka

rozlane, w słońcu świecące. Poczet namiestnikowy posuwał się z wolna, bo trudno było pośpieszyć, gdy konie zapadały czasem po kolana w miękkiej ziemi. Ale namiestnik mało im dawał wytchnienia po wzgórkach mogilnych, bo śpieszył zarazem witać i żegnać. Jakoż drugiego dnia o południu, przejechawszy szmat lasu, dojrzał już wiatraki w Rozłogach rozrzucone po wzgórzach i pobliskich mogiłach. Serce mu biło jak młotem. Nikt go się tam nie spodziewa, nikt nie wie, że przyjedzie; co też ona powie, gdy go ujrzy? O, oto już i chaty „pidsusidków" poukrywane w młodych sadach wiśniowych; dalej wieś rozrzucona dworzyszczowych, a jeszcze dalej widnieje i żuraw studzienny na dworskim majdanie. Namiestnik wspiął konia i kopnął się cwałem, a za nim pocztowi; lecieli tak przez wieś z brzękiem i gwarem. Tu i owdzie chłop wypadł z chaty, popatrzył, przeżegnał się: czorty, nie czorty? Tatary, nie Tatary? Błoto tak pryska spod kopyt, że i nie poznasz, kto leci. A oni tymczasem dolecieli do majdanu i stanęli przed bramą zawartą.

— Hej tam! kto żyw, otwieraj!

Gwar, stukanie i ujadanie psów wywołały ludzi ze dworu. Przypadli tedy do bramy wystraszeni, myśląc, że chyba najazd.

— Kto jedzie?

— Otwieraj!

— Kniaziów nie ma w domu.

— Otwierajże, pogański synu! My od księcia z Łubniów.

Czeladź poznała wreszcie Skrzetuskiego.

— A, to wasza miłość! Zaraz, zaraz!

Otworzono bramę, a wtem i sama kniahini wyszła przed sień i przykrywszy oczy ręką, patrzyła na przybyłych.

Skrzetuski zeskoczył z konia i zbliżywszy się do niej rzekł:

— Jejmość nie poznajesz mnie?

— Ach! to waszmość, panie namiestniku. Rozumiałam, że napad tatarski. Kłaniam i proszę do komnat.

— Dziwisz się zapewne waćpani — rzekł Skrzetuski, gdy weszli już do środka — widząc mnie w Rozłogach, a przeciem słowa nie złamał, gdyż to sam książę do Czehryna i dalej mnie posyła. Kazał mi przy tym w Rozłogach się zatrzymać i o wasze zdrowie zapytać.

— Wdzięcznam jego książęcej mości jako łaskawemu panu i dobrodziejowi. Prędkoż nas myśli z Rozłogów rugować?

— Nie myśli on o tym wcale, gdyż nie wie, że trzeba was rugować, a ja com powiedział, to będzie. Zostaniecie w Rozłogach; mam ja swego chleba dosyć.

Usłyszawszy to kniahini zaraz rozpogodziła się i rzekła:

— Siadajże waszmość i bądź sobie rad, jakom ja ci rada.

— A kniaziówna zdrowa? gdzie jest?

— Wiem ci ja, żeś nie do mnie przyjechał, mój kawalerze. Zdrowa ona, zdrowa; jeszcze dziewka od tych amorów potłuściała. Ale wraz ci jej zawołam, a i sama się trochę ogarnę, bo mi wstyd tak gości przyjmować.

Jakoż kniahini miała na sobie suknię ze spłowiałego cycu, kożuch na wierzchu i jałowicze buty na nogach.

W tej chwili jednak Helena, choć i nie wołana, wbiegła do komnaty, bo się od Tatara Czechły dowiedziała, kto przyjechał. Wbiegłszy zdyszana i kraśna jak wiśnia, tchu prawie złapać nie mogła i tylko oczy śmiały się jej szczęściem i weselem. Skrzetuski skoczył jej ręce całować, a gdy kniahini dyskretnie wyszła, całował i usta, bo był człowiek porywczy. Ona też nie broniła się bardzo, czując, że niemoc opanowywa ją ze zbytku szczęścia i radości.

— A ja się waćpana nie spodziewałam — szeptała mrużąc swe śliczne oczy — ale już tak nie całuj, bo nie przystoi.

— Jak nie mam całować — odpowiedział rycerz — gdy mi miód nie tak słodki, jako usta twoje? Myślałem też, że już mi uschnąć przyjdzie bez ciebie, aż mnie sam książę tu wyprawił.

— To książę wie?

— Powiedziałem mu wszystko. A on jeszcze rad był, na kniazia Wasyla wspomniawszy. Ej, chybaś ty mi co zadała, dziewczyno, że już i świata za tobą nie widzę!

— Łaska to boża takie zaślepienie twoje.

— A pamiętasz jeno ten omen, który raróg uczynił, gdy nam ręce ku sobie ciągnął. Znać było już przeznaczenie.

— Pamiętam...

— Jakem też od tęskności chodził w Łubniach na Sołonicę, tom cię tak prawie, jak żywą, widywał, a com wyciągnął ręce, toś nikła. Ale mi więcej nie umkniesz, gdyż tak myślę, że nic nam już nie stanie na wstręcie.

— Jeśli co stanie, to nie wola moja.

— Powiedzże mi jeszcze raz, że mnie miłujesz.

Helena spuściła oczy, ale odrzekła z powagą i wyraźnie:

— Jako nikogo w świecie.

— Żeby mnie kto złotem i dostojeństwy obsypał, wolałbym takie słowa twoje, bo czuję, że prawdę mówisz, choć sam nie wiem, czym na takowe dobrodziejstwa od ciebie zarobić mogłem.

— Boś miał litość dla mnie, boś mnie przygarnął i ujmował się za mną i takimi słowy do mnie mówił, jakich wprzódy nigdy nie słyszałam.

Helena zamilkła ze wzruszenia, a porucznik począł na nowo całować jej ręce.

— Panią mi będziesz, nie żoną — rzekł.

I przez chwilę milczeli, tylko on wzroku z niej nie spuszczał chcąc sobie długie niewidzenie nagrodzić. Wydała mu się jeszcze piękniejszą niż dawniej. Jakoż w tej rozciemnawej świetlicy, w grze promieni słonecznych rozłamujących się w tęczę na szklanych gomółkach okien, wyglądała jak owe obrazy świętych dziewic w mrocznych kościelnych kaplicach. A jednocześnie biło od niej takie ciepło i życie, tyle rozkosznych niewieścich ponęt i uroków malowało się w twarzy i całej postaci, że można było głowę stracić, rozkochać się na śmierć, a kochać na wieczność.

— Od twojej gładkości chyba mi oślepnąć przyjdzie! — rzekł namiestnik.

Białe ząbki kniaziówny wesoło błysnęły w uśmiechu.

— Pewnie panna Anna Borzobohata ode mnie stokroć gładsza!

— Tak jej do ciebie, jako właśnie cynowej misie do miesiąca.

— A mnie imć Rzędzian co innego powiadał.

— Imć Rzędzian wart w gębę. Co mnie tam po onej pannie! Niech inne pszczoły z tego kwiatu miód biorą, a jest ich tam niemało.

Dalszą rozmowę przerwało wejście starego Czechły, któren przyszedł witać namiestnika. Uważał go on już za swego przyszłego pana, więc kłaniał mu się od proga, oddając mu wschodnim obyczajem salamy.

— No, stary Czechły, wezmę i ciebie z panienką. Już też jej służ do śmierci.

— Niedługo jej czekać, wasza miłość, ale póki życia, póty służby. Bóg jeden!

— Za jaki miesiąc z Siczy wrócę, ruszymy do Łubniów — rzekł namiestnik zwracając się do Heleny — a tam ksiądz Muchowiecki ze stułą czeka.

Helena przestraszyła się:

— To ty na Sicz jedziesz?

— Książę posyła z listami. Aleć się nie bój. Osoba posła i u pogan święta. Ciebie zaś z kniahinią wyprawiłbym choć zaraz do Łubniów, jeno drogi straszne. Sam widziałem — i koniem nie bardzo przejedzie.

— A długo w Rozłogach zostaniesz?

— Dziś jeszcze na wieczór do Czehryna ruszam. Prędzej pożegnam, prędzej powitam. Zresztą służba książęca: nie mój czas, nie moja wola.

— Proszę na posiłek, jeśli amorów i gruchania dosyć

— rzekła wchodząc kniahini. — Ho! ho! policzki ma dziewczyna czerwone, snadź nie próżnowałeś, panie kawalerze! No, ale się wam nie dziwię.

To rzekłszy poklepała łaskawie Helenę po ramieniu i poszli na obiad. Kniahini była w doskonałym humorze. Bohuna odżałowała już dawno, a teraz wszystko składało się tak dzięki hojności namiestnika, że Rozłogi „*cum boris, lasis, graniciebus et coloniis*" mogła już uważać za swoje i swoich synów.

A były to przecie dobra niemałe.

Namiestnik wypytywał o kniaziów, czy prędko wrócą.

— Lada dzień się już ich spodziewam. Gniewno im było z początku na waćpana, ale potem, zważywszy twoje postępki, bardzo cię jako przyszłego krewniaka polubili, bo prawią, że takiej fantazji kawalera trudno już w dzisiejszych miękkich czasach znaleźć.

Po skończonym obiedzie namiestnik z Heleną wyszli do sadu wiśniowego, który tuż do fosy za majdanem przytykał. Sad był, jako śniegiem, wczesnym kwieciem obsypany, za sadem czerniała dąbrowa, w której kukała kukułka.

— Na szczęśliwą to nam wróżbę — rzekł pan Skrzetuski — ale trzeba się popytać.

I zwróciwszy się ku dąbrowie pytał:

— Zazulu nieboże, a ile lat będziem żyć w stadle z tą oto panną?

Kukułka poczęła kukać i kukać. Naliczyli pięćdziesiąt i więcej.

— Dajże tak, Boże!

— Zazule zawsze prawdę mówią — zauważyła Helena.

— A kiedy tak, to jeszcze będę pytał! — rzekł rozochocony namiestnik.

I pytał:

— Zazulu nieboże, a siła mieć będziem chłopczysków?

Kukułka, jakby zamówiona, zaraz poczęła odpowiadać i wykukała ni mniej, ni więcej, jak dwanaście.

Pan Skrzetuski nie posiadał się z radości.

— Ot, starostą zostanę, jak mnie Bóg miły! Słyszałaś waćpanna? hę?

— Zgoła nie słyszałam — odpowiedziała czerwona jak wiśnia Helena — nawet nie wiem, o coś pytał.

— To może powtórzyć?

— I tego nie trzeba.

Na takich rozmowach i zabawach zeszedł im dzień jak sen. Wieczorem nadeszła chwila czułego, długiego pożegnania — i namiestnik ruszył ku Czehrynowi.

Rozdział VIII

W Czehrynie zastał pan Skrzetuski starego Zaćwilichowskiego w wielkim wzruszeniu i gorączce; wyglądał on niecierpliwie książęcego posłańca, bo z Siczy coraz groźniejsze dochodziły wieści. Nie ulegało już wątpliwości, że Chmielnicki gotował się zbrojną ręką swoich krzywd i dawnych kozackich przywilejów dochodzić. Zaćwilichowski miał o nim wiadomości, iż w Krymie bawił u chana żebrząc pomocy tatarskiej, z którą już lada dzień był w Siczy spodziewany. Gotowała się tedy walna z Niżu do Rzeczypospolitej wyprawa, która przy pomocy tatarskiej mogła być zgubną. Burza rysowała się coraz bliżej, wyraźniej, straszniej. Już nie głuche, nieokreślone trwogi przebiegały Ukrainę, ale po prostu pewność rzezi i wojny. Hetman wielki, który z początku niewiele sobie z całej sprawy robił, przysunął się teraz z wojskiem do Czerkas; wysunięte placówki wojsk koronnych dochodziły aż do Czehryna, a to głównie, by zbiegostwo powstrzymać.

Kozacy bowiem grodowi i czerń masami poczęli na Sicz uciekać. Szlachta kupiła się po miastach. Mówiono, że pospolite ruszenie ma być w południowych województwach ogłoszone. Niektórzy też i nie czekając na wici odsyłali żony i dzieci do zamków, a sami ciągnęli pod Czerkasy. Nieszczęsna Ukraina rozdzieliła się na dwie połowy: jedna spieszyła na Sicz, druga do obozu koronnego; jedna opowiadała się przy istniejącym porządku rzeczy, druga przy dzikiej swobodzie; jedna pragnęła zachować to, co było owocem wiekowej pracy, druga pragnęła jej owo dobro odjąć. Obie wkrótce miały bratnie ręce we własnych wnętrznościach ubroczyć. Straszliwy zatarg, zanim wyszukał sobie haseł religijnych, które dla Niżu obce były zupełnie, zrywał się jako wojna socjalna.

Ale jakkolwiek czarne chmury skłębiły się na widnokręgu ukraińskim, jakkolwiek padała od nich noc złowroga, jakkolwiek we wnętrzu ich kłębiło się i huczało, a grzmoty przewalały się z końca w koniec, ludzie nie zdawali sobie jeszcze sprawy, do jakiego stopnia burza się rozpęta. Może nie zdawał sobie z tego sprawy i sam Chmielnicki, który tymczasem słał listy do pana krakowskiego, do komisarza kozackiego i do chorążego koronnego, pełne skarg i biadań, a zarazem zaklęć wierności dla Władysława IV i Rzplitej. Chciał-li zyskać na czasie, czy też przypuszczał, że taki układ może jeszcze koniec zatargowi położyć? — różni różnie sądzili — dwóch tylko ludzi nie łudziło się ani przez jedną godzinę.

Ludźmi tymi byli Zaćwilichowski i stary Barabasz.

Stary pułkownik odebrał również list od Chmielnickiego. List był szyderczy, groźny i pełen obelg. „Zaczniemy z całym wojskiem zaporoskim — pisał Chmielnicki — gorąco prosić i apelować, by stało się zadość onym przywilejom, które wasza miłość u siebie taiłeś. A żeś je tail dla własnych korzyści i pożytków, przeto całe wojsko zaporoskie czyni cię godnym pułkownikować owcom albo świniom, nie ludziom. Ja zaś proszę o przebaczenie waszej miłości, jeśli w czym mu nie wygodziłem w ubogim domu moim w Czehrynie, na prażniku św. Mikołaja — i żem odjechał na Zaporoże bez wiadomości i pozwolenia".

— Patrzcie waszmościowie — mówił do Zaćwilichowskiego i Skrzetuskiego Barabasz — jak to naigrawa się ze mnie, a przecież jam to go wojny uczył i prawie ojcem mu byłem.

— Zapowiada tedy, że z całym wojskiem zaporoskim upominać się o przywileje będzie — rzekł Zaćwilichowski. — Wojna to jest po prostu domowa, od wszystkich wojen straszniejsza.

Na to Skrzetuski:

— Widzę, że mi się trzeba śpieszyć; dajcie mi waszmościowie listy do tych, z którymi w komitywę wejść mi przyjdzie.

— Do atamana koszowego masz waść?

— Mam od samego księcia.

— Dam ci tedy do jednego kurzeniowego, a imć Barabasz ma tam też krewniaka Barabasza; od nich dowiesz się wszystkiego. A kto wie, czy to już nie za późno na takową ekspedycję. Chce książę wiedzieć, co tam naprawdę słychać? — krótka odpowiedź: źle słychać! A chce wiedzieć, czego się trzymać? — krótka rada: zebrać jak najwięcej wojska i z hetmany się połączyć.

— To pchnijcie do księcia gońca z odpowiedzią i radą — rzekł pan Skrzetuski. — Ja muszę jechać, bom tam posłan i decyzji książęcej zmieniać nie mogę.

— A czy wiesz waść, że to okrutnie niebezpieczna wyprawa? — rzekł Zaćwilichowski. — Tu już lud tak wzburzony, że osiedzieć się trudno. Gdyby nie bliskość koronnego wojska, czerń rzuciłaby się na nas. A cóż dopiero tam! Leziesz jakoby smokowi w gardło.

— Mości chorąży! Jonasz był już w brzuchu wielorybim, nie w gardle, a za pomocą bożą wylazł zdrowo.

— Jedź tedy. Chwalę twoją rezolucję. Do Kudaku możesz waść dojechać bezpiecznie, tam się rozpatrzysz, co ci dalej czynić przystoi. Grodzicki stary żołnierz, on najlepsze da ci instrukcje. A do księcia ja sam pewnie ruszę; jeśli się mam bić na swoje stare lata, to wolę pod nim niż pod kim innym. Tymczasem bajdak albo dombazę i przewoźników dla waci przygotuję, którzy cię do Kudaku zawiozą.

Skrzetuski wyszedł i udał się prosto do swej kwatery na rynek, do domu księcia, by ostatnie do odjazdu poczynić przygotowania. Mimo niebezpieczeństw tej podróży, o których mu prawił Zaćwilichowski, namiestnik nie bez pewnego ukontentowania myślał o niej. Miał zobaczyć Dniepr w całej niemal długości, aż do Niżu, i porohy, a była to dla ówczesnego rycerstwa ziemia jakby zaczarowana, tajemnicza, do której ciągnął wszelki duch przygód chciwy. Niejeden całe życie na Ukrainie strawił, a nie mógł się pochwalić, by Sicz widział — chyba żeby chciał zapisać się do bractwa, a do tego mniej już między szlachtą było ochotników. Czasy Samka Zborowskiego przeszły i nie miały wrócić więcej. Rozbrat między Siczą a Rzecząpospolitą, który powstał za czasów Nalewajki i Pawluka, nie tylko nie ustawał, ale zwiększał się coraz bardziej i napływ na Sicz herbowego ludu, nie tylko polskiego, ale i ruskiego, nie różniącego się od Niżowców ni mową, ni wiarą, znacznie był mniejszy. Tacy Bułyhowie Kurcewicze niewielu znajdowali naśladowców; w ogóle na Niż do bractwa gnało teraz szlachtę chyba nieszczęście, banicja, słowem, winy do odpokutowania niepodobne.

Toteż jakaś tajemnica, nieprzenikniona jako mgły Dnieprowe, otoczyła drapieżną niżową rzeczpospolitą. Opowiadano o niej cuda, które pan Skrzetuski własnymi oczyma ciekaw był oglądać.

Nie spodziewał się też, co prawda, stamtąd nie wrócić. Co poseł, to poseł, zwłaszcza od księcia Jeremiego.

Tak rozmyślając wyglądał przez okno ze swej kwatery na rynek. Tymczasem upłynęła jedna godzina i druga, gdy nagle Skrzetuskiemu wydało się, że spostrzega dwie jakieś znane postacie zmierzające ku Dzwonieckiemu Kątowi, gdzie był sklep Wołocha Dopuła.

Przypatrzył się pilniej: był to pan Zagłoba z Bohunem. Szli trzymając się pod ręce i wkrótce znikli w ciemnych drzwiach, nad którymi sterczała wiecha oznaczająca szynk i winiarnię.

Namiestnika zdziwiła i bytność Bohuna w Czehrynie, i przyjaźń jego z panem Zagłobą.

— Rzędzian! sam tu! — zawołał na pachołka.

Pachołek ukazał się we drzwiach przyległej izby.

— Słuchaj no, Rzędzian: pójdziesz do winiarni, ot, tam pod wiechę; znajdziesz tam grubego szlachcica z dziurą w czele i powiesz mu, że ktoś, co ma pilną do niego sprawę, chce go widzieć. A jeśliby pytał kto, nie mów.

Rzędzian skoczył i po niejakim czasie namiestnik ujrzał go wracającego w towarzystwie pana Zagłoby.

— Witaj waszmość! — rzekł pan Skrzetuski, gdy szlachcic ukazał się we drzwiach izby. — Czy mnie sobie przypominasz?

— Czy sobie przypominam? Niechże mnie Tatarzy na łój przetopią i świece ze mnie do meczetów porobią, jeślim zapomniał! Waść to kilka miesięcy temu otworzyłeś drzwi u Dopuła Czaplińskim, co mnie szczególnie do smaku przypadło, gdyż takim samym sposobem uwolniłem się raz z więzienia w Stambule. A co porabia pan Powsinoga herbu Zerwipludry razem ze swoją innocencją i mieczem? Czy zawsze mu wróble na głowie siadają biorąc go za uschłe drzewo?

— Pan Podbipięta zdrów i kazał się kłaniać waszmości.

— Wielce to jest bogaty szlachcic, ale srodze głupi. Jeśli zetnie takie trzy głowy, jak jego własna, to mu to uczyni dopiero półtorej, bo zetnie trzech półgłówków. Tfu! jakie gorąco, choć to dopiero marzec! Język w gardle zasycha.

— Mam ja trojniak bardzo przedni, może waść kusztyczek pozwoli?

— Kiep odmawia, gdy nie kiep prosi. Właśnie mi cyrulik miód pić zalecił, żeby mi melancholię od głowy odciągnęło. Ciężkie bo to czasy na szlachtę się zbliżają: *dies irae et calamitatis*. Czapliński zdechł ze strachu, do Dopuła nie chodzi, bo tam starszyzna kozacka pije. Ja jeden stawiam mężnie czoło niebezpieczeństwom i dotrzymuję onym pułkownikom kompanii, choć ich pułkownictwo dziegciem śmierdzi. Dobry miód!... istotnie bardzo przedni. Skąd go waść masz?

— Z Łubniów. To dużo starszyzny tu jest?

— Kogo tu nie ma! Fedor Jakubowicz jest, stary Filon Dziedziała jest, Daniel Neczaj jest, a z nimi ich oczko w głowie, Bohun, który stał mi się przyjacielem od czasu, jakem go przepił i obiecałem go adoptować. Wszyscy oni śmierdzą teraz w Czehrynie i patrzą, w którą stronę się obrócić, bo nie śmią jeszcze otwarcie przy Chmielnickim się opowiedzieć. Ale jeśli się nie opowiedzą, to będzie moja zasługa.

— A to jakim sposobem?

— Bo pijąc z nimi, dla Rzeczypospolitej ich kaptuję i do wierności namawiam. Jeśli król nie da mnie za to starostwa, to wierzaj waćpan, nie ma justycji w tej Rzeczypospolitej ani rekompensy dla zasług i lepiej pono kury sadzić niż głowę *pro publico bono* narażać.

— Lepiej byś waćpan narażał bijąc się z nimi, ale widzi mi się, że pieniądze tylko próżno wyrzucasz na traktamenty, bo tą drogą ich nie skaptujesz.

— Ja pieniądze wyrzucam? Za kogo mnie waszmość masz? To nie dość, że pospolituję się z chamami, żebym jeszcze za nich miał płacić? Za fawor to uważam, że im pozwalam płacić za siebie.

— A ówże Bohun co tu porabia?

— On? Nadstawia ucha, co od Siczy słychać, jak i inni. Po to tu przybył. To kochanek wszystkich Kozaków.

Wdzięczą się oni do niego na kształt małpów, bo to jest pewna, że perejasławski pułk za nim, nie za Łobodą pójdzie. A kto wie także, za kim regestrowi Krzeczowskiego pociągną? Brat Bohun Niżowcom, jak trzeba iść na Turka lub Tatara, ale teraz bardzo kalkuluje, bo mi po pijanemu wyznał, iż się w szlachciance kocha i chce się z nią żenić, przeto nie wypada mu w wigilię ślubu z chłopy się bratać. Toć on chce, bym go adoptował i do herbu przypuścił... Bardzo przedni ten waszmościów trojniak!

— Wypijże waść jeszcze.

— Wypiję, wypiję. Nie pod wiechami to taki trojniak przedają.

— Nie pytałeś się też wasze, jak się nazywa owa szlachcianka, z którą Bohun chce się żenić?

— Mospanie, a co mnie obchodzi jej nazwisko? Wiem tylko, że jak Bohunowi rogi przyprawię, to się będzie nazywać pani jeleniowa.

Namiestnik uczuł nagle wielką ochotę trzepnąć w ucho pana Zagłobę, ten zaś nie spostrzegłszy się na niczym mówił dalej:

— Za młodych lat był ze mnie gładysz nie lada. Żebym tylko waści opowiedział, za co palmę w Galacie otrzymałem! Widzisz tę dziurę na moim czele? Dość, gdy ci powiem, że mi ją rzezańcy w seraju tamecznego baszy wybili.

— A mówiłeś, że kula rozbójnicka?

— Mówiłem? Tom dobrze mówił! Każdy Turczyn rozbójnik — tak mnie Panie Boże dopomóż!

Dalszą rozmowę przerwało wejście Zaćwilichowskiego.

— No, mości namiestniku — rzekł stary chorąży — bajdaki gotowe, przewoźników masz ludzi pewnych: ruszajże w imię boże, choćby i zaraz. A oto listy.

— To każę ludziom zaraz ruszać na brzeg.

— A gdzie waść się wybierasz? — spytał pan Zagłoba.

— Do Kudaku.

— Gorąco tam ci będzie.

Ale namiestnik nie słyszał już przepowiedni, bo wyszedł z izby na podwórzec, gdzie przy koniach stali semenowie prawie już gotowi do podróży.

— Na koń i na brzeg! — zakomenderował pan Skrzetuski. — Konie wprowadzić na statki i czekać na mnie!

Tymczasem w izbie stary chorąży rzekł do Zagłoby:

— Słyszałem, że podobno waść teraz pułkownikom kozackim dworujesz i z nimi pijesz.

— *Pro publico bono*, mości chorąży.

— Obrotny masz waść dowcip i podobno od wstydu większy. Chcesz sobie Kozaków *in poculis* skonwinkować, by przyjaciółmi ci byli w razie zwycięstwa.

— Choćbym też, będąc męczennikiem tureckim, nie chciał zostać i kozackim, nie byłoby nic dziwnego, bo dwa grzyby mogą najlepszy barszcz popsować. A co do wstydu, nikogo nie zapraszam, by go pił ze mną — sam go wypiję, i da Bóg, że mi nie będzie gorzej od tego miodu smakował. Zasługa jako olej musi na wierzch wypłynąć.

W tej chwili wrócił Skrzetuski.

— Ludzie już ruszają — rzekł.

Zaćwilichowski nalał miarkę:

— Za szczęśliwą podróż!

— I zdrowy powrót! — dodał pan Zagłoba.

— Będzie się wam dobrze jechało, bo woda ogromna.

— Siadajcie waszmościowie, wypijem resztę. Niewielki to antałek.

Siedli i pili.

— Ciekawy kraj waść zobaczysz — mówił Zaćwilichowski. — A kłaniaj się panu Grodzickiemu w Kudaku! Ej, żołnierz to, żołnierz! Na końcu świata siedzi, daleko od hetmańskich oczu, a porządek u niego taki, że daj Boże w całej Rzeczypospolitej podobny. Znam ja dobrze Kudak i porohy. Za dawnych lat częściej się tam jeździło — i aż duszy smutno, gdy się pomyśli, że to przeszło, minęło, a teraz...

Tu chorąży wsparł mleczną głowę na ręku i zadumał się głęboko. Nastała chwila ciszy, słychać było tylko tupot koński w bramie, bo ostatek ludzi pana Skrzetuskiego wyjeżdżał na brzeg ku bajdakom.

— Mój Boże! — mówił ocknąwszy się z zadumy Zaćwilichowski — a jednak dawniej, choć i wśród rozterków, lepsze bywały czasy. Ot, pamiętam jak dziś, pod Chocimiem, dwadzieścia siedem lat temu! Gdy husaria szła pod Lubomirskim do ataku na janczarów, to mołojcy w swoim okopie rzucali czapki w górę i krzyczeli, aż ziemia drżała do Sahajdacznego: „Puskaj, bat'ku, z Lachami umiraty!" A dziś co? Dziś Niż, który winien być przedmurzem chrześcijaństwa, puszcza Tatarów w granice Rzeczypospolitej, by się na nich rzucić dopiero wtedy, gdy z łupem będą wracali. Dziś gorzej: bo oto Chmielnicki łączy się wprost z Tatary, z którymi chrześcijan będzie do kompanii mordował...

— Wypijmy na ten smutek! — przerwał Zagłoba. — Co to za trojniak!

— Dajże, Boże, jak najprędzej mogiłę, by na wojnę domową nie patrzyć — mówił dalej stary chorąży. — Wspólne winy mają się we krwi obmywać, aleć nie będzie to krew odkupienia, boć tu i brat brata będzie mordował. Kto na Niżu? Rusini. A kto w wojsku księcia Jaremy? Kto w pocztach pańskich? Rusini. A małoż ich w obozie koronnym? A ja sam kto taki? Hej, nieszczęsna Ukraino! krymscy poganie włożą ci łańcuch na szyję i na galerach tureckich wiosłować będziesz!

— Nie biadajcież tak, mości chorąży! — rzecze pan Skrzetuski — bo już chyba ślozy z oczu nam pójdą. Może też jeszcze pogodne słońce nam zaświeci!

Ale słońce zachodziło właśnie, a ostatnie jego promienie padały czerwonym blaskiem na białe włosy chorążego.

W mieście dzwoniono na „Anioł Pański" i na pochwalnię.

Wyszli. Pan Skrzetuski poszedł do kościoła, pan Zaćwilichowski do cerkwi, a pan Zagłoba do Dopuła w Dzwoniecki Kąt.

Ciemno już było, gdy się znowu zeszli nad brzegiem Taśminowej przystani. Ludzie pana Skrzetuskiego siedzieli już w bajdakach. Przewoźnicy wnosili jeszcze ładunki. Zimny wiatr ciągnął od pobliskiego ujścia do Dniepru i noc obiecywała być niezbyt pogodna. Przy świetle ognia palącego się nad brzegiem woda rzeki połyskiwała krwawo i zdawała się z niezmierną chyżością uciekać gdzieś w nieznaną ciemność.

— No, szczęśliwej drogi! — mówił chorąży ściskając serdecznie dłoń młodzieńca. — A pilnuj się waść!

— Nie zaniecham niczego. Bóg da, że niedługo się zobaczymy.

— Chyba w Łubniach albo w obozie książęcym.

— To waszmość już koniecznie do księcia?

Zaćwilichowski podniósł ramiona w górę:

— A co mnie? Kiedy wojna, to wojna!

— Zostawajże waszmość w dobrym zdrowiu, mości chorąży.

— Niech cię Bóg strzeże!

— *Vive valeque!* — zawołał Zagłoba. — A jeśli woda aż do Stambułu waści zaniesie, to kłaniaj się sułtanowi. Albo też: jechał go sęk!... Bardzo to zacny był trojniak!... Brr! jak tu zimno!

— Do widziska!

— Do obaczyska!

— Niech Bóg prowadzi!

Zaskrzypiały wiosła i plusnęły o wodę, bajdaki popłynęły. Ogień palący się na brzegu począł oddalać się szybko. Przez długi czas Skrzetuski widział jeszcze sędziwą postać chorążego oświeconą płomieniem stosu i jakiś smutek ścisnął mu nagle serce. Niesie go ta woda, niesie, ale oddala od serc życzliwych i od ukochanej, od krain znanych; niesie go nieubłaganie jak przeznaczenie, ale w dzikie strony, w ciemność...

Wypłynęli z ujścia Taśminowego na Dniepr.

Wiatr świstał, wiosła wydawały plusk jednostajny a smutny. Przewoźnicy poczęli śpiewać:

Oj to te pili, pilili,
Ne tumany ustawali.

Skrzetuski obwinął się w burkę i położył na posłaniu, które umościli dla niego żołnierze. Począł myśleć o Helenie, o tym, że ona dotąd nie w Łubniach, że Bohun został, a on odjeżdża. Obawa, złe przeczucia, troski obsiadły go jak kruki. Począł mocować się z nimi, aż się znużył, myśli mu się mąciły, zmieszały jakoś dziwnie z poświstem wiatru, z pluskiem wioseł, z pieśniami rybaków — i usnął.

Rozdział IX

Nazajutrz zbudził się świeży, zdrów i z weselszą myślą. Pogoda była cudna. Szeroko rozlane wody marszczyły się w drobne zmarszczki od lekkiego i ciepłego powiewu.

Brzegi były w tumanie i zlewały się z płaszczyzną wód w jedną nieprzejrzaną równinę. Rzędzian, zbudziwszy się i przetarłszy oczy, aż się przestraszył. Spojrzał zdziwionymi oczyma dookoła, a nie widząc nigdzie brzegu rzekł:

— O dla Boga! mój jegomość, to my już chyba na morzu jesteśmy...

— Rzeka to tak potężna, nie morze — odpowiedział Skrzetuski — a brzegi obaczysz, gdy mgła opadnie.

— Myślę, że niedługo już nam i na Turecczyznę wędrować przyjdzie.

— Powędrujemy, jeśli nam każą; widzisz zresztą, że nie sami płyniemy.

Jakoż w promieniu oka widać było kilkanaście bajdaków, dombaz, czyli tumbasów, i wąskich czarnych czółen kozackich obszytych sitowiem, a zwanych pospolicie czajkami. Jedne z tych statków płynęły z wodą unoszone bystrym prądem, inne pięły się pracowicie w górę rzeki, wspomagane wiosłami i żaglem. Wiozły one rybę, wosk, sól i suszone wiśnie do miast brzegowych lub też wracały z okolic zamieszkanych obładowane zapasami żywności dla Kudaku i towarem, który chętny znajdował pokup na Kramnym Bazarze w Siczy. Brzegi Dnieprowe były już od ujścia Pszoły zupełną pustynią, na której gdzieniegdzie tylko bielały kozackie zimowniki, ale rzeka stanowiła gościniec łączący Sicz z resztą świata, więc też i ruch bywał na niej dość znaczny, zwłaszcza gdy przybór wody ułatwiał żeglugę i gdy nawet porohy prócz Nienasytca stawały się dla statków idących w dół rzeki możliwe do przebycia.

Namiestnik przypatrywał się z ciekawością temu życiu rzecznemu, a tymczasem bajdaki jego mknęły szybko ku Kudakowi. Mgła opadła, brzegi zarysowały się wyraźnie. Nad głowami płynących ulatywały miliony ptactwa wodnego, pelikanów, dzikich gęsi, żurawi, kaczek i czajek, kulonów i rybitew; w oczeretach przybrzeżnych słychać było taki gwar, takie kotłowanie się wody i szum skrzydeł, że rzekłbyś, iż odbywają się tam sejmy lub wojny ptasie.

Brzegi za Krzemieńczugiem stały się niższe i otwarte.

— Patrz no jegomość! — wykrzyknął nagle Rzędzian — dyć to niby to słońce piecze, a śnieg leży na polach.

Skrzetuski spojrzał: istotnie, jak okiem sięgnął, jakiś biały pokład błyszczał w promieniach słońca po obu stronach rzeki.

— Hej, starszy! a co to się tam bieli? — spytał retmana.

— Wiszni, pane! — odpowiedział starszy.

Były to istotnie lasy wiśniowe złożone z karłowatych

drzew, którymi oba brzegi szeroko były za ujściem Pszoły porośnięte. Owoc ich, słodki i wielki, dostarczał jesienią pożywienia ptactwu, zwierzętom i ludziom zbłąkanym w pustyni, a zarazem stanowił przedmiot handlu, który wożono bajdakami aż do Kijowa i dalej. Teraz lasy osypane były kwieciem. Gdy zbliżyli się do brzegu, by ludziom wiosłującym dać wypoczynek, namiestnik z Rzędzianem wysiedli chcąc się bliżej owym gajom przypatrzyć. Ogarnął ich tak upajający zapach, iż zaledwie mogli oddychać. Mnóstwo płatków leżało już na ziemi. Miejscami drzewka stanowiły gąszcz nieprzenikniony. Między wiśniami rosły także obficie dzikie karłowate migdały, okryte kwieciem różowym, wydającym jeszcze silniejszy zapach. Miliony trzmielów, pszczół i barwnych motylów unosiły się nad owym pstrym morzem kwiatów, którego końca nie można było dojrzeć.

— Cuda to, panie, cuda! — mówił Rzędzian. — I czemu tu ludzie nie mieszkają? Zwierza tu także widzę dostatek.

Jakoż między krzakami wiśniowymi smykały zające szare, białe i niezliczone stada wielkich błękitnonogich przepiórek, których kilka Rzędzian z guldynki ustrzelił, ale ku wielkiemu umartwieniu dowiedział się potem od „starszego", że mięso ich jest trucizną.

Na miękkiej ziemi widać też było ślady jeleni i suhaków, a z dala dochodziły odgłosy podobne do rechtania dzikich świń.

Podróżnicy napatrzywszy się i odpocząwszy ruszyli dalej. Brzegi to wznosiły się, to stawały się płaskie odkrywając widok na śliczne dąbrowy, lasy, uroczyska, mogiły i rozłożyste stepy. Okolica wydawała się tak przepyszną, że Skrzetuski mimo woli powtarzał sobie pytanie Rzędziana: czemu tu ludzie nie mieszkają? Ale na to trzeba było, by jaki drugi Jeremi Wiśniowiecki objął te pustynie, urządził i bronił od napadów Tatarów i Niżowych. Miejscami rzeka tworzyła łachy, zakręty, zalewała jary, biła spienioną falą o skały brzeżne i wypełniała wodą ciemne jaskinie skalne. W takich to jaskiniach i zakrętach bywały kryjówki i schowania kozacze. Ujścia rzek, pokryte lasem sitowia, oczeretów i szuwarów, aż czerniły się od mnogości ptactwa, słowem: świat dziki, przepaścisty, miejscami zapadły a pusty i tajemniczy roztoczył się przed oczyma naszych wędrowców.

Żegluga stała się przykrą, bo z powodu ciepłego dnia pokazywały się roje zjadliwych komarów i rozmaitych nie znanych na suchym stepie insektów, a niektóre z nich, na palec grube, ciurkiem krew po ukąszeniu puszczały.

Wieczorem przybyli do wyspy Romanówki, której ognie z daleka było widać, i zatrzymali się na nocleg. Rybacy, którzy przybiegli popatrzyć na poczet namiestnika, mieli koszule, twarz i ręce całkiem pomazane dziegciem dla obrony od ukąszeń. Byli to ludzie grubych obyczajów i dzicy; na wiosnę zjeżdżali się tu tłumnie dla połowu i wędzenia ryb, które potem rozwozili do Czehryna, Czerkas, Perejasławia i Kijowa. Rzemiosło ich było trudne, ale zyskowne z powodu obfitości ryb, które latem stawały się nawet klęską tych okolic, zdychając bowiem dla braku wody po łachach i tak zwanych „cichych kątach", zarażały zgnilizną powietrze.

Dowiedział się od rybaków namiestnik, że wszyscy Niżowcy, którzy również zajmowali się tu połowem, od kilku dni opuścili wyspę i udali się na Niż, wezwani przez atamana koszowego. Co noc też widywano z wyspy ognie, które palili na stepie zbiegowie na Sicz podążający. Rybacy wiedzieli, że gotuje się wyprawa „na Lachiw", i wcale nie ukrywali się z tym przed namiestnikiem. Widział tedy pan Skrzetuski, że jego ekspedycja może istotnie jest spóźnioną; może, nim dojedzie do Siczy, pułki mołojców ruszą już na północ, ale kazano mu jechać, więc jako prawy żołnierz, nie rozumował i postanowił dotrzeć choćby w środek zaporoskiego obozu.

Nazajutrz rano wyruszyli w dalszą drogę. Pominęli

cudny Tareński Róg, Suchą Górę i Koński Ostróg sławny ze swoich bagien i mnóstwa gadzin, które go niezdatnym do mieszkania czyniły. Wszystko tu już, i dzikość okolicy, i zwiększony pęd wód, zwiastowało bliskość porohów. Aż wreszcie wieża kudacka zarysowała się na widnokręgu — pierwsza część podróży była skończona.

Namiestnik jednak nie dostał się tego wieczora do zamku, bo pan Grodzicki zaprowadził taki porządek, że gdy przed zachodem słońca wybito hasło, nie puszczano nikogo z zamku i do zamku i gdyby nawet sam król przyjechał, musiałby nocować w Słobódce stojącej pod wałami fortecy.

Tak też uczynił i namiestnik. Nocleg to był niezbyt wygodny, bo chaty w Słobódce, których znajdowało się ze sześćdziesiąt, ulepione z gliny, tak były szczupłe, iż do niektórych okrakiem trzeba było włazić. Innych też nie opłaciło się budować, bo je forteca za każdym napadem tatarskim w perzynę obracała, a to dlatego, by nie dawały napastnikom zasłony i bezpiecznego do wałów przystępu. Mieszkali w onej Słobódce ludzie „zachozi", to jest przybłędowie z Polski, Rusi, Krymu i Wołoszy. Każden tu był niemal innej wiary, ale tam o to nikt nie pytał. Gruntów nie wyrabiali dla niebezpieczeństwa od ordy, żywili się rybą i zbożem dostawianym z Ukrainy, pili palankę z prosa, a trudnili się rzemiosłami, dla których w zamku ich ceniono.

Namiestnik oka prawie zmrużyć nie mógł dla nieznośnego zapachu końskich skór, z których rzemienie w Słobódce wyprawiano. Nazajutrz świtaniem, jak tylko wydzwoniono i na trąbach wygrano „rozbudzenie", dał znać do zamku, iż poseł książęcy przybył i prosi o przyjęcie. Grodzicki, który świeżo miał w pamięci wizytę książęcą, sam na jego spotkanie wyszedł. Był to człowiek pięćdziesięcioletni, jednooki jak cyklop i posępny, bo siedząc w pustyni na końcu świata i nie widując ludzi zdziczał, a sprawując nieograniczoną władzę nabrał powagi i surowości. Twarz mu przy tym zeszpeciła ospa, a ozdobiły nacięcia szabel i blizny od strzał tatarskich, podobne do białych piętn na ciemnej skórze. Był to jednak żołnierz szczery, czujny jak żuraw, który ustawicznie oczy miał w stronę Tatarów i Kozaków wytężone. Pijał tylko wodę, nie sypiał, jak siedm godzin na dobę, częstokroć zrywał się w nocy, by obaczyć, czy straże dobrze wałów pilnują, i za najmniejsze niedbalstwo porywał na śmierć żołnierzy. Dla Kozaków wyrozumiały, choć groźny, zyskał sobie ich szacunek. Gdy zimą głodno bywało na Siczy, zbożem ich wspomagał. Był to Rusin pokroju tych, którzy swego czasu z Przecławem Lanckorońskim i Samkiem Zborowskim w stepy chodzili.

— To tedy waszmość na Sicz jedziesz? — pytał Skrzetuskiego wprowadziwszy go poprzednio do zamku i uczęstowawszy gościnnie.

— Na Sicz. Jakie waszmość, mości komendancie, masz stamtąd nowiny?

— Wojna! Ataman koszowy ze wszystkich ługów, rzeczek i wysp ściąga Kozaków. Zbiegi z Ukrainy idą, którym przeszkadzam, jak mogę. Wojska tam już jest na trzydzieści tysięcy albo i więcej. Gdy na Ukrainę ruszą, gdy się z nimi grodowi Kozacy i czerń połączą, będzie ich sto tysięcy.

— A Chmielnicki?

— Lada dzień z Krymu z Tatarami spodziewany. Może już jest; prawdę rzec, niepotrzebnie waszmość do Siczy chcesz jechać, bo wkrótce tu ich się doczekasz; że zaś Kudaku nie miną ani go za sobą nie zostawią, to pewna.

— A obronisz się waszmość?

Grodzicki spojrzał na namiestnika posępnie i odrzekł dobitnym, spokojnym głosem:

— A ja się nie obronię...

— Jak to?

— Bo prochów nie mam. Mało dwadzieścia czółen posłałem, by mi choć trochę przysłano — i nie przysłano. Nie wiem-li: przejęto gońców — czy sami nie mają — wiem, że dotąd nie przysłano. Mam na dwa tygodnie — na dłużej nie. Gdybym miał dosyć, pierwej bym Kudak i siebie w powietrze wysadził, nim by tu noga kozacza postała. Kazano mi tu leżeć — leżę, kazano czuwać — czuwam, kazano zęby wyszczerzać — wyszczerzam, a gdy zginąć przyjdzie — raz maty rodyła — i to potrafię.

— A samże waszmość nie możesz prochów robić?

— Od dwóch już miesięcy Zaporożcy saletry mi nie puszczają, którą od Czarnego Morza przywozić trzeba. Wszystko jedno. Zginę!

— Uczyć się nam od was, starych żołnierzów. A gdybyś sam waszmość po prochy ruszył?

— Mosanie, ja Kudaku nie zostawię i zostawić nie mogę; tu mi było życie, tu niech śmierć będzie. Waść nie myśl także, że na bankiety i wspaniałe recepcje jedziesz, jakimi gdzie indziej posłów witają, albo że cię tam godność poselska osłoni. Toż oni własnych atamanów mordują i od czasu, jak tu siedzę, nie pamiętam, by który sczezł swoją śmiercią. Zginiesz i ty.

Skrzetuski milczał.

— Widzę, że duch w waćpanu gaśnie. To lepiej nie jedź.

— Mój mości komendancie — rzekł na to z gniewem namiestnik — wymyślże co lepszego, by mnie przestraszyć, bo to, co mi powiadasz, jużem słyszał z dziesięć razy, a kiedy mi radzisz nie jechać, widzę, sam byś na moim miejscu nie jechał — ważż przeto, czy ci nie tylko prochów, ale i fantazji do obrony Kudaku nie zbraknie.

Grodzicki, zamiast się rozgniewać, spojrzał jaśniej na namiestnika.

— Zubastaja szczuka! — mruknął po rusińsku. — Przebacz mi waszmość. Z odpowiedzi twojej miarkuję, że potrafisz *dignitatem* księcia i stanu szlacheckiego utrzymać. Dam ci tedy parę czajek, bo bajdakami porohów nie przejedziesz.

— O to też przybyłem prosić waszmości.

— Koło Nienasytca każesz je lądem ciągnąć, bo choć woda duża, ale tam nigdy przejechać nie można. Ledwie się jakie małe czółenko przemknie. A gdy już będziesz na niskich wodach, tedy się pilnuj, by cię nie zaskoczono, i pamiętaj, że żelazo a ołów od słów wymowniejsze. Tam tylko śmiałych ludzi cenią. Czajki będą na jutro gotowe, każę tylko drugie rudle poprzyprawiać, bo jednego na porohach mało.

To rzekłszy Grodzicki wyprowadził z izby namiestnika, by mu zamek i jego porządki pokazać. Wszędy panował wzorowy ład i karność. Straże dniem i nocą gęsto czuwały na wałach, które jeńcy tatarscy musieli bez przestanku wzmacniać i poprawiać.

— Co rok na łokieć wyżej wału sypię — rzekł pan Grodzicki — toteż tak już urósł, że gdybym miał prochów dostatek i we sto tysięcy nic by mi nie zrobili; ale bez strzelby nie obronię, gdy przemoc przyjdzie.

Forteca była istotnie nie do zdobycia, bo prócz armat broniły jej Dnieprowe przepaście i niedostępne skały pionowo zeskakujące w wodę; nie potrzebowała nawet wielkiej załogi. Toteż w zamku nie stało więcej nad sześćset ludzi, ale za to co najprzebrańszego żołnierza, uzbrojonego w muszkiety i samopały. Dniepr, płynąc w tym miejscu ściśniętym korytem, tak był wąski, że rzucona z wałów strzała przelatywała daleko na drugi brzeg. Działa zamkowe panowały nad oboma brzegami i nad całą okolicą. Prócz tego o pół mili od zamku stała wysoka wieża, z której ośm mil wokoło widać było, a w niej stu żołnierzy, do których pan Grodzicki każdego dnia zaglądał. Ci, spostrzegłszy w okolicy lud jaki, dawali natychmiast znać do zamku, a wówczas bito w dzwony i cała załoga wnet stawała pod bronią.

— Prawie tygodnia nie ma — mówił pan Grodzicki

— bez jakowegoś alarmu, bo Tatarzy jak wilki stadami często po kilka tysięcy się tu włóczą, których z dział strychujemy jak można, a częstokroć tabuny dzikich koni straże biorą za Tatarów.

— I nie przykrzy się waszmości siedzieć na takim bezludziu? — pytał pan Skrzetuski.

— Choćby mi też na pokojach królewskich miejsce dano, to bym tu wolał. Więcej ja stąd świata widzę niżeli król ze swego okna w Warszawie.

Jakoż istotnie z wałów widać było niezmierną przestrzeń stepów, które teraz wydawały się jednym morzem zieloności; na północ ujście Samary, a na południe cały bieg Dnieprowy, skały, przepaście, lasy, aż do pian drugiego porohu, Surskiego.

Pod wieczór zwiedzili jeszcze wieżę, gdyż Skrzetuski pierwszy raz widząc tę zaginioną w stepach fortecę wszystkiego był ciekaw. Tymczasem przygotowywano dla niego w Słobódce czajki, które opatrzone rudlami po obu końcach, stawały się zwrotniejsze. Nazajutrz rankiem miał wyruszyć. Ale przez noc nie kładł się prawie wcale spać rozmyślając, co mu czynić przystoi wobec niechybnej zguby, którą mu groziło posłowanie do straszliwej Siczy. Życie uśmiechało mu się wprawdzie, bo był młody i kochał, i miał żyć obok ukochanej; wszelako od życia więcej honor i sławę kochał. Ale przyszło mu do głowy, że wojna bliska, że Helena czekając na niego w Rozłogach może być ogarnięta najokropniejszym pożarem, wystawiona na zapędy nie tylko Bohuna, ale rozpętanej i dzikiej czerni, więc duszę porywała mu trwoga o nią i ból. Stepy musiały już podeschnąć, można by już pewno do Łubniów z Rozłogów jechać, a tymczasem on sam kazał Helenie i kniahini na swój powrót czekać, bo nie spodziewał się, by burza mogła wybuchnąć tak prędko, nie wiedział, czym grozi jazda do Siczy. Chodził więc teraz szybkimi kroki po zamkowej izbie, brodę targał i ręce łamał. Co miał począć? jak postąpić? W myśli widział już

Rozłogi w ogniu, otoczone wyjącą czernią, więcej do szatanów niż do ludzi podobną. Własne jego kroki odbijały się posępnym echem pod sklepieniem zamkowym, a jemu wydało się, że to już złe moce po Helenę idą. Na wałach trąbiono gaszenie świateł, a jemu zdawało się, że to odgłos Bohunowego rogu, i zębami zgrzytał, i za głownię szabli imał. Ach! czemuż to on naparł się tej ekspedycji i Bychowca jej pozbawił!

Zauważył tę alterację pana Rzędzian śpiący w progu, więc wstał, oczy przetarł, objaśnił pochodnie palące się w żelaznych obręczach i począł kręcić się po komnacie chcąc zwrócić uwagę pana.

Ale namiestnik utonął całkowicie w swoich bolesnych myślach i chodził dalej, budząc krokami uśpione echa.

— Jegomość! hej, jegomość!... — rzekł Rzędzian.

Skrzetuski popatrzył na niego szklanym wzrokiem. Nagle zbudził się z zamyślenia.

— Rzędzian, boisz ty się śmierci? — spytał.

— Kogo? jak to śmierci? co jegomość mówi?

— Bo kto na Sicz jedzie, ten nie wraca.

— A to czemu jegomość jedzie?

— Moja wola, ty się w to nie wtrącaj, ale ciebie mi żal, boś dzieciuch, a chociażeś frant, tam się frantostwem nie wykręcisz. Wracaj do Czehryna, a potem do Łubniów.

Rzędzian zaczął się drapać w głowę.

— Mój jegomość, jużci, śmierci się boję, bo kto by się jej nie bał, to by się Boga nie bał, gdyż jego to wola żywić kogoś albo umorzyć; ale skoro jegomość dobrowolnie na śmierć leziesz, to już jegomościn będzie grzech, jako pana, nie mój, jako sługi, przeto ja jegomości nie opuszczę, bom też nie chłop żaden, jeno szlachcic, choć ubogi, ale też nie bez ambicji.

— Wiedziałem, żeś dobry pachołek, powiem ci jednak: nie chcesz po dobrej woli jechać, pojedziesz z rozkazu, bo już inaczej nie może być.

— Choćby mnie jegomość zabił, nie pojadę. Co to jegomość sobie myśli, żem jest Judasz jaki czy co, żebym jegomości miał na śmierć wydawać?

Tu Rzędzian podniósł ręce do oczu i począł buczeć głośno, widział więc pan Skrzetuski, że tą drogą do niego nie trafi, a rozkazywać groźnie nie chciał, bo mu było chłopca żal.

— Słuchaj — rzekł do niego — pomocy mi żadnej nie dasz, ja przecie także dobrowolnie głowy pod miecz kłaść nie będę, a do Rozłogów listy zawieziesz, na których mnie więcej jak na samym żywocie zależy. Powiesz tam jejmości i kniaziom, by zaraz, bez najmniejszej zwłoki, panienkę do Łubniów odwieźli, bo ich inaczej rebelia zaskoczy — sam też dopilnujesz, by się to stało. Ważną ci funkcję powierzam, przyjaciela godną, nie sługi.

— To niech jegomość kogo innego wyszle; z listem każdy pojedzie.

— A kogo ja tu mam zaufanego? czyś zgłupiał! To ci powtarzam: uratuj mi po dwakroć życie, a jeszcze mi takowej przysługi nie oddasz, gdyż w męce żyję myśląc, co może się stać, i od boleści skóra na mnie potnieje.

— O dla Boga! widzę, że muszę jechać, ale mi tak jegomości żal, że choćbyś mi jegomość ten kropiasty pas darował, zgoła bym się nie pocieszył.

— Będziesz pas miał, jeno spraw się dobrze.

— Nie chcę ja i pasa, byleś mi jegomość jechać z sobą dozwolił.

— Jutro wrócisz czajką, którą pan Grodzicki do Czehryna wysyła, dalej bez zwłoki ni odpoczynku ruszysz prosto do Rozłogów. Tam kniahini nic nie mów, czy mi co grozi, ani panience, proś tylko, by zaraz, choćby konno, do Łubniów jechały, choćby bez tobołów żadnych. Oto masz trzos na drogę, listy zaraz ci napiszę.

Rzędzian padł do nóg namiestnika.

— Panie mój, zali nie mam cię ujrzeć więcej?

— Jak Bóg da, jak Bóg da! — odparł podnosząc go namiestnik. — Ale w Rozłogach wesołą twarz pokazuj. Teraz idź spać.

Reszta nocy zeszła Skrzetuskiemu na pisaniu listów i żarliwej modlitwie, po której zaraz przyleciał do niego anioł uspokojenia. Tymczasem noc zbladła i świt ubielił wąskie okienka od wschodu. Dniało — aż i różowe blaski wkradły się do komnaty. Na wieży i zamku poczęto grać poranne „wstawaj". Wkrótce potem Grodzicki pojawił się w komnacie.

— Mości namiestniku, czajki gotowe.

— I jam też gotów — rzekł spokojnie Skrzetuski.

Rozdział X

Lotne czajki mknęły z wodą jak jaskółki, niosąc młodego rycerza i jego losy. Z powodu wysokich wód porohy nie przedstawiały wielkiego niebezpieczeństwa. Minęli Surski, Łochanny, szczęśliwa fala przerzuciła ich przez Woronową Zaporę, zgrzytnęły trochę czółna na Kniażym i Strzelczym, ale jeno się otarły, nie rozbiły, aż wreszcie w oddali ujrzeli piany i wiry strasznego Nienasytca. Tu już trzeba było wysiadać i czółna lądem ciągnąć. Praca długa i ciężka, zwykle zabierająca dzień cały. Na szczęście, widocznie po dawnych przeprawach, na całym brzegu leżało mnóstwo kloców, które podkładano pod czółna dla łatwiejszego toczenia ich po ziemi. W całej okolicy i na stepach nie było widać żywego ducha, na rzece ani jednej czajki, bo już nie mogły płynąć do Siczy inne, jak te jedynie, które pan Grodzicki przez Kudak przepuścił, a pan Grodzicki umyślnie odciął Zaporoże od reszty świata. Ciszę przerywał więc tylko huk fali o skały Nienasytca. Przez czas, gdy ludzie toczyli czółna, pan Skrzetuski przypatrywał się temu dziwowisku natury. Straszny widok uderzył jego oczy. Przez całą szerokość rzeki biegło w poprzek siedm grobel skalistych sterczących nad wodą, czarnych, poszarpanych przez fale, które powyłamywały w nich jakoby bramy i przejścia. Rzeka całym ciężarem wód tłukła o owe groble i odbijała się o nie, więc rozszalała, wściekła, zbita na białą, spienioną miazgę, usiłowała je przeskoczyć jak rumak rozhukany. Ale odparta raz jeszcze, nim mogła lunąć przez otwory, rzekłbyś: gryzła zębem skały, skręcała się w bezsilnym gniewie w potworne wiry, wybuchała słupami w górę, wrzała jak ukrop i ziała ze zmęczenia jak dziki zwierz. A potem znów huk jakby stu dział, wycie całych stad wilków, chrapanie, wysilenia i przy każdej grobli taż sama walka, tenże sam zamęt. Nad otchłanią wrzask ptactwa, jakby przerażonego tym widokiem, między groblami posępne cienie skał drgające na kołbani na kształt złych duchów.

Ludzie ciągnący czółna, lubo przyzwyczajeni, żegnali się pobożnie, przestrzegając namiestnika, by się zbyt nie zbliżał do brzegu. Były bowiem podania, że kto zbyt długo patrzył na Nienasytec, ten w końcu ujrzał coś takiego, od czego rozum mu się mieszał; twierdzono również, że czasem z wirów wynurzały się czarne, długie ręce i chwytały nieostrożnych, którzy zanadto się zbliżyli, a wtedy straszne śmiechy rozlegały się w przepaściach. Nocami nawet Zaporożcy nie śmieli czółen przeciągać.

Do bractwa na Niżu nikt nie mógł być jako towarzysz przyjęty, kto porohów samotnie czółnem nie przebył, ale dla Nienasytca czyniono wyjątek, gdyż skały jego nigdy nie bywały zalewane. O jednym Bohunie ślepcy śpiewali, jakoby i przez Nienasytec się przekradł, wszelako nie dawano temu wiary.

Przeciąganie czółen zajęło blisko dzień czasu i słońce poczęło zachodzić, gdy namiestnik wsiadł znów do łodzi. Za to następne porohy przebyli z łatwością, bo całkiem były pokryte, i wreszcie wpłynęli na „ciche wody niżowe".

Po drodze widział pan Skrzetuski na uroczyszczu Kuczkasów olbrzymią mogiłę z białych kamieni, którą książę na pamiątkę swego pobytu kazał usypać, a o której pan Bogusław Maszkiewicz w Łubniach mu opowiadał. Do Siczy stąd nie było już daleko, ale że namiestnik nie chciał nocą wjeżdżać w czertomelicki labirynt, postanowił więc zanocować na Chortycy.

Chciał także spotkać jaką żywą duszę zaporoską i dać uprzednio znać o sobie, by wiedziano, iż poseł, a nie kto inny przyjeżdża. Chortyca jednak zdawała się być pustą, co niemało zdziwiło namiestnika, wiedział bowiem od Grodzickiego, że tam zawsze stawała załoga kozacka od inkursji tatarskiej. Puścił się nawet sam z kilkoma ludźmi dość daleko od brzegu na zwiady, ale całej wyspy przejść nie mógł, miała bowiem przeszło milę długości, a noc zapadała już ciemna i niezbyt pogodna, wrócił więc do czajek, które tymczasem powyciągano na piasek i porozpalano ognie na nocleg od komarów.

Większa część nocy zeszła spokojnie. Semenowie i przewodnicy pośpili się przy ogniach — czuwały tylko straże, a z nimi i namiestnik, którego od wyjazdu z Kudaku dręczyła straszna bezsenność. Czuł także, że trawi go gorączka. Chwilami zdawało mu się, że słyszy zbliżające się kroki z głębi wyspy, to znów jakieś dziwne odgłosy podobne do odległego beczenia kóz. Ale myślał, że ucho go zwodzi.

Nagle, dobrze już ku świtaniu, stanęła przed nim jakaś ciemna postać.

Był to czeladnik ze straży.

— Panie, idą! — rzekł pośpiesznie.

— Kto taki?

— Pewnie Niżowi: idzie ich ze czterdziestu.

— Dobrze. To niewielu. Zbudź ludzi! Ognia podpalić!

Semenowie wnet porwali się na nogi. Podsycony płomień buchnął w górę i oświecił czajki i garść żołnierzy namiestnika. Inni strażnicy przybiegli również do koła.

Tymczasem nieregularne kroki gromady ludzi dawały się już rozróżnić wyraźnie; kroki te zatrzymały się w pewnym oddaleniu; natomiast jakiś głos spytał z akcentem groźby:

— A kto na brzegu?

— A wy kto? — odparł wachmistrz.

— Odpowiadaj, wraży synu, a nie, to z samopału zapytam!

— Jego wysokość pan poseł od J. O. księcia Jeremiego Wiśniowieckiego do atamana koszowego — wygłosił donośnie wachmistrz.

Głosy w gromadzie umilkły; widocznie trwała tam krótka narada.

— A chodź jeno sam tu! — zawołał wachmistrz — nie bój się. Posłów nie biją, ale i posły nie biją!

Kroki znów ozwały się i po chwili kilkadziesiąt postaci wynurzyło się z cienia. Po śniadej cerze, niskim wzroście i kożuchach wełną do góry namiestnik od pierwszego wejrzenia poznał, że po większej części byli to Tatarzy; Kozaków znajdowało się tylko kilkunastu. Przez głowę pana Skrzetuskiego przeleciała jak błyskawica myśl, że skoro Tatarzy są na Chortycy, więc Chmielnicki musiał już wrócić z Krymu.

Na czele gromady stał stary Zaporożec olbrzymiego wzrostu, o twarzy dzikiej i okrutnej. Ten zbliżywszy się do ogniska spytał:

— A który tu poseł?

Silny zapach gorzałki rozszedł się dookoła — Zaporożec był widocznie pijany.

— Który tu poseł? — powtórzył.

— Jam jest — rzekł dumnie pan Skrzetuski.

— Ty?
— A cóżem ci brat, że mnie „ty" mówisz?
— Znaj, grubianie, politykę! — poderwał wachmistrz. — Mówi się: Jaśnie wielmożny pan poseł!
— Na pohybel że wam, czortowy syny! szczob was Sierpiahowa smert! jasno wielmożny syny! A wy po co do atamana?
— Nie twoja sprawa! wiedz jeno, że szyja twoja w tym, bym się do atamana najprędzej dostał.
W tej chwili drugi Zaporożec wysunął się z gromady.
— My tu z woli atamana — rzekł — pilnujem, by się nikt od Lachiw nie zbliżał, a kto się zbliży, mamy wiązać i dostawiać, co też uczynim.
— Kto dobrowolnie jedzie, tego nie będziesz wiązał.
— Budu, bo takij nakaz.
— A wiesz, chłopie, co to osoba posła? a wiesz, kogo tu przedstawiam?
Wtem stary olbrzym przerwał:
— Zawedem posła, ałe za borodu — ot tak!
To rzekłszy sięgnął ręką do brody namiestnika.
Ale w tej chwili jęknął i jakby gromem rażony, zwalił się na ziemię.
Namiestnik roztrzaskał mu głowę czekanem.
— Koli, koli! — zawyły wściekłe głosy w gromadzie.
Semenowie książęcy sypnęli się na ratunek swego wodza; huknęły samopały, wrzaski: „Koli! koli!", zlały się ze szczękiem żelaza. Wszczęła się bitwa bezładna. Zdeptane w zamieszaniu ogniska zgasły i ciemność ogarnęła walczących. Wkrótce jedni i drudzy zwarli się tak, że zabrakło miejsca do cięcia, a noże, pięści i zęby zastąpiły szable.
Nagle z głębi wyspy ozwały się liczne nowe nawoływania i krzyki; napastnikom nadchodziła pomoc.
Chwila jeszcze, a byłaby przyszła za późno, gdyż karni semenowie brali już górę nad ciżbą.

— Do czółen! — krzyknął grzmiącym głosem namiestnik.

Pocztowi wykonali rozkaz w mgnieniu oka. Na nieszczęście czajki, zbyt silnie wciągnięte na piasek, nie dawały się teraz zepchnąć w wodę.

Tymczasem nieprzyjaciel skoczył z furią ku brzegowi.

— Ognia! — skomenderował pan Skrzetuski.

Salwa z muszkietów wnet powstrzymała napastników, którzy zmieszali się, skłębili i cofnęli w nieładzie zostawiając kilkanaście ciał rozciągniętych na piasku; niektóre z tych ciał rzucały się konwulsyjnie, na kształt ryb wyłowionych z wody i porzuconych na brzegu.

Jednocześnie przewoźnicy, wspomagani przez kilkunastu semenów, wsparłszy wiosła o ziemię dobywali ostatnich sił, by zepchnąć statki na wodę — ale na próżno.

Nieprzyjaciel rozpoczął atak z daleka. Pluskanie kul po wodzie zmieszało się ze świstem strzał i jękami rannych.

Tatarzy ałłachując coraz przeraźliwiej zachęcali się wzajemnie; odpowiadały im krzyki Kozaków: „Koli! koli!", i spokojny głos pana Skrzetuskiego powtarzający coraz częściej komendę:

— Ognia!

Pierwszy brzask oświecił bladym światłem walkę. Od strony lądu widać było ciżbę Kozaków i Tatarów, jednych z twarzami przy kolbach „piszczeli", drugich przegiętych w tył i ciągnących cięciwy łuków; od strony wody — dwie czajki dymiące i świecące ustawicznymi salwami wystrzałów. W środku leżały ciała spokojnie już porozciągane po piasku.

W jednym z czółen stał pan Skrzetuski, wyższy nad innych, dumny, spokojny, z porucznikowskim buzdyganem w ręku i z gołą głową, bo mu strzała tatarska zerwała czapkę.

Wachmistrz zbliżył się ku niemu i szepnął:

— Panie, nie wytrzymamy — kupa za wielka!

Ale namiestnikowi chodziło już o to tylko, by poselstwo

swoje krwią przypieczętować, pohańbienia godności nie dopuścić i zginąć nie bez sławy. Dlatego też, podczas gdy semenowie poczynili sobie z worów z żywnością rodzaj zasłon, spoza których razili nieprzyjaciela, on stał widny i na pociski wystawiony.

— Dobrze! — rzekł — wyginiem do ostatniego.

— Wyginiem, bat'ku! — krzyknęli semenowie.

— Ognia!

Czajki znów zadymiły. Z głębi wyspy poczęły napływać nowe tłumy zbrojne w spisy i kosy. Napastnicy rozdzielili się na dwie kupy. Jedna podtrzymywała ogień, druga, złożona z dwustu przeszło mołojców i Tatarów, czekała tylko chwili stosownej do ręcznego ataku. Jednocześnie z szuwarów wyspy wysunęły się cztery czółna, zwane pidjizdkami, które miały uderzyć na namiestnika z tyłu i z obu boków.

Zrobiło się już widno zupełnie. Dymy tylko porozciągały się długimi pasmami w spokojnym powietrzu i przesłaniały pobojowisko.

Namiestnik kazał zwrócić się dwudziestu semenom ku atakującym statkom, które gnane wiosłami, pędziły z chyżością ptactwa po spokojnej wodzie rzecznej. Ogień kierowany ku Tatarom i Kozakom, idącym z głębi wyspy, osłabł przez to znacznie.

Tego też zdawali się czekać.

Wachmistrz znów zbliżył się ku namiestnikowi.

— Panie! Tatarzy biorą handżary w zęby; zaraz rzucą się na nas.

Jakoż trzystu blisko ordyńców z szablami w ręku, z nożami w zębach gotowało się do ataku. Towarzyszyło im kilkudziesięciu Zaporożców zbrojnych w kosy.

Atak miał się rozpocząć ze wszystkich stron, bo napastnicze czółna przypłynęły już na strzał. Boki ich zakwitły dymami. Kule jak grad poczęły się sypać na ludzi namiestnika. Obie czajki napełniły się jękami. Po upływie kilkunastu minut połowa semenów poległa, reszta broniła się jeszcze rozpaczliwie. Twarze ich były sczerniałe od dymu, ręce ustawały, wzrok mącił się, krew zalewała oczy, rury muszkietów poczynały parzyć dłonie. Większa część była rannych.

W tej chwili wrzask straszny i wycie rozdarło powietrze. To ordyńcy ruszyli do ataku.

Dymy, spędzone ruchem masy ciał, rozproszyły się nagle i odsłoniły oczom dwie czajki namiestnika pokryte czarniawym tłumem Tatarów, niby dwa trupy końskie rozdzierane przez stada wilków. Tłum ten parł, kotłował się, wył, wspinał, zdawał się walczyć sam z sobą i ginął. Kilkunastu semenów dawało jeszcze odpór, a pod masztem stał pan Skrzetuski, z zakrwawioną twarzą, ze strzałą utkwioną aż po brzechwę w lewym ramieniu, i bronił się z wściekłością. Postać jego wydawała się olbrzymią wśród otaczającego go tłumu, szabla migotała jak błyskawica. Uderzeniom odpowiadały jęki i wycie. Wachmistrz z drugim semenem pilnowali mu obu boków i tłum cofał się chwilami z przerażeniem przed tą trójką, ale pchany z tyłu, pchał się sam i marł pod ciosami szabel.

— Żywych brać do atamana! do atamana! — wrzeszczały głosy w tłumie. — Poddaj się!

Ale pan Skrzetuski poddawał się już tylko Bogu, bo oto pobladł nagle, zachwiał się i runął na dno statku.

— Proszczaj, bat'ku! — ryknął z rozpaczą wachmistrz.

Ale po chwili padł także. Ruchliwa masa napastników pokryła czajki zupełnie.

Rozdział XI

W chacie kantarzeja[1] wojskowego na przedmieściu Hassan Basza w Siczy siedziało przy stole dwóch Zaporożców pokrzepiając się palanką z prosa, którą czerpali ustawicznie z drewnianego szaflika stojącego na środku stołu. Jeden, stary, już prawie zgrzybiały, był to Fyłyp Zachar, sam kantarzej, drugi Anton Tatarczuk, ataman czehryńskiego kurzenia, człowiek około lat czterdziestu, wysoki, silny, z dzikim wyrazem twarzy i skośnymi, tatarskimi oczyma. Obaj mówili z sobą z cicha, jakby w obawie, żeby ich kto nie podsłuchał.

— Więc to dziś? — spytał kantarzej.

— Ledwie nie zaraz — odpowiedział Tatarczuk. — Czekają tylko na koszowego i Tuhaj-beja, który z samym Chmielem pojechał na Bazawłuk, bo tam stoi orda. „Towarzystwo" zebrało się już na majdanie, a kurzeniowi jeszcze przed wieczorem zbiorą się na radę. Nim noc nastanie, będzie wszystko wiadomo.

— Hm! może być źle! — mruknął stary Fyłyp Zachar.

— Słysz, kantarzeju, a ty widział, że było pismo i do mnie?

— Jużci, widziałem, bom sam listy odnosił do koszo-

---

[1] Urzędnik wojskowy na Zaporożu czuwający nad miarami i wagami w kramach znajdujących się na tak zwanym Kramnym Bazarze w Siczy.

wego, a jam człowiek piśmienny. Znaleźli przy Lachu trzy pisma; jedno do samego koszowego, drugie do ciebie, trzecie do młodego Barabasza. Wszyscy już w Siczy wiedzą o tym.

— A kto pisał? nie wiesz?

— Do koszowego pisał książę, bo na liście była pieczęć; kto do was, nie wiadomo.

— Sochroni Bih!

— Jeślić cię tam jawnie przyjacielem Lachów nie nazywają, to nic nie będzie.

— Sochroni Bih! — powtórzył Tatarczuk.

— Widać się poczuwasz.

— Tfu! Do niczego się nie poczuwam.

— Może też koszowy wszystkie listy skręci, bo mu i o własny łeb chodzi. Było tak dobrze do niego pismo jak do was.

— A może.

— Ale jeśli się poczuwasz, to...

Tu stary kantarzej zniżył głos jeszcze bardziej:

— Uchodź!

— Ale jak? i gdzie? — pytał niespokojnie Tatarczuk. — Koszowy na wszystkich ostrowach straż postawił, żeby się nikt do Lachów nie wymknął i nie dał znać, co się dzieje. Na Bazawłuku pilnują Tatarzy. Ryba się nie przeciśnie, ptak nie przeleci.

— To się skryj w samej Siczy, gdzie możesz.

— Znajdą. Chyba ty mnie schowasz między beczkami w bazarze? Ty mój krewniak!

— I brata rodzonego nie chowałbym. Boisz się śmierci, to się upij; pijany ani poczujesz.

— A może w listach nic nie ma?

— Może...

— Ot, bieda! ot, bieda! — rzekł Tatarczuk. — Nie poczuwam się do niczego. Ja dobry mołojec, Lachom wróg. Ale choćby i nic w liście nie było, czort wie, co Lach powie przed radą? Może mnie zgubić.

— To serdyty Lach; on nic nie powie!

— Byłeś dziś u niego?

— Byłem. Pomazałem mu rany dziegciem; nalałem gorzałki z popiołem w gardło. Będzie zdrów. To serdyty Lach! Mówią, że Tatarów narznął na Chortycy, nim go wzięli, jak świń. Ty o Lacha bądź spokojny.

Ponury odgłos kotłów, w które bito na koszowym majdanie, przerwał dalszą rozmowę. Tatarczuk usłyszawszy ten odgłos drgnął i zerwał się na równe nogi. Nadzwyczajny niepokój malował się w jego twarzy i ruchach.

— Biją wezwanie na radę — rzekł łowiąc ustami oddech. — Sochroni Bih! Ty, Fyłyp, nie mów, o czym ja z tobą tu gadał. Sochroni Bih!

To rzekłszy Tatarczuk chwycił szaflik z palanką, przechylił go obiema rękoma do ust i pił, pił, jakby chciał się na śmierć zapić.

— Chodźmy! — rzekł kantarzej.

Odgłos kotłów huczał coraz donośniej.

Wyszli. Przedmieście Hassan Basza oddzielone było od majdanu tylko wałem opasującym kosz właściwy i bramą z wysoką basztą, na której widać było paszcze zatoczonych dział. W środku przedmieścia stał dom kantarzeja i chaty atamanów kramnych, naokół zaś dość obszernego placu szopy, w których mieściły się kramy. Były to w ogóle nędzne budowy klecone z bierwion dębowych, których w obfitości dostarczała Chortyca, a poszyte gałęziami i oczeretem. Same chaty, nie wyłączając kantarzejowej, podobniejsze były do szałasów, bo tylko dachy ich wznosiły się nad ziemią. Dachy te były czarne i zakopcone, gdyż jeśli w chacie palono ogień, dym wydobywał się nie tylko górnym otworem dachu, ale i przez całe poszycie, a wówczas można było mniemać, że to nie chata, jeno kupa gałęzi i oczeretów, w której wytapiają smołę. W chatach panowała wieczna ciemność, dlatego podtrzymywano w nich ustawicznie ogień z łuczywa i ze skarp dębowych. Szop kramnych było kilkadziesiąt i dzieliły się na kurzeniowe, to jest stanowiące własność pojedynczych kurzeniów, i gościnne, w których w chwilach spokoju handlowali niekiedy Tatarzy i Wołosi, jedni skórami, tkaninami wschodnimi, bronią i wszelkiego rodzaju zdobyczą, inni przeważnie winem. Ale gościnne kramy rzadko były zajęte, gdyż kupno zmieniało się najczęściej w tym dzikim gnieździe na rabunek, od którego kantarzej ani kramni atamanowie nie mogli tłumów powstrzymać. Między szopami stało także trzydzieści ośm szynków kurzeniowych, a przed nimi leżeli zawsze wśród śmieci, wiórów, kłód dębowych i kup końskiego nawozu półmartwi z przepicia się Zaporożcy, jedni w kamiennym śnie pogrążeni, drudzy z pianą na ustach, w konwulsjach lub atakach delirium. Inni, półpijani, wyjąc kozackie pieśni, spluwając, bijąc się lub całując, przeklinając kozaczy los lub płacząc na kozaczą biedę, deptali po głowach i piersiach leżących. Dopiero z chwilą gdy wyruszyła jaka wyprawa na Tatarów lub Ruś, nakazywano trzeźwość i wówczas należących do wyprawy śmiercią karano za pijaństwo. Ale w zwykłych czasach, zwłaszcza na Kramnym Bazarze, prawie wszyscy byli pijani: kantarzej i atamanowie kramni, sprzedający i kupujący. Kwaśny zapach nieszumowanej wódki w połączeniu z zapachem smoły, ryb, dymu i końskich skór nasycał wiecznie powietrze na całym przedmieściu, które w ogóle pstrocizną kramów przypominało jakąś mieścinę turecką lub tatarską. Sprzedawano w nich wszystko, co się gdziekolwiek w Krymie, na Wołoszczyźnie lub wybrzeżach anatolskich dało zrabować. Więc jaskrawe tkaniny wschodnie, lamy, altembasy, złotogłowia, sukno, cyc, drelich i płótno, potrzaskane działa spiżowe i żelazne, skóry, futra, suszoną rybę, wiśnie i bakalie tureckie, naczynia kościelne, mosiężne półksiężyce złupione z minaretów i pozłacane krzyże zdarte z cerkwi[1], proch i broń sieczną, kije do spis i siodła. A między tą mieszaniną przedmiotów i barw kręcili się ludzie poprzybierani w szczątki najrozmaitszej odzieży, latem półnadzy, zawsze półdzicy, okopceni od dymu, czarni, uwalani w błocie, pełni ciekących ran od ukąszeń olbrzymich komarów, których miriady unosiły się nad Czertomelikiem, i jako się rzekło wyżej: wiecznie pijani.

W tej chwili całe Hassan Basza jeszcze pełniejsze było ludzi niż zwykle; zamykano kramy i szynki, wszyscy zaś spieszyli na majdan siczowy, na którym miała się odbywać rada. Fyłyp Zachar i Anton Tatarczuk szli z innymi, ale ten ostatni ociągał się, szedł leniwo i pozwalał się wyprzedzać tłumom. Coraz żywszy niepokój malował się w jego twarzy. Tymczasem przeszli przez most na fosie, następnie przez bramę i znaleźli się na obszernym obronnym majdanie, otoczonym przez trzydzieści ośm wielkich drewnianych budynków. Były to kurzenie, a raczej domy kurzeniowe, rodzaj koszar wojskowych, w których mieszkali Kozacy. Kurzenie owe, jednej wielkości i miary, niczym nie różniły się od siebie, chyba nazwami, przybranymi od rozmaitych miast ukraińskich, od których brały nazwę także i pułki. W jednym kącie majdanu wznosił się dom radny; zasiadali w nim atamani pod wodzą koszowego, tłumy zaś, czyli tak zwane „towarzystwo" obradowało pod gołym niebem, wysyłając co chwila deputacje do starszyzny, a czasem wdzierając się gwałtem do radnego domu i terroryzując obrady.

Na majdanie ciżba już była ogromna, poprzednio bowiem ataman koszowy pościągał do Siczy wszystkie wojska rozproszone po wyspach, rzeczkach i ługach,

---

[1] Zaporożcy w czasie swych napadów nie oszczędzali nikogo i niczego. Do czasów Chmielnickiego nie było wcale cerkwi w Siczy. Pierwszą właśnie Chmielnicki wystawił; nie pytano tam również nikogo o wyznanie, i to, co opowiadają o religijnym nastroju Niżowców, jest bajką.

„towarzystwo" zatem było liczniejsze niż zwykle. Słońce kłoniło się ku zachodowi, więc wcześnie zapalono kilkanaście beczek ze smołą; tu i owdzie stały także beczki z wódką, które każdy kurzeń dla siebie wytaczał, a które niemało dodawały energii obradom. Porządku między kurzeniami pilnowali esaułowie zbrojni w tęgie kije dębowe dla hamowania obradujących i w pistolety dla obrony własnego życia, które często bywało w niebezpieczeństwie.

Fyłyp Zachar i Tatarczuk weszli prosto do domu obrad, gdyż jeden, jako kantarzej, drugi, jako ataman kurzeniowy, mieli prawo zasiadać między starszyzną. W izbie radnej był tylko jeden mały stół, przed którym siedział pisarz wojskowy. Atamanowie i koszowy mieli swoje miejsca na skórach pod ścianami. Ale w tej chwili miejsca nie były jeszcze zajęte. Koszowy chodził wielkimi krokami po izbie, kurzeniowi zaś, zebrani w małe gromadki, rozmawiali z cicha, przerywając sobie kiedy niekiedy głośniejszymi klątwami. Tatarczuk zauważył, że znajomi nawet i przyjaciele udają, iż go nie widzą, zbliżył się przeto zaraz do młodego Barabasza, który mniej więcej w takim samym był położeniu. Inni spoglądali na nich spode łbów, z czego młody Barabasz niewiele sobie robił nie rozumiejąc dobrze, o co idzie. Był to człowiek wielkiej piękności i nadzwyczajnej siły, której jedynie zawdzięczał swój stopień kurzeniowego atamana, bo zresztą słynął w całej Siczy ze swej głupoty. Zjednała mu ona przydomek Durnego atamana i przywilej budzenia śmiechów każdym słowem między starszyzną.

— Poczekawszy trochę, taj może i pójdziem z kamieniem u szyi w wodę! — szepnął mu Tatarczuk.

— A bo co? — spytał Barabasz.

— A to nie wiesz o listach?

— Trastia joho maty mordowała! Czy to ja pisałem jakie listy?

— Obacz, jak spoglądają na nas spode łbów.

— Kołyb ja kotoroho w łob, to by nie patrzył, boby mu ślepie wypłynęły.

Tymczasem krzyki z zewnątrz dały znać, że coś zaszło. Jakoż drzwi izby radnej otwarły się szeroko i wszedł Chmielnicki z Tuhaj-bejem. Ich to witano tak radośnie. Kilka miesięcy temu Tuhaj-bej, jako najwaleczniejszy z murzów i postrach Niżowców, był przedmiotem strasznej nienawiści w Siczy — teraz „towarzystwo" rzucało czapki w górę na jego widok, uważając go jako dobrego przyjaciela Chmielnickiego i Zaporożców.

Tuhaj-bej wszedł naprzód, a za nim Chmielnicki z buławą w ręku, jako hetman wojsk zaporoskich. Godność tę piastował od czasu, jak wrócił z Krymu z wyjednanymi od chana posiłkami. Tłumy porwały go wówczas na ręce i odbiwszy skarbnicę wojskową przyniosły mu buławę, chorągiew i pieczęć, które zwykle przed hetmanem noszono. Toteż zmienił się niemało. Widać było, że nosił w sobie straszliwą siłę całego Zaporoża. Nie był to już Chmielnicki pokrzywdzony, uciekający na Sicz przez Dzikie Pola, ale Chmielnicki hetman, krwawy demon, olbrzym, mściciel własnej krzywdy na milionach.

A jednak nie zerwał łańcuchów, włożył tylko nowe, cięższe. Widać to było z jego stosunku z Tuhaj-bejem. Ten hetman Zaporoża w sercu Zaporoża brał drugie miejsce za Tatarem, znosił w pokorze jego dumę i pogardliwe nad wszelki wyraz obejście. Był to stosunek lennika do zwierzchniego pana. Ale tak musiało być. Chmielnicki cały swój kredyt u Kozaków zawdzięczał Tatarom i łasce chanowej, której przedstawicielem był dziki i wściekły Tuhaj-bej. Ale Chmielnicki umiał godzić dumę, rozsadzającą mu pierś, z pokorą tak dobrze, jak odwagę z chytrością. Był to lew i lis, orzeł i wąż. Pierwszy to raz od początku kozaczyzny Tatar poczynał sobie jak pan w środku Siczy — ale takie czasy przyszły. „Towarzystwo" rzucało przecie czapki w górę na widok pohańca. Takie czasy nadeszły.

Narada się rozpoczęła. Tuhaj-bej zasiadł w środku na grubszym pęku skór i podwinąwszy nogi począł gryźć suszone ziarnka słoneczników i wypluwać zżute skorupki przed siebie na środek izby. Po prawej jego stronie zasiadł Chmielnicki z buławą, po lewej koszowy, a atamani i deputacja od „towarzystwa" dalej pod ścianami. Uciszyły się rozmowy, z zewnątrz tylko przychodził gwar i głuchy szum tłuszczy, obradującej pod gołym niebem, podobny do szumu fal. Chmielnicki począł mówić:[1]

— Mości panowie! Z łaski, przychylności i dyszkrecji najjaśniejszego carza krymskiego, pana wielu ludów, pokrewnego ciałom niebieskim, z pozwolenia miłościwego króla polskiego Władysława, naszego pana, i dobrej ochoty odważnych wojsk zaporoskich, ufni w naszą niewinność i sprawiedliwość bożą idziemy pomścić strasznych i okrutnych krzywd naszych, które po chrześcijańsku cierpieliśmy, pókiśmy mogli, od nieszczerych Lachów, komisarzy, starostów i ekonomów, całej szlachty i Żydów. Nad którymi krzywdami jużeście, mości panowie, i całe wojsko zaporoskie wiele łez wyleli i mnie dlatego buławę dali, abym się za niewinność naszą i całych wojsk snadniej mógł upominać. Co ja, uważając za wielką łaskę mości panów dobrodziei moich, najjaśniejszego carza o pomoc prosić jechałem, którą nam ofiarował. Ale będąc w gotowości i ochocie niemałom się zasmucił słysząc, iż mogą być między nami zdrajcy, którzy z nieszczerymi Lachami w komitywę wchodzą i o naszej gotowości im donoszą — co jeśliby tak było, tedy ukarani być mają wedle woli i dyszkrecji mości panów. A my prosim, abyście listów wysłuchali, które tu poseł od niedruga naszego, księcia Wiśniowieckiego, przywiózł, nie posłem, ale szpiegiem będąc i gotowość naszą i dobrą ochotę Tuhaj-beja, naszego przyjaciela, chcąc podpa-

---

[1] Sposób obradowania na Siczy opisany jest w diariuszu Eryka Lassoty, posła cesarskiego na Zaporoże w r. 1594.

trzyć i przed Lachami zdradzić. Co abyście także osądzili, jeśli ma być ukarany, jak i ci, do których listy przywiózł, a o których koszowy, jako wierny przyjaciel mój, Tuhaj--beja i całego wojska, zaraz nas uwiadomił.

Chmielnicki umilkł; gwar za oknami powiększał się coraz bardziej, więc pisarz wojskowy wstał i zaczął czytać naprzód pismo książęce do koszowego atamana, zaczynające się od słów: „My po bożej myłości, kniaź i hospodyn na Łubniach, Chorolu, Przyłuce, Hadziaczu etc., wojewoda ruski etc., starosta etc." Pismo było czysto urzędowe. Książę zasłyszawszy, iż wojska z ługów są ściągane, pytał atamana, czyby to była prawda, i wzywał go zarazem, aby tego dla spokojności krajów chrześcijańskich zaniechał. Chmielnickiego zaś, jeśliby Sicz podburzał, aby komisarzom wydał, którzy sami się o to upomną. Drugi list był pana Grodzickiego, również do wielkiego atamana, trzeci i czwarty Zaćwilichowskiego i starego pułkownika czerkaskiego do Tatarczuka i Barabasza. We wszystkich nie znajdowało się nic, co by mogło podawać w podejrzenie osoby, do których były adresowane. Zaćwilichowski prosił jedynie Tatarczuka, aby zaopiekował się oddawcą listu i aby ułatwił mu wszystko, czego by poseł zażądał.

Tatarczuk odetchnął.

— Co mówicie, mości panowie, o tych pismach? — spytał Chmielnicki.

Kozacy milczeli. Wszelkie obrady, dopóki wódka nie rozgrzała głów, zaczynały się zawsze w ten sposób, iż żaden z atamanów nie chciał pierwszy głosu zabrać. Jako ludzie prości a chytrzy, czynili to głównie z obawy wyrwania się z głupstwem, które by mogło wnioskodawcę na śmiech narazić lub zjednać mu na całe życie szyderczy przydomek. Bo tak i bywało w Siczy, gdzie wśród największego prostactwa zmysł do przedrwiwania niesłychanie był rozwinięty, również jak obawa przed szyderstwem.

Kozacy tedy milczeli. Chmielnicki znowu głos zabrał:

— Ataman koszowy brat nasz i szczery przyjaciel. Ja atamanowi tak wierzę, jak duszy własnej, a kto by co innego powiadał, ten by sam zdradę zamyślał. Ataman stary druh i żołnierz.

To rzekłszy wstał i ucałował koszowego.

— Mości panowie! — rzekł na to koszowy — ja wojska ściągam, a hetman niech prowadzi; co do posła, kiedy go do mnie przysłali, to on mój, a kiedy mój, to wam go daruję.

— Wy, mości panowie-deputacja, pokłońcie się atamanowi — rzekł Chmielnicki — bo on sprawiedliwy człowiek, i idźcie powiedzieć „towarzystwu", że jeśli kto jest zdrajca, to nie on zdrajca; on pierwszy straże postawił, on sam kazał łapać zdrajców, co by do Lachów szli. Wy, panowie-deputacja, powiedzcie, że nie on zdrajca, że on najlepszy z nas wszystkich.

Panowie-deputacja pokłonili się w pas naprzód Tuhaj-bejowi, który przez cały czas z największą obojętnością żuł swoje ziarnka słoneczników, następnie Chmielnickiemu, koszowemu — i wyszli z izby.

Po chwili wrzaski radosne za oknami dały znać, że deputacja spełniła polecenie.

— Niech żyje nasz koszowy! niech żyje koszowy! — wołały chrapliwe głosy z taką siłą, że aż ściany izby zdawały się drżeć w posadach.

Jednocześnie huknęły wystrzały z samopałów i piszczeli.

Deputacja wróciła i znowu zasiadła w kącie izby.

— Mości panowie! — rzekł Chmielnicki, gdy uciszyło się cokolwiek za oknami. — Już wy mądrze osądzili, że koszowy ataman człowiek sprawiedliwy. Ale jeśli ataman nie zdrajca, to kto zdrajca? Kto ma przyjaciół między Lachami? z kim oni w konszachty wchodzą? do kogo listy pisują? komu osobę posła zlecają? kto zdrajca?

To mówiąc Chmielnicki podnosił głos coraz wyżej

i strzygł złowrogo oczyma w stronę Tatarczuka i młodego Barabasza, jakby chciał ich wskazać wyraźnie. W izbie powstał szmer, kilka głosów poczęło wołać: „Barabasz i Tatarczuk!" Niektórzy kurzeniowi powstali z miejsc, między deputacją dały się słyszeć wołania: „Na pohybel!"

Tatarczuk zbladł, a młody Barabasz począł spoglądać zdumionymi oczyma po obecnych. Leniwa myśl jego siliła się przez niejaki czas odgadnąć, za co go oskarżają, na koniec rzekł:

— Ne bude sobaka miasa isty!

To rzekłszy wybuchnął śmiechem idioty, a za nim i inni. I nagle większa część kurzeniowych poczęła się śmiać dziko, sama nie wiedząc dlaczego.

Zza okna dochodziły krzyki coraz głośniejsze; widać tam wódka poczęła rozgrzewać już głowy. Szum fali ludzkiej potężniał z każdą chwilą.

Ale Anton Tatarczuk wstał i zwróciwszy się do Chmielnickiego począł mówić:

— Co ja wam zrobił, mości hetmanie zaporoski, że na śmierć moją nastajecie? W czym ja wam winien? Pisał do mnie komisar Zaćwilichowski list — taj co? To i kniaź pisał do koszowego! A czy ja odebrał list? Nie! A jakby odebrał, tak co by zrobił? Ot, poszedłby do pysara i kazałby sobie przeczytać, bo ni pisaty, ni czytaty ne umiju. I wy by zawsze wiedzieli, co w liście. A Lacha ja i na oczy nie widział. Tak czy ja zdrajca? Hej, bracia Zaporożcy, Tatarczuk chodził z wami do Krymu, a jak chodzili na Wołoszę, to chodził na Wołoszę; jak chodzili pod Smoleńsk, to chodził pod Smoleńsk, bił się z wami, dobrymi mołojcami, żył z wami, dobrymi mołojcami — i krew przelewał z wami, dobrymi mołojcami, i głodem marł z wami, dobrymi mołojcami, tak on nie Lach, nie zdrajca, ale Kozak, wasz brat, a jeśli pan hetman na śmierć jego nastaje, to niech powie, czemu nastaje! Co ja mu zrobił, w czym nieszczerość okazał? — a wy, bracia, pomiłujcie i sądźcie sprawiedliwie!

— Tatarczuk dobry mołojec! Tatarczuk sprawiedliwy człowiek! — ozwało się kilka głosów.

— Ty, Tatarczuk, dobry mołojec — rzekł Chmielnicki — i ja na ciebie nie nastaję, boś ty mój druh i nie Lach, ale Kozak, nasz brat. Bo gdyby Lach był zdrajca, to ja bym się nie smucił i nie płakał, ale jeśli dobry mołojec zdrajca, mój druh zdrajca, to mnie ciężko na sercu i żal dobrego mołojca. A skoroś w Krymie i na Wołoszy, i pod Smoleńskiem bywał, to jeszcze większy twój grzech, żeś teraz nieszczerze chciał gotowość i ochotę wojsk zaporoskich przed Lachami zdradzić! Tobie pisali, byś ty mu ułatwił, czego by zażądał, a powiedzcie, mości panowie atamani, czego by Lach mógł żądać? Czy nie śmierci mojej i mojego życzliwego przyjaciela Tuhaj-beja? Czy nie zguby wojsk zaporoskich? Tak ty, Tatarczuk, winien i już niczego innego nie dokażesz. A do Barabasza pisał stryj jego, pułkownik czerkaski, Czaplińskiemu druh i Lachom druh, któren przywileje u siebie chował, by ich wojsko zaporoskie nie dostało, co gdy tak jest, a klnę się Bogiem, że nie inaczej jest, więc wy oba winni i proście pomiłowania atamanów, a ja z wami prosić będę, chociaż ciężka wasza wina i zdrada jawna.

Tymczasem zza okna dochodził już nie szum i gwar, ale jakby łoskot jaki burzy. Towarzystwo chciało wiedzieć, co się dzieje w izbie radnej, i wysłało nową deputację.

Tatarczuk poczuł, że jest zgubiony. Teraz przypomniał sobie, że tydzień temu przemawiał wśród atamanów przeciw oddaniu buławy Chmielnickiemu i przymierzu z Tatarami. Zimne krople potu wystąpiły mu na czoło: zrozumiał, że już nie ma ratunku. Co do młodego Barabasza, jasnym było, iż gubiąc go Chmielnicki chciał zemścić się nad starym pułkownikiem czerkaskim, któren synowca swego kochał głęboko. Jednakże Tatarczuk nie chciał umierać. Nie bladłby on przed szablą, przed kulą, nawet przed palem — ale śmierć taka, jaka go czekała, przerażała go do szpiku kości, więc korzystając z chwili ciszy, która zapanowała po słowach Chmielnickiego, krzyknął przeraźliwie:

— Na imię Chrysta! bracia atamany, druhy serdeczne, nie gubcie niewinnego, toż ja Lacha nie widział, nie gadał z nim! Pomiłujcie, bracia! Nie wiem, czego by Lach ode mnie chciał, spytajcie go sami! Ja klnę się Chrystem-Spasem, Świętą-Przeczystą, świętym Mikołajem Cudotwórcą, świętym Michałem Archaniołem, że duszę niewinną zgubicie!

— Przyprowadzić Lacha! — zawołał starszy kantarzej.

— Lacha tu! Lacha! — wołali kurzeniowi.

Wszczęło się zamieszanie; jedni rzucili się do przyległej izby, w której więzień był zamknięty, by przywieść go przed radę, inni zbliżali się groźnie do Tatarczuka i Barabasza. Pierwszy Hładki, ataman mirgorodzkiego kurzenia, krzyknął: „Na pohybel!" Deputacja powtórzyła okrzyk, Czarnota zaś skoczył ku drzwiom i otworzywszy je wołał do zgromadzonego tłumu:

— Mości panowie towarzystwo! Tatarczuk zdrajca i Barabasz zdrajca — na pohybel im!

Tłuszcza odpowiedziała wyciem straszliwym. W izbie wszczęło się zamieszanie. Wszyscy kurzeniowi powstawali ze swych miejsc. Jedni wołali: „Lacha! Lacha!", inni starali się rozruch uciszyć, a wtem drzwi pod naciskiem tłumu roztworzyły się na oścież i do środka wpadła tłuszcza obradująca na dworze. Straszliwe postacie, upojone wściekłością, napełniły izbę wrzeszcząc, wywijając rękoma, zgrzytając zębami i zionąc zapachem gorzałki: „Smert Tatarczuku! i Barabaszu na pohybel! Dawajcie zdrajców! na majdan z nimi!" — krzyczały pijane głosy. „Bij, ubij!" — i setki rąk wyciągnęły się w tej chwili po nieszczęsne ofiary. Tatarczuk nie stawiał oporu, jęczał tylko przeraźliwie, ale młody Barabasz począł bronić się ze straszną siłą. Zrozumiał na koniec, że go chcą zamordować; strach, rozpacz i wściekłość odbiły się na jego twarzy; piana okryła mu wargi, z piersi wydobył się ryk zwierzęcy. Po dwakroć wyrywał się z rąk oprawców i po dwakroć ręce ich chwytały go za ramiona, za piersi, za brodę i osełedec; on szamotał się, kąsał, ryczał, upadał na ziemię i znów podnosił się, okrwawiony, straszny. Podarto na nim ubranie, wyrwano mu osełedec z głowy, wybito oko, na koniec przygniecionemu do ściany złamano rękę. Wówczas padł. Oprawcy porwali go za nogi i wraz z Tatarczukiem wywlekli na majdan. Tam dopiero, przy blasku smolistych beczek i stosów ognia, rozpoczęła się doraźna egzekucja. Kilka tysięcy ludzi rzuciło się na skazanych i darło ich w sztuki wyjąc i walcząc z sobą o przystęp do ofiar. Deptano ich nogami, wyrywano kawały ciała; ciżba tłoczyła się koło nich tym strasznym konwulsyjnym ruchem rozszalałych mas. Chwilami krwawe ręce podnosiły w górę dwie bezkształtne, niepodobne już do ludzkich postaci bryły, to znów ciskano je na ziemię. Dalej stojący wrzeszczeli wniebogłosy: jedni, żeby wrzucić ofiary w wodę, drudzy, by je wtłoczyć w beczki palącej się smoły. Pijani rozpoczęli bójkę ze sobą. Z szaleństwa zapalono dwie kufy z wódką, które oświeciły tę piekielną scenę drgającym, błękitnym światłem. Z nieba patrzył na nią także księżyc cichy, jasny, pogodny.

Tak „towarzystwo" karało swoich zdrajców.

A w izbie radnej, z chwilą jak kozactwo wywlekło za drzwi Tatarczuka i młodego Barabasza, uciszyło się znowu i atamani zajęli dawne miejsca pod ścianami, bo z przyległego alkierza przyprowadzono więźnia.

Cień padał na jego twarz, gdyż i ogień na kominie przygasł — i w półświetle widać było tylko wyniosłą postać trzymającą się prosto i dumnie, choć ręce jej związane były łykiem. Ale Hładki dorzucił wiązkę łuczywa, po chwili bujny płomień strzelił w górę i oblał jasnym światłem oblicze więźnia, który zwrócił się ku Chmielnickiemu.

Ujrzawszy go Chmielnicki drgnął.

Więzień — był to pan Skrzetuski.

Tuhaj-bej wypluł łuskwiny słoneczników i mruknął po rusińsku:

— Ja toho Lacha znaju — on buw u Krymu.

— Na pohybel mu! — zawołał Hładki.

— Na pohybel! — powtórzył Czarnota.

Chmielnicki opanował już wrażenie. Powiódł tylko oczyma po Hładkim i Czarnocie, którzy pod wpływem tego wzroku umilkli, następnie zwróciwszy się do koszowego rzekł:

— I ja jeho znaju.

— Ty skąd? — spytał koszowy Skrzetuskiego.

— W poselstwiem jechał do ciebie, atamanie koszowy, gdy mnie zbójcy na Chortycy napadli i wbrew obyczajom, obserwowanym u najdzikszych narodów, ludzi mi wybili, a mnie, nie bacząc na godność mą poselską i urodzenie, zranili, znieważyli i jako jeńca tu przywiedli, o co pan mój, J. O. książę Jeremi Wiśniowiecki, będzie się umiał u ciebie, atamanie koszowy, upomnieć.

— A czego ty nieszczerość swoją okazał? czemu ty dobrego mołojca obuchem rozszczepił? czemu ty ludzi nabił, we czworo tyle, ile was wszystkich było? A ty z listem do mnie jechał, by na gotowość naszą spoglądać i Lachom o niej donosić? Wiemy także, że ty i do zdrajców wojska zaporoskiego miał listy, aby z nimi zgubę wszystkiego wojska knować, za czym nie jako poseł, ale jako zdrajca będziesz przyjęty i sprawiedliwie ukarany.

— Mylisz się, atamanie koszowy, i ty, mości hetmanie samozwańczy — rzekł namiestnik zwracając się do Chmielnickiego. — Jeślim listy miał, to czyni tak każdy poseł, który w obce strony jedzie, że od znajomych do znajomych listy bierze, by i sam miał przez to komitywę. A jam tu jechał z pismem książęcym nie zgubę waszą knować, ale od takowych was postępków powstrzymać, które nieznośny paroksyzm na Rzeczpospolitą, a na was i na całe wojsko zaporoskie ostatnią zagładę ściągną. Na kogóż to bowiem bezbożną rękę podnosicie? Przeciw komu wy, co się obrońcami chrześcijaństwa nazywacie, z pogany przymierze czynicie? Przeciw królowi, przeciw stanowi szlacheckiemu i całej Rzeczypospolitej. Wy przeto, nie ja, zdrajcami jesteście, i to wam powiadam, iż jeśli pokorą i posłuszeństwem nie zgładzicie win waszych, tedy biada wam! Zaliż dawne to czasy Pawluka i Nalewajki? Zali wyszła już wam z pamięci ich kara? Pomnijcie tedy, że *patientia* Rzeczypospolitej już wyczerpana i miecz wisi nad głowami waszymi.

— Łajesz, wraży synu, by się wykręcić i śmierci ujść! — zawołał koszowy. — Aleć ci nie pomoże ni groźba, ni wasza łacina lacka.

Inni też atamanowie poczęli zębami zgrzytać i trzaskać w szable, a pan Skrzetuski podniósł głowę jeszcze wyżej i tak mówił:

— Nie myśl, atamanie koszowy, bym się śmierci obawiał albo żywota bronił, albo się z mej niewinności wywodził. Szlachcicem będąc, od równych tylko sobie sądzon być mogę i nie przed sędziami tu stoję, jeno przed zbójcami, nie przed szlachtą, jeno przed chłopstwem, nie przed rycerstwem, jeno przed barbarzyństwem, i wiem dobrze, że się od śmierci nie wybiegam, którą wy też dopełnicie miary swej nieprawości. Przede mną jest śmierć i męka, ale za mną moc i zemsta całej Rzeczypospolitej, przed którą drżyjcie wszyscy.

Jakoż wyniosła postawa, wzniosłość mowy i imię Rzeczypospolitej silne zrobiły wrażenie. Atamanowie spoglądali na siebie milcząc. Przez chwilę wydało im się, że przed nimi stoi nie jeniec, ale groźny poseł potężnego narodu. Tuhaj-bej zaś mruknął:

— Serdytyj Lach!

— Serdytyj Lach! — powtórzył Chmielnicki.

Gwałtowne dobijanie się do drzwi przerwało dalszą ich rozmowę. Na majdanie egzekucja szczątków Tatarczuka i Barabasza była właśnie skończona; „towarzystwo" wysłało nową deputację.

Kilkunastu Kozaków, okrwawionych, zziajanych, okrytych potem, pijanych, weszło do izby. Stanęli przy drzwiach i wyciągając ręce jeszcze dymiące od krwi poczęli mówić:

— Towarzystwo kłania się panom starszyźnie — tu pokłonili się wszyscy w pas — i prosi, żeby im wydać tego Lacha, szczob z nym poihraty, jak z Barabaszom i Tatarczukom.

— Wydać im Lacha! — krzyknął Czarnota.

— Nie wydawać — wołał inny. — Niech czekają! On poseł!

— Na pohybel mu! — ozwały się różne głosy.

Następnie ucichli wszyscy, czekając, co powiedzą koszowy i Chmielnicki.

— Towarzystwo prosi; a nie, to samo weźmie — powtórzyli deputaci.

Zdawało się, że pan Skrzetuski zgubiony jest bez ratunku, gdy wtem Chmielnicki pochylił się do ucha Tuhaj-beja.

— To twój jeniec — szepnął — jego Tatarzy wzięli, on twój. Dasz-li go sobie zabrać? To bogaty szlachcic, a i bez tego kniaź Jarema złotem za niego zapłaci.

— Dawajcie Lacha! — wołali coraz groźniej Kozacy.

Tuhaj-bej przeciągnął się na swoim siedzeniu i wstał. Twarz zmieniła mu się w jednej chwili, oczy rozszerzyły się jak u żbika, zęby poczęły błyskać. Nagle skoczył jak tygrys przed mołojców dopominających się o jeńca.

— Precz, capy, psy niewierne! niewolnicy! swynojady! — ryknął chwytając za brody dwóch Zaporożców i targając nimi z wściekłością. — Precz, pijanice, bydlęta nieczyste! gady plugawe! wy mnie jasyr zabierać przyszli, a ot, ja wam tak!... capy! — To mówiąc, targał za brody coraz innych mołojców, na koniec zwaliwszy jednego począł go deptać nogami... — Na twarz, niewolnicy, bo was w jasyr zapędzę, bo Sicz całą nogami tak zdepczę jak was! z dymami puszczę, ścierwem waszym pokryję!

Deputaci cofali się przerażeni — straszliwy przyjaciel pokazał, co umie.

I dziwna rzecz: na Bazawłuku stało tylko sześć tysięcy ordy! Prawda, że za nimi stał jeszcze chan z całą potęgą krymską, ale w samej Siczy było kilkanaście tysięcy mołojców prócz tych, których Chmielnicki wysłał był już na Tomakówkę — a jednakże ani jeden głos protestacji nie podniósł się przeciw Tuhaj-bejowi. Zdawać by się mogło, że sposób, w jaki groźny murza obronił jeńca, był jedynie skuteczny, że trafił od razu do przekonania Zaporożców, którym tatarska pomoc była w tej chwili niezbędną. Deputacja wypadła na majdan krzycząc do tłumów, że nie będą z Lachem igrały, bo to jeniec Tuhaj-beja, a Tuhaj-bej, karze, rozserdywsia! „Brody nam powyrywał!" — wołali. Na majdanie też poczęto zaraz powtarzać: „Tuhaj-bej rozserdywsia!" „Rozserdywsia! — wołały żałośnie tłumy — rozserdywsia! rozserdywsia!" — a w kilka chwil jakiś przeraźliwy głos jął śpiewać koło ogniska:

Hej, hej!
Tuhaj-bej
Rozserdywsia duże!
Hej, hej!
Tuhaj-bej
Ne serdysia, druże!

Wnet tysiące głosów powtórzyło: „Hej, hej! Tuhaj-bej" — i oto powstawała jedna z tych pieśni, które potem, rzekłbyś, wicher roznosił po całej Ukrainie i trącał nimi o struny lir i teorbanów.

Ale nagle i pieśń została przerwana, bo przez bramę od strony Hassan Basza wpadło kilkunastu ludzi i przedzierając się przez tłum, krzycząc: „Z drogi! z drogi!", dążyło co sił w stronę radnego domu. Atamani zabierali się już do wyjścia, gdy nowi ci goście wpadli do izby.

— Pyśmo do hetmana! — wołał stary Kozak.

— Skąd wy?

— My czehryńcy. Dzień i noc z pyśmom jidem. Oto jest.

Chmielnicki wziął list z rąk Kozaka i począł czytać. Nagle twarz zmieniła mu się, przerwał czytanie i rzekł donośnym głosem:

— Mości panowie atamani! Hetman wielki wysyła syna Stefana z wojskiem na nas. Wojna!

W izbie powstał dziwny szmer; nie wiadomo, czy szmer radości, czy przerażenia. Chmielnicki wystąpił na środek izby, wsparł się pod boki, oczy jego miotały błyskawice, a głos brzmiał groźnie i rozkazująco:

— Kurzeniowi do kurzeniów! Uderzyć z dział na wieży! Rozbić beczki z wódką! Jutro świtaniem ruszamy!

Od tej chwili kończyły się na Siczy obrady zbiorowe, rządy atamanów, sejmy i przewaga „towarzystwa". Chmielnicki brał w ręce nieograniczoną władzę. Oto przed chwilą z obawy, aby głos jego nie został niewysłuchany przez burzliwe „towarzystwo", musiał jeńca podstępem bronić i podstępem gubić niechętnych; teraz był panem życia i śmierci wszystkich. Tak zawsze bywało. Przed i po wyprawie, choćby hetman już był obrany, tłum narzucał jeszcze atamanom i koszowemu swoją wolę, której niebezpiecznie było się opierać. Ale gdy tylko wyprawa została otrąbioną, „towarzystwo" stawało się wojskiem podległym wojskowej dyscyplinie, kurzeniowi oficerami, a hetman wodzem dyktatorem.

Dlatego też usłyszawszy rozkazy Chmielnickiego atamanowie wypadli natychmiast do swoich kurzeniów. Narada była skończona.

Po chwili huk dział z bramy prowadzącej z Hassan Basza do siczowego majdanu zatrząsł ścianami izby i rozległ się posępnym echem po całym Czertomeliku, zwiastując wojnę.

Rozpoczynał on także epokę w dziejach dwóch narodów, ale o tym nie wiedzieli ni pijani siczowcy, ni sam hetman zaporoski.

Rozdział XII

Chmielnicki ze Skrzetuskim poszli na nocleg do koszowego, a z nimi i Tuhaj-bej, któremu za późno było wracać na Bazawłuk. Dziki bej traktował namiestnika jako jeńca, który miał być za wysoką cenę wykupiony, zatem nie jak niewolnika i z respektem większym nawet może niż Kozaków, bo go w swoim czasie jako książęcego posła na dworze chanowym widywał. Co widząc koszowy zaprosił go do swej chaty i również zmienił z nim postępowanie. Stary ataman był to człowiek duszą i ciałem oddany Chmielnickiemu, który go zawojował i owładnął; owóż zauważył, że Chmielnickiemu chodziło widocznie podczas narad o ocalenie jeńca. Ale zdziwił się jeszcze bardziej, gdy zaledwie zasiedli w chacie, Chmielnicki zwrócił się do Tuhaj-beja.

— Tuhaj-beju! — rzekł — ile myślisz wziąć wykupna za tego jeńca?

Tuhaj-bej popatrzył na Skrzetuskiego i rzekł:

— Tyś mówił, że to znaczny człowiek, a ja wiem, że to poseł strasznego kniazia, a straszny kniaź kocha swoich. Bismillach! jeden zapłaci i drugi zapłaci — razem...

Tu Tuhaj-bej zamyślił się:

— Dwa tysiące talerów.

Chmielnicki na to:

— Dam ci dwa tysiące talerów.

Tatar milczał przez chwilę. Jego skośne oczy zdawały się na wskroś przenikać Chmielnickiego.

— Ty dasz trzy — rzekł.

— Dlaczego mam dać trzy, gdyś sam dwu żądał?

— Bo jeśli go chcesz mieć, to tobie na tym zależy, a jeśli ci zależy, to dasz trzy.

— On mnie życie ocalił.

— Ałła! to warte tysiąc więcej.

Tu Skrzetuski wtrącił się do targu.

— Tuhaj-beju — rzekł z gniewem. — Z książęcego skarbca nie mogę ci nic obiecywać, ale choćbym miał fortunę własną poszarpać, to sam dam trzy. Mam też blisko tyle u księcia na prowizji i wioskę dobrą, co starczy. A temu hetmanowi nie chcę wolności i zdrowia zawdzięczać.

— A skąd ty wiesz, co ja z tobą uczynię? — rzekł Chmielnicki.

A potem zwróciwszy się do Tuhaj-beja mówił:

— Wojna się rozpocznie. Poślesz do kniazia, ale nim poseł wróci, dużo wody w Dnieprze upłynie, a ja ci jutro na Bazawłuk odwiozę sam pieniądze.

— Daj cztery, to i nie będę z Lachem gadał — odparł niecierpliwie Tuhaj-bej.

— Dam cztery, na twoje słowo.

— Mości hetmanie — rzekł koszowy — chcesz, to ci zaraz wyliczę. Mam tu pod ścianą może i więcej.

— Jutro powieziesz na Bazawłuk — rzekł Chmielnicki.

Tuhaj-bej przeciągnął się i ziewnął.

— Spać mi się chce — rzekł. — Jutro też przede dniem na Bazawłuk muszę ruszyć. Gdzie mam spać?

Koszowy ukazał mu pęk skór owczych pod ścianą.

Tatar rzucił się na posłanie. Po niejakim czasie począł chrapać jak koń.

Chmielnicki przeszedł się kilkakrotnie po wąskiej izbie i rzekł:

— Sen ucieka mnie od powiek. Nie usnę. Daj się czego napić, mości koszowy.

— Gorzałki czy wina?

— Gorzałki. Nie usnę.

— Na niebie już kurki — rzekł koszowy.

— Późno! Idź i ty spać, stary druhu. Napij się i idź.

— Na sławę i szczęście!

— Na szczęście!

Koszowy obtarł gębę rękawem, następnie podał rękę Chmielnickiemu i odszedł w drugi koniec izby, zakopał się niemal w owcze skóry, krew bowiem miał już przez wiek ostudzoną.

Wkrótce chrapanie jego zawtórowało chrapaniu Tuhaj-beja.

Chmielnicki siedział za stołem pogrążony w milczeniu. Nagle rozbudził się, spojrzał na Skrzetuskiego i rzekł:

— Mości namiestniku, jesteś wolny.

— Wdzięczenem ci, mości hetmanie zaporoski, luboć nie ukrywam, że wolałbym komu innemu za wolność dziękować.

— Tedy nie dziękuj. Ocaliłeś mi życie, jam ci też dobrem odpłacił, teraz kwita. A i to ci muszę jeszcze powiedzieć, iż cię zaraz nie puszczę, chyba mi słowo rycerskie dasz, iż wróciwszy nie powiesz ni słowa ani o naszej gotowości, ani o siłach, ani o niczym, coś tu w Siczy widział.

— Widzę jedno to, żeś mi niepotrzebnie *fructum* wolności dał posmakować, bo ci takiego słowa nie dam, gdyż dając je, tak bym właśnie postąpił jako ci, którzy do nieprzyjaciela przechodzą.

— Gardło moje i zdrowie całego wojska zaporoskiego w tym, aby się na nas hetman wielki ze wszystkimi siłami nie ruszył, czego by nie omieszkał, gdybyś go o potędze naszej powiadomił, nie dziw się więc, że jeśli słowa nie chcesz dać, to cię nie puszczę, póki o siebie bezpiecznym nie będę. Wiem, na com się porwał; wiem, jako straszna

jest siła przeciw mnie: obaj hetmani, twój straszny kniaź, któren sam za całe wojsko stanie, a Zasławscy, a Koniecpolscy, a wszystkie owe królewięta, które na szyi kozackiej nogę trzymają! Zaprawdę, niemałom ja musiał napracować się i listów rozpisać, nim zdołałem ich czujność uśpić — toć nie mogę teraz dozwolić, byś ją rozbudził. Gdy i czerń, i Kozacy grodowi, i wszyscy uciśnieni w wierze i wolności tak się po mojej opowiedzą stronie, jako wojsko zaporoskie i miłościwy chan krymski, tuszę, że nieprzyjaciołom sprostam, bo i moja siła znaczną będzie, ale najwięcej ufam Bogu, któren widział krzywdy, a patrzył na niewinność moją.

Tu Chmielnicki wychylił szklankę wódki i zaczął chodzić niespokojnie koło stołu, pan Skrzetuski zaś zmierzył go oczyma i rzekł z mocą:

— Nie bluźnijże, hetmanie zaporoski, na Boga i jego najwyższą opiekę się powołując, bo zaiste gniew tylko boży i prędsze karanie na siebie ściągniesz. Tobież to godzi się Najwyższego na swą obronę wzywać? Tobie, któren dla swych krzywd i prywatnych zatargów taką straszliwą burzę podnosisz i płomień wojny domowej rozpalasz, z pogany przeciw chrześcijanom się łączysz? Cóż się bowiem stanie? Zwyciężysz-li czy będziesz zwyciężony, morze ludzkiej krwi i łez wylejesz, gorzej szarańczy kraj spustoszysz, krew własną poganom w jasyr oddasz, Rzeczpospolitą wstrząśniesz, na majestat rękę podniesiesz, ołtarze Pańskie pohańbisz, a wszystko dlatego, że Czapliński futor ci zabrał, że ci po pijanemu wygrażał! Na cóż się więc nie targniesz? Czego dla prywaty nie poświęcisz? Boga wzywasz? — a ja zaprawdę, choć jestem w twojej mocy, chociaż mnie żywota i wolności pozbawić możesz — powiadam ci: szatana ty, nie Boga, na pomoc wzywaj, bo tylko jedno piekło sekundować ci może!

Chmielnicki spąsowiał — za rękojeść się porwał i patrzył tak na namiestnika jak lew, który wnet ma ryknąć i rzucić się na swą ofiarę — ale się pohamował. Szczęściem nie był jeszcze pijany. Może też nagle ogarnął go jakiś niepokój, może jakieś głosy zawołały mu w duszy: „Zawróć z drogi" — bo nagle, jakby się chciał przed własnymi myślami bronić lub samego siebie przekonywać, tak mówić począł:

— Od innego nie ścierpiałbym takiej mowy, ale i ty bacz, aby twa śmiałość mej cierpliwości nie pożarła. Piekłem mnie straszysz, o prywatę i zdradę mnie pomawiasz, a skądże wiesz, jeśli własne tylko krzywdy mścić idę? Gdzież to bym znalazł pomocników, gdzie owe tysiące, które się już za mną opowiedziały i opowiedzą, gdybym jeno własnych ucisków chciał dochodzić? Spójrz, co się dzieje na Ukrainie? Hej! ziemia bujna, ziemia matka, ziemia rodzona! A kto w niej jutra pewien? kto w niej szczęśliw? kto wiary nie pozbawion, z wolności nie obran, kto w niej nie płacze i nie wzdycha? Sami jeno Wiśniowieccy a Potoccy, a Zasławscy, a Kalinowscy, a Koniecpolscy, i szlachty garść! Dla nich starostwa, dostojeństwa, ziemia i ludzie, dla nich szczęście i złota wolność, a reszta narodu ręce we łzach do nieba wyciąga czekając bożego zmiłowania, bo i królewskie nie pomoże! Ileż to szlachty nawet nieznośnego ich ucisku wytrzymać nie mogąc na Sicz ucieka, jako ja sam uciekłem? Nie chcę też wojny z królem, nie chcę z Rzeczpospolitą! Ona mać, on ojciec! Król miłościwy pan, ale królewięta! Z nimi nam nie żyć; ich to zdzierstwa, ich to arendy, stawszczyzny, pojemszczyzny, suchomielszczyzny, oczkowe i rogowe; ich to tyrania i uciski przez Żydów czynione o zemstę do nieba wołają. Jakiejże to wdzięczności doznało wojsko zaporoskie za tak wielkie zasługi w licznych wojnach oddane? Gdzie przywileje kozackie? Król dał, królewięta odjęli. Nalewajko poćwiartowan! Pawluk w miedzianym wole spalon! Krew nie obeschła po ranach, które nam szabla Żółkiewskiego i Koniecpolskiego zadała! Łzy nie obeschły po pobitych, ściętych, na pal wsadzonych

— a teraz — patrz! co świeci na niebie — tu Chmielnicki wskazał przez okienko na płonącą kometę — gniew boży! bicz boży!... Więc jeśli ja mam nim być na ziemi — to dziej się wola boża! wezmę ten ciężar na barki.

To rzekłszy ręce ku górze wyciągnął i zdawał się płonąć cały jak wielka pochodnia zemsty i drżeć począł, a potem padł na ławę jakby ciężarem swych przeznaczeń przygnieciony.

Nastało milczenie przerywane tylko chrapaniem Tuhaj-beja i koszowego, a w jednym kącie chaty świerszcz ćwirkał żałośnie.

Namiestnik siedział ze spuszczoną głową. Rzekłbyś: szukał odpowiedzi na słowa Chmielnickiego, tak ciężkie, jak bryły granitu; na koniec tak mówić począł głosem cichym i smutnym:

— Ach! choćby to była i prawda, ktoś ty, hetmanie, jest, abyś się sędzią i katem kreował? Jakież cię okrucieństwo, jaka pycha unosi! Czemu ty Bogu sądu i kary nie zostawisz? Jać złych nie bronię, krzywd nie pochwalam, ucisków prawem nie mianuję, ale wejrzyjże i ty w siebie, hetmanie! Na ucisk od królewiąt narzekasz, mówisz, że króla ni prawa słuchać nie chcą, dumę ich ganisz, a czy sam jej próżen jesteś? Czy sam nie ściągasz ręki na Rzeczpospolitą, prawo i majestat? Tyranię paniąt i szlachty widzisz, ale tego nie widzisz, że gdyby nie ich piersi, nie ich pancerze, nie ich moc, nie ich zamki, nie ich działa i hufce, tedy by ta ziemia, mlekiem i miodem płynąca, pod stokroć cięższym jarzmem tureckim albo tatarskim jęczała! Kto bowiem by jej bronił? Czyją to opieką i mocą dzieci wasze w janczarach nie służą, a niewiasty do sprośnych haremów nie są porywane? Kto osadza pustynie, zakłada wsie i miasta, wznosi świątynie boże?...

Tu głos pana Skrzetuskiego potężniał coraz bardziej, a Chmielnicki utkwił ponuro oczy we flaszę z wódką, zaciśnięte pięści na stole położył i milczał, jakby się sam z sobą pasował.

— I któż są oni? — mówił dalej pan Skrzetuski — czy to tu z Niemiec przyszli albo od Turek? Nie krew-że to z krwi, nie kość z kości waszej? Nie wasza-że to szlachta, nie wasi książęta? Co gdy tak jest, tedy ci biada, hetmanie, bo ty młodszych braci na starszych uzbrajasz i parrycydów z nich czynisz. O dla Boga! choćby też i źli byli, choćby wszyscy, co przecie nie jest, deptali prawa, gwałcili przywileje — niechże ich Bóg sądzi w niebie, a sejmy na ziemi, ale nie ty, hetmanie! Możesz-li bowiem rzec, że między wami są tylko sprawiedliwi? zaliście nigdy nie przewinili, zali macie prawo rzucić kamieniem na cudzą zmazę? A żeś mię pytał: gdzie są przywileje kozackie? — tedy ci odpowiem: Nie królewięta je zdarli, ale Zaporożcy, ale Łoboda, Sasko, Nalewajko i Pawluk, o którym zmyślasz, że był w wole miedzianym usmażon, bo wiesz dobrze, że tak nie było! Zdarły je bunty wasze, zdarły niespokojności i napady, na kształt tatarskich czynione. Kto Tatarów w granice Rzeczypospolitej puszczał, by dopiero na powracających i łupem obciążonych dla zysku napadać? — wy! Kto — przebóg! — lud chrześcijański, własny, w jasyr oddawał? Kto największe warchoły czynił? — wy! Przed kim ni szlachcic, ni kupiec, ni kmieć nie jest bezpieczny? — przed wami! Kto wojny domowe rozpalał, z dymem puszczał wsie i miasta ukrainne, łupił świątynie boże, gwałcił niewiasty — wy i wy! Czego tedy chcesz? Czy aby wam przywileje na wojnę domową, rozbój i łupiestwo zostały wydane? Zaiste więcej wam przebaczono niźli odjęto! Chciano *membra putrida* leczyć, nie wycinać[1], i nie wiem — jest-li na świecie potencja prócz Rzeczypospolitej, która by taki wrzód we własnym łonie tolerując, tyle cierpliwości i klemencji znalazła! A w odwet za to jaka wdzięczność? Ot, tu śpi twój sprzymierzeniec, ale Rzeczypospolitej wróg zaciekły; twój przyjaciel, ale nieprzyjaciel krzyża i chrześcijaństwa,

[1] Słowa historyczne Żółkiewskiego.

nie królewiątko ukrainne, ale murza krymski!... z nim to pójdziesz palić własne gniazdo, z nim sądzić braci! Ale on też ci odtąd panować będzie, jemu strzemię podawać musisz!

Chmielnicki wychylił nową szklankę wódki.

— Gdyśmy z Barabaszem czasu swego u króla miłościwego byli — odparł ponuro — i gdyśmy na krzywdy i uciski nasze płakali, pan nasz rzekł: „A to nie macie samopałów i szabli przy boku?"

— Gdybyś przed Królem królów stanął, ten by rzekł: „Aza przebaczyłeś nieprzyjaciołom swoim, jakom ja swoim przebaczył?"

— Z Rzeczpospolitą wojny nie chcę!

— Jeno jej miecz do gardła przykładasz!

— Idę Kozaków z waszych okowów uwolnić.

— By ich w tatarskie łyka skrępować!

— Wiary chcę bronić.

— Z pohańcem w parze.

— Precżże ty, boś nie jest głosem sumienia mego! Precz mówię ci!

— Krew przelana ci zaciąży, łzy ludzkie oskarżą, śmierć cię czeka, sąd czeka!

— Puszczyk! — zawołał z wściekłością Chmielnicki i nożem przed piersią namiestnikową błysnął.

— Zabij! — rzekł pan Skrzetuski.

I znowu nastała chwila ciszy, znowu słychać było tylko chrapanie śpiących i żałosne skrzypienie świerszcza.

Chmielnicki stał przez chwilę z nożem przy piersi Skrzetuskiego; nagle się wstrząsnął, opamiętał, nóż upuścił, a natomiast porwawszy gąsiorek z wódką pić począł. Wypił aż do dna i siadł ciężko na ławie.

— Nie mogę go pchnąć! — mruczał — nie mogę! Późno już... czy to już świt?... Ale i z drogi zawracać późno... Co ty mnie o sądzie i krwi mówisz?

Poprzednio wypił już wiele, teraz wódka uderzała mu do głowy; stopniowo coraz bardziej tracił przytomność.

— Jaki tam sąd? co? Chan obiecał mi posiłki. Tuhaj-bej tu śpi! Jutro mołojcy ruszą... Z nami święty Michał, zwycięzca!... A jeśliby... jeśliby... to... Ja cię wykupił u Tuhaj-beja — ty to pamiętaj i powiedz... Ot! boli coś... boli! Z drogi zawracać... późno!... sąd... Nalewajko... Pawluk...

Nagle wyprostował się, oczy z przerażeniem wytrzeszczył i zakrzyknął:

— Kto tu?

— Kto tu? — powtórzył na wpół rozbudzony koszowy.

Ale Chmielnicki głowę na piersi spuścił, kiwnął się raz, drugi, mruknął: „Jaki sąd?...” — i usnął.

Pan Skrzetuski od ran niedawno otrzymanych i wzruszenia rozmowy pobladł bardzo i zesłabł, więc pomyślał, że to może śmierć nadlatuje, i zaczął się modlić głośno.

Rozdział XIII

Nazajutrz rankiem piesze i konne wojska kozackie ruszyły z Siczy. Lubo krew nie splamiła jeszcze stepów, wojna była już rozpoczęta. Pułki szły za pułkami; rzekłbyś: szarańcza przygrzana słońcem wiosennym wyroiła się z oczeretów Czertomeliku i leci na ukraińskie niwy. W lesie za Bezawłukiem czekali już gotowi do pochodu ordyńcy. Sześć tysięcy co przebrańszych wojowników, zbrojnych nierównie lepiej od zwykłych czambułowych rabusiów, stanowiło pomoc, którą chan przysłał Zaporożcom i Chmielnickiemu. Mołojcy na ich widok wyrzucili czapki w górę. Zagrzmiały rusznice i samopały. Wrzaski kozackie pomieszane z hałłakowaniem tatarskim uderzyły o sklepienie niebios. Chmielnicki i Tuhaj-bej, obaj pod buńczukami, skoczyli ku sobie końmi i powitali się ceremonialnie.

Sprawiono szyk pochodowy ze zwykłą Tatarom i Kozakom chyżością, po czym wojska ruszyły naprzód. Ordyńcy zajęli oba skrzydła kozackie, środek zawalił Chmielnicki z jazdą, za którą postępowała straszna piechota zaporoska[1], dalej „puszkary" z armatami, dalej tabor, wozy, na nich służba obozowa, zapasy żywności wreszcie czabanowie z zapaśnymi stadami i bydłem.

Przebywszy bazawłucki las pułki wypłynęły na stepy. Dzień był pogodny. Stropu nieba nie plamiła żadna chmurka. Lekki wiatr podmuchiwał z północy ku morzu, słońce grało na spisach i kwiatach pustyni. Roztoczyły się przed wojskiem Dzikie Pola jako morze bez końca, a na ten widok radość ogarnęła kozacze serca. Wielka malinowa chorągiew z Archaniołem zniżyła się po kilkakroć, witając step rodzimy, a za jej przykładem pochyliły się wszystkie buńczuki i pułkowe znamiona. Jeden okrzyk wyrwał się ze wszystkich piersi.

Pułki rozwinęły się swobodnie. „Dowbysze" i teorbaniści wyjechali na czoło wojska; huknęły kotły, zadźwięczały litaury i teorbany, a do wtóru im pieśń przez tysiące głosów śpiewana wstrząsnęła powietrzem i stepem:

Hej wy stepy, wy ridnyje,
Krasnym cwitom pysanyje,
Jako more szyrokije!

---

[1] Wbrew ogólnemu mniemaniu dzisiejszemu Beauplan twierdzi, iż piechota zaporoska niezmiernie przewyższała jazdę. Wedle Beauplana 200 Polaków rozbijało z łatwością 2000 jazdy zaporoskiej, ale natomiast 100 pieszych Kozaków mogło długo bronić się z zakopu tysiącowi Polaków.

Teorbaniści puścili cugle i przechyleni w tył na kulbakach, z oczyma utkwionymi w niebo, uderzali o struny teorbanów; litaurzyści wyciągnąwszy ręce nad głowami bili w swoje miedziane kręgi, dowbysze grzmieli w kotły, a te wszystkie odgłosy wraz z monotonnymi słowami pieśni i przeraźliwym, niesfornym świstem piszczałek tatarskich zlały się w jakąś nutę ogromną, dziką a smętną jak sama pustynia. Upojenie ogarnęło wszystkie pułki; głowy chwiały się w takt pieśni i wreszcie zdawało się, że cały step rozśpiewany kołysze się razem z ludźmi i końmi, i chorągwiami.

Spłoszone stada ptactwa zerwały się ze stepu i leciały przed wojskiem jak drugie wojsko powietrzne.

Chwilami pieśń i muzyka milkły, a wówczas słychać było łopot chorągwi, tętent i parskanie koni i skrzypienie wozów taborowych podobne do krzyku łabędzi lub żurawi.

Na czele, pod wielką chorągwią malinową i pod buńczukiem, jechał Chmielnicki przybrany w czerwień, na białym koniu, z pozłocistą buławą w ręku.

Cały tabor poruszał się z wolna i ciągnął na północ pokrywając jak groźna fala — rzeczki, dąbrowy i mogiły, napełniając szumem i gwarem pustosz stepową.

A od Czehryna, z północnego krańca pustyni, płynęła przeciw tej fali inna fala wojsk koronnych pod wodzą młodego Potockiego. Tu Zaporożcy i Tatarzy szli jakoby na wesele, z pieśnią radosną na ustach; tam poważna husaria postępowała w posępnym milczeniu, idąc niechętnie na tę walkę bez sławy. Tu pod malinową chorągwią stary, doświadczony wódz potrząsał groźnie buławą, jakby pewien zwycięstwa i zemsty; tam na czele jechał młodzieniec z twarzą zamyśloną, jakby świadom swych smutnych a bliskich przeznaczeń.

Dzieliła ich jeszcze wielka przestrzeń stepu.

Chmielnicki nie śpieszył się. Liczył bowiem, że im bardziej pogrąży się młody Potocki w pustynię, im dalej odsunie się od obu hetmanów, tym łatwiej będzie mógł być pokonany. A tymczasem coraz nowi zbiegowie z Czehryna, Powołoczy i wszystkich brzegowych miast ukraińskich zwiększali codziennie siły zaporoskie przynosząc zarazem wieści z przeciwnego obozu. Dowiedział się z nich Chmielnicki, że stary hetman wysłał syna z dwoma tylko tysiącami jazdy lądem[1], a zaś sześć tysięcy semenów i tysiąc niemieckiej piechoty bajdakami Dnieprem. Obie te siły miały rozkaz stałą z sobą utrzymywać łączność, ale rozkaz został już pierwszego dnia złamany, bo bajdaki, porwane bystrym prądem Dnieprowym, wyprzedziły znacznie husarię idącą brzegiem, której pochód opóźniały niezmiernie przeprawy przez wszystkie rzeczki wpadające do Dniepru.

Chmielnicki więc pragnąc, by ten rozdział powiększył się jeszcze bardziej, nie śpieszył się. Trzeciego dnia pochodu zaległ taborem koło Komyszej Wody i odpoczywał.

Tymczasem podjazdy Tuhaj-beja sprowadziły języka. Było to dwóch dragonów, którzy zaraz za Czehrynem zbiegli z taboru Potockiego. Pędząc dzień i noc zdołali znacznie wyprzedzić swój obóz. Stawiono ich natychmiast przed Chmielnickim.

Opowiadania ich potwierdziły to, co było już Chmielnickiemu wiadome o siłach młodego Stefana Potockiego; natomiast przynieśli mu nową wiadomość, że przywódcami semenów, płynących wraz z piechotą niemiecką na bajdakach, byli stary Barabasz i Krzeczowski.

Usłyszawszy to ostatnie nazwisko Chmielnicki porwał się na równe nogi.

— Krzeczowski? pułkownik regestrowych perejasławskich?

---

[1] Źródła rusińskie, np. Samoił Weliczko, podają liczbę wojsk koronnych na 22 000. Cyfra to oczywiście fałszywa.

— On sam, jaśnie wielmożny hetmanie! — odpowiedzieli dragoni.

Chmielnicki zwrócił się do otaczających go pułkowników.

— W pochód! — zakomenderował grzmiącym głosem.

W niespełna godzinę później tabor ruszył naprzód, chociaż słońce już zachodziło i noc nie obiecywała być pogodną. Jakieś straszne, rude chmurzyska porozwalały się na zachodniej stronie nieba, podobne do smoków, do lewiatanów, i zbliżały się ku sobie, jakby chcąc stoczyć walkę.

Tabor posuwał się w lewo, ku brzegowi Dniepru. Szli teraz cicho, bez pieśni, bez bicia w kotły, w litaury, i szybko, o ile pozwalały im trawy, tak bujne w tej okolicy, że pogrążone w nich pułki chwilami traciły się z oczu, a różnobarwne chorągwie zdawały się same płynąć po stepie. Jazda torowała drogę wozom i piechocie, które postępując z trudnością, wkrótce pozostały znacznie w tyle. Tymczasem noc pokryła stepy. Ogromny czerwony księżyc wytoczył się z wolna na niebo, ale przesłaniany co chwila chmurami, rozpalał się i gasł jak lampa tłumiona powiewami wiatru.

Było już dobrze z północy, gdy oczom Kozaków i Tatarów ukazały się czarne, olbrzymie masy odrzynające się wyraźnie na ciemnym tle nieba.

Były to mury Kudaku.

Podjazdy zakryte ciemnością zbliżyły się pod zamek tak ostrożnie i cicho, jak wilcy lub ptactwo nocne. A nuż można by ubiec niespodzianie senną fortecę!

Ale nagle błyskawica na wałach rozdarła ciemności, huk straszliwy wstrząsnął skałami Dniepru i kula ognista zatoczywszy jaskrawy łuk na niebie upadła w trawy stepowe.

To posępny cyklop Grodzicki dawał znać, że czuwa.

— Pies jednooki! — mruknął do Tuhaj-beja Chmielnicki — widzi w nocy.

Kozacy pominęli zamek — o którego wzięciu w chwili, gdy przeciw nim samym ciągnęły wojska koronne, nie mogli myśleć — i ruszyli dalej. Ale pan Grodzicki walił za nimi z dział, aż się mury zamkowe trzęsły, nie tyle, by im szkody przyczynić, gdyż przechodzili w znacznej odległości, ale aby ostrzec wojska nadpływające Dnieprem, które mogły znajdować się już niedaleko.

Przede wszystkim jednak huk dział kudackich odbił się w sercu i uszach pana Skrzetuskiego. Młody rycerz, prowadzony z rozkazu Chmiela z taborem kozackim, drugiego dnia zachorował ciężko. W walce na Chortycy nie otrzymał on wprawdzie żadnej śmiertelnej rany, ale utracił tyle krwi, że niewiele w nim życia zostało. Rany jego, opatrzone po kozacku przez starego kantarzeja, otworzyły się, owładnęła nim gorączka i nocy owej leżał wpółprzytomny na kozackiej teledze, nie wiedząc o świecie bożym. Zbudziły go dopiero działa kudackie. Roztworzył oczy, podniósł się na wozie i począł rozglądać się naokoło. Kozacki tabor przemykał się w ciemnościach jak korowód mar, a zamek huczał i świecił różowymi dymami; kule ogniste podskakiwały po stepie charkocząc i warcząc jak psy rozzłoszczone, więc na ten widok taka żałość, taka tęsknota ogarnęła pana Skrzetuskiego, że gotów był i umrzeć zaraz, byle choć duszą ulecieć do swoich. Wojna! wojna! a oto on w obozie wrogów, bezbronny, chory, z woza nie mogący się podnieść. Rzeczpospolita w niebezpieczeństwie, on zaś nie leci jej ratować! A tam, w Łubniach, wojska pewno już ruszają. Książę z błyskawicami w oczach lata przed szeregami, a w którą stronę buławą skinie, tam wnet trzysta kopii jakby trzysta gromów uderzy. Tu rozmaite znajome twarze zaczęły namiestnikowi stawać przed oczy. Mały Wołodyjowski leci na czele dragonów ze swoją cienką szabelką w ręku, ale to fechmistrz nad fechmistrze: z kim ją skrzyżuje, ten jakby leżał w mogile; tam znów pan Podbipięta wznosi swój katowski Zerwikaptur! Zetnie trzy głowy czy nie zetnie?

Ksiądz Jaskólski ogania chorągwie i modli się z rękami do góry, lecz to dawny żołnierz, więc nie mogąc wytrzymać huknie czasem: „Bij, zabij!" A owo pancerni kładą już glewie w pół końskiego ucha, pułki ruszają naprzód, rozpędzają się, pędzą, bitwa, zawierucha!

Nagle widzenie się zmienia. Przed namiestnikiem staje Helena blada, z rozpuszczonym włosem i woła: „Ratuj, bo mnie Bohun goni!" Pan Skrzetuski zrywa się z wozu, aż jakiś głos, ale już rzeczywisty, mówi do niego:

— Leżże, detyno, bo zwiążę.

To esauł taborowy, Zachar, któremu Chmielnicki kazał pilnować namiestnika jak oka w głowie, układa go na powrót na wozie, okrywa końską skórą i pyta jeszcze:

— Szczo z toboju?

Więc pan Skrzetuski przytomnieje zupełnie. Mary pierzchają. Wozy ciągną samym brzegiem Dnieprowym. Chłodny powiew dochodzi do rzeki i noc blednie. Ptactwo wodne rozpoczyna gwar poranny.

— Słuchaj, Zachar! to my już minęli Kudak? — pyta pan Skrzetuski.

— Minęli! — odpowiada Zaporożec.

— A dokąd ciągniecie?

— Ne znaju. Bytwa, każe, bude, ałe ne znaju.

Na te słowa serce uderzyło radośnie w piersiach pana Skrzetuskiego. Sądził on, że Chmielnicki będzie oblegał Kudak i że od tego wojnę zacznie. Tymczasem pośpiech, z jakim Kozacy szli naprzód, pozwalał wnosić, że wojska koronne były już blisko i że właśnie Chmielnicki dlatego pominął fortecę, by nie być zmuszonym do bitwy pod jego działami. „Dziś jeszcze może wolny będę" — pomyślał namiestnik i wzniósł oczy dziękczynnie ku niebu.

Rozdział XIV

Huk dział kudackich słyszały również wojska płynące bajdakami pod wodzą starego Barabasza i Krzeczowskiego.

Składały się one z sześciu tysięcy Kozaków regestrowych i jednego regimentu wybornej piechoty niemieckiej, której pułkownikował Hans Flik.

Pan Mikołaj Potocki długo się wahał, zanim Kozaków przeciw Chmielnickiemu wyprawił, ale że Krzeczowski miał na nich wpływ ogromny, a Krzeczowskiemu hetman ufał bez granic, więc tylko semenom kazał przysięgę wierności złożyć i — wyprawił ich w imię boże.

Krzeczowski, żołnierz pełen doświadczenia i wielce w poprzednich wojnach wsławiony, był klientem domu Potockich, którym wszystko zawdzięczał: i pułkownikostwo, i szlachectwo, gdyż mu je na sejmie wyrobili, i na koniec obszerne posiadłości położone przy zbiegu Dniestru i Ladawy, które dożywotnio od nich trzymał.

Tyle tedy węzłów łączyło go z Rzecząpospolitą i z Potockimi, że cień nieufności nie mógł zrodzić się w duszy hetmańskiej. Był to przy tym człowiek w sile dni, bo zaledwie pięćdziesiąt lat liczący, i wielka przyszłość otwierała się przed nim na usługach krajowi. Niektórzy chcieli w nim widzieć następcę Stefana Chmieleckiego, który rozpocząwszy zawód jako prosty rycerz stepowy skończył go jako wojewoda kijowski i senator Rzeczypospolitej. Od Krzeczowskiego zależało pójść tą samą drogą, na którą pchało go męstwo, dzika energia i niepohamowana ambicja, głodna zarówno bogactw, jak i dostojeństw. Gwoli tej to ambicji silnie przed niedawnym czasem zabiegał o starostwo lityńskie, a gdy na koniec otrzymał je pan Korbut, Krzeczowski głęboko zakopał w sercu zawód, ale prawie że odchorował z zawiści i zmartwienia. Teraz zdawał mu się los na nowo uśmiechać, gdyż otrzymawszy od hetmana wielkiego tak ważną funkcję wojskową, śmiało mógł liczyć, że imię jego obije się o uszy królewskie. A było to rzeczą ważną, bo następnie należało tylko pokłonić się panu, aby otrzymać przywilej z miłymi duszy szlacheckiej słowami: „Bił nam czołom i prosył, szczob jeho podaryty, a my pomniawszy jeho usługi, dajem" etc. Tą drogą zdobywało się na Rusi bogactwa i dostojeństwa; tą drogą ogromne obszary pustych stepów, które przedtem należały do Boga i Rzplitej, przechodziły w ręce prywatne; tą drogą chudopachołek na pana wyrastał i mógł krzepić się nadzieją, że potomkowie jego między senatory zasiędą.

Krzeczowskiego gryzło jeno to, że w owej powierzonej mu funkcji musiał dzielić władzę z Barabaszem, ale był to podział tylko nominalny. W rzeczywistości stary pułkownik czerkaski, zwłaszcza w ostatnich czasach, tak się postarzał i zgrzybiał, że już ciałem jedynie do tej ziemi należał, a dusza jego i umysł pogrążone były ustawicznie w odrętwieniu i martwocie, które zwykle śmierć prawdziwą poprzedzają. Z początku wyprawy rozbudził się i począł się krzątać dość raźnie, rzekłbyś: na odgłos surm wojennych stara żołnierska krew poczęła w nim krążyć silniej, bo był to przecie czasu swego wsławiony rycerz i wódz stepowy; ale zaraz po wyruszeniu ukołysał go plusk wioseł, uśpiły pieśni semenów i łagodny ruch bajdaków, więc zapomniał o świecie bożym. Krzeczowski wszystkim rządził i zawiadywał, Barabasz zaś budził się tylko do jedzenia; najadłszy się pytał ze zwyczaju o to i owo — zbywano go lada jaką odpowiedzią, w końcu wzdychał i mawiał: „Ot, rad by ja z inną wojną do mogiły się kłaść, ale wola boża!”

Tymczasem łączność z wojskiem koronnym, idącym pod wodzą Stefana Potockiego, została od razu przerwana. Krzeczowski narzekał, że husaria i dragonia za wolno idą, że nadto u przepraw marudzą, że młody syn hetmański nie ma wojskowego doświadczenia, ale z tym wszystkim kazał wiosłować i płynąć naprzód.

Bajdaki płynęły więc z biegiem Dnieprowym ku Kudakowi, oddalając się coraz bardziej od wojsk koronnych.

Nareszcie pewnej nocy zasłyszano huk dział.

Barabasz spał i nie obudził się; natomiast Flik, który płynął naprzód, wsiadł w podjazdkę i udał się do Krzeczowskiego.

— Mości pułkowniku — rzekł — to kudackie armaty. Co mam czynić?

— Zatrzymaj waść bajdaki. Zostaniemy przez noc w oczeretach.

— Chmielnicki widocznie zamek oblega. Moim zdaniem, należałoby pośpieszyć z odsieczą.

— Ja waści o zdanie nie pytam, jeno rozkaz daję. Przy mnie komenda.

— Mości pułkowniku!...

— Stać i czekać! — rzekł Krzeczowski.

Ale widząc, że energiczny Niemiec szarpie swoją żółtą brodę i ustępować bez racji nie myśli, dodał łagodniej:

— Kasztelan do jutra rana może z jazdą nadciągnąć, a fortecy przez jedną noc nie wezmą.

— A jeśli nie nadciągnie?

— Będziem czekać choćby dwa dni. Waść nie znasz Kudaku! Połamią oni sobie zęby o jego mury, a ja bez kasztelana na odsiecz nie będę ciągnął, bo i prawa do tego nie mam. Jego to rzecz.

Wszelka słuszność zdawała się być po stronie Krzeczowskiego, więc Flik nie nalegał dłużej i oddalił się do swoich Niemców. Po chwili bajdaki poczęły zbliżać się ku prawemu brzegowi i zasuwać w oczerety, które więcej jak na staję pokrywały szeroko w tym miejscu rozlaną łachę. Na koniec plusk wioseł ustał, statki skryły się całkowicie w szuwarach, a rzeka zdawała się być pustą zupełnie. Krzeczowski zakazał palenia ogni, śpiewania pieśni i rozmów, więc okolicę zaległa cisza przerywana tylko dalekim odgłosem dział kudackich.

Wszelako na statkach nikt prócz jednego Barabasza nie zmrużył oka. Flik, człowiek rycerski i boju chciwy, chciałby ptakiem lecieć pod Kudak. Semenowie pytali się siebie z cicha: co też się może zdarzyć z fortecą? Wytrzyma czy nie wytrzyma? A tymczasem huk wzmagał się coraz bardziej. Wszyscy byli przekonani, że zamek odpiera szturm gwałtowny. „Chmiel nie żartuje, ale i Grodzicki nie żartuje!" — szeptali Kozacy. A co to będzie jutro?

To samo pytanie zadawał sobie prawdopodobnie Krzeczowski, który siadłszy na przedzie swego bajdaku zamyślił się głęboko. Chmielnickiego znał on dobrze i dawno, uważał go zawsze aż dotąd za człowieka nadzwyczajnych zdolności, któremu tylko pola brakło, by wyleciał jak orzeł w górę, a teraz Krzeczowski zwątpił o tym. Działa grzmiały ciągle, a zatem chyba Chmielnicki naprawdę Kudak oblegał?

„Jeśli tak jest! — myślał Krzeczowski — to to jest człowiek zgubiony!"

Jak to? Więc podniósłszy Zaporoże, zapewniwszy sobie pomoc chanową, zebrawszy siły, jakimi żaden z watażków dotychczas nie rozporządzał, zamiast iść co najśpieszniej na Ukrainę, zamiast pobudzić czerń, przeciągnąć grodowych, zgnieść co prędzej hetmanów i opanować cały kraj, nimby na obronę jego nowe wojska nadeszły, on — Chmielnicki, on — stary żołnierz, szturmuje do niezdobytej fortecy, która przez rok może go trzymać? I pozwoli na to, by najlepsze siły jego tak rozbiły się o mury Kudaku, jak fala Dnieprowa rozbija się o skały porohów? I będzie czekał pod Kudakiem, aż się hetmani wzmocnią i oblegną go jak Nalewajkę pod Sołonicą?...

— To człowiek zgubiony! — powtórzył raz jeszcze pan Krzeczowski. — Właśni Kozacy go wydadzą. Nieudany szturm wywoła zniechęcenie i popłoch. Iskra buntu zagaśnie w samym zarodku, a Chmielnicki nie będzie straszniejszy niż miecz, który się ułamał przy rękojeści.

— To głupiec!

„*Ergo?* — pomyślał pan Krzeczowski — *ergo*, jutro wysadzę na brzeg moich semenów i Niemców, a następnej nocy na osłabionego szturmem niespodziewanie uderzę, Zaporożców w pień wyrżnę, a Chmielnickiego, związanego, pod nogi hetmańskie rzucę. Jego to własna wina, bo mogło się zdarzyć inaczej".

Tu rozkiełznana ambicja pana Krzeczowskiego wzbiła się na sokolich skrzydłach w górę. Wiedział on dobrze, że młody Potocki żadną miarą do jutrzejszej nocy przyciągnąć nie może, więc kto urwie głowę hydrze? Krzeczowski! Kto zgasi bunt, który straszliwym pożarem mógłby ogarnąć całą Ukrainę? Krzeczowski! Może stary hetman będzie krzyw trochę, że się to stanie bez udziału synala, ale się wysapie prędko, a tymczasem wszystkie promienie sławy i łaski królewskiej oświecą czoło zwycięzcy.

Nie! Trzeba się jednak będzie podzielić sławą ze starym Barabaszem i z Grodzickim! Pan Krzeczowski zasępił się mocno, ale wnet wypogodził się. Wszakże tę starą kłodę, Barabasza, lada dzień zakopią w ziemię, a Grodzicki, byle mógł w Kudaku siedzieć i Tatarów kiedy niekiedy z dział przepłoszyć, niczego więcej nie pragnie; pozostaje jeden Krzeczowski.

Byle hetmaństwo ukrainne mógł otrzymać!

Gwiazdy migotały na niebie, a pułkownikowi zdawało się, że to klejnoty w buławie; wiatr szumiał w oczeretach, a jemu zdało się, że to szumi buńczuk hetmański.

Działa Kudaku grzmiały ciągle.

„Chmielnicki da gardło pod miecz — myślał dalej pułkownik — ale to jego własna wina! Mogło być inaczej! Gdyby poszedł od razu na Ukrainę!... Mogło być inaczej! Tam wre i huczy wszystko, tam leżą prochy czekające tylko na iskrę. Rzeczpospolita jest potężna, ale na Ukrainie sił nie ma, a król niemłody, schorowany!

Jedna wygrana przez Zaporożców bitwa sprowadziłaby nieobliczone skutki..."

Krzeczowski ukrył twarz w dłoniach i siedział nieruchomy, a tymczasem gwiazdy staczały się niżej i niżej i zachodziły z wolna na step. Przepiórki ukryte w trawach poczęły się nawoływać. Niezadługo miało zaświtać.

Na koniec rozmyślania pułkownika skrzepły w niewzruszony zamiar. Jutro uderzy na Chmielnickiego i zetrze go w proch. Po jego trupie dojdzie do bogactw i dostojeństw, stanie się narzędziem kary w ręku Rzeczypospolitej, jej obrońcą, w przyszłości jej dygnitarzem i senatorem. Po zwycięstwie nad Zaporożem i Tatarami nie odmówią mu niczego.

A jednak — nie dano mu starostwa lityńskiego.

Na to wspomnienie Krzeczowski ścisnął pięście. Nie dano mu starostwa mimo potężnego wpływu jego protektorów, Potockich, mimo jego zasług wojennych, dlatego tylko, że był *homo novus*, a jego przeciwnik od kniaziów ród wywodził. W tej Rzeczypospolitej nie dość było zostać szlachcicem, należało jeszcze czekać, by to szlachectwo pokryło się pleśnią jak wino, by zardzewiało jak żelazo.

Chmielnicki jeden mógł zaprowadzić nowy porządek rzeczy, któremu bodaj że i sam król by sprzyjał — ale, nieszczęśnik, wolał oto rozbijać głowę o skały kudackie.

Pułkownik uspokajał się z wolna. Odmówili mu raz starostwa — cóż z tego? Tym bardziej będą się starali go wynagrodzić, zwłaszcza po zwycięstwie i zgaszeniu buntu, po uwolnieniu od wojny domowej Ukrainy, ba! całej Rzeczypospolitej! Wówczas niczego mu nie odmówią, wówczas nie będzie potrzebował nawet i Potockich...

Senna głowa schyliła mu się na piersi — i usnął marząc o starostwach, o kasztelaniach, o nadaniach królewskich i sejmowych...

Gdy się zbudził, był brzask. Na bajdakach spało jeszcze wszystko. W dali połyskiwały w bladym, rozpierzchłym świetle wody Dnieprowe. Naokoło panowała absolutna cisza. Ta właśnie cisza zbudziła go

Działa kudackie przestały huczeć.

„Co to? — pomyślał Krzeczowski. — Pierwszy szturm odparty? Czy może Kudak wzięty?"

Ale to niepodobna!

Nie! po prostu zbici Kozacy leżą gdzieś z dala od zamku i rany liżą, a jednooki Grodzicki pogląda na nich przez strzelnicę, rychtując na nowo działa.

Jutro szturm powtórzą i znowu zęby połamią.

Tymczasem rozedniało. Krzeczowski zbudził ludzi na swym bajdaku i posłał czółno po Flika.

Flik przybył niebawem.

— Mości pułkowniku! — rzekł mu Krzeczowski — jeśli do wieczora kasztelan nie nadciągnie, a z nocą szturm się powtórzy, ruszymy fortecy w pomoc.

— Moi ludzie gotowi — odparł Flik.

— Rozdajże im prochy i kule.

— Rozdane.

— W nocy wysiędziemy na brzeg i ruszymy jak najciszej stepem. Zejdziemy ich niespodzianie.

— *Gut, sehr gut!* ale czyby się nie przesunąć trochę bajdakami? Do fortecy mil ze cztery. Trochę daleko dla piechoty.

— Piechota siędzie na konie semenów.

— *Sehr gut!*

— Ludzie niech leżą cicho w sitowiach, na brzeg nie wychodzą i hałasów nie sprawują. Ogniów nie palić, bo dymy by nas zdradziły. Nie powinni o nas wiedzieć.

— Mgła taka, że i dymów nie ujrzą.

Rzeczywiście rzeka, łacha porośnięta oczeretem, w którym stały bajdaki, i stepy były pokryte jak okiem sięgnąć, białym, nieprzeniknionym tumanem. Ależ że był to dopiero świt, więc mgły mogły jeszcze opaść i odsłonić stepowe przestrzenie.

Flik odjechał. Ludzie na bajdakach budzili się z wolna; wnet ogłoszono rozkazy Krzeczowskiego, by się zachować cicho — więc zabierali się do rannego posiłku bez żołnierskiego gwaru. Kto by przechodził brzegiem lub płynął środkiem rzeki ani by się domyślił, że w przyległej łasze ukrywa się kilka tysięcy ludzi. Koniom dawano jeść z ręki, by nie rżały. Bajdaki zakryte mgłą leżały przyczajone w lesie szuwarów. Gdzieniegdzie tylko przemykała się mała pidjizdka o dwóch wiosłach, rozwożąca suchary i rozkazy, zresztą wszędzie panowało grobowe milczenie.

Nagle w trawach, trzcinach szuwarach i zaroślach przybrzeżnych, naokoło całej łachy, rozległy się dziwne, a bardzo liczne głosy wołające:

— Pugu! Pugu!

Cisza...

— Pugu! Pugu!

I znowu nastało milczenie, jak gdyby owe głosy wołające na brzegach oczekiwały na odpowiedź.

Ale odpowiedzi na nie nie było. Wołania zabrzmiały po raz trzeci, ale szybsze i niecierpliwsze:

— Pugu! Pugu! Pugu!

Wówczas od strony statków rozległ się wśród mgły głos Krzeczowskiego:

— A kto taki?

— Kozak z ługu!

Semenom ukrytym na bajdakach serca zabiły niespokojnie. Tajemnicze owo wołanie było im znane dobrze. W ten sposób Zaporożcy porozumiewali się z sobą na zimownikach, w ten także sposób w czasie wojen zapraszali na rozmowę braci Kozaków regestrowych i grodowych, między którymi bywało wielu należących sekretnie do bractwa.

Głos Krzeczowskiego rozległ się znowu:

— Czego chcecie?

— Bohdan Chmielnicki, hetman zaporoski, oznajmia, że działa na łachę są obrócone.

— Powiedzcie hetmanowi zaporoskiemu, że nasze obrócone są na brzegi.

— Pugu! Pugu!

— Czego jeszcze chcecie?

— Bohdan Chmielnicki, hetman zaporoski, prosi na rozmowę swojego przyjaciela, pana Krzeczowskiego pułkownika.

— Niech jeno da zakładników.

— Dziesięciu kurzeniowych.

— Zgoda!

W tej chwili brzegi łachy zakwitły jakby kwieciem Zaporożcami, którzy popowstawali spośród traw, między którymi leżeli ukryci. Z dala od stepów nadciągała ich konnica i armaty, ukazały się dziesiątki i setki chorągwi, znamion, buńczuków. Szli ze śpiewaniem i biciem w kotły. Wszystko to razem podobniejsze było do radosnego powitania niż do zetknięcia się wrogich potęg.

Semenowie z bajdaków odpowiedzieli okrzykami. Tymczasem przybyły czółna wiozące atamanów kurzeniowych. Krzeczowski wsiadł w jedno z nich i odjechał na brzeg. Tam podano mu konia i przeprowadzono natychmiast do Chmielnickiego.

Chmielnicki ujrzawszy go uchylił czapki, a następnie powitał go serdecznie.

— Mości pułkowniku! — rzekł — stary przyjacielu mój i kumie! Gdy pan hetman koronny kazał ci mnie łapać i do obozu odstawić, tyś tego uczynić nie chciał, jeno mię ostrzegłeś, bym się ucieczką salwował, dla którego uczynku winienem ci wdzięczność i miłość braterską.

To mówiąc rękę uprzejmie wyciągał, ale czarniawa twarz Krzeczowskiego pozostała jak lód zimna.

— Teraz zaś, gdyś się wyratował, mości hetmanie — rzekł — rebelię podniosłeś.

— O swoje to, twoje i całej Ukrainy krzywdy idę się upomnieć z przywilejami królewskimi w ręku i w tej nadziei, że pan nasz miłościwy za złe mi tego nie poczyta.

Krzeczowski począł patrzyć bystro w oczy Chmielnickiemu i rzekł z przyciskiem:

— Kudak obległeś?

— Ja? Chybabym był z rozumu obran! Kudak minąłem i anim wystrzelił, choć mnie stary ślepiec armatami stepom oznajmiał. Mnie na Ukrainę było pilno, nie do Kudaku, a do ciebie było mi pilno, do starego druha, dobrodzieja.

— Czego ty ode mnie chcesz?

— Jedź ze mną trochę w step, to się rozmówim.

Ruszyli końmi i pojechali. Bawili z godzinę. Po powrocie twarz Krzeczowskiego była blada i straszna. Wnet też zaczął żegnać się z Chmielnickim, który rzekł mu na drogę:

— Dwóch nas będzie na Ukrainie, a nad nami jeno król i nikt więcej.

Krzeczowski wrócił do bajdaków. Stary Barabasz, Flik i starszyzna oczekiwali go niecierpliwie.

— Co tam? co tam? — pytano go ze wszystkich stron.

— Wysiadać na brzeg! — odpowiedział rozkazującym głosem Krzeczowski.

Barabasz podniósł senne powieki; jakiś dziwny płomień błysnął mu w oczach.

— Jak to? — rzekł.

— Wysiadać na brzeg! Poddajem się!

Fala krwi buchnęła na bladą i pożółkłą twarz Barabasza. Wstał z kotła, na którym siedział, wyprostował się nagle i ten zgięty, zgrzybiały starzec zmienił się w olbrzyma pełnego życia i siły.

— Zdrada! — ryknął.

— Zdrada! — powtórzył Flik chwytając za rękojeść rapiera.

Ale nim go wydobył, pan Krzeczowski świsnął szablą i jednym zamachem rozciągnął go na pomoście.

Następnie skoczył z bajdaku w podjazdkę tuż stojącą, w której siedziało czterech Zaporożców z wiosłami w ręku, i krzyknął:

— Między bajdaki!

Czółno pomknęło jak strzała, pan Krzeczowski zaś stojąc w środku, z czapką na okrwawionej szabli, z oczyma jak płomienie, krzyczał potężnym głosem:

— Dzieci! nie będziem swoich mordować! Niech żyje Bohdan Chmielnicki, hetman zaporoski!

— Niech żyje! — powtórzyły setne i tysięczne głosy.

— Na pohybel Lachom!

— Na pohybel!

Wrzaskom z bajdaków odpowiadały okrzyki Zaporożców na brzegach. Ale wielu ludzi ze statków stojących dalej nie wiedziało jeszcze, o co chodzi; dopiero gdy wszędzie rozbiegła się wieść, że pan Krzeczowski przechodzi do Zaporożców, prawdziwy szał radości ogarnął semenów. Sześć tysięcy czapek wyleciało w górę, sześć tysięcy rusznic huknęło wystrzałami. Bajdaki zatrzęsły się pod stopami mołojców. Powstał tumult i zamieszanie. Wszelako radość owa musiała być krwią oblana, bo stary Barabasz wolał zginąć niż zdradzić chorągiew, pod którą wiek życia przesłużył. Kilkudziesięciu ludzi czerkaskich opowiedziało się przy nim i wszczęła się bitwa krótka, straszna — jak wszystkie walki, w których garść ludzi pożądająca nie łaski, ale śmierci, broni się tłumom. Ani Krzeczowski, ani nikt z Kozaków nie spodziewał się takiego oporu. W starym pułkowniku rozbudził się dawny lew. Na wezwanie, by broń złożył, odpowiadał strzałami — i widziano go na przodzie z buławą w ręku, z rozwianymi białymi włosami, wydającego rozkazy grzmiącym głosem i z młodzieńczą energią. Statek jego otoczono ze wszystkich stron. Ludzie z tych bajdaków, które nie mogły się docisnąć, wskakiwali w wodę i płynąc lub brodząc między oczeretami, chwytając następnie za krawędź statku, wdzierali się nań z wściekłością. Opór był krótki. Wierni Barabaszowi semenowie, skłuci, zrąbani lub porozrywani rękami, zalegli trupem pomost — stary z szablą w ręku bronił się jeszcze.

Krzeczowski przedarł się ku niemu.

— Poddaj się! — krzyknął.

— Zdrajco! na pohybel! — odparł Barabasz i wzniósł szablę do cięcia.

Krzeczowski cofnął się szybko w tłum.

— Bij! — zawołał do Kozaków.

Ale zdawało się, że nikt nie chce pierwszy podnieść ręki na starca. Na nieszczęście jednak pułkownik poślizgnął się we krwi i upadł.

Leżący nie wzbudzał już tego szacunku czy też przestrachu i wnet kilkanaście ostrz pogrążyło się w jego ciało. Starzec zdołał tylko wykrzyknąć: „Jezus Maria!”

Zaczęto siekać leżącego i rozsiekano w kawałki. Uciętą głowę przerzucano z bajdaku do bajdaku, bawiąc się nią jak piłką, dopóki po niezręcznym rzuceniu nie wpadła w wodę.

Pozostawali jeszcze Niemcy, z którymi trudniejsza była sprawa, bo regiment składał się z tysiąca starego i wyćwiczonego w różnych wojnach żołnierza.

Dzielny Flik poległ wprawdzie z ręki Krzeczowskiego, ale na czele regimentu pozostał Johan Werner, podpułkownik, weteran jeszcze z trzydziestoletniej wojny.

Krzeczowski pewny był prawie zwycięstwa, gdyż bajdaki niemieckie otoczone były ze wszystkich stron kozackimi, chciał jednak zachować dla Chmielnickiego tak znaczny zastęp niezrównanej i doskonale uzbrojonej piechoty, dlatego wolał z nimi rozpocząć układy.

Zdawało się przez jakiś czas, że Werner zgadza się na

nie, gdyż rozmawiał spokojnie z Krzeczowskim i słuchał uważnie wszelkich obietnic, jakich mu przeniewierczy pułkownik nie szczędził. Żołd, z którym Rzeczpospolita była zaległa, miał być natychmiast za ubiegły czas i za rok jeszcze z góry wypłacony. Po roku knechtowie mogli się udać, gdzie by chcieli, choćby nawet do obozu koronnego.

Werner niby namyślał się, ale tymczasem wydał cicho rozkazy, by bajdaki przysunąć do siebie, tak aby utworzyły jedno zwarte koło. Na okręgu tego koła stanął mur piechurów, ludzi rosłych i silnych, przybranych w żółte kolety i takiejże barwy kapelusze, w zupełnym szyku bojowym, z lewą nogą wysuniętą naprzód do strzału i z muszkietami przy prawym boku.

Werner z obnażoną szpadą w ręku stał w pierwszym szeregu i namyślał się długo.

Na koniec podniósł głowę.

— *Herr Hauptmann!* — rzekł — zgadzamy się!

— Nie stracicie na nowej służbie! — zawołał z radością Krzeczowski.

— Ale pod warunkiem...

— Zgadzam się z góry.

— Jeśli tak, to i dobrze. Nasza służba u Rzeczypospolitej kończy się w czerwcu. Od czerwca pójdziemy do was.

Przekleństwo wyrwało się z ust Krzeczowskiego, powstrzymał jednak wybuch.

— Czy kpisz, mości lejtnancie? — spytał.

— Nie! — odparł z flegmą Werner. — Nasza cześć żołnierska każe nam układu dotrzymać. Służba kończy się w czerwcu. Służymy za pieniądze, ale nie jesteśmy zdrajcami. Inaczej nikt by nas nie najmował, a i wy sami nie ufalibyście nam, bo kto by wam ręczył, że w pierwszej bitwie nie przejdziem znowu do hetmanów?

— Czego tedy chcecie?

— Byście nam dali odejść.

— Nie będzie z tego nic, szalony człowiecze! Każę was w pień wyciąć.

— A ilu swoich stracisz?

— Noga z was nie ujdzie.

— Połowa z was nie zostanie.

Obaj mówili prawdę; dlatego Krzeczowski, chociaż flegma Niemca wzburzyła w nim wszystką krew, a wściekłość poczynała go dławić, nie chciał jeszcze rozpoczynać bitwy.

— Nim słońce zejdzie z łachy — zawołał — namyślcie się, po czym każę cynglów ruszać.

I odjechał pośpiesznie w swojej podjazdce, by się z Chmielnickim naradzić.

Nastała chwila oczekiwania. Bajdaki kozackie otoczyły ciaśniejszym pierścieniem Niemców, którzy zachowywali chłodną postawę, jaką tylko stary i bardzo wyćwiczony żołnierz zdoła zachować wobec niebezpieczeństwa. Na groźby i obelgi wybuchające co chwila z kozackich bajdaków odpowiadali pogardliwym milczeniem. Był to prawdziwie imponujący widok tego spokoju wśród coraz silniejszych wybuchów wściekłości ze strony mołojców, którzy potrząsając groźnie spisami i „piszczelami", zgrzytając zębem i klnąc oczekiwali niecierpliwie hasła do boju.

Tymczasem słońce skręcając od południa ku zachodniej stronie nieba zdejmowało z wolna swoje złote blaski z łachy, która stopniowo pogrążała się w cieniu.

Na koniec pogrążyła się zupełnie.

Wówczas zagrała trąbka, a zaraz potem głos Krzeczowskiego ozwał się z daleka:

— Słońce zeszło! Czy już namyśliliście się?

— Już! — odparł Werner i zwróciwszy się ku żołnierzom machnął obnażoną szpadą.

— *Feuer!* — skomenderował spokojnym, flegmatycznym głosem.

Huknęło! Plusk ciał wpadających do wody, okrzyki

wściekłości i gorączkowa strzelanina odpowiadały na głos niemieckich muszkietów. Armaty zatoczone na brzeg ozwały się basem i poczęły ziać kule na niemieckie bajdaki. Dymy przesłoniły łachę zupełnie — i tylko wśród krzyków, huku, poświstu strzał tatarskich, grzechotania „piszczeli" i samopałów regularne salwy muszkietów zwiastowały, że Niemcy bronią się ciągle.

O zachodzie słońca bitwa wrzała jeszcze, ale zdawała się słabnąć. Chmielnicki w towarzystwie Krzeczowskiego, Tuhaj-beja i kilkunastu atamanów przyjechał na sam brzeg rekognoskować walkę. Rozdęte jego nozdrza wciągały dym z prochu, a uszy napawały się z lubością wrzaskiem tonących i mordowanych Niemców. Wszyscy trzej wodzowie patrzyli na rzeź jakby na widowisko, które zarazem stanowiło pomyślną dla nich wróżbę.

Walka ustawała. Wystrzały umilkły, a natomiast coraz głośniejsze okrzyki kozackiego tryumfu biły o niebo.

— Tuhaj-beju! — rzekł Chmielnicki — to dzień pierwszego zwycięstwa.

— Jasyru nie ma! — odburknął murza — nie chcę takich zwycięstw!

— Weźmiesz go na Ukrainie. Cały Stambuł i Galatę napełnisz swymi jeńcami!

— Wezmę choć ciebie, jak nie będzie kogo!

To rzekłszy dziki Tuhaj roześmiał się złowrogo, po chwili zaś dodał:

— Jednakże chętnie byłbym wziął tych „franków".

Tymczasem bitwa ustała zupełnie. Tuhaj-bej zawrócił konia ku obozowi, a za nim i inni.

— No! teraz na Żółte Wody! — zawołał Chmielnicki.

Rozdział XV

Namiestnik słysząc bitwę wyczekiwał ze drżeniem jej końca sądząc początkowo, że Chmielnicki potyka się ze wszystkimi siłami hetmanów.

Ale pod wieczór stary Zachar wyprowadził go z błędu. Wieść o zdradzie semenów pod wodzą Krzeczowskiego i wycięciu Niemców wzburzyła do głębi duszy młodego rycerza, była bowiem zapowiedzią przyszłych zdrad, a namiestnik wiedział doskonale, że niemała część wojsk hetmańskich składa się przeważnie z Kozaków.

Udręczenia namiestnika wzrastały, a tryumf w zaporoskim obozie dorzucał jeszcze do nich goryczy. Wszystko zapowiadało się jak najgorzej. O księciu nie było wieści, a hetmani popełnili widocznie straszliwy błąd, gdyż zamiast ruszyć wszystką potęgą ku Kudakowi albo zresztą czekać nieprzyjaciela w warownych obozach na Ukrainie, rozdzielili siły, osłabili się dobrowolnie, dali szerokie pole wiarołomstwu i zdradzie. W obozie zaporoskim mówiono wprawdzie już poprzednio o panu Krzeczowskim i osobnym wysłaniu wojsk pod wodzą Stefana Potockiego, ale namiestnik nie dawał wiary tym wieściom. Sądził, że to są silne podjazdy, które w porę będą cofnięte. Tymczasem stało się inaczej. Chmielnicki wzmocnił się przez zdradę Krzeczowskiego kilkoma tysiącami ludzi, a nad młodym Potockim zawisło straszliwe niebezpieczeństwo. Pozbawionego pomocy i zabłąkanego w pustyniach łatwo teraz mógł Chmielnicki otoczyć i zgnieść zupełnie.

W bólach od ran, w niepokoju, w czasie nocy bezsennych pocieszał się Skrzetuski tylko myślą o księciu. Gwiazda Chmielnickiego musi przecie zblednąć, gdy książę podniesie się w swoich Łubniach. A któż może wiedzieć, czy on już nie połączył się z hetmany? Jakkolwiek znaczne były siły Chmielnickiego, jakkolwiek początki pochodu pomyślne, jakkolwiek szedł z nim Tuhaj-bej, a w razie niepowodzenia obiecał ruszyć w pomoc sam „carz" krymski, Skrzetuskiemu ani w głowie nie powstała myśl, by ta zawierucha mogła trwać długo, by jeden Kozak mógł wstrząsnąć całą Rzeczpospolitą i złamać groźną jej siłę. „U progów ukrainnych ta fala się rozbije" — myślał namiestnik. Jakże to bowiem kończyły się wszystkie bunty kozacze? Wybuchały jak płomień i gasły po pierwszym zetknięciu się z hetmanami. Tak było aż dotąd. Gdy z jednej strony stawało do boju gniazdo drapieżników niżowych, z drugiej potęga, której brzegi oblewały dwa morza — rozwiązanie łatwym było do przewidzenia. Burza nie może być trwałą, więc przejdzie — i nastanie pogoda. — Ta myśl krzepiła pana Skrzetuskiego i można rzec, utrzymywała go na nogach, bo zresztą ciążyło na nim brzemię tak ciężkie, jakiego nigdy dotąd w życiu nie dźwigał. Burza, choć przejdzie, może spustoszyć pola, zburzyć domy i naczynić szkód niepowetowanych. Oto z przyczyny tej burzy on sam o mało życia nie stracił, sił się zbawił i popadł w gorzką niewolę właśnie wówczas, gdy mu na wolności tyle prawie, ile na samym życiu zależało. Jakże tedy od zawieruchy mogły ucierpieć istoty słabsze, nie umiejące się bronić? Co tam działo się w Rozłogach z Heleną?

Ale Helena musiała być już w Łubniach. Namiestnik widywał ją we snach otoczoną przez twarze życzliwe, przyhołubioną przez samego księcia i księżnę Gryzeldę, podziwianą przez rycerzy — a jeno tęskną za swoim usarzem, któren gdzieś przepadł na Siczy. Ale przyjdzie wreszcie chwila, że usarz wróci. Oto sam Chmielnicki przyrzekł mu wolność — a zresztą fala kozacka płynie i płynie do progów Rzeczypospolitej; gdy się rozbije, będzie koniec zmartwieniom, zgryzotom i niepokojom.

Fala płynęła rzeczywiście. Chmielnicki nie zwłócząc ruszył obóz i ciągnął na spotkanie syna hetmańskiego. Siła jego była już rzeczywiście groźną, bo wraz z semenami Krzeczowskiego i czambułem Tuhaj-beja wiódł blisko 25 000 wyćwiczonych i boju chciwych wojowników. O siłach Potockiego nie było pewnych wiadomości. Zbiegowie mówili, że prowadzi dwa tysiące ciężkiej jazdy i kilkanaście armatek. Bitwa w tej proporcji sił mogła być wątpliwą, bo jeden atak straszliwej husarii wystarczał często do zgniecenia dziesięćkroć liczniejszych zastępów. Tak pan Chodkiewicz, hetman litewski, w trzy tysiące husarzy starł czasu swego pod Kircholmem na proch ośmnaście tysięcy wybranej piechoty i jazdy szwedzkiej; tak pod Kłuszynem jedna chorągiew pancerna w szalonej furii rozniosła kilka tysięcy angielskich i szkockich najemników. Chmielnicki pamiętał o tym, więc szedł, wedle słów ruskiego kronikarza, z wolna i ostrożnie: „mnogimi umu swojego oczyma, jako łowiec chytry, na wszystkie strony poglądając i straże na milę i dalej od obozu mając"[1]. Tak zbliżył się ku Żółtej Wodzie. Złapano znowu dwóch języków. Ci potwierdzili szczupłość sił koronnych i donieśli, iż kasztelan przeprawił się już przez Żółtą Wodę. Zasłyszawszy to Chmielnicki stanął jak wryty na miejscu i okopał się wałami.

Serce biło mu radośnie. Jeżeli Potocki odważy się na szturm, tedy musi być pobity. Kozacy nie umieją dostać w polu pancernym, ale zza wału biją się doskonale i w tak wielkiej przewadze sił szturmy niechybnie odeprą. Chmielnicki liczył na młodość i niedoświadczenie Potockiego. Ale przy młodym kasztelanie był doświadczony żołnierz, starościc żywiecki pan Stefan

---

[1] Samoił Weliczko, 62.

Czarniecki, pułkownik usarski. Ten spostrzegł niebezpieczeństwo i skłonił kasztelana, by cofnął się na powrót za Żółtą Wodę.

Chmielnickiemu nie pozostało nic innego, jak ruszyć za nimi. Drugiego dnia przeprawiwszy się przez topieliska żółtowodzkie oba wojska stanęły sobie oko w oko.

Ale żaden z wodzów nie chciał uderzyć pierwszy. Nieprzyjazne obozy poczęły pośpiesznie otaczać się szańcami. Była to sobota, dzień 5 maja. Cały dzień deszcz lał obficie. Chmury zawaliły tak niebo, iż od południa panował mrok jakoby w dniu zimowym. Pod wieczór ulewa zwiększyła się jeszcze. Chmielnicki ręce zacierał z radości.

— Niech jeno step rozmięknie — mówił do Krzeczowskiego — a nie będę się wahał wstępnym bojem i z usarią się potykać, gdyż oni w swych ciężkich zbrojach w błocie potoną.

A deszcz padał, padał, jakby samo niebo chciało Zaporożu przyjść w pomoc.

Wojska okopywały się leniwie i posępnie wśród strug wody. Ogni nie można było rozpalić. Kilka tysięcy ordyńców wyszło z obozu pilnować, aby tabor polski korzystając z mgły, fali i nocy nie próbował się wymknąć. Po czym zapadła cisza głęboka. Słychać było tylko szelest ulewy i szum wiatru. Zapewne też nikt nie spał w obu obozach.

Nad ranem trąby zagrały w polskim obozie długo i żałośnie, jakby na trwogę, potem bębny tu i owdzie zaczęły warczeć. Dzień wstawał smutny, ciemny, wilgotny, nawałnica ustała, ale padał jeszcze drobny deszczyk, jakoby przesiewany przez sito.

Chmielnicki kazał uderzyć z działa.

Za nim wnet ozwało się drugie, trzecie, dziesiąte i gdy z obozu do obozu zaczęła się zwykła z armat „korespondencja", pan Skrzetuski rzekł do swego kozackiego anioła stróża:

— Zachar, wyprowadź mię na szaniec, abym zaś mógł widzieć, co się dzieje.

Zachar sam był ciekawy, więc nie stawiał oporu. Poszli na wysoki narożnik, skąd widać było jak na dłoni zaklęsłą nieco dolinę stepową, topieliska żółtowodzkie i oba wojska. Ale zaledwie pan Skrzetuski spojrzał, wraz się uchwycił za głowę i wykrzyknął:

— Na Boga żywego! toż to jest podjazd, nic więcej!

Rzeczywiście, wały obozu kozackiego rozciągały się blisko na ćwierć mili, gdy tymczasem polski wyglądał w porównaniu z nim jakby szańczyk tylko. Nierówność sił była tak wielka, że zwycięstwo Kozaków nie mogło być wątpliwym.

Ból ścisnął serce namiestnika. Nie nadeszła więc jeszcze godzina upadku dla pychy i buntu, a ta, co nadejdzie, ma być nowym jego tryumfem! Tak się przynajmniej zdawało.

Harce pod ogniem dział były już rozpoczęte. Z narożnika widać było pojedynczych jeźdźców albo gromadki ich ścierające się z sobą. To Tatarzy harcowali z semenami Potockich przybranymi w granatowe i żółte barwy. Jeźdźcy dopadali do siebie i odskakiwali szybko, zajeżdżali się wzajemnie z boków, godzili w siebie z pistoletów i łuków lub włóczniami, starali się chwytać wzajemnie na arkany. Utarczki owe wydawały się z daleka raczej zabawą i tylko konie biegające tu i owdzie bez jeźdźców po błoniu wskazywały, że tam przecie chodzi o śmierć i życie.

Tatarów wysypywało się coraz więcej. Wkrótce błonie zaczerniło się od zbitych ich mas; wówczas też i z obozu polskiego poczęły wysuwać się coraz nowe chorągwie i ustawiać się w szyku bojowym przed okopem. Było tak blisko, że pan Skrzetuski bystrym swym wzrokiem odróżnić mógł wyraźnie znaki, buńczuki, a nawet rotmistrzów i namiestników, którzy stawali końmi trochę bokiem przy chorągwiach.

Serce poczęło w nim skakać, na bladą twarz biły

rumieńce i jak gdyby mógł znaleźć wdzięcznych słuchaczów w Zacharze i Kozakach stojących przy działach na narożniku, wołał z uniesieniem, w miarę jak chorągwie wysuwały się zza okopu:

— To dragonia pana Bałabana! widziałem ich w Czerkasach!

— To wołoska chorągiew; krzyż mają w znaku!

— O! ono piechota zstępuje z wałów!

Po czym jeszcze z większym uniesieniem, otworzywszy ręce:

— Usaria! usaria pana Czarnieckiego!

Istotnie ukazała się i husaria, a nad nią chmura skrzydeł i sterczący w górę las włóczni zdobnych w złotawe kitajki i w długie zielono-czarne proporce. Wyjechali szóstkami z okopu i ustawili się pod wałem, a na widok ich spokoju, powagi i sprawności aż łzy radosne ukazały się w oczach pana Skrzetuskiego i zaćmiły mu wzrok na chwilę.

Choć siły były tak nierówne, choć naprzeciwko tych kilku chorągwi czerniała cała lawa Zaporożców i Tatarów, którzy jak zwykle zajęli skrzydła, choć szyki ich tak rozciągnęły się po stepie, że końca ich trudno było dojrzeć, pan Skrzetuski wierzył już w zwycięstwo. Twarz mu się śmiała, siły wróciły, oczy wytężone na błonie strzelały ogniem, jeno na miejscu ustać nie mógł.

— Hej, detyno! — mruknął stary Zachar — chciałaby dusza do raju!

Tymczasem kilka luźnych oddziałów tatarskich z krzykiem i hałłakowaniem rzuciło się naprzód. Z obozu odpowiedziano strzałami. Ale był to tylko postrach. Tatarzy nie dobiegłszy nawet do polskich chorągwi pierzchnęli na obie strony ku swoim i znikli w tłumie.

Wtem ozwał się wielki bęben siczowy, a na jego głos wnet olbrzymi półksiężyc kozacko-tatarski ruszył z kopyta naprzód. Chmielnicki próbował widocznie, czy jednym zamachem nie zdoła zgnieść owych chorągwi i zająć obozu. W razie popłochu byłoby to możliwym. Wszelako nic podobnego nie okazywało się między polskimi chorągwiami. Stały one spokojnie, rozwinięte w dość długą linię, której tył zasłaniał okop, boki zaś działa taborowe, tak że można było na nią uderzyć tylko z frontu. Przez chwilę zdawało się, że przyjmą bitwę na miejscu, ale gdy półksiężyc przebiegł już połowę błonia, ozwały się w okopie trąbki do ataku — i nagle płot kopii sterczących aż dotąd ku górze zniżył się od razu do głów końskich.

— Usaria uderza! — krzyknął pan Skrzetuski.

Jakoż pochylili się w siodłach i ruszyli naprzód, a zaraz za nimi dragońskie chorągwie i cała linia bojowa.

Uderzenie husarzy było straszne. W pierwszym impecie trafili na trzy kurzenie, dwa steblowskie i mirhorodzki — i starli je w mgnieniu oka. Wycie doszło aż do uszu pana Skrzetuskiego. Konie i ludzie, zwaleni z nóg olbrzymim ciężarem żelaznych jeźdźców, padli jak łan pod tchnieniem burzy. Opór trwał tak krótko, że Skrzetuskiemu zdało się, iż jakiś olbrzymi smok połknął jednym haustem te trzy pułki. A był to przecie najzaciętszy żołnierz siczowy. Przerażone szumem skrzydeł konie zaczęły roznosić popłoch w szeregach zaporoskich. Pułki: irklejewski, kałnibołodzki, miński, szkuryński i titorowski zmieszały się zupełnie, a naciskane przez masy pierzchających jęły i same ustępować bezładnie. A tymczasem dragonia dognała husarzy i rozpoczęła wraz z nimi krwawe żniwo. Kurzeń wasiuryński pierzchnął po zaciętym, ale krótkim oporze i gnał w dzikim popłochu aż do samych okopów kozackich. Środek sił Chmielnickiego chwiał się coraz bardziej i bity, spędzany w bezładne gromady, cięty mieczami, party żelazną nawałą, nie mógł uchwycić chwili, by przystanąć i sprawić się na nowo.

— Czorty, ne Lachy! — krzyknął stary Zachar.

Skrzetuski był jakby w obłąkaniu. Chorym będąc, nie umiał panować nad sobą, więc śmiał się i płakał jednocześnie, a chwilami krzyczał słowa komendy, jakby sam

chorągiew prowadził. Zachar trzymał go za poły i innych w pomoc musiał wołać.

Bitwa przybliżyła się tak do taboru kozackiego, że niemal twarze można już było rozeznać. Z okopów bito z dział, ale kule kozackie, kładąc zarówno swoich, jak nieprzyjaciół, powiększały jeszcze zamieszanie.

Husaria natknęła się na kurzeń paszkowski, który stanowił gwardię hetmańską i w środku którego był sam Chmielnicki. Nagle krzyk straszny rozległ się po wszystkich szeregach zaporoskich: wielka chorągiew malinowa zachwiała się i padła.

Ale w tej chwili Krzeczowski na czele pięciu tysięcy swoich semenów ruszył do boju. Siedząc na bułanym ogromnym koniu leciał w pierwszym szeregu, bez czapki, z szablą nad głową, zgarniając przed sobą rozproszonych Niżowców, którzy spostrzegłszy nadchodzącą pomoc, choć i bez ordynku wracali do ataku. Bitwa zawrzała w środku linii na nowo.

Na obu skrzydłach szczęście również nie dopisało Chmielnickiemu. Tatarzy, po dwakroć odparci przez wołoskie chorągwie i semenów Potockich, stracili całkiem ochotę do boju. Pod Tuhaj-bejem ubito dwa konie. Zwycięstwo przechyliło się stanowczo na stronę młodego Potockiego.

Bitwa jednak nie trwała już długo. Ulewa, która od niejakiego czasu wzrastała coraz bardziej, wkrótce zwiększyła się do tego stopnia, że przez fale dżdżowe świata nie było widać. Już nie strugi, ale potoki deszczu spadały na ziemię z otwartych upustów niebieskich. Step zmienił się w jezioro. Zrobiło się tak ciemno, że o kilka kroków człowiek człowieka nie odróżniał. Szum deszczu głuszył komendę. Zamoczone muszkiety i samopały umilkły. Samo niebo położyło koniec rzezi.

Chmielnicki, przemoczony do nitki, wściekły wpadł do swego taboru. Nie przemówił do nikogo ani słowa. Rozbito mu namiocik ze skór wielbłądzich, pod który schroniwszy się siedział samotny przeżuwając gorzkie myśli.

Ogarniała go rozpacz. Teraz dopiero pojął, jakiego to jął się dzieła. Oto był pobity, odparty, niemal złamany w bitwie z tak małymi siłami, że słusznie mógł je za podjazd uważać. Wiedział on, jak wielką była siła odporna wojsk Rzeczypospolitej, i brał to w rachubę, gdy się na wojnę odważył, a przecie przeliczył się. Tak przynajmniej zdawało mu się w tej chwili, więc chwytał się za podgolony łeb i pragnął rozbić go o pierwsze spotkane działo. Cóż dopiero, gdy przyjdzie mieć sprawę z hetmanami i z całą Rzecząpospolitą?

Rozmyślania przerwało wejście Tuhaj-beja.

Oczy Tatara pałały wściekłością, twarz była blada, a zęby błyskały zza warg nieobrosłych wąsem.

— Gdzie łupy? gdzie jeńcy? gdzie głowy wodzów? gdzie zwycięstwo? — pytał ochrypłym głosem.

Chmielnicki zerwał się z miejsca.

— Tam! — odparł gromko, ukazując w stronę koronnego taboru.

— Idźże tam! — ryknął Tuhaj-bej — a nie pójdziesz, to cię na sznurze do Krymu powiodę.

— Pójdę! — rzekł Chmielnicki — pójdę dziś jeszcze! łupy wezmę i jeńców wezmę, ale ty zdasz sprawę chanowi, bo łupu chcesz, a boju unikasz!

— Psie! — zawył Tuhaj — ty gubisz wojsko chanowe!

I chwilę stali naprzeciw siebie, parskając nozdrzami jak dwa odyńce. Ochłonął pierwszy Chmielnicki.

— Tuhaj-beju, uspokój się! — rzekł — Fala przerwała bitwę, gdy Krzeczowski złamał już dragonię. Ja ich znam! Jutro już z mniejszą furią bić się będą. Step rozmięknie do reszty. Husaria ulegnie. Jutro wszyscy będą nasi.

— Rzekłeś! — burknął Tuhaj-bej.

— I dotrzymam. Tuhaj-beju, mój przyjacielu, chan mi cię na pomoc przysłał, nie na biedę.

— Przyrzekałeś zwycięstwa, nie klęski.

— Wzięto trochę jeńców z dragonii, których ci oddam.

— Oddaj. Każę ich na pal powbijać.

— Nie czyń tego. Puść ich wolno. To ludzie ukrainni spod chorągwi Bałabana, poślem ich, by dragonów na naszą stronę przeciągnęli. Będzie tak jak z Krzeczowskim.

Tuhaj-bej udobruchał się; spojrzał bystro na Chmielnickiego i mruknął:

— Wężu...

— Chytrość tyle co męstwo warta. Jeśli dragonów do zdrady namówim, noga z taboru nie ujdzie — rozumiesz!

— Potockiego ja wezmę.

— Dam ci go — i Czarnieckiego także.

— Daj teraz gorzałki, bo zimno.

— Zgoda.

W tej chwili wszedł Krzeczowski. Pułkownik był ponury jak noc. Przyszłe pożądane starostwa, kasztelanie, zamki i skarby zasunęły się jakby mgłą po dzisiejszej bitwie. Jutro mogą zniknąć całkowicie, a może z owej mgły wynurzy się zamiast nich stryczek lub szubienica. Gdyby nie to, że pułkownik wyciąwszy Niemców hetmańskich spalił za sobą mosty — byłby z pewnością teraz rozmyślał, jak z kolei zdradzić Chmielnickiego, a przejść z semenami do obozu Potockiego.

Ale było to już niemożebne.

Siedli tedy we trzech nad gąsiorem gorzałki i poczęli pić w milczeniu. Szum ulewy ustawał z wolna.

Zmierzchało.

Pan Skrzetuski, wyczerpany z radości, osłabły, blady, leżał nieruchomie na teledze. Zachar, który go pokochał, kazał swoim Kozakom rozpiąć i nad nim wojłokowy daszek. Namiestnik słuchał posępnego szumu ulewy, ale w duszy było mu widno, jasno, błogo. Oto jego husarze pokazali, co umieją, oto jego Rzeczpospolita dała opór godny swego majestatu, oto pierwszy impet kozackiej burzy rozbił się już na ostrzach włóczni wojsk koronnych. A przecie są jeszcze hetmani, jest książę Jeremi i tylu panów, tyle szlachty, tyle potęgi, nad tymi wszystkimi zaś król — *primus inter pares*.

Duma podnosiła piersi pana Skrzetuskiego, jak gdyby cała ta potęga była w nim teraz.

W poczuciu jej, po raz pierwszy od czasu utraty wolności na Siczy, poczuł pewną litość nad Kozakami: „Winni są, ale i zaślepieni, gdy z motyką na słońce się porwali" — pomyślał. Winni są, ale nieszczęśliwi, gdy dali się porwać jednemu człowiekowi, który ich na oczywistą zgubę prowadzi.

Potem myśl jego wędrowała dalej. Nastanie spokój, a wówczas każdy o swym prywatnym szczęściu będzie miał prawo pomyśleć. Tu pamięcią i duszą zawisnął nad Rozłogami. Tam, w bliskości lwiej jamy, musi być cicho jak makiem siał. Tam bunt nigdy głowy nie podniesie, a choćby podniósł — Helena już w Łubniach niezawodnie.

Nagle huk dział przerwał złote nici jego rozmyślań.

To Chmielnicki upiwszy się wyprowadził znowu pułki do ataku.

Ale skończyło się na grze z dział. Krzeczowski pohamował hetmana.

Nazajutrz była niedziela. Cały dzień zeszedł spokojnie i bez wystrzału. Obozy leżały naprzeciw siebie jakby obozy dwóch wojsk sprzymierzonych.

Skrzetuski przypisywał tę ciszę zniechęceniu Kozaków. Niestety! nie wiedział, że tymczasem Chmielnicki „mnogimi oczyma swego umu patrząc przed siebie" pracował nad przeciągnieniem na swą stronę dragonów Bałabana.

W poniedziałek bitwa zawrzała od świtu. Skrzetuski patrzył na nią jak i pierwej, z uśmiechniętą, wesołą twarzą. I znowu pułki koronne wystąpiły przed okop; tym jednak razem nie puszczając się do ataku dawały wstręt nieprzyjacielowi z miejsca. Step rozmoknął nie tylko na powierzchni, jak pierwszego dnia bitwy, ale do głębi. Ciężka jazda nie mogła się prawie poruszać, co od razu dało przewagę lotnym chorągwiom zaporoskim i tatarskim. Uśmiech z wolna ginął z ust Skrzetuskiego. Pod polskim okopem nawałnica atakujących pokryła prawie zupełnie wąskie pasmo chorągwi koronnych. Zdawało się, że lada moment łańcuch ów rozerwany zostanie i rozpocznie się atak wprost do okopów. Pan Skrzetuski nie widział ani połowy tego animuszu, tej ochoty bojowej, z jaką chorągwie walczyły dnia pierwszego. Broniły się i dziś z zaciętością, ale nie uderzyły pierwsze, nie rozbijały w puch kurzeniów, nie zmiatały pola przed sobą jak huragan. Grunt stepowy, rozmiękły nie na powierzchni tylko, ale do głębi, uniemożliwiał furię i rzeczywiście przygwoździł ciężką jazdę pod okopem. Rozpęd stanowił jej siłę i rozstrzygał o zwycięstwie, a tymczasem teraz musiała stać w miejscu. Chmielnicki zaś wprowadzał coraz nowe pułki do boju. Sam był wszędzie. Każdy kurzeń osobiście wiódł do ataku i wycofywał się dopiero tuż przed szablami nieprzyjaciół. Zapał jego udzielał się stopniowo Zaporożcom, więc choć padali gęstym trupem, biegli na wyścigi pod okop z krzykiem i wyciem. Uderzali się o mur żelaznych piersi, o ostrza włóczni i rozbici, zdziesiątkowani, wracali znowu do ataku. Pod tym naporem chorągwie poczęły się kolebać, uginać, miejscami cofać, tak właśnie jak zapaśnik, chwycony w żelazne ramiona przeciwnika, to słabnie, to się znów wysila i wzmaga.

Przed południem wszystkie niemal siły zaporoskie były w ogniu i w bitwie. Walka wrzała tak zacięcie, że między dwoma liniami walczących utworzył się jak gdyby nowy wał — trupów końskich i ludzkich.

Co chwila do okopów kozackich wracały z bitwy gromady wojowników rannych, pokrwawionych, pokrytych błotem, zziajanych, upadających ze zmęczenia. Ale wracali ze śpiewaniem na ustach. Z twarzy ich bił żar bitwy i pewność zwycięstwa. Mdlejąc wołali jeszcze: „Na pohybel!" Załoga zostawiona w obozie rwała się do boju.

Pan Skrzetuski sposępniał. Chorągwie polskie poczęły się zmykać z pola do okopów. Nie mogły już wytrzymać, a w odwrocie ich znać było gorączkowy pośpiech. Na ten widok dwadzieścia kilka tysięcy ust wrzasnęło radośnie. Impet ataku zdwoił się. Zaporożcy siedli na kark semenom Potockich, którzy zasłaniali odwrót.

Ale armaty i grad kul muszkietowych odrzuciły ich w tył. Bitwa na chwilę ustała. W obozie polskim rozległ się odgłos trąbki parlamentarskiej.

Chmielnicki jednak nie chciał już parlamentować. Dwanaście kurzeniów zsiadło z koni, by wspólnie z piechotą i Tatarami rozpocząć szturm do wałów.

Krzeczowski w trzy tysiące piechoty miał im przyjść w pomoc w chwili stanowczej. Wszystkie kotły, bębny, litaury i trąby ozwały się naraz, głusząc okrzyki i salwy muszkietów.

Pan Skrzetuski ze drżeniem patrzył na głębokie szeregi niezrównanej piechoty zaporoskiej biegnącej ku wałom i otaczającej je coraz ciaśniejszym pierścieniem. Długie smugi białego dymu wybuchały ku niej z okopów, jakby jakaś olbrzymia pierś chciała oddmuchnąć tę szarańczę cisnącą się nieubłaganie ze wszystkich stron. Kule armatnie ryły w niej bruzdy, strzały samopałów stały się coraz szybsze. Huk nie ustawał ani na chwilę — mrowie topniało w oczach, skręcało się miejscami konwulsyjnie jak olbrzymi wąż zraniony, ale szło naprzód. Już, już dobiegają! już są pod okopem! — armaty już im szkodzić nie mogą! Pan Skrzetuski przymknął powieki.

I teraz pytania szybkie jak błyskawice przelatywały mu przez głowę: gdy otworzy oczy, czy dojrzy jeszcze polskie proporce na wałach? Dojrzy — nie dojrzy? Tam gwar coraz większy, tam wrzask jakiś niezwykły. Musiało się coś stać! Krzyki dochodzą ze środka obozu.

Co to jest? Co się stało?

— Boże wszechmocny!

Okrzyk ten wyrwał się z ust pana Skrzetuskiego, gdy otworzywszy oczy ujrzał na wałach zamiast wielkiej złotej chorągwi koronnej malinową z Archaniołem.

Obóz był zdobyty.

Wieczorem dopiero dowiedział się od Zachara namiestnik o całym przebiegu szturmu. Nie próżno Tuhaj-bej nazywał Chmielnickiego wężem, bo oto w chwili najzaciętszej obrony podmówiona przez niego Bałabanowa dragonia przeszła do Kozaków i rzuciwszy się z tyłu na swoje chorągwie dopomogła do wytępienia ich ze szczętem.

Wieczorem widział namiestnik jeńców i był przy śmierci młodego Potockiego, który mając gardło przebite strzałą żył tylko kilka godzin po bitwie i umarł na ręku pana Stefana Czarnieckiego: „Powiedzcie ojcu... — szeptał w ostatniej chwili młody kasztelan — powiedzcie ojcu — żem... jako rycerz...", i nie mógł nic więcej dodać. Dusza jego opuściła ciało i uleciała ku niebu. Skrzetuski długo potem pamiętał tę bladą twarz i te błękitne oczy wzniesione w chwili śmierci. Pan Czarniecki ślub czynił nad stygnącym ciałem, że da-li mu Bóg wolność odzyskać, a potokami krwi śmierć przyjaciela i hańbę klęski obmyje. I ani łza nie ciekła po surowym jego obliczu, bo to był rycerz żelazny, wielce już czynami odwagi wsławiony i człowiek żadnym nieszczęściem nie ugięty. Jakoż śluby spełnił. Teraz zamiast desperacji się poddawać, pierwszy krzepił Skrzetuskiego, któren cierpiał strasznie nad klęską i hańbą Rzeczypospolitej. „Rzeczpospolita niejedną klęskę poniosła — mówił pan Czarniecki — ale ma ona w sobie siłę niespożytą. Nie złamała jej dotąd żadna potęga, nie złamią i bunty chłopów, których sam Bóg pokarze, gdyż występując przeciw zwierzchności, Jego to woli się oponują. A co do klęski, prawda, iż jest żałosną — ale któż tę klęskę poniósł? hetmani? wojska koronne? — nie! Po odłączeniu się i zdradzie Krzeczowskiego oddział ów, któren prowadził Potocki, tylko za podjazd mógł być uważany. Bunt niechybnie rozejdzie się po całej Ukrainie, gdyż chłopstwo tam harde i do boju wprawione, aleć bunt tam to przecie nie pierwszyzna. Zgaszą go hetmani z księciem Jeremim, których siły nieporuszone dotąd stoją — im zaś potężniej wybuchnie, tym raz zgaszony, na dłużej, a może na zawsze ucichnie. Małej wiary i małego serca człowiekiem byłby ten, kto by mógł przypuszczać, iż jakiś watażka kozacki na współkę z jednym murzą tatarskim naprawdę mogą potężnemu narodowi zagrozić. Źle by było z Rzecząpospolitą, gdyby prosta zawierucha chłopska miała stanowić o jej losie, o jej egzystencji. Zaiste z pogardą ciągnęliśmy na oną wyprawę — kończył pan Czarniecki — a choć podjazd nasz starto, mniemam, że hetmani nie mieczem, nie bronią, ale batogami mogą ten bunt przytłumić".

I gdy tak mówił, zdawało się, że to mówi nie jeniec, nie żołnierz po przegranej bitwie, ale dumny hetman pewny jutrzejszego zwycięstwa. Ta wielkość duszy i wiara w Rzeczpospolitą spłynęły jako balsam na rany namiestnika. Patrzył on z bliska na potęgę Chmielnickiego, więc go też i oślepiła trochę, tym bardziej że aż dotąd szły za nią powodzenia. Ale pan Czarniecki musiał mieć słuszność. Siły hetmanów stoją jeszcze nieporuszone, a za nimi cała potęga Rzeczypospolitej, zatem prawa władzy i woli boskiej. Odchodził tedy namiestnik bardzo na duszy pokrzepion i weselszy, a odchodząc spytał jeszcze pana Czarnieckiego, czyby nie chciał zaraz układów z Chmielnickim o wolność rozpocząć.

— Tuhaj-bejowym jestem jeńcem — rzekł pan Stefan — jemu też okup zapłacę, a z tym watażką nie chcę mieć do czynienia i katu go oddaję.

Zachar, który panu Skrzetuskiemu ułatwił widzenie się z więźniami, odprowadzając go do telegi, również go po drodze pocieszał:

— Nie z młodym Potockim trudno — mówił — z hetmany będzie trudno. Dzieło dopiero poczęte, a jaki będzie koniec — Bóg wie! Hej, nabrali Kozacy i Tatarzy polskiego dobra, ale wziąć a zachować — inna rzecz. A ty się, detyno, nie martw, nie sumuj, bo i tak wolność odzyskasz — ty ruszysz do swoich, a stary będzie już tużył po tobie. Na starość najgorzej samemu na świecie. Z hetmany będzie trudno, oj! trudno!

Rzeczywiście, zwycięstwo, jakkolwiek świetne, nie rozstrzygało bynajmniej sprawy na korzyść Chmielnickiego. Mogło mu ono nawet wypaść na niekorzyść, bo łatwo było przewidzieć, że teraz hetman wielki, mszcząc śmierć syna, ze szczególną zawziętością nastawać będzie na Zaporożców i niczego nie omieszka, żeby ich zgnieść od razu. Hetman wielki oto żywił pewną niechęć do księcia Jeremiego, która choć pokrywana grzecznością, niemniej objawiała się dość często w rozmaitych okolicznościach. Chmielnicki, wiedząc o tym doskonale, przypuszczał, że teraz niechęć ta ustanie, i że teraz pan krakowski pierwszy wyciągnie rękę do zgody, która zapewni mu pomoc wsławionego wojownika i jego potężnych zastępów. A z tak połączonymi siłami, pod takim wodzem, jak książę, Chmielnicki jeszcze mierzyć się nie śmiał, bo sobie jeszcze dostatecznie nie ufał. Postanowił więc śpieszyć się, by razem z wieścią o klęsce żółtowodzkiej stanąć na Ukrainie i uderzyć na hetmanów, nimby pomoc książęca nadejść mogła.

Nie dał więc wypoczynku wojskom i drugiego dnia po bitwie świtaniem ruszono w pochód. Pochód to był tak szybki, jak gdyby hetman uciekał. Rzekłbyś, że powódź step zalewa i pędzi naprzód, a wzbiera wszystkimi wodami po drodze. Mijano lasy, dąbrowy, mogiły, przeprawiano się przez rzeki bez wytchnienia. Siły kozackie wzrastały po drodze, bo coraz nowe gromady chłopów uciekających z Ukrainy łączyły się z nimi ustawicznie. Chłopi przynosili i wieści o hetmanach — ale sprzeczne. Jedni mówili, że książę siedzi jeszcze za Dnieprem; inni, że już się połączył z wojskami koronnymi. Natomiast wszyscy twierdzili, że Ukraina już w ogniu. Chłopi nie tylko uciekali na spotkanie Chmielnickiego w Dzikie Pola, ale palili wsie i miasta, rzucali się na swych panów i uzbrajali powszechnie. Wojska koronne biły się już od dwóch tygodni. Wycięto Steblew, pod Derenhowcami zaś przyszło do krwawej bitwy. Kozacy grodowi gdzieniegdzie już przerzucili się na stronę czerni, a wszędzie czekali tylko hasła. Chmielnicki liczył na to wszystko i śpieszył się tym bardziej.

Na koniec stanął u proga. Czehryn otworzył mu wrota na rozcież. Załoga kozacka przeszła natychmiast pod jego chorągiew. Zburzono dom Czaplińskiego, wyrżnięto garść szlachty szukającej schronienia w mieście. Radosne krzyki, bicie we dzwony i procesje nie ustawały ani na chwilę. Pożar ogarnął zaraz całą okolicę. Co żyło, chwytało za kosy, piki i łączyło się z Zaporożem. Tłumy niezmierne czerni spływały do obozu ze wszystkich stron — doszły także i radosne, bo pewne wieści, że książę Jeremi ofiarował wprawdzie pomoc hetmanom, ale jeszcze się z nimi nie połączył.

Chmielnicki odetchnął.

Ruszył bez zwłoki naprzód i szedł już wśród buntu, rzezi i ognia. Świadczyły o tym zgliszcza i trupy. Szedł jak lawina niszcząc wszystko po drodze. Kraj przed nim powstawał, za nim pustoszał. Szedł jak mściciel, jak legendowy smok. Kroki jego wyciskały krew, oddech wzniecał pożary.

W Czerkasach zatrzymał się z głównymi siłami, wysławszy naprzód Tatarów pod Tuhaj-bejem i dzikiego Krzywonosa, którzy dognali hetmanów pod Korsuniem i uderzyli na nich bez wahania. Ale śmiałość drogo musieli spłacić. Odparci, zdziesiątkowani, zbici na miazgę, cofnęli się w popłochu.

Chmielnicki zerwał się i szedł im w pomoc. Po drodze doszła go wieść, że pan Sieniawski w kilka chorągwi połączył się z hetmanami, którzy opuścili Korsuń i ciągną do Bohusławia. Było to prawdą. Chmiel zajął Korsuń bez oporu i pozostawiwszy w nim wozy, zapasy żywności, słowem, cały tabor, komunikiem pognał się za nimi.

Nie potrzebował gonić długo, gdyż nie uszli jeszcze daleko. Pod Krutą Bałką przednie jego straże natknęły się na polski tabor.

Panu Skrzetuskiemu nie było danym widzieć bitwy, gdyż wraz z taborem został w Korsuniu. Zachar umieścił go w rynku, w domu pana Zabokrzyckiego, którego czerń poprzednio powiesiła — i postawił straż z niedobitków mirhorodzkiego kurzenia, bo tłuszcza ciągle rabowała domy i mordowała każdego, kto się jej wydał Lachem. Przez wybite okna widział pan Skrzetuski gromady pijanych chłopów, krwawych, z pozawijanymi rękawami u koszul, włóczących się od domu do domu, od sklepu do sklepu i przeszukujących wszystkie kąty, strychy, poddasza; od czasu do czasu wrzask straszliwy oznajmiał, że znaleziono szlachcica, Żyda, mężczyznę, kobietę lub dziecię. Wyciągano ofiarę na rynek i pastwiono się nad nią w sposób najstraszliwszy. Tłuszcza biła się ze sobą o resztki ciał, obmazywała sobie z rozkoszą krwią twarze i piersi, okręcała szyje dymiącymi jeszcze trzewiami. Chłopi chwytali małe Żydzięta za nogi i rozdzierali wśród szalonego śmiechu tłumów. Rzucano się i na domy otoczone strażą, w których zamknięci byli znakomitsi jeńcy, zostawieni przy życiu dlatego, że spodziewano się po nich znacznego okupu. Wówczas Zaporożcy lub Tatarzy stojący na straży odpierali tłum, grzmocąc po łbach napastników drzewcami od pik, łukami lub batami z byczej skóry. Tak było przy domu pana Skrzetuskiego. Zachar kazał ćwiczyć chłopstwo bez miłosierdzia, a mirhorodcy spełniali z rozkoszą rozkaz. Niżowi bowiem przyjmowali chętnie w czasie buntów pomoc czerni, ale pogardzali nią bez porównania więcej od szlachty. Przecie nie próżno zwali się: „szlachetne urożonymi

Kozakami!" Sam Chmielnicki darowywał potem niejednokrotnie znaczną ilość czerni Tatarom, którzy gnali ją do Krymu i stamtąd sprzedawali do Turcji i Azji Mniejszej.

Tłum więc szalał na rynku i dochodził do tak dzikiego opętania, że w końcu począł się wzajemnie mordować. Dzień zapadał. Zapalono całą jedną stronę rynku, cerkiew i dom parocha. Szczęściem wiatr zwiewał ogień ku polu i przeszkadzał szerzeniu się pożaru. Ale łuna olbrzymia oświeciła rynek tak jasno jak promienie słoneczne. Zrobiło się gorąco nie do wytrzymania. Z dala dochodził straszliwy huk dział — widocznie bitwa pod Krutą Bałką stawała się coraz zaciętsza.

— Gorąco tam musi być naszym! — mruczał stary Zachar. — Hetmani nie żartują. Hej! pan Potocki szczery żołnir.

Potem wskazał przez okno na czerń.

— No! — rzekł — oni teraz hulają, ale jeśli Chmiel będzie pobity, to i nad nimi pohulają!

W tej chwili rozległ się tętent i na rynek wpadło na spienionych koniach kilkudziesięciu jeźdźców. Twarze ich sczerniałe od prochu, odzież w nieładzie i poobwiązywane szmatami głowy niektórych świadczyły, iż pędzą wprost z bitwy.

— Ludy! kto w Boha wiryt, spasajtes! Lachy bijut naszych! — krzyknęli wniebogłosy.

Podniósł się wrzask i zamieszanie. Tłum rozkołysał się jak fala targnięta wichrem. Nagle dziki popłoch opanował wszystkich. Rzucono się do ucieczki, ale że ulice były zatłoczone wozami, a jedna część rynku w ogniu, więc nie było gdzie uciekać.

Czerń poczęła się tłoczyć, krzyczeć, bić, dusić i wyć o miłosierdzie, choć nieprzyjaciel był jeszcze daleko.

Namiestnik zasłyszawszy, co się dzieje, mało nie oszalał z radości; począł biegać po izbie jak obłąkany, rękami bić się w piersi z całej siły i wołać:

— Wiedziałem, że tak się stanie! wiedziałem! jakom żyw! To z hetmany sprawa! to z całą Rzecząpospolitą! Godzina kary nadeszła! Co to?

Znów rozległ się tętent i tym razem do kilkuset jeźdźców, samych Tatarów, pojawiło się na rynku. Uciekali widocznie na ślepo. Tłum zastępował im drogę, oni rzucili się w tłum, tratowali go, bili, rozpędzali, siekli, prąc końmi ku gościńcowi wiodącemu do Czerkas.

— Uciekają jak wicher! — zawołał Zachar.

Ledwo wymówił, przeleciał drugi oddział, za nim trzeci. Zdawało się, że ucieczka jest powszechną. Straże przy domach poczęły kręcić się i również okazywać chęć ucieczki. Zachar wypadł przed ganek.

— Stać! — krzyknął na swych mirhorodców.

Dym, gorąco, zamieszanie, tętent koni, głos trwogi, wycie tłumów oświeconych pożarem, wszystko to zlało się w jeden piekielny obraz, na który namiestnik z okna spoglądał.

— Co tam za pogrom być musi! co tam za pogrom! — wołał do Zachara nie zważając, iż ten radości jego nie mógł podzielać.

Tymczasem znów oddział uciekających przemknął się jak błyskawica.

Huk dział wstrząsnął posadami domów korsuńskich.

Nagle jakiś głos przeraźliwy tuż pod domem począł krzyczeć:

— Ratujcie się! Chmiel zabit! Krzeczowski zabit! Tuhaj-bej zabit!

Na rynku nastał prawdziwy koniec świata.

Ludzie w obłąkaniu rzucali się w płomienie. Namiestnik padł na kolana i ręce wzniósł do góry.

— Boże wszechmocny! Boże wielki i sprawiedliwy — chwała Tobie na wysokościach!

Zachar przerwał mu modlitwę wpadłszy z przedsieni do izby.

— A bywaj no, detyno! — zawołał zdyszany — wyjdź

i obiecnij łaskę mirhorodcom, bo chcą uchodzić, a jak ujdą, czerń tu wpadnie!

Skrzetuski wyszedł na ganek. Mirhorodcy kręcili się niespokojnie przed domem okazując niekłamaną ochotę opuścić stanowisko i pierzchnąć gościńcem wiodącym do Czerkas. Strach opanował wszystkich w mieście. Raz wraz nowe oddziały rozbitków nadlatywały jakby na skrzydłach od strony Krutej Bałki. Uciekali chłopi, Tatarzy, Kozacy grodowi i zaporoscy w największym pomieszaniu. A jednak główne siły Chmielnickiego musiały jeszcze dawać opór, bitwa nie musiała być jeszcze zupełnie rozstrzygniętą, gdyż działa grały ze zdwojoną siłą.

Skrzetuski zwrócił się ku mirhorodcom.

— Za to, iżeście strzegli wiernie osoby mojej — rzekł wyniośle — nie potrzebujecie ucieczką się ratować, gdyż obiecuję wam instancję i łaskę u hetmana.

Mirhorodcy co do jednego odkryli głowy, a on ujął się pod boki i spoglądał dumnie na nich i na rynek, który pustoszał coraz bardziej. Co za zmiana losu! Oto pan Skrzetuski, niedawno jeniec wleczony za kozackim taborem, stał teraz między zuchwałym kozactwem jako pan między poddaństwem, jako szlachcic między gminem, jako husarz z pancernego znaku między obozowymi ciury. On — jeniec — łaskę teraz obiecywał — i głowy odkrywały się na jego widok, a pokorne głosy wołały tym posępnym, przeciągłym, oznaczającym przestrach i poddanie się tonem:

— Pomyłujte, pane!

— Jakom powiedział, tak się stanie! — rzekł namiestnik.

Jakoż istotnie pewien był swej instancji u hetmana, któremu był znajomy, bo nieraz do niego listy od księcia Jeremiego woził i względy jego umiał pozyskać. Stał tedy trzymając się pod boki i radość biła mu z oblicza oświeconego blaskiem pożaru.

„Ot, wojna skończona! ot, fala u progu rozbita! — myślał. — Pan Czarniecki miał słuszność: niepożytą jest siła Rzeczypospolitej, niezachwianą jej potęga".

A gdy tak myślał, duma rozsadzała mu piersi; nie niska duma płynąca ze spodziewanego nasycenia zemsty, z upokorzenia wroga ani z odzyskania wolności, której za chwilę już się spodziewał, ani z tego, że czapkowano przed nim teraz, ale czuł się dumnym, że jest synem tej Rzeczypospolitej zwycięskiej, przepotężnej, o której bramy wszelka złość, wszelki zamach, wszelkie ciosy tak rozbijają się i kruszą, jako moce piekielne o bramy nieba. Czuł się dumnym jako szlachcic-patriota, że w zwątpieniu został pokrzepion, a w wierze nie zawiedzion. Zemsty już nie pragnął.

„Pogromiła jak królowa, wybaczy jak matka" — myślał.

Tymczasem huk dział zmienił się w grzmot nieustający.

Kopyta końskie zaszczękały znów po pustych ulicach. Na rynek wleciał jak piorun, na nie osiodłanym koniu Kozak bez czapki, w jednej koszuli, z twarzą rozciętą mieczem i buchającą krwią. Wleciał, konia osadził, ręce rozkrzyżował i chwytając oddech otwartymi usty krzyczeć począł:

— Chmiel bije Lachiw! Pobyty jasno welmożny pany, hetmany i pułkowniki, łycari i kawalery!

To rzekłszy zachwiał się i na ziemię runął. Mirhorodcy skoczyli mu na pomoc.

Płomień i bladość przeleciały przez oblicze pana Skrzetuskiego.

— Co on mówi? — rzekł gorączkowo do Zachara. — Co się stało? Nie może to być. Na Boga żywego! nie może to być!

Cisza! tylko płomienie syczą na przeciwległej stronie rynku, trzaskają snopy iskier, a czasem przepalone domostwo runie z łoskotem.

Aż oto nowi jacyś gońce lecą.

— Pobyty Lachy! pobyty!

Za nimi ciągnie oddział Tatarów — idą z wolna, bo otaczają pieszych, widocznie jeńców.

Pan Skrzetuski oczom nie wierzy. Poznaje doskonale na jeńcach barwę hetmańskiej husarii — więc w ręce plaszcze i jakimś dziwnym, nieswoim głosem powtarza uporczywie:

— Nie może być! nie może być!

Huk armat słychać jeszcze. Bitwa nie skończona. Przez wszystkie nie popalone ulice napływają jednak tłumy Zaporożców i Tatarów. Twarze ich czarne, piersi dyszą ciężko — ale wracają jakby upojeni, śpiewają pieśni!

Tak wracają żołnierze po zwycięstwie.

Namiestnik pobladł jak trup.

— Nie może być — powtarzał coraz chrapliwiej — nie może być... Rzeczpospolita...

Nowy przedmiot zwraca jego uwagę.

Wchodzą semenowie Krzeczowskiego niosąc całe pęki chorągwi. Przyjeżdżają na środek rynku i rzucają je na ziemię.

Niestety — polskie.

Huk armat słabnie, w oddali słychać turkot nadchodzących wozów. Jedzie naprzód jedna wysoka kozacka telega, za nią szereg innych, wszystkie otoczone przez Kozaków paszkowskiego kurzenia, w żółtych czapkach; przechodzą tuż koło domu, przy którym mirhorodcy. Pan Skrzetuski rękę do czoła przytknął, bo go blask pożaru oślepiał, i wpatrzył się w postacie jeńców siedzących na pierwszym wozie.

Nagle cofnął się w tył, rękami począł bić powietrze jak człowiek trafiony strzałą w piersi, z ust zaś wyrwał mu się krzyk straszny, nadludzki:

— Jezus Maria! to hetmani!

I padł na ręce Zachara, oczy zaszły mu blachmanem, a twarz stężała i zakrzepła, tak jak u ludzi umarłych.

W kilka chwil później trzech jeźdźców na czele niezliczonych pułków wjeżdżało na rynek korsuński. Środkowy, ubrany w czerwień, siedział na białym koniu i wspierając się pod bok pozłocistą buławą spoglądał dumnie jak król.

Był to Chmielnicki. Po obu jego stronach jechali Tuhaj-bej i Krzeczowski.

Rzeczpospolita leżała w prochu i krwi u nóg Kozaka.

Rozdział XVI

Upłynęło kilka dni. Ludziom zdawało się, że sklepienie niebieskie runęło nagle na Rzeczpospolitą. Żółte Wody, Korsuń, zniesienie wojsk koronnych, zawsze dotąd w walkach z Kozakami zwycięskich, wzięcie hetmanów, pożar straszliwy na całej Ukrainie, rzezie, mordy niesłychane od początku świata — wszystko to zwaliło się tak nagle, że ludzie prawie wierzyć nie chcieli, aby tyle klęsk mogło przyjść na jeden kraj od razu. Wielu też nie wierzyło, inni odrętwiali z przerażenia, inni dostali obłąkania, inni przepowiadali przyjście antychrysta i bliskość sądu ostatecznego. Przerwały się wszystkie węzły społeczne, wszelkie stosunki ludzkie i rodzinne. Ustała wszelka władza, znikły różnice między ludźmi. Piekło odczepiło z łańcuchów wszystkie zbrodnie i puściło je na świat, by pohulały: więc mord, grabież, wiarołomstwo, rozbestwienie się, gwałt, rozbój i szaleństwo zastąpiło pracę, uczciwość, wiarę i sumienie. Zdawało się, że odtąd ludzkość już nie dobrem, ale złem tylko żyć będzie; że się przeinaczyły serca i umysły i poczytują to za święte, co dawniej było bezecnym, a za bezecne, co dawniej było świętym. Słońce nie świeciło już nad ziemią, bo je zasłaniały dymy pożarów, a nocami zamiast gwiazd i księżyca świeciły pożogi. Płonęły miasta, wsie, kościoły, dwory, lasy. Ludzie przestali mówić, jeno jęczeli albo wyli jak psy. Życie straciło wartość. Tysiące ginęły bez echa, bez wspomnienia. A z tych wszystkich klęsk, mordów, jęków, dymów i pożarów podnosił się tylko jeden człowiek coraz wyżej i wyżej, olbrzymiał coraz straszliwiej, zaciemniał już niemal światło dzienne, rzucał cień od morza do morza.

Był to Bohdan Chmielnicki.

Dwieście tysięcy ludzi zbrojnych i upojonych zwycięstwy stało teraz gotowych na jego skinienie. Czerń powstawała wszędzie; Kozacy grodowi łączyli się z nim po wszystkich miastach. Kraj od Prypeci do krańców pustyń był w ogniu. Powstanie szerzyło się w województwach: ruskim, podolskim, wołyńskim, bracławskim, kijowskim i czernihowskim. Potęga hetmana rosła co dzień. Nigdy Rzeczpospolita nie wystawiła przeciw najstraszniejszemu wrogowi połowy tych sił, którymi on teraz rozporządzał. Równych nie miał w gotowości i cesarz niemiecki. Burza przeszła wszelkie oczekiwania. Sam hetman początkowo nie rozeznawał własnej potęgi i nie rozumiał, jak wyrósł już wysoko. Sprawiedliwością, prawem i wiernością dla Rzplitej jeszcze się osłaniał, bo nie wiedział, że te wyrazy, jako czcze wyrazy, mógł już deptać. Wszelako w miarę sił wzrastał w nim i ów niezmierny, bezwiedny egoizm, któremu równego historia nie przedstawia. Pojęcia złego i dobrego, zbrodni i cnoty, gwałtu i sprawiedliwości zlały się w duszy Chmielnickiego w jedno z pojęciami własnej krzywdy lub własnego dobra. Ten mu był cny, kto był z nim; ten zbrodniarz, kto przeciw niemu. Gotów był biadać na słońce i poczytywać to sobie za osobistą krzywdę, gdyby nie świeciło wówczas, gdy on potrzebował. Ludzi, wypadki i świat cały mierzył własnym ja. I mimo całej chytrości, całej hipokryzji hetmana była jakaś potworna dobra wiara w takim jego poglądzie. Wypływały zeń wszystkie występki Chmielnickiego, ale i czyny dobre; bo jeśli nie znał miary w znęcaniu się i okrucieństwie nad wrogiem, natomiast umiał być wdzięcznym za wszystkie, choćby mimowolne usługi, które mu oddawano.

Tylko gdy był pijany, wówczas zapominał i o dobrodziejstwach i rycząc z szaleństwa wydawał spienionymi usty krwawe rozkazy, których żałował później. A w miarę jak rosło jego powodzenie, pijany bywał coraz częściej, bo coraz większy ogarniał go niepokój. Zdawać by się mogło, że tryumfy zaprowadziły go na takie wyżyny, na które sam wstąpić nie chciał. Jego potęga przerażała innych, ale i jego samego. Olbrzymia rzeka buntu porwawszy go niosła z błyskawicową szybkością i nieubłaganie, ale dokąd? Jak się to wszystko miało skończyć? Poczynając bunt w imię krzywd własnych, mógł ten kozacki dyplomata liczyć, że po pierwszych powodzeniach lub nawet po klęskach rozpocznie układy, że zaofiarują mu przebaczenie, zadośćuczynienie i nagrodę za krzywdy i szkody. Znał on dobrze Rzeczpospolitą, jej cierpliwość tak nieprzebraną jako morze, jej miłosierdzie nie znające granic i miary, które płynęło nie tylko ze słabości, boć przecie Nalewajce, otoczonemu już i zgubionemu, jeszcze ofiarowano przebaczenie. Wszelako teraz, po zwycięstwie na Żółtych Wodach, po zniesieniu hetmanów, po rozpaleniu wojny domowej we wszystkich południowych województwach, rzeczy zaszły zbyt daleko, wypadki przerosły wszelkie oczekiwanie — teraz walka musiała się toczyć na śmierć i życie.

A na czyją stronę miało paść zwycięstwo?

Chmielnicki pytał wróżbitów i gwiazd się radził, i sam wytężał oczy w przyszłość — ale widział przed sobą tylko ciemność. Więc czasem straszny niepokój podnosił mu włosy na głowie, a z piersi zrywała się rozpacz jak wicher. Co będzie, co będzie? Bo Chmielnicki patrząc bystrzej od innych rozumiał zarazem lepiej od wielu, że Rzeczpospolita nie umie użyć swych sił i sama o nich nie wie, ale jest potęgą olbrzymią. Gdyby jaki człowiek schwycił w ręce tę potęgę, wtedy kto by mu się oparł? A któż mógł zgadnąć, czy straszne niebezpieczeństwo, czy bliskość przepaści i zguby nie potłumi zamieszek, niezgody wewnętrznej, prywaty, zawiści panów, warcholstwa, gadanin sejmowych, swawoli szlacheckiej, bezsilności króla. Wtedy by pół miliona samego tylko herbowego ludu mogło wyruszyć w pole i zgnieść Chmielnickiego, choćby go nie tylko chan krymski, ale i sam sułtan turecki wspomagał.

O tej uśpionej potędze Rzplitej wiedział prócz Chmielnickiego i zmarły król Władysław i dlatego całe życie pracował nad tym, by z największym w świecie mocarzem rozpocząć walkę na śmierć, bo tylko w ten sposób potęga owa przywołaną do życia być mogła. Gwoli temu przekonaniu nie wahał się król rzucać iskier i na prochy kozackie. Było-li przeznaczeniem istotnie Kozakom wywołać tę powódź, by w niej utonąć nareszcie?

Chmielnicki rozumiał i to także, jak mimo całej słabości straszny był odpór tej Rzeczypospolitej. W taką bezładną, źle powiązaną, rozdartą, swawolną, nierządną biły przecie najgroźniejsze ze wszystkich fale tureckie i rozbijały się o nią jak o skałę. Tak było pod Chocimem, na co własnymi niemal oczyma patrzył. Jednak ta Rzeczpospolita nawet w chwilach swej słabości zatykała swe chorągwie na wałach obcych stolic. Jakiż tedy da odpór? czego nie dokaże przywiedziona do rozpaczy, gdy będzie musiała umrzeć albo zwyciężyć?

Wobec tego każdy tryumf Chmielnickiego był nowym dla niego niebezpieczeństwem, bo zbliżał chwilę przebudzenia się lwa drzemiącego i czynił bardziej niemożliwymi układy. W każdym zwycięstwie leżała przyszła klęska, w każdym upojeniu — na dnie gorycz. Teraz na burzę kozacką miała przyjść burza Rzeczypospolitej.

Chmielnickiemu wydawało się, że już słyszy jej głuchy, daleki huk.

Oto z Wielkopolski, Prus, rojnego Mazowsza, Małopolski i Litwy nadejdą tłumy wojowników — trzeba im tylko wodza.

Chmielnicki wziął w niewolę hetmanów, ale i przez tę szczęśliwość przeglądała jakby zasadzka losu. Hetmani byli doświadczonymi wojownikami, ale żaden z nich nie był człowiekiem, jakiego wymagała ta chwila grozy, przerażenia, klęski.

Wodzem mógł być teraz jeden tylko człowiek.

Zwał się on: książę Jeremi Wiśniowiecki.

Właśnie dlatego, że hetmani poszli w niewolę, wybór prawdopodobnie miał paść na księcia. Chmielnicki nie wątpił o tym na równi ze wszystkimi.

A tymczasem do Korsunia, w którym hetman zaporoski zatrzymał się po bitwie dla odpoczynku, dolatywały z Zadnieprza wieści, że straszny książę ruszył już z Łubniów, że po drodze depce bunt niemiłosiernie, że po przejściu jego znikają wsie, słobody, chutory i miasteczka, a natomiast jeżą się krwawe pale i szubienice. Przestrach dwoił i troił liczbę sił jego. Mówiono, że prowadzi piętnaście tysięcy wojowników najlepszego wojska, jakie być mogło w całej Rzeczypospolitej.

W obozie kozackim spodziewano się go lada chwila. Wkrótce po bitwie pod Krutą Bałką okrzyk: „Jarema idzie!", rozległ się między Kozakami i rzucił popłoch między czerń, która poczęła ślepo uciekać. Popłoch ten zastanowił głęboko Chmielnickiego.

Miał teraz do wyboru: albo ruszyć z całą potęgą przeciw księciu i szukać go na Zadnieprzu, albo zostawiwszy część sił na zdobywanie zamków ukrainnych ruszyć w głąb Rzeczypospolitej.

Wyprawa na księcia była niebezpieczną. Mając do czynienia z tak wsławionym wodzem Chmielnicki, mimo całej przewagi swych sił, mógł ponieść klęskę w walnej bitwie i wówczas wszystko byłoby stracone od razu. Czerń, która stanowiła ogromną większość, złożyła świadectwo, że zmyka na samo imię Jaremy. Trzeba było czasu, żeby ją zmienić w wojsko mogące stawić czoło książęcym regimentom.

Z drugiej strony książę prawdopodobnie nie przyjąłby walnej bitwy, ale poprzestał na obronie w zamkach i częściowej wojnie, która w takim razie musiałaby trwać całe miesiące, jeżeli nie lata, a przez ten czas Rzeczpospolita zebrałaby niechybnie nowe siły i ruszyła w pomoc księciu.

Chmielnicki więc postanowił pozostawić Wiśniowieckiego na Zadnieprzu, a samemu umocnić się na Ukrainie, zorganizować swe siły i następnie ruszywszy do Rzeczypospolitej zmusić ją do układów. Liczył on na to, że gaszenie buntu na samym tylko Zadnieprzu zajmie na długo wszystkie siły książęce, a jemu da wolne pole. Bunt zaś na Zadnieprzu obiecywał sobie podsycać wysyłając pojedyncze pułki w pomoc czerni.

Na koniec sądził, że będzie można łudzić księcia układami i zwłóczyć czekając, póki się jego siły nie wykruszą. W tym celu przypomniał sobie Skrzetuskiego.

W kilka dni tedy po Krutej Bałce, a w sam dzień popłochu między czernią kazał przyzwać przed siebie pana Skrzetuskiego.

Przyjął go w domu starościńskim w asystencji jednego tylko pana Krzeczowskiego, który Skrzetuskiemu był z dawna znajomy, i powitawszy łaskawie, choć nie bez wyniosłości odpowiedniej dzisiejszej jego szarży, rzekł:

— Mości poruczniku Skrzetuski, za usługę, którą mi wyświadczyłeś, wykupiłem cię od Tuhaj-beja i obiecałem wolność. Teraz godzina nadeszła. Dam ci piernacz[1], byś mógł swobodnie przejechać, jeśliby cię wojska jakie

[1] Buława pułkownikowska kozacka, która zastępowała między Kozakami list żelazny.

spotkały, i strażę do obrony od czerni. Możesz wracać do swego księcia.

Skrzetuski milczał. Żaden uśmiech radości nie pojawił się na jego twarzy.

— Możeszże ruszyć w drogę? bo widzę, że ci coś choroba z oczu przegląda?

Rzeczywiście pan Skrzetuski wyglądał jak cień. Rany i ostatnie wypadki zwaliły z nóg tego olbrzymiego młodziana, który takie teraz miał pozory, jakby nie obiecywał jutra dożyć. Twarz mu pożółkła, a czarna broda, nie strzyżona od dawna, podnosiła jeszcze mizerię oblicza. Pochodziło to z utrapień wewnętrznych. Rycerz omal się nie zagryzł. Wleczony za obozem kozackim, był przecie świadkiem wszystkiego, co się od wyruszenia z Siczy zdarzyło. Widział hańbę i klęskę Rzeczypospolitej, hetmanów w niewoli; widział tryumfy kozackie, piramidy poukładane z głów odciętych poległym żołnierzom, szlachtę wieszaną za żebra, odrzynane piersi niewiast, profanacje panien, widział rozpacz odwagi, ale i nikczemność strachu — widział wszystko — przecierpiał wszystko i cierpiał tym bardziej, że mu w głowie i piersiach utkwiła nożem myśl, że to on sam pośredni sprawca, bo przecie on, nie kto inny, oderżnął Chmielnickiego od powroza. Ale czy mógł się spodziewać rycerz chrześcijański, że ratunek podany bliźniemu takie wyda owoce? Więc ból jego nie miał dna.

A gdy się siebie spytał, co się dzieje z Heleną, i gdy pomyślał, co mogło się zdarzyć, jeśli złe losy zatrzymały ją w Rozłogach, to ręce ku niebu wyciągał i wołał głosem, w którym drgała bezdenna rozpacz i prawie groźba: „Boże! weźże duszę moją, bo już tu mam więcej, niżem zasłużył!" Potem postrzegał, że bluźni, więc na twarz padł i prosił o ratunek, o przebaczenie, o zmiłowanie nad ojczyzną i nad onym gołębiem niewinnym, co może tam na próżno wzywał bożej i jego pomocy. Krótko mówiąc, przebolał tak, że go już teraz nie uradowała darowana wolność, a ten hetman zaporoski, ten tryumfator, który chciał być wspaniałym łaskę mu swoją okazując, nie imponował mu już zgoła; w czym spostrzegłszy się Chmielnicki zmarszczył się i rzekł:

— Śpieszże się korzystać z łaski, abym zaś się nie rozmyślił, gdyż cnota tylko moja i ufność w dobrą sprawę czyni mnie tak nieopatrznym, że wroga sobie przysparzam, bo to wiem dobrze, że przeciw mnie walczyć będziesz.

Na to pan Skrzetuski:

— Jeśli Bóg da sił.

I spojrzał tak na Chmielnickiego, że aż mu w głąb duszy zajrzał, a hetman wzroku tego znieść nie mogąc utkwił oczy w ziemię i dopiero po chwili ozwał się:

— Mniejsza z tym. Zbyt potężny jestem, by mi jeden cherlak coś znaczył. Opowiesz też księciu, swojemu panu, coś tu widział, i przestrzeżesz go, by sobie mniej zuchwale poczynał, bo gdy mnie cierpliwości nie stanie, to go odwiedzę na Zadnieprzu, a nie wiem, czyby mu była miłą moja wizyta.

Skrzetuski milczał.

— Mówiłem i powtarzam raz jeszcze — mówił dalej Chmielnicki — nie z Rzecząpospolitą, ale z panięty wojnę prowadzę, a książę między nimi w pierwszym rzędzie. Wróg to mój i ludu ruskiego, odszczepieniec od naszego Kościoła i okrutnik. Słyszę, bunt we krwi gasi: niechże baczy, by swojej nie przelał.

Tak mówiąc podniecał się coraz bardziej, aż też krew jęła mu do twarzy uderzać, a oczy ciskały płomienie. Widno było, że go chwyta paroksyzm gniewu i złości, w których tracił pamięć i przytomność całkowicie.

— Na powrozie każę go tu Krzywonosowi przywieść! — krzyczał — pod nogi go sobie zegnę, na konia po jego grzbiecie wsiadać będę!

Skrzetuski patrzył z góry na miotającego się Chmielnickiego, po czym odrzekł spokojnie:

— Zwycięż go wprzódy.

— Jaśnie wielmożny hetmanie! — rzecze Krzeczowski — niechże ten zuchwały szlachcic już jedzie, bo nie wypada dla twej godności, byś się gniewem przeciw niemu unosił, a gdy mu wolność obiecałeś, liczy on na to, że albo słowo złamiesz, albo jego inwektyw słuchać musisz.

Chmielnicki opamiętał się, posapał chwilę, po czym rzekł:

— Niechże tedy jedzie, aby zaś wiedział, iż Chmielnicki dobrem za dobre płaci, dać mu piernacz, jakom rzekł, i sorokę Tatarów, którzy go do samego obozu odprowadzą.

Po czym zwracając się do Skrzetuskiego dodał:

— Ty zaś wiedz, że teraz kwita. Polubiłem cię mimo twej zuchwałości, ale gdy się jeszcze raz w moje ręce dostaniesz, nie wywiniesz się.

Skrzetuski wyszedł z Krzeczowskim.

— Gdy cię hetman puszcza z całą szyją — rzekł Krzeczowski — i możesz jechać, gdzie chcesz, tedy ci powiem po starej znajomości: salwuj się choćby do Warszawy, nie na Zadnieprze, bo stamtąd żywa noga wasza nie ujdzie. Wasze czasy minęły. Gdybyś miał rozum, do nas byś przystał, ale wiem, że próżno ci to mówić. Poszedłbyś wysoko, jak my pójdziemy.

— Na szubienicę — mruknął Skrzetuski.

— Nie chcieli mnie dać starostwa lityńskiego, a teraz sam nie jedno, ale dziesięć wezmę. Wypędzimy precz panów Koniecpolskich a Kalinowskich, a Potockich, a Lubomirskich, i Wiśniowieckich, Zasławskich i wszystką szlachtę, i sami się ich majętnościami podzielimy, co też i po bożej musi być myśli, gdy nam już dwie tak znaczne dał wiktorie.

Skrzetuski nie słuchając gadaniny pułkownika zamyślił się o czym innym, ten zaś mówił dalej:

— Gdym po bitwie i naszej wiktorii widział w Tuhajowej kwaterze w łyczkach mego pana i dobrodzieja J. W. hetmana koronnego, zaraz on mnie niewdzięcznikiem i Judaszem mianować raczył. A ja mu na to: „J. W. wojewodo! nie jestem ja niewdzięcznikiem, bo gdy już w twoich zamkach i dobrach zasiędę — przyrzecz mi jeno, że się nie będziesz napijał — to cię podstarościm swoim zrobię". Ho! ho! obłowi się Tuhaj-bej na tych ptakach, które połapał — i dlatego ich szczędzi — gdyby nie to, inaczej byśmy z Chmielnickim z nimi pogadali. Ale ot! wóz dla ciebie gotowy i Tatary już w ordynku. Gdzie tedy życzysz jechać?

— Do Czehryna.

— Jak sobie pościelesz, tak się wyśpisz. Ordyńcy odwiodą cię choćby do samych Łubniów, bo taki mają rozkaz. Staraj się jeno, żeby ich twój książę na pal nie kazał powsadzać, co by z Kozakami pewno uczynił. Dlatego też i dali ci Tatarów. Hetman ci i konia twego kazał oddać. Bywajże zdrów a wspominaj nas dobrze i księciu kłaniaj się od naszego hetmana, a jeśli będziesz mógł, to go namów, by przyjechał Chmielnickiemu się pokłonić. Może łaskę znajdzie. Bywaj zdrów!

Skrzetuski siadł na wóz, który ordyńcy otoczyli zaraz dokoła — i ruszono w drogę. Przez rynek trudno było przejechać, bo cały zapchany był Zaporożcami i czernią. Jedni i drudzy warzyli sobie kaszę śpiewając pieśni o zwycięstwie żółtowodzkim i korsuńskim, ułożone już przez ślepców-lirników, których mnóstwo pościągało zewsząd do obozu. Między ogniami obejmującymi kotły z kaszą leżały tu i owdzie ciała pomordowanych kobiet, nad którymi odbywała się w nocy orgia, lub sterczały piramidki z głów uciętych po bitwie zabitym i rannym żołnierzom. Ciała owe i głowy poczynały się już psuć i wydawać zgniły zapach, który jednakże nie zdawał się być wcale przykrym dla zgromadzonych tłumów. Miasto nosiło na sobie ślady spustoszeń i dzikiej swawoli Zaporożców; okna i drzwi były powyrywane; zdruzgotane szczątki tysiącznych przedmiotów pomieszane z kwapiem i słomą zawalały rynek. Okapy domów przybrane były wisielcami, po większej części z żydostwa, a tłuszcza bawiła się tu i owdzie, czepiając się nóg wisielców i huśtając się na nich.

W jednej stronie rynku czerniały zgliszcza pogorzałych domów, a między nimi farnego kościoła; od zgliszcz biło jeszcze gorąco i podnosiły się dymy. Woń spalenizny przenikała powietrze. Za spalonymi domami stał kosz, obok którego pan Skrzetuski musiał przejeżdżać, i tłumy jasyru pilnowane przez gęste straże tatarskie. Kto się z okolic Czehryna, Czerkas i Korsunia nie zdołał schronić lub nie padł pod siekierą czerni, ten poszedł w łyka. Byli więc między jeńcami i żołnierze wzięci w niewolę w obu bitwach, i mieszkańcy okoliczni, którzy się dotąd nie mogli lub nie chcieli do buntu przyłączyć, ludzie ze szlachty osiadłej lub ze szlacheckiego gminu, podstarościowie, oficjaliści, chutornicy, drobna szlachta z zaścianków, obojej płci, i dzieci. Starców nie było, bo ich, jako niezdatnych na sprzedaż, Tatarzy mordowali. Pozagarniali oni również całe wsie i osady ruskie, czemu Chmielnicki nie śmiał się sprzeciwić. W wielu miejscowościach zdarzyło się, że mężowie poszli do obozu kozackiego, a w nagrodę za to Tatarzy popalili ich chaty i pobrali żony i dzieci. Ale w ogólnym rozpętaniu się i zdziczeniu dusz nikt o to nie pytał, nikt się nie upominał. Czerń, która chwytała za broń, wyrzekała się wiosek rodzinnych, żon i dzieci. Brali im żony, brali i oni — i lepsze, bo „Laszki", które po nasyceniu się ich wdziękami mordowali lub odprzedawali ordyńcom. Między jeńcami nie brakło też mołodyć ukraińskich, powiązanych po trzy, po cztery na jednym stryczku wraz z pannami szlacheckich domów. Niewola i niedola równała stany. Widok tych istot wstrząsał do głębi duszę i budził żądzę zemsty. Poobdzierane, półnagie, narażone na sromotne żarty pohańców włóczących się gromadami przez ciekawość po majdanie, potrącane, bite lub całowane ohydnymi usty, traciły pamięć, wolę. Niektóre szlochały lub zawodziły głośno, inne z oczyma w słup, z obłąkaniem w twarzy i otwartymi ustami poddawały się biernie wszystkiemu, co je spotykało. Tu i owdzie zrywał się wrzask jeńca mordowanego bez litości za wybuch rozpacznego oporu. Świst bizunów z byczej skóry rozlegał się między gromadami mężczyzn i zlewał się z okrzykami boleści i piskiem dzieci, ryczeniem bydła i rżeniem koni. Jasyr nie był jeszcze rozdzielony i ustawiony w pochodowym porządku, więc wszędzie panowało największe zamieszanie. Wozy, konie, bydło rogate, wielbłądy, owce, kobiety, mężczyźni, stosy złupionych ubiorów, naczyń, makat, broni, wszystko to natłoczone w jeden ogromny tabor oczekiwało dopiero podziału i ordynku. Raz wraz podjazdy przypędzały nowe gromady ludzi i bydła, naładowane promy płynęły przez Roś, z głównego zaś kosza przybywali coraz nowi goście, by nasycać oczy widokiem zebranych bogactw. Niektórzy pijani kumysem lub gorzałką, poprzebierani w dziwaczne stroje, bo w ornaty, komże, ruskie riasy lub nawet suknie kobiece, poczynali już spory, kłótnie i jarmarczny wrzask o to, co komu będzie należało. Czabanowie tatarscy siedząc na ziemi między stadami zabawiali się: jedni wygwizdywaniem na piszczałkach przeraźliwych melodii, inni grą w kości i okładaniem się wzajemnie kijami. Gromady psów, które przyciągnęły tu za swymi panami, ujadały i wyły żałośnie.

Pan Skrzetuski minął wreszcie tę gehennę ludzką pełną jęków, łez, niedoli i piekielnych wrzasków; myślał tedy, że już odetchnie swobodniej, aliści zaraz za taborem nowy straszny widok uderzył jego oczy. W dali szarzał kosz właściwy, od którego dochodziło ustawiczne rżenie koni, i mrowił się tysiącami Tatarów, bliżej zaś, na polu, tuż koło gościńca wiodącego do Czerkas, młodzi wojownicy zabawiali się strzelaniem dla wprawy z łuków do jeńców słabszych lub chorych, którzy by nie mogli wytrzymać długiej drogi do Krymu. Kilkadziesiąt ciał leżało wyrzuconych już na drogę i podziurawionych jak sita: niektóre z nich drgały jeszcze konwulsyjnie. Ci, do których strzelano, wisieli przywiązani za ręce do drzew przydrożnych. Były między nimi i stare kobiety. Śmiechom zadowolenia po trafnych strzałach towarzyszyły okrzyki:

— Jaksze, iegit! — Dobrze, chłopcy!

— Uk jaksze koł! — łuk w dobrych rękach!

Koło głównego kosza oprawiano tysiące bydła i koni na pokarm wojownikom. Ziemia była zlana krwią. Mdłe wyziewy surowizny tłumiły oddech w piersiach, a między kupami mięsa kręcili się czerwoni ordyńcy z nożami w ręku. Dzień był skwarny, słońce piekło. Ledwie po godzinie drogi wydostał się pan Skrzetuski wraz ze swoją eskortą na czyste pola, ale z oddali dochodził długo jeszcze z głównego kosza gwar i ryk bydła. Po drodze widniały ślady przejścia drapieżników. Tu i owdzie popalone sadyby, sterczące kominy futorów, potratowana ruń zbóż, drzewa połamane, sady wiśniowe przy chatach wycięte na ogień. Na gościńcu raz w raz leżały to trupy końskie, to ludzkie, pokaleczone okropnie, sine, nabrzmiałe, a na nich i nad nimi stada wron i kruków zrywające się z wrzaskiem i szumem przed ludźmi. Krwawe dzieło Chmielnickiego rzucało się wszędy w oczy i trudno było zrozumieć, przeciw komu ten człowiek rękę podniósł, bo jego własny kraj jęczał przede wszystkim pod brzemieniem niedoli.

W Mlejowie spotkali podjazdy tatarskie pędzące nowe tłumy jeńców. Horodyszcze było spalone do cna. Sterczała tylko murowana dzwonnica kościelna i stary dąb stojący na środku rynku, pokryty strasznym owocem, bo wisiało na nim kilkadziesiąt małych Żydziąt powieszonych przed trzema dniami. Wymordowano tu również dużo szlachty z Konoplanki, Starosiela, Więzówka, Bałakleja i Wodaczewa. Samo miasteczko było puste, bo mężczyźni poszli do Chmielnickiego, a niewiasty, dzieci i starcy uciekli do lasów przed spodziewanym najściem wojsk księcia Jeremiego. Z Horodyszcza jechał pan Skrzetuski na Śmiłę, Żabotyn i Nowosielce do Czehryna, zatrzymując się tylko tyle po drodze, ile trzeba było na wypoczynek dla koni. Wjechali do miasta na drugi dzień z południa. Wojna oszczędziła miasto, niektóre tylko domy były zburzone, a między nimi Czaplińskiego z ziemią zrównany. W grodzie stał podpułkownik Naokołopalec, a z nim tysiąc mołojców, ale i on, i mołojcy, i cała ludność żyła w największym przerażeniu, gdyż tu, jak i wszędzie po drodze, wszyscy byli pewni, że książę lada chwila nadciągnie i wywrze zemstę, o jakiej świat nie słyszał. Nie wiadomo było, kto puszcza te wieści, skąd one przychodzą; może je tworzył przestrach, dość, że ustawicznie powtarzano to, że książę płynie już Sułą, to znów, że już jest nad Dnieprem, że spalił Wasiutyńce, że wyciął ludność w Borysach, i każde zbliżenie się jeźdźców lub pieszego ludu wywoływało popłoch bez granic. Pan Skrzetuski chwytał chciwie te wieści, bo rozumiał, że choćby nie były prawdziwe, to jednak tamowały szerzenie się buntu na Zadnieprzu, nad którym ręka książęca ciążyła bezpośrednio.

Skrzetuski chciał dowiedzieć się czegoś pewniejszego od Naokołopalca, ale pokazało się, że podpułkownik na równi z innymi nic nie wiedział o księciu i jeszcze sam byłby rad zasięgnąć jakich wiadomości od Skrzetuskiego. A ponieważ przeciągnięto na tę stronę wszystkie bajdaki, czółna i podjazdki, więc i zbiegowie z drugiego brzega nie przybywali do Czehryna.

Skrzetuski więc nie bawiąc dłużej w Czehrynie kazał się przeprawić i ruszył bez zwłoki do Rozłogów. Pewność, że wkrótce sam przekona się, co stało się z Heleną, i nadzieja, że może jest ocalona albo też ukryła się wraz ze stryjną i kniaziami w Łubniach, wróciła mu siły i zdrowie. Przesiadł się z wozu na koń i gnał bez litości swoich Tatarów, którzy uważając go za posła, a siebie za przystawów oddanych pod jego komendę, nie śmieli mu stawić oporu. Lecieli tedy, jakby ich goniono, a za nimi złote kłęby kurzawy wzbijanej kopytami bachmatów. Mijali sadyby, chutory i wioski. Kraj był pusty, siedziby ludzkie wyludnione tak, że długo nie mogli spotkać żywej duszy. Prawdopodobnie też kryli się wszyscy przed nimi. Tu i owdzie kazał pan Skrzetuski szukać w sadach, pasiekach, po zapolach i strzechach stodół, ale nie mogli znaleźć nikogo.

Dopiero za Pohrebami jeden z Tatarów dostrzegł jakąś postać ludzką usiłującą skryć się między szuwarami obrastającymi brzegi Kahamliku.

Tatarzy skoczyli ku rzece i w kilka minut później przywiedli przed pana Skrzetuskiego dwóch ludzi całkiem nagich.

Jeden z nich był to starzec, drugi wysmukły, może piętnasto- lub szesnastoletni wyrostek. Obaj kłapali zębami ze strachu i długi czas nie mogli ni słowa przemówić.

— Skąd wy? — spytał pan Skrzetuski.

— My znikąd, panie! — odpowiedział starzec. — Po prośbie chodzim — z lirą, a ot ten niemowa mnie prowadzi.

— Skąd idziecie teraz? z jakiej wsi? Mów śmiało, nic ci nie będzie.

— My, panie, po wszystkich wsiach chodzili, aż nas tu jakiś czort obdarł. Buty mieli dobre — wziął, czapki mieli dobre — wziął, sukmany z litości ludzkiej dobre — wziął, i liry nie zostawił.

— Pytam się, kpie: z jakiej wsi idziesz?

— Ne znaju, pane — ja did. Ot my nadzy, nocą marzniem, we dnie szukamy litościwych, co by okryli i nakarmili, my głodni!

— Słuchaj tedy, chłopie: odpowiadaj, o co pytam, bo każę powiesić.

— Ja niczoho ne znaju, pane. Kołyb ja szczo, abo szczo, abo bude szczo, to nechaj mini — oto szczo!

Widocznym było, że dziad nie mogąc sobie zdać sprawy, co by za jeden był ten, kto go pyta, postanowił nie dawać żadnych odpowiedzi.

— A w Rozłogach byłeś? tam gdzie kniaziowie Kurcewicze mieszkają?

— Nie znaju, pane.

— Powiesić go! — krzyknął pan Skrzetuski.

— Buw, pane! — zawołał dziad widząc, że nie ma żartów.

— Coś tam widział?

— My tam byli pięć dni temu, a potem w Browarkach słyszeli, że tam łycari prijszły.

— Jacy rycerze?

— Ne znaju, pane! Odin każe — Lachy; drugi każe — Kozaki.

— W konie! — krzyknął na Tatarów pan Skrzetuski.

Poczet pomknął. Słońce zachodziło zupełnie jak wówczas, gdy namiestnik po spotkaniu Heleny i kniahini na drodze jechał obok nich przy Rozwanowej karocy. Kahamlik tak samo świecił purpurą, dzień kładł się do snu jeszcze cichszy, pogodniejszy, cieplejszy. Tylko wówczas jechał pan Skrzetuski z piersią pełną szczęścia i budzących się lubych uczuć, a teraz pędził jak potępieniec gnany wichrem niepokoju i złych przeczuć. Głos rozpaczy wołał mu w duszy: „To Bohun ją porwał! już jej nie ujrzysz więcej!", a głos nadziei: „To książę! ocalona!" I te głosy tak go rozrywały między siebie, że ledwo nie rozerwały mu serca. Pędzili resztą sił końskich. Upłynęła jedna godzina i druga. Księżyc zeszedł i wytaczając się coraz wyżej, bladł coraz bardziej. Konie pokryły się pianą i chrapały ciężko. Wpadli w las, mignął jak błyskawica, wpadli w jar, za jarem tuż Rozłogi. Chwila jeszcze, a losy rycerza się rozstrzygną. Tymczasem wiatr świszcze mu w uszach od pędu, czapka spadła mu z głowy, koń pod nim jęczy, jakby miał paść zaraz. Chwila jeszcze, skok jeszcze i jar się roztworzy. Już! już!

Nagle krzyk nieludzki, straszny wyrwał się z piersi pana Skrzetuskiego.

Dwór, lamusy, stajnie, stodoły, częstokół i sad wiśniowy — wszystko znikło.

Blady księżyc oświecał wzgórze, a na nim kupę czarnych zgliszcz, które przestały już nawet i dymić.

Milczenia nie przerywał żaden odgłos.

Pan Skrzetuski stanął przed fosą niemy, ręce tylko do góry podniósł, patrzył, patrzył i głową jakoś dziwnie potrząsał. Tatarzy wstrzymali konie. On zsiadł, odszukał resztek spalonego mostu, przeszedł rów po belce poprzecznej i siadł na kamieniu leżącym na środku majdanu. Siadłszy począł się oglądać dokoła jak człowiek, który pierwszy raz na jakowym miejscu będąc usiłuje się z nim zapoznać. Opuściła go przytomność. Nie wydał ani jęku. Po chwili, ręce na kolanach wsparłszy, głowę spuścił i pozostał w nieruchomej postawie, tak że mogło się zdawać, że usnął. Jakoż jeśli nie usnął, to odrętwiał — i przez głowę zamiast myśli przelatywały mu tylko niejasne obrazy. Widział więc naprzód Helenę taką, jaką ją był pożegnał przed ostatnią podróżą, jeno twarz miała jakby przesłoniętą przez mgłę, tak jej rysów nie można było rozpoznać. On ją chciał z tego mglistego obłoku wydostać i nie mógł. Więc odjechał z ciężkim sercem. Potem przez głowę mignął mu rynek czehryński, stary Zaćwilichowski i bezczelna twarz Zagłoby; twarz ta ze szczególnym uporem stawała mu przed oczyma, aż wreszcie zastąpiło ją ponure oblicze Grodzickiego. Potem widział jeszcze Kudak, porohy, walkę na Chortycy, Sicz, całą podróż i wszystkie wypadki, aż do dnia ostatniego, aż do ostatniej godziny. Ale dalej już ciemność! Co się z nim teraz działo, nie rozpoznawał. Miał tylko jakieś niewyraźne poczucie, że do Heleny, do Rozłogów jedzie, ale sił mu brakło, więc odpoczywa na zgliszczach. Chciałby już, ot, podnieść się i jechać dalej, ale jakieś niezmierne osłabienie przykuwa go do miejsca, tak jakby mu stufuntowe kule do nóg poprzywiązywano.

Siedział więc i siedział. Noc upływała. Tatarzy roztasowali się na nocleg i rozłożywszy ogieniek poczęli przypiekać przy nim kawały końskiego ścierwa; następnie, nasyceni, pokładli się na ziemi.

Ale nie upłynęła i godzina, gdy zerwali się na równe nogi.

Z dala dochodził gwar podobny do odgłosów, jakie wydaje wielka liczba jazdy idącej śpiesznym marszem.

Tatarzy zatknęli co prędzej na żerdź białą płachtę i podsycili obficie płomień, tak aby z dala mogli być rozpoznani, jako wysłańcy pokojowi.

Tętent koni, parskanie i brzęk szabel zbliżał się coraz bardziej i wkrótce na drodze ukazał się oddział jazdy, który wnet otoczył Tatarów.

Rozpoczęła się krótka rozmowa. Tatarzy wskazali na postać siedzącą na wzgórzu, którą zresztą widać było doskonale, bo padało na nią światło miesiąca, i oświadczyli, że prowadzą posła, a od kogo, to on najlepiej powie.

Wówczas dowódca oddziału wraz z kilku towarzyszami udał się na wzgórze, ale zaledwie zbliżył się i spojrzał w twarz siedzącemu, gdy ręce rozkrzyżował i wykrzyknął:

— Skrzetuski! Na Boga żywego, to Skrzetuski!

Namiestnik ani drgnął.

— Mości namiestniku, nie poznajeszże mnie? Jam jest Bychowiec. Co ci jest?

Namiestnik milczał.

— Zbudźże się, na Boga! Hej, towarzysze, a bywajcie no!

Istotnie był to pan Bychowiec, który szedł w awangardzie przed wszystką potęgą księcia Jeremiego.

Tymczasem nadciągnęły i inne pułki. Wieść o odnalezieniu Skrzetuskiego rozbiegła się piorunem po chorągwiach, więc wszyscy śpieszyli powitać miłego towarzysza. Mały Wołodyjowski, dwaj Śleszyńscy, Dzik, Orpiszewski, Migurski, Jakubowicz, Lenc, pan Longinus Podbipięta i mnóstwo innych oficerów biegło na wyścigi na wzgórze. Ale próżno przemawiali do niego, wołali po imieniu, szarpali za ramiona, usiłowali podnieść — pan Skrzetuski patrzył na nich szeroko otwartymi oczyma i nie rozpoznawał nikogo. A raczej przeciwnie! zdawało się, że ich rozpoznaje, tylko że są mu już zupełnie obojętni. Wtedy ci, co wiedzieli o jego miłości dla Heleny, a prawie wszyscy już wiedzieli, przypomniawszy sobie, w jakim to właśnie są miejscu, spojrzawszy na czarne zgliszcza i siwe popioły zrozumieli wszystko.

— Od boleści się zapamiętał — szeptał jeden.

— Desperacja *mentem* mu pomieszała — dodał inny.

— Zaprowadźcie go do księcia. Może jak jego zobaczy, to się ocknie!

Pan Longinus ręce łamał. Wszyscy otoczyli kołem namiestnika i poglądali na niego ze współczuciem. Niektórzy obcierali łzy rękawicami, inni wzdychali żałośnie. Aż nagle z koła wysunęła się jakaś postać i zbliżywszy się z wolna do namiestnika położyła mu na głowie obie ręce.

Był to ksiądz Muchowiecki.

Wszyscy umilkli i poklękali jakby w oczekiwaniu cudu, ale ksiądz cudu nie czynił, jeno wciąż trzymając ręce na głowie Skrzetuskiego podniósł oczy ku niebu pełnemu blasków miesięcznych i począł mówić głośno:

— *Pater noster, qui es in coelis! sanctificetur nomen Tuum, adveniat regnum Tuum, fiat voluntas Tua...*

Tu przerwał i po chwili powtórzył głośniej i uroczyściej:

— *...Fiat voluntas Tua!...*

Cisza zapanowała głęboka.

— *...Fiat voluntas Tua!...* — powtórzył ksiądz po raz trzeci.

Wtedy z ust Skrzetuskiego wyszedł głos niezmiernego bólu, ale i rezygnacji:

— *Sicut in coelo, et in terra!*

I rycerz rzucił się na ziemię ze szlochaniem.

Rozdział XVII

Aby wyjaśnić, co zaszło w Rozłogach, należy nam się cofnąć nieco w przeszłość, aż do owej nocy, w której pan Skrzetuski wyprawił Rzędziana z listem z Kudaku do starej kniahini. List zawierał usilną prośbę, by kniahini zabrawszy Helenę jechała jak najśpieszniej do Łubniów pod opiekę księcia Jeremiego, gdyż wojna rozpocznie się lada chwila. Rzędzian siadłszy na czajkę, którą pan Grodzicki z Kudaku po prochy wyprawił, ruszył w drogę i odbywał ją wolno, bo płynęli w górę rzeki. Pod Krzemieńczugiem spotkali wojska płynące pod wodzą Krzeczowskiego i Barabasza, przez hetmanów przeciw Chmielnickiemu wyprawione. Rzędzian widział się z Barabaszem, któremu zaraz opowiedział, jakie niebezpieczeństwa z jazdy na Sicz dla pana Skrzetuskiego wyniknąć mogą. Prosił zatem starego pułkownika, by po spotkaniu się z Chmielnickim nie omieszkał silnie upomnieć się o posła. Po czym ruszył dalej.

Do Czehryna przybyli świtaniem. Tu zaraz otoczyły ich straże semenów pytając, co by byli za jedni. Odpowiedzieli, że z Kudaku od pana Grodzickiego z listem do hetmanów jadą. Mimo to wezwano starszego z czajki i Rzędziana, by szli opowiedzieć się pułkownikowi.

— Jakiemu pułkownikowi? — pytał starszy.

— Panu Łobodzie — odpowiedzieli esaułowie ze straży — któremu hetman wielki rozkazał wszystkich przybywających od Siczy do Czehryna zatrzymywać i badać.

Poszli. Rzędzian szedł śmiało, gdyż nie spodziewał się niczego złego, wiedząc, że tu już rozciąga się moc hetmańska. Zaprowadzono ich blisko Dzwonieckiego Węgła, do domu pana Żeleńskiego, w którym była kwatera pułkownika Łobody. Ale powiedziano im, że pułkownik jeszcze świtaniem do Czerkas wyjechał i że zastąpi go podpułkownik. Czekali więc dość długo, aż na koniec drzwi się otworzyły i oczekiwany podpułkownik ukazał się w izbie.

Na jego widok zadrżały pod Rzędzianem kolana.

Był to Bohun.

Moc hetmańska rozciągała się wprawdzie jeszcze w Czehrynie, ale że Łoboda i Bohun nie przeszli dotąd do Chmielnickiego, a natomiast, przeciwnie, głośno opowiadali się przy Rzeczypospolitej, przeto hetman wielki im właśnie wyznaczył postój w Czehrynie i strażować tam rozkazał.

Bohun siadł za stołem i począł badać przybyłych.

Starszy, który wiózł list pana Grodzickiego, odpowiedział za siebie i za Rzędziana. Po obejrzeniu listu młody podpułkownik począł troskliwie wypytywać, co w Kudaku słychać, i widocznym było, iż miał wielką ochotę wywiedzieć się, z czym pan Grodzicki do hetmana wielkiego ludzi i czajkę wysyłał. Ale starszy nie umiał mu na to odpowiedzieć, a list był sygnetem pana Grodzickiego przywarty. Wybadawszy ich tedy Bohun już miał odprawić i do kalety sięgał, aby zaś napiwek od niego mieli, gdy wtem drzwi się otwarły i pan Zagłoba wleciał jak piorun do izby.

— Słuchaj, Bohun! — wołał — zdrajca Dopuło najlepszy trojniak utaił. Poszedłem z nim do piwnicy — patrzę: siano, nie siano wedle węgła. Pytam: co jest? rzeknie: suche siano! Kiedy nie spojrzę bliżej, aż tu łeb od gąsiorka wygląda jak Tatar z trawy. O! taki synu! mówię, podzielimy się robotą, ty zjesz siano, boś wół, a ja miód wypiję, bom człowiek. Przyniosłem też gąsiorek na godziwą próbę, daj jeno kubków.

To rzekłszy pan Zagłoba jedną ręką pod boki się ułapił, drugą podniósł gąsiorek nad głowę i śpiewać począł:

Hej, Jaguś, hej, Kunduś, daj jeno szklanic,
Daj *autem* i pysia, nie zważaj na nic.

Tu pan Zagłoba przerwał nagle, ujrzawszy Rzędziana, postawił gąsiorek na stole i rzekł:

— O, jak mnie Bóg miły! toż to pachołek pana Skrzetuskiego!

— Czyj? — spytał śpiesznie Bohun.

— Pana Skrzetuskiego, namiestnika, któren do Kudaku pojechał, a mnie tu przed wyjazdem takim miodem łubniańskim częstował, że niech się każdy inny spod wiechy schowa. Co zaś się z twoim panem dzieje? co? Zdrów-li?

— Zdrów i kazał się waszmości kłaniać — rzekł zmieszany Rzędzian.

— Wielkiej to jest fantazji kawaler. A ty jakże się w Czehrynie znalazłeś? Czemu cię to pan z Kudaku odesłał?

— Pan jako pan — rzecze na to pacholik — ma swoje sprawy w Łubniach, za którymi mnie wrócić kazał, bo i nie miałem co robić w Kudaku.

Przez cały ten czas Bohun patrzył bystro na Rzędziana; nagle rzekł:

— Znam i ja twego pana, widziałem go w Rozłogach.

Rzędzian przekrzywił głowę i nadstawiwszy ucha, niby to nie dosłyszawszy, spytał:

— Gdzie?

— W Rozłogach.

— To Kurcewiczów — rzekł Zagłoba.

— Czyje? — pytał znów Rzędzian.

— Widzę, żeś coś ogłuchł — zauważył sucho Bohun.

— Bom się też nie wyspał.

— To się jeszcze wyśpisz. Powiadasz tedy, że twój pan wysłał cię do Łubniów.

— A jakże.

— Pewnie tam ma jaką podwikę — wtrącił pan Zagłoba — do której afekt przez ciebie przesyła.

— Czy ja tam wiem, mój jegomość!... może ma, a może i nie ma — rzecze Rzędzian.

Następnie skłonił się Bohunowi i panu Zagłobie.

— Niech będzie pochwalony — rzekł zabierając się do odejścia.

— Na wieki! — odparł Bohun. — Poczekaj no, ptaszku, nie śpiesz się. A czemuś to ty przede mną taił, żeś jest pacholikiem pana Skrzetuskiego?

— A bo mnie jegomość i nie pytał, a ja sobie myślę: co mam o byle czym mówić? Niech będzie pochwalo...

— Poczekaj, mówię. Listy jakowe od pana wieziesz?

— Pańska rzecz pisać, a moja, jako sługi, oddać, ale jeno temu, do kogo są pisane, zaczem niech mi będzie wolno pożegnać waszmość panów.

Bohun zmarszczył swe sobole brwi i w ręce klasnął. Natychmiast dwóch semenów wpadło do izby.

— Obszukać go! — zawołał, wskazując na Rzędziana.

— Jakom żyw, gwałt mi się tu dzieje! — wrzeszczał Rzędzian. — Jam jest też szlachcic, choć sługa, a waszmość panowie w grodzie za ten postępek będziecie odpowiadali.

— Bohun! zaniechaj go! — wtrącił pan Zagłoba.

Ale tymczasem jeden z semenów znalazł w Rzędzianowym zanadrzu dwa listy i oddał je podpułkownikowi. Bohun kazał zaraz pójść precz semenom, bo nie umiejąc czytać nie chciał się z tym przed nimi zdradzić. Po czym, zwróciwszy się do Zagłoby, rzekł:

— Czytaj, a ja na pachołka uważać będę.

Zagłoba przymknął lewe oko, na którym miał skałkę, i czytał adres:

— „Mnie wielce miłościwej pani i jejmości dobrodzice J. O. kniahini Kurcewiczowej w Rozłogach".

— Toś ty, rarożku, do Łubniów jechał i nie wiesz, gdzie Rozłogi? — rzekł Bohun poglądając strasznym wzrokiem na Rzędziana.

— Gdzie mi kazali, tamem jechał! — odparł pachołek.

— Mam-li otworzyć? *Sigillum* szlacheckie święta rzecz — zauważył Zagłoba.

— Mnie tu hetman wielki dał prawo wszelakie pisma przeglądać. Otwieraj i czytaj.

Zagłoba otworzył i czytał:

— „Mnie wielce miłościwa pani, etc. Donoszę W. M. Pani, jakom już w Kudaku stanął, skąd daj Boże szczęśliwie, dzisiejszego rana na Sicz jechał będę, a teraz nocą tu piszę, od niespokojności spać nie mogąc, aby was zaś jaka przygoda od tego zbója Bohuna i jego hultajów nie spotkała. A że mnie tu i pan Krzysztof Grodzicki powiadał, że rychło patrzyć, jak wielka wojna wybuchnie, od której się też i czerń podniesie, przeto zaklinam i błagam W. M. Panią, być *eo instante*, choćby i stepy nie wyschły, choćby wierzchem, zaraz z kniaziówną do Łubniów jechać raczyła i tego nie poniechała, gdyż ja na czas wrócić nie zdołam. Którą prośbę racz W. M. Pani zaraz spełnić, abym o szczęśliwość mnie przyrzeczoną mógł być bezpiecznym i za powrotem się rozradować. A co masz W. M. Pani z Bohunem kunktować i mnie przyrzekłszy dziewkę, jemu ze strachu piaskiem w oczy rzucać, to lepiej *sub tutelam* księcia, mego pana, się schronić, któren *praesidium* do Rozłogów wysłać nie omieszka, a tak i majętność ocalicie. Przy czym mam zaszczyt etc., etc."

— Hm! mości Bohunie — rzekł pan Zagłoba — usarz coś rogi ci chce przyprawić. Toście do jednej dziewki szli w koperczaki? Czemuś nie mówił? Aleć się pociesz, bo i mnie się raz zdarzyło...

Nagle rozpoczęta facecja skonała na ustach pana Zagłoby. Bohun siedział nieporuszenie przy stole, ale twarz jego była jakby konwulsjami ściągnięta, blada, oczy zamknięte, brwi sfałdowane. Działo się z nim coś strasznego.

— Co tobie? — spytał pan Zagłoba.

Kozak począł gorączkowo ręką machać, a z ust jego wyszedł przyciszony, chrapliwy głos:

— Czytaj, czytaj drugie pismo.

— Drugie jest do kniaziówny Heleny.

— Czytaj, czytaj!

Zagłoba zaczął:

— „Najsłodsza, umiłowana Halszko, serca mego pani i królowo! Gdy po służbie książęcej jeszcze niemały czas w tych stronach zostać muszę, piszę tedy do stryjny, abyście do Łubniów zaraz jechały, w których żadna twej niewinności szkoda zdarzyć się od Bohuna nie może i wzajemny afekt nasz na szwank narażon nie będzie..."

— Dosyć! — krzyknął nagle Bohun i porwawszy się w szale od stołu skoczył ku Rzędzianowi.

Obuch zawarczał w jego ręku i nieszczęsny pacholik, uderzony wprost w piersi, jęknął tylko i zwalił się na podłogę. Obłęd porwał Bohuna: rzucił się na pana Zagłobę, wyrwał mu listy i schował je w zanadrze.

Zagłoba porwawszy gąsiorek z miodem skoczył ku piecowi i krzyczał:

— W imię Ojca i Syna, i Ducha Świętego! Człeku, czyś ty się wściekł? czyś oszalał? Uspokójże się, zmityguj! Wsadźże łeb w wiadro, do stu diabłów!... słyszyszże mnie!

— Krwi, krwi! — wył Bohun.

— Czy ci się rozum pomieszał? Wsadźże łeb w wiadro, mówię ci! Masz już krew, rozlałeś ją, i to niewinnie. Już ten nieszczęsny wyrostek nie dysze. Diabeł cię opętał — alboś sam diabeł z ostatkiem. Opamiętajże się, a nie, to jechał cię sęk, pogański synu!

Tak krzycząc pan Zagłoba przesunął się z drugiej strony stołu ku Rzędzianowi i schyliwszy się nad nim, jął go macać po piersiach i rękę mu do ust przykładać, z których krew się rzuciła obficie.

Bohun uchwycił się tymczasem za głowę i skowyczał jak ranny wilk. Potem padł na ławę nie przestając skowyczeć, bo się w nim dusza z wściekłości i bólu rozdarła. Nagle zerwał się, dobiegł do drzwi, wywalił je nogą i wypadł do sieni.

— Lećże na złamanie karku! — mruknął do siebie pan Zagłoba. — Leć i rozbij łeb o stajnię albo stodołę, chociaż, jako rogal, bóść śmiało możesz. A to furia! Jeszczem też nic podobnego w życiu nie widział. Zębami tak kłapał jak pies na zalotach. Ale ten pachołek żywie jeszcze, niebożątko. Dalibóg, jeżeli mu ten miód nie pomoże, to chyba zełgał, że szlachcic.

Tak mrucząc pan Zagłoba wsparł głowę Rzędziana na swych kolanach i począł mu z wolna sączyć trojniak do ust zsiniałych.

— Obaczymy, czy masz dobrą krew w sobie — mówił do omdlałego — gdyż żydowska, podlana miodem albo-li winem, warzy się; chłopska, jako leniwa i ciężka, idzie na spód, a jeno szlachecka animuje się i wyborny tworzy likwor, któren ciału daje męstwo i fantazję. Innym też nacjom różne dał Pan Jezus napitki, aby zaś każda miała swoją stateczną pociechę.

Rzędzian jęknął słabo.

— Aha, chcesz więcej! Nie, panie bracie, pozwólże i mnie... ot, tak! A teraz, gdyś już dał znak życia, chyba cię przeniosę do stajni i położę gdzie w kącie, aby cię ten smok kozacki do reszty nie rozdarł, gdy wróci. Niebezpieczny to jest przyjaciel — niechże go diabli porwą, bo widzę, że rękę chyższą ma od rozumu.

To rzekłszy pan Zagłoba podniósł Rzędziana z ziemi z łatwością, znamionującą niezwykłą siłę, i wyszedł do sieni, a następnie na podwórzec, na którym kilkunastu semenów grało w kości na rozesłanym na ziemi kilimku. Ujrzawszy go powstali, on zaś rzekł:

— Chłopcy, a wziąć no mi tego pachołka i położyć na sianie. Niech też który skoczy po cyrulika.

Rozkaz spełniono natychmiast, bo pan Zagłoba, jako przyjaciel Bohuna, wielkie miał zachowanie u Kozaków.

— A gdzie to pułkownik? — spytał.

— Kazał sobie dać konia i pojechał do kwatery pułkowej, a nam też kazał być w gotowości i konie mieć posiodłane.

— To i mój gotowy?

— Gotowy.

— To dawaj. Znajdę tedy pułkownika przy pułku?

— A oto i on nadjeżdża.

Rzeczywiście, przez sklepioną ciemną bramę domostwa widać było Bohuna nadjeżdżającego z rynku, za nim zaś ukazały się z dala spisy stu kilkudziesięciu mołojców widocznie gotowych do pochodu.

— Na koń! — wołał przez sień Bohun na pozostałych na podwórcu semenów.

Wszyscy ruszyli się co żywo. Zagłoba wyszedł przed bramę i spojrzał uważnie na młodego watażkę.

— W pochód ruszasz? — spytał go.

— Tak jest.

— A dokąd czort prowadzi?

— Na wesele.

Zagłoba przysunął się bliżej.

— Bój się Boga, synku! Hetman kazał ci miasta strzec, a ty i sam jedziesz, i semenów wyprowadzasz. Rozkaz złamiesz. Tu tłumy czerni czekają tylko chwili sposobnej, by się na szlachtę rzucić — miasto zgubisz, na gniew hetmański się narazisz.

— Na pohybel miastu i hetmanowi!

— O głowę twoją idzie.

— Na pohybel i mojej głowie!

Zagłoba poznał, że próżno było gadać z Kozakiem.

Zaciął się i choćby siebie i innych miał pogrześć, swego musiał dokazać. Domyślał się też Zagłoba, dokąd wyprawa miała ruszyć, ale sam nie wiedział, co z sobą począć: jechać z Bohunem czy zostać? Jechać było niebezpiecznie, bo znaczyło toż samo, co wrazić się w wojennych surowych czasach w awanturniczą, gardłową sprawę. A zostać? Czerń istotnie czekała tylko wieści z Siczy, chwili hasła do rzezi. A może by i nie czekała nawet, gdyby nie tysiąc semenów Bohuna i jego wielka powaga na Ukrainie. Mógł się wprawdzie pan Zagłoba schronić i do obozu hetmanów, ale miał swoje powody, dla których tego nie czynił. Była-li to kondemnatka za jakie zabójstwo czy też mankamencik w księgach, on sam jeden tylko wiedział; dość, że nie chciał w oczy leźć. Żal mu było Czehryna porzucać! Tak mu tu było dobrze, tak tu nikt o nic nie pytał, tak już pan Zagłoba zżył się tu ze wszystkimi, i ze szlachtą, i z ekonomami starościńskimi, i ze starszyzną kozacką! Prawda, że starszyzna rozjechała się teraz, a szlachta siedziała cicho po kątach, bojąc się burzy, ale przecie był Bohun, kompan nad kompany, bibosz nad bibosze. Poznawszy się przy szklenicy zbratali się z Zagłobą od razu. Odtąd nie widziano jednego bez drugiego. Kozak sypał złotem za dwóch, szlachcic łgał, i obu, jako niespokojnym duchom, dobrze było z sobą.

Gdy tedy teraz przyszło albo pozostać w Czehrynie i pod nóż czerni iść, albo jechać z Bohunem, pan Zagłoba zdecydował się na to ostatnie.

— Kiedyś taki desperat — rzekł — to pojadę i ja z tobą. Możeć się przydam albo pohamuję, gdy będzie trzeba. Już my tak dopasowali ze sobą jako hetka z pętelką, alem się tego wszystkiego nie spodziewał.

Bohun nie odrzekł nic. W pół godziny później dwustu semenów stanęło w pochodowym ordynku. Bohun wyjechał na czoło, a z nim i pan Zagłoba. Ruszyli. Chłopi, stojący tu i owdzie kupami na rynku, spoglądali na nich spode łbów i szeptali zgadując, gdzie jadą, czy wrócą prędko, czy nie wrócą.

Bohun jechał milczący, zamknięty w sobie, tajemniczy a posępny jak noc. Semenowie nie pytali, gdzie ich wiedzie. Za nim gotowi byli iść choćby na kraj świata.

Po przeprawie przez Dniepr wjechali na gościniec łubniański. Konie szły rysią, wzbijając tumany kurzawy, ale że dzień był skwarny, suchy, wkrótce pokryły się pianą. Zwolnili tedy biegu i rozciągnęli się długim, przerywanym pasmem po gościńcu. Bohun wysunął się naprzód, pan Zagłoba zrównał się z nim chcąc zacząć rozmowę.

Twarz młodego watażki była spokojniejsza, jeno smutek śmiertelny malował się na niej widocznie. Rzekłbyś: dal, w której wzrok ginął po północnej stronie, za Kahamlikiem, bieg konia i powietrze stepowe uciszyły w nim tę burzę wewnętrzną, która się zerwała po przeczytaniu listów wiezionych przez Rzędziana.

— Żar z nieba leci — rzekł pan Zagłoba — aż słoma w butach parzy. I w płóciennym kitlu za gorąco, bo wiatru wcale nie ma. Bohun, słuchaj no, Bohun!

Watażka spojrzał swymi głębokimi, czarnymi oczyma, jakby ze snu zbudzony.

— Uważ no, synku — mówił pan Zagłoba — aby cię melankolia nie zajadła, która gdy z wątroby, gdzie jest właściwe jej siedlisko, do głowy uderzy, snadnie rozum pomieszać może. Nie wiedziałem, że tak romansowy z ciebie kawaler. Musiałeś się w maju rodzić, a to jest miesiąc Wenery, w którym taka jest lubość aury, że nawet wiór ku drugiemu wiórowi afekt czuć poczyna, ludzie zaś w onym miesiącu urodzeni większą od innych mają w kościach do białogłów ciekawość. Wszelako ten wygrał, kto się pohamować potrafi, dlatego też radzę ci: lepiej ty zemsty poniechaj. Do Kurcewiczów słuszny możesz mieć rankor, ale albo to jedna dziewka na świecie?

Bohun jak gdyby nie Zagłobie, jeno własnemu żalowi

odpowiadając, ozwał się głosem do zawodzenia niż do mowy podobniejszym:

— Jedna ona zazula, jedna na świecie!

— Choćby też i tak było, to skoro ona do innego kuka, nic ci z tego. Słusznie mówią, że serce jest to wolentarz, któren pod jakim chce znakiem służyć, pod takim służy. Zważ przy tym, że dziewka to jest wielkiej krwi, bo Kurcewicze, słyszę, od książąt ród wywodzą... Wysokie to progi.

— Do czorta-że wasze progi, wasze rody, wasze pergaminy! — tu watażka uderzył z całą siłą w głownię szabli: — ot, mnie ród! ot, mnie prawo i pergamin! ot, mnie swat i drużba! O zdrajcy! o wraża krew przeklęta! Dobry wam był Kozak, druh był i brat: do Krymu z nim chodzić, dobro tureckie brać, łupem się dzielić. Ej, hołubili i synkiem zwali, i dziewkę przyrzekli, a teraz co? Przyszedł szlachcic, Laszek cacany, i ot, Kozaka, synka i druha, odstąpili — duszę wydarli, serce wydarli, innemu donia, a ty choć ziemię gryź, ty Kozacze, terpy! terpy!...

Watażce głos zadrgał; zęby ścisnął, pięściami o pierś szeroką tętnić począł, aż echo jak z podziemia z niej wychodziło.

Nastała chwila milczenia. Bohun oddychał ciężko. Ból i gniew targały na przemian zdziczałą, nie znającą hamulca duszę Kozaka. Zagłoba czekał, aż się zmorduje i uspokoi.

— Co tedy chcesz czynić, junaku nieszczęsny? jak postąpisz?

— Jak Kozak — po kozacku!

— Hm, już widzę, co to będzie. Ale mniejsza z tym. Jedno ci tylko powiem, że to jest państwo wiśniowieckie i do Łubniów niedaleko. Pisał pan Skrzetuski onej kniahini, żeby się tam z dziewką schroniła, to znaczy, że one są pod książęcą opieką, a książę srogi lew...

— I chan lew, a ja mu w gardziel właził i ogniem w ślepie świecił.

— Co ty, szalona głowo, księciu chcesz wojnę wypowiadać?

— Chmiel i na hetmanów się porwał. Co mnie wasz książę!

Pan Zagłoba stał się jeszcze niespokojniejszy.

— Tfu! do diabła. A to po prostu rebelią pachnie! *vis armata, raptus puellae* i rebelia — to niby kat, szubienica i stryczek. Dobra szóstka: możesz nią zajechać, jeśli nie daleko, to wysoko. Kurcewicze też bronić się będą.

— Taj co? Albo mnie pohybel, albo im! Ot, ja duszu by zhubyw za nich, za Kurcewiczów, oni mi byli bracia, a stara kniahini mać, której ja w oczy jak pies patrzył! A jak Wasyla Tatary złapali, tak kto do Krymu poszedł? kto go odbił? — ja! Kochał ich i służył im jak rab, bo myślał, że tę dziewczynę wysłużę. A oni za to prodały, prodały mene jak raba, na złuju dolu i na neszczastje... Wygnali precz — no, tak i pójdę, tylko się wprzód pokłonię; za sól i chleb, com u nich jadł, po kozacku zapłacę — i pójdę, bo swoją drogę znaju.

— I gdzie pójdziesz, gdy z księciem zaczniesz? do Chmiela obozu?

— Żeby mnie tę dziewkę dali, ja by był wasz lacki brat, wasz druh, wasza szabla, dusza wasza zaklataja, wasz pies. I wziąłby swoich semenów, innych z Ukrainy skrzyknął, taj na Chmiela i na rodzonych braci zaporoskich ruszył i kopytami rozniósł. A chciałby za to nagrody? — nie! Ot, wziąłby dziewczynę i za Dniepr ruszył na boży step, na dzikie ługi, na ciche wody — i mnie by było dosyć, a teraz...

— Teraześ się wściekł.

Watażka nic nie odrzekł, konia nahajem uderzył i pomknął naprzód, a pan Zagłoba począł rozmyślać, w jakie to tarapaty się dostał. Nie ulegało wątpliwości, że Bohun zamierzał na Kurcewiczów napaść, krzywdę swą pomścić i dziewczynę przemocą zabrać. I w tej imprezie byłby mu jeszcze pan Zagłoba kompanii dotrzymał. Na Ukrainie trafiały się takie sprawy często, a czasem i uchodziły płazem. Wprawdzie, gdy gwałtownik nie był szlachcicem, rzecz wikłała się i stawała się niebezpieczniejszą, ale za to wymiar sprawiedliwości na Kozaku był trudny, bo gdzie go było szukać i łapać? Po przestępstwie zbiegał w dzikie stepy, gdzie ręka ludzka nie sięgała — i tyle go widziano — a gdy wybuchła wojna, gdy Tatarzy kraj naszli, wtedy przestępca wypływał znowu, bo wtedy spały prawa. Tak mógł uchronić się od odpowiedzialności i Bohun, a pan Zagłoba nie potrzebował mu przecie czynnie pomagać i brać na siebie połowy winy. Nie byłby wreszcie tego w żadnym razie czynił, bo choć mu Bohun był przyjacielem, wszelako nie wypadało Zagłobie, szlachcicowi, w komitywę z Kozakiem przeciw szlachcie wchodzić, zwłaszcza że pana Skrzetuskiego znał i pił z nim. Pan Zagłoba był warchoł nie lada, ale jego warcholstwo miało pewną miarę. Hulać po karczmach czehryńskich z Bohunem i inną starszyzną kozacką, zwłaszcza za ich pieniądze — i owszem; wobec gróźb kozackich dobrze nawet było takich ludzi mieć przyjaciółmi. Pan Zagłoba o skórę swą, choć tu i owdzie poszczerbioną, dbał wielce — aż naraz spostrzegł, że i przez tę przyjaźń wlazł w okrutne błoto. Bo było jasnym, że jeśli Bohun dziewczynę, narzeczoną książęcego porucznika i ulubieńca, porwie, to z księciem zadrze, a wtedy nie pozostanie mu nic innego, jak do Chmielnickiego uciec i do buntu się przyłączyć. Na to kładł pan Zagłoba w myśli stanowcze co do swojej osoby *veto*, bo do buntu przyłączać się dla pięknych oczu Bohuna nie miał wcale zamiaru, a w dodatku księcia bał się jak ognia.

—Tfu! tfu! — mruczał sobie teraz — diabłam za ogon kręcił, a on mnie będzie teraz za łeb kręcił — i ukręci. Niech piorun trzaśnie tego watażkę z białogłowską twarzą, a tatarską ręką! Otom się wybrał na wesele, czyste psie wesele, jak mnie Bóg miły! Niech piorun trzaśnie wszystkich Kurcewiczów i wszystkie podwiki! Co mnie do nich?... już mnie one niepotrzebne. Na kim się zmełło, na mnie się skrupi. I za co? czy to ja się chcę żenić? Niech się diabeł żeni, mnie wszystko jedno; co ja mam do roboty w tej imprezie! Pójdę z Bohunem, to mnie Wiśniowiecki ze skóry obedrze; pójdę od Bohuna, to mnie chłopi zatłuką albo i on sam nie czekając. Najgorzej to z grubiany się bratać. Dobrze mi tak! Wolałbym być tym koniem, na którym siedzę, niż Zagłobą. Na błaznam kozackiego wyszedł, przy paliwodzie się wieszałem, słusznie przeto na obie strony skórę mi wytatarują.

Tak rozmyślając spocił się bardzo pan Zagłoba i w jeszcze gorszy wpadł humor. Upał był wielki, koń ciężko niósł, bo dawno nie chodził, a pan Zagłoba był człowiek korpulentny. Miły Boże, co by był za to dał, żeby teraz w chłodku, w gospodzie, nad szklenicą zimnego piwa siedzieć, nie po upale się kołatać i pędzić spalonym stepem!

Chociaż Bohun przynaglał, zwolnili jednak biegu, bo żar był straszny. Popaśli trochę konie, przez ten czas zaś Bohun z esaułami rozmawiał, widocznie dawał im rozkazy, co mają czynić, bo dotychczas nie wiedzieli nawet, gdzie jadą. Do uszu Zagłoby doszły ostatnie słowa rozkazu:

— Czekać wystrzału.

— Dobrze, bat'ku!

Bohun zwrócił się nagle ku niemu:

— Ty jedziesz ze mną naprzód.

— Ja? — rzekł Zagłoba z widocznym złym humorem — ja cię tak kocham, żem już jedną połowę duszy dla ciebie wypocił, czemu bym nie miał i drugiej wypocić? My jak kontusz i podszewka; mam nadzieję, że nas diabli razem wezmą, co mi jest wszystko jedno, bo już myślę, że i w piekle nie może być goręcej.

— Jedźmy.

— Na złamanie karku.

Ruszyli naprzód, a za nimi wkrótce i Kozacy. Ale ci ostatni postępowali z wolna, tak iż wkrótce znacznie zostali w tyle — a w końcu znikli z oczu.

Bohun z Zagłobą jechali obok siebie w milczeniu, obaj zamyśleni głęboko. Zagłoba targał wąsy i widocznym było, że pracuje ciężko głową; może sobie układał, jakim by sposobem mógł się z całej tej sprawy salwować. Chwilami mruczał coś do siebie półgłosem, to znów na Bohuna spoglądał, na którego twarzy malowały się na przemian to niepohamowany gniew, to smutek.

„Dziw — myślał sobie Zagłoba — że taki gładysz, a i dziewki nawet sobie nie umiał skonwinkować. Kozak jest — to prawda — ale rycerz znamienity i podpułkownik, któren też, prędzej, później, jeśli tylko do rebelii nie przystanie, będzie nobilitowany, co wcale od niego zależy. A już pan Skrzetuski, zacny kawaler — i przystojny, ale z tym malowanym watażką na urodę i porównać się nie może. Hej, wezmą też się oni za łby, jak się spotkają, bo obaj zabijaki nie lada".

— Bohun, znasz-li dobrze pana Skrzetuskiego? — spytał nagle Zagłoba.

— Nie — odparł krótko watażka.

— Ciężką będziesz miał z nim przeprawę. Widziałem go też, jak sobie Czaplińskim drzwi otwierał. Goliat to jest i do wypitki, i do wybitki.

Watażka nie odpowiedział i znowu obaj pogrążyli się we własne myśli i własne frasunki, którym wtórując pan Zagłoba powtarzał od czasu do czasu: „Tak, tak, nie ma rady!" Upłynęło kilka godzin. Słońce powędrowało gdzieś het, na zachód ku Czehrynowi; od wschodu powiał wietrzyk chłodny. Pan Zagłoba zdjął kołpaczek rysi, przeciągnął ręką po spoconej głowie i powtórzył raz jeszcze:

— Tak, tak, nie ma rady!

Bohun obudził się jak ze snu.

— Co rzekłeś? — spytał.

— Mówię, że już zaraz ciemno będzie. Czy daleko jeszcze?

— Niedaleko.

Po godzinie ściemniło się rzeczywiście. Ale już też wjechali w jar lesisty, wreszcie na końcu jaru błysnęło światełko.

— To Rozłogi! — rzekł nagle Bohun.

— Tak! Brr! coś jakoś chłodno w tym jarze.

Bohun wstrzymał konia.

— Czekaj! — rzekł.

Zagłoba spojrzał na niego. Oczy watażki, które miały tę własność, że świeciły w nocy, pałały teraz jak dwie pochodnie.

Obaj przez długi czas stali nieruchomie na skraju jaru. Na koniec z dala dało się słyszeć parskanie koni.

To Kozacy Bohunowi nadjeżdżali z wolna z głębi lasu.

Esauł zbliżył się po rozkazy, które Bohun wyszeptał mu do ucha, po czym Kozacy zatrzymali się znowu.

— Jedźmy! — rzekł do Zagłoby Bohun.

Po chwili ciemne masy budowli dworskich, lamusy i żurawie studzienne zarysowały się przed ich oczyma. We dworze było cicho. Psy nie szczekały. Wielki, złoty księżyc świecił nad domostwami. Z sadu dochodził zapach kwiatów wiśni i jabłoni; wszędzie tak było spokojnie, noc tak cudna, że zaiste brakło tylko tego, aby jaki teorban ozwał się gdzieś pod oknami pięknej księżniczki.

W niektórych oknach było jeszcze światło.

Dwaj jeźdźcy zbliżyli się do bramy.

— Kto tam? — ozwał się głos nocnego stróża.

— Nie poznajesz mnie, Maksym?

— To wasza miłość. Sława Bohu!

— Na wiki wikiw. Otwieraj. A co tam u was?

— Wszystko dobrze. Wasza miłość dawno nie była w Rozłogach.

Zawiasy bramy zaskrzypiały przeraźliwie, most spadł na fosę i dwaj jeźdźcy wjechali na majdan.

— A słuchaj, Maksym: nie zamykaj bramy i nie podnoś mostu, bo zaraz wyjeżdżam.

— To wasza miłość jak po ogień?

— Tak jest. Konie przywiąż do palika.

Rozdział XVIII

Kurcewiczowie nie spali jeszcze. Jedli wieczerzę w owej sieni napełnionej zbroją, która szła przez całą szerokość domu od majdanu aż do sadu z drugiej strony. Na widok Bohuna i pana Zagłoby zerwali się na równe nogi. Na twarzy kniahini odbiło się nie tylko zdziwienie, ale nieukontentowanie i przestrach zarazem. Młodych kniaziów było tylko dwóch. Symeon i Mikołaj.

— Bohun! — rzekła kniahini. — A ty tu co robisz?

— Przyjechał się wam pokłonić, maty. A co, nie radziście mi?

— Radam ci, rada, jeno się dziwię, żeś przybył, bo słyszałam, że w Czehrynie stróżujesz. A kogo to nam Bóg z tobą zesłał?

— To jest pan Zagłoba, szlachcic, mój przyjaciel.

— Radziśmy waszmości — rzekła kniahini.

— Radziśmy — powtórzyli Symeon i Mikołaj.

— Mościa pani! — rzecze szlachcic. — Prawda, że gość nie w porę gorszy od Tatarzyna, aleć i to wiadomo, że kto do nieba chce iść, ten musi podróżnego w dom przyjąć, głodnego nakarmić, spragnionego napoić...

— Siadajcie tedy, jedzcie i pijcie — mówiła stara kniahini. — Dziękujemy, żeście przyjechali. No, no,

Bohun, alem się ciebie nie spodziewała... chyba że sprawę masz do nas?

— Może i mam — rzekł z wolna watażka.

— Jaką? — pytała niespokojnie kniahini.

— Przyjdzie pora, to pogadamy. Dajcie odpocząć. Z Czehryna prosto jadę.

— To widać było ci pilno do nas?

— A gdzie by mnie miało być pilno, jeśli nie do was? A kniaziówna-donia zdrowa?

— Zdrowa — rzekła sucho kniahini.

— Chciałbym też nią oczy ucieszyć.

— Helena śpi.

— To szkoda. Bo ja długo nie zabawię.

— A gdzie jedziesz?

— Wojna, maty! Nie ma na nic czasu. Lada chwila hetmani w pole wyprawią, a żal będzie Zaporożców bić. Mało to razy my z nimi jeździli po dobro tureckie — prawda, kniaziowie? — po morzu pływali, sól i chleb razem jedli, pili i hulali, a teraz my im wrogi.

Kniahini spojrzała bystro na Bohuna. Przez głowę przeszła jej myśl, że może Bohun ma zamiar połączyć się z rebelią i przyjechał jej synów wybadać.

— A ty co myślisz robić? — spytała.

— Ja, maty? a cóż? ciężko swoich bić, ale trzeba.

— Tak i my uczynimy — rzekł Symeon.

— Chmielnicki zdrajca! — dodał młody Mikołaj.

— Na pohybel zdrajcom! — rzekł Bohun.

— Niech im kat świeci! — dokończył Zagłoba.

Bohun znów mówić począł:

— Tak to na świecie. Kto ci dziś przyjacielem, jutro Judaszem. Nikomu nie można wierzyć na świecie.

— Jeno dobrym ludziom — rzekła kniahini.

— Pewnie, że dobrym ludziom można wierzyć. Dlatego ja też wam wierzę i kocham was, bo wyście dobrzy ludzie, nie zdrajcy...

Było coś tak dziwnego i strasznego w głosie watażki, że

przez chwilę zapanowało głębokie milczenie. Pan Zagłoba patrzył na kniahinię i mrugał swoim zdrowym okiem, a kniahini utkwiła wzrok w Bohunie.

Ten mówił dalej:

— Wojna nie żywi ludzi, jeno morzy, dlatego chciał ja was jeszcze widzieć, zanim ruszę. Kto wie, czy wrócę, a wy by mnie żałowali, bo wy moje druhy serdeczne... nieprawda?

— Tak nam dopomóż Bóg! Od małego cię znamy.

— Ty nasz brat — dodał Symeon.

— Wy kniazie, wy szlachta, a wy Kozakiem nie gardzili, w dom przygarnęli i krewną-donię obiecali, bo wy wiedzieli, że dla Kozaka bez niej ni życia, ni bycia, tak się i zmiłowali nad Kozakiem.

— Nie ma o czym i mówić — rzekła śpiesznie kniahini.

— Nie, maty, jest o czym mówić, bo wy moi dobrodzieje, a ja też prosił tego oto szlachcica, przyjaciela mego, żeby mnie za syna wziął i do herbu przypuścił, aby wy nie mieli wstydu oddając krewniaczkę Kozakowi. Na co pan Zagłoba się zgodził i my oba będziem się starać o pozwolenie u sejmu, a po wojnie pokłonię się panu hetmanowi wielkiemu, któren na mnie łaskaw, może poprze; on przecie i Krzeczowskiemu nobilitację wyrobił.

— Bóg ci dopomóż — rzekła kniahini.

— Wy szczerzy ludzie, i ja wam dziękuję. Ale przed wojną chciałby jeszcze raz z waszych ust usłyszeć, że wy mnie donię dajecie i że słowo wasze zdzierżycie. Słowo szlacheckie nie dym — a wy przecie szlachta, wy kniazie.

Watażka mówił głosem powolnym i uroczystym, ale w mowie jego drgała zarazem jakby groźba zapowiadająca, że trzeba się zgodzić na wszystko, czego żądał.

Stara kniahini spojrzała na synów, ci na nią, i przez chwilę trwało milczenie. Nagle raróg siedzący na berle pod ścianą zakwilił, choć do świtu było jeszcze daleko; za nim ozwały się inne; wielki berkut zbudził się, strząsnął skrzydła i krakać począł.

Łuczywo palące się w grubach przygasło. W izbie zrobiło się ciemnawo i ponuro.

— Mikołaj, popraw ogień — rzekła kniahini.

Młody kniaź dorzucił łuczywa.

— Cóż? przyrzekacie? — pytał Bohun.

— Musimy Heleny spytać.

— Niech ona mówi za siebie, wy za siebie. Przyrzekacie?

— Przyrzekamy — rzekła kniahini.

— Przyrzekamy — powtórzyli kniaziowie.

Bohun wstał nagle i zwróciwszy się do Zagłoby, rzekł donośnym głosem:

— Mości Zagłobo! Pokłoń się i ty o dziewkę; może i tobie przyrzekną.

— Co ty, Kozacze, upił się?! — zawołała kniahini.

Bohun zamiast odpowiedzi wydobył list Skrzetuskiego i zwróciwszy się do Zagłoby, rzekł:

— Czytaj.

Zagłoba wziął list i począł go czytać wśród głuchego milczenia.

Gdy skończył, Bohun skrzyżował ręce na piersiach.

— Komu tedy dziewkę dajecie? — spytał.

— Bohun!

Głos watażki stał się podobny do syku węża.

— Zdrajcy, oczajdusze, psiawiary, judasze!...

— Hej, synkowie, do szabel! — krzyknęła kniahini.

Kurcewicze skoczyli piorunem ku ścianom i porwali za broń.

— Mości panowie, spokojnie. — zawołał Zagłoba.

Ale nim domówił, Bohun wyrwał pistolet zza pasa i wystrzelił.

— Jezus! Jezus!... — jęknął kniaź Symeon, postąpił krok naprzód, rękoma jął bić powietrze i upadł ciężko na ziemię.

— Służba, na pomoc! — wołała rozpaczliwie kniahini.

Ale w tejże chwili na dziedzińcu i od strony sadu huknęły inne wystrzały, drzwi i okna wyleciały z łoskotem i kilkudziesięciu semenów wpadło do sieni.

— Na pohybel! — zabrzmiały dzikie głosy.

Na majdanie ozwał się dzwon na trwogę. Ptactwo w sieni poczęło wrzeszczeć; hałas, strzelanina i krzyki zastąpiły niedawną ciszę uśpionego dworu.

Stara kniahini rzuciła się, wyjąc jak wilczyca, na ciało Symeona drgające w ostatnich konwulsjach, ale wnet dwóch semenów porwało ją za włosy i odciągnęło na stronę, a tymczasem młody Mikołaj, przyparty w kąt sieni, bronił się z wściekłością i lwią odwagą.

— Procz! — krzyknął nagle Bohun na otaczających go Kozaków. — Procz! — powtórzył grzmiącym głosem.

Kozacy cofnęli się. Sądzili, że watażka chce ocalić życie młodzieńcowi. Ale Bohun z szablą w ręku sam rzucił się na kniazia.

Rozpoczęła się straszna pojedyncza walka, na którą kniahini, trzymana za włosy przez cztery żelazne dłonie, patrzyła pałającymi oczyma i z otwartymi usty. Młody kniaź zwalił się jak burza na Kozaka, który, cofając się z wolna, wywiódł go na środek sieni. Nagle przysiadł, odbił potężny cios i z obrony przeszedł do ataku.

Kozacy zatrzymawszy dech w piersiach pospuszczali szable na dół i stali jak wryci, śledząc oczyma przebieg walki.

W ciszy słychać było tylko oddech i sapanie walczących, zgrzyt zębów i świst lub ostry dźwięk uderzających o siebie mieczów.

Przez chwilę zdawało się, że watażka ulegnie olbrzymiej sile i zaciętości młodzieńca, gdyż znowu począł się cofać i słaniać. Twarz przeciągnęła mu się jakby z wysilenia. Mikołaj podwoił ciosy, szabla jego otaczała Kozaka nieustannym wężem błyskawic, kurzawa wstała z podłogi i przesłoniła obłokiem walczących, ale przez jej kłęby semenowie dojrzeli krew spływającą po twarzy watażki.

Nagle Bohun uskoczył w bok, kniaziowe ostrze trafiło w próżnię. Mikołaj zachwiał się od zamachu i pochylił naprzód, a w tej samej chwili Kozak ciął go w kark tak straszliwie, że kniaź zwalił się jakby gromem rażony.

Krzyki radosne Kozaków pomieszały się z nieludzkim wrzaskiem kniahini. Zdawało się, że od wrzasków powała pęknie. Walka była skończona, kozactwo rzuciło się na broń zawieszoną na ścianach i poczęło ją zdzierać wyrywając sobie wzajemnie kosztowniejsze szable i handżary, depcąc po trupach kniaziów i własnych towarzyszów, którzy legli z ręki Mikołaja. Bohun pozwalał na wszystko. Stał on we drzwiach prowadzących do komnat Heleny, zagradzając drogę, i oddychał ciężko ze zmęczenia. Twarz miał bladą i pokrwawioną, gdyż dwa razy ostrze kniazia dotknęło jego głowy. Błędny wzrok jego przenosił się z trupa Mikołaja na trupa Symeona, a czasem padał na zsiniałe oblicze kniahini, którą mołojcy, trzymając za włosy, przyciskali kolanami do ziemi, bo się rwała z ich rąk do trupów dzieci.

Wrzask i zamieszanie w sieni powiększało się z każdą chwilą. Kozacy ciągnęli na powrozach czeladź Kurcewiczów i mordowali ją bez litości. Podłoga była zalana krwią, sień zapełniona trupami, dymem od wystrzałów, ściany już obdarte, ptactwo nawet pobite.

Nagle drzwi, pod którymi stał Bohun, otworzyły się na rozcież. Watażka obrócił się i cofnął nagle.

We drzwiach ukazał się ślepy Wasyl, a obok niego Helena ubrana w białe giezło, blada sama jak giezło, z oczyma rozszerzonymi z przerażenia, z otwartymi usty.

Wasyl niósł krzyż, który trzymał na wysokości twarzy w obu dłoniach. Wśród zamieszania panującego w sieni, wobec trupów, krwi rozlanej kałużami na podłodze, połysku szabel i rozpłomienionych źrenic, dziwnie uroczyście wyglądała ta postać wysoka, wynędzniała, z siwiejącym włosem i czarnymi jamami zamiast oczu. Rzekłbyś:

duch albo trup, który zrzucił całun i przychodzi karać zbrodnię.

Krzyki umilkły. Kozacy cofali się przerażeni. Ciszę przerwał spokojny, ale bolesny i jęczący głos kniazia:

— W imię Ojca i Spasa, i Ducha, i Świętej-Przeczystej! Mężowie, którzy przychodzicie z dalekich stron, zali przychodzicie w imię boże?

Albowiem: „Błogosławiony mąż w drodze, który idąc opowiada słowo boże".

A wy zali dobrą nowinę niesiecie? zali jesteście apostołami?

Cisza śmiertelna zapanowała po słowach Wasyla, on zaś zwrócił się z wolna z krzyżem w jedną stronę, następnie w drugą i mówił dalej:

— Gorze wam, bracia, bo którzy dla zysku lub zemsty wojnę czynią, mają być potępieni na wieki...

...Módlmy się, abyśmy zaznali miłosierdzia. Gorze wam, bracia, gorze mnie! O! o! o!

Jęk wyrwał się z piersi kniazia.

— Hospody pomyłuj! — ozwały się głuche głosy mołojców, którzy pod wpływem nieopisanego strachu poczęli się żegnać przerażeni.

Nagle dał się słyszeć dziki, przeraźliwy krzyk kniahini:

— Wasyl, Wasyl!...

Było w jej głosie coś tak rozdzierającego, jakby to był ostatni głos rwącego się życia. Jakoż gniotący ją kolanami mołojcy uczuli, że już nie usiłuje się wyrwać z ich rąk.

Kniaź drgnął, ale wnet zastawił się krzyżem od strony, z której dochodził głos, i odrzekł:

— Duszo potępiona, wołająca z głębokości, gorze ci!

— Hospody pomyłuj! — powtórzyli Kozacy.

— Do mnie, semenowie! — zawołał w tej chwili Bohun i zachwiał się na nogach.

Kozacy skoczyli i podparli go pod ramiona.

— Bat'ku! tyś ranny?

— Tak jest! Ale to nic! Krew mnie uszła. Hej, chłopcy!

strzec mi tej doni jak oka w głowie... Dom otoczyć, nikogo nie wypuszczać... Kniaziówno...

Nie mógł więcej mówić, wargi mu zbielały, a oczy zaszły mgłą.

— Przenieść atamana do komnat! — zawołał pan Zagłoba, który wylazłszy z jakiegoś kąta, niespodzianie pojawił się przy Bohunie. — To nic, to nic — mówił, zmacawszy palcami rany. — Jutro zdrów będzie. Już ja się nim zajmę. Chleba z pajęczyną mi ugnieść. Wy, chłopcy, ruszajcie sobie do diabła, pohulać z dziewkami w czeladnej, bo nic tu po was, a dwóch niech zaniesie atamana. Bierzcie go. Ot, tak. Ruszajcieże, do licha, czego stoicie? Domu mi pilnować — ja sam będę doglądał.

Dwóch semenów poniosło Bohuna do przyległej izby, reszta wyszła z sieni.

Zagłoba zbliżył się do Heleny i mrugając mocno okiem, rzekł szybko a cicho:

— Jam przyjaciel pana Skrzetuskiego, nie bój się. Odprowadź jeno spać swojego proroka i czekaj na mnie.

To rzekłszy wyszedł do izby, w której dwóch esaułów złożyło na sofie tureckiej Bohuna. Wnet wysłał ich po chleb i pajęczynę, a gdy je przyniesiono z czeladnej, zajął się opatrunkiem młodego atamana z całą biegłością, jaką wówczas każdy szlachcic posiadał, a której nabywał sklejając łby porozbijane w pojedynkach lub na sejmikach.

— A to powiedzcie też semenom — rzekł do esaułów — że jutro ataman zdrów będzie jak ryba, żeby się zaś o niego nie troszczyli. Oberwał, bo oberwał, ale gracko się spisał i jutro jego wesele, chociaż i bez popa. Jeśli jest w domu piwniczka, to sobie możecie pozwolić. Ot, już i ranki przewiązane. Idźcieże teraz, by ataman miał spokój.

Esaułowie ruszyli ku drzwiom.

— A nie wypijcie tam całej piwnicy! — rzekł jeszcze pan Zagłoba.

I siadłszy przy wezgłowiu watażki, wpatrzył się w niego uważnie.

— No, czort cię nie weźmie od tych ran, chociażeś dostał dobrze. Ze dwa dni ni ręką, ni nogą nie ruszysz — mruczał sam do siebie, patrząc na bladą twarz i zamknięte oczy Kozaka. — Szabla nie chciała katu krzywdy zrobić, boś ty jego własność i od niego się nie wywiniesz. Gdy cię powieszą, diabeł zrobi z ciebie kukłę dla swoich dzieci, boś gładki. Nie, braciszku, pijesz ty dobrze, ale ze mną dłużej nie będziesz pił. Szukaj ty sobie kompanii między rakarzami, bo widzę, że lubisz dusić, ale ja nie będę z tobą szlacheckich dworów po nocach napadał. Niech ci kat świeci! niech ci świeci!

Bohun jęknął z cicha.

— O, jęcz, o, wzdychaj! Jutro będziesz lepiej wzdychał. Poczekajże, tatarska duszo, kniaziówny ci się zachciało? Ba, nie dziwię ci się, dziewka specjał, ale jeśli ty go pokosztujesz, to niech mój dowcip psi zjedzą. Pierwej mi też włosy na dłoni wyrosną...

Gwar zmieszanych głosów doszedł z majdanu do uszu pana Zagłoby.

— Aha, pewnie się już do piwniczki dobrali — mruknął. — Popijcie się jak bąki, żeby się wam dobrze spało, już ja będę czuwał za was wszystkich, choć nie wiem, jeżeli radzi jutro z tego będziecie.

To rzekłszy wstał zobaczyć, azali rzeczywiście mołojcy zabrali już znajomość z kniaziowską piwnicą, i wszedł naprzód do sieni. Sień wyglądała strasznie. Na środku leżały sztywne już ciała Symeona i Mikołaja, a w kącie trup kniahini w postawie siedzącej i skulonej, tak jak ją przygniotły kolana mołojców. Oczy jej były otwarte, zęby wyszczerzone. Ogień palący się w grubach napełnił całą sień mdłym światłem drgającym na kałużach krwi; głąb mroczyła się cieniem. Pan Zagłoba zbliżył się do kniahini, zobaczyć, czy nie oddycha jeszcze, i położył jej rękę na twarzy, ale twarz ta była już zimna — więc wyszedł pośpiesznie na majdan, bo go w tej izbie strach brał. Na majdanie Kozacy zaczęli już hulankę. Ognie były porozpalane, a przy ich blasku ujrzał pan Zagłoba stojące beczki miodu, wina i gorzałki z poodbijanymi górnymi dnami. Kozacy czerpali z nich jak u studni i pili na śmierć. Inni, rozgrzani już trunkiem, gonili się za mołodyciami z czeladnej, z których jedne, zdjęte strachem, szamotały się lub uciekały na oślep, skacząc przez ogień; inne wśród wybuchów śmiechu i wrzasków pozwalały chwytać się i ciągnąć do beczek lub do ognisk, przy których tańczono kozaka. Mołojcy rzucali się jak opętani w prysiudach, przed nimi dziewczyny drobiły to posuwając się w podrygach naprzód, to cofając się przed gwałtownymi ruchami tancerzy. Widzowie bili w blaszane półkwaterki lub śpiewali. Krzyki: „u-ha!", rozlegały się coraz głośniej przy wtórze szczekania psów, rżenia koni i ryku wołów, które rżnięto na ucztę. Naokoło ognisk, w głębi, widać było stojących chłopów z Rozłogów, pidsusidków, którzy na odgłos strzałów i krzyków nadbiegli tłumnie ze wsi, aby zobaczyć, co się dzieje. Nie myśleli oni bronić kniaziów, bo Kurcewiczów nienawidzono we wsi, patrzyli więc tylko na rozhulanych Kozaków trącając się łokciami, szepcąc między sobą i zbliżając się coraz bardziej do beczek z wódką i miodem. Orgia stawała się coraz wrzaskliwsza, pijatyka wzrastała, mołojcy nie czerpali z beczek blaszankami, ale zanurzali w nie głowy po szyje, tańczące dziewczęta oblewano wódką i miodem; twarze były rozpalone, ze łbów bił opar; niektórzy zataczali się już na nogach. Pan Zagłoba wyszedłszy na ganek rzucił okiem na pijących, po czym uważnie wpatrzył się w niebo.

— Pogoda, ale ciemno! — mruknął — gdy księżyc zajdzie, choć w pysk daj...

To rzekłszy zszedł z wolna ku beczkom i pijącym mołojcom.

— A dalej, chłopcy! — zawołał — a dalej, nie żałujcie sobie. Hajda! hajda! Nie ścierpną wam zęby. Kiep ten, co się dziś nie upije za zdrowie atamana. Dalej do beczek! dalej do dziewczyn! — u-ha!

— U-ha! — zawyli radośnie Kozacy.

Zagłoba rozejrzał się na wszystkie strony.

— O takie syny, nitkopłuty, harhary, oczajdusze! — wykrzyknął nagle — to sami pijecie jak zdrożone konie, a tamtym, co strażują koło domu, nic? Hej tam, zmienić mi ich natychmiast.

Rozkaz spełniono bez wahania i w mgnieniu oka kilkunastu pijanych mołojców rzuciło się, by zastąpić strażników, którzy dotychczas nie brali udziału w hulatyce. Ci nadbiegli wnet z łatwą do zrozumienia skwapliwością.

— Hajda, hajda! — zawołał Zagłoba, ukazując im beczki z napitkami.

— Diakujem, pane! — odparli, zanurzając blaszanki.

— Za godzinę zluzować mi i tamtych.

— Słucham — odpowiedział esauł.

Semenom wydało się to zupełnie naturalnym, że w zastępstwie Bohuna objął komendę pan Zagłoba. Tak już zdarzało się nieraz i mołojcy radzi temu bywali, bo szlachcic pozwalał im zawsze na wszystko.

Strażnicy pili więc wraz z innymi, pan Zagłoba zaś wszedł w rozmowę z chłopami z Rozłogów.

— Chłopie! — pytał starego pidsusidka — a daleko stąd do Łubniów?

— Oj, daleko, pane! — odparł chłop.

— Na rano można by stanąć?

— Oj, nie stanie, pane!

— A na południe?

— Na południe prędzej.

— A którędy jechać?

— Prosto do gościńca.

— To jest gościniec?

— Kniaź Jarema kazał, żeby był, to i jest.

Pan Zagłoba mówił umyślnie bardzo głośno, aby wśród krzyków i gwaru spora garść semenów mogła go słyszeć.

— Dajcie i im gorzałki — rzekł do mołojców, ukazując na chłopów — ale wprzód dajcie mnie miodu, bo chłodno.

Jeden z semenów zaczerpnął z beczki trojniaku w garncową blaszankę i podał ją na czapce panu Zagłobie. Szlachcic wziął ostrożnie we dwie ręce, aby płyn się nie rozlał, przytknął garncówkę do wąsów i przechyliwszy w tył głowę jął pić wolno, ale bez wytchnienia.

Pił, pił — aż mołojcy poczęli się dziwić:

— Baczyw ty? — szeptali jeden do drugiego: — Trastia joho mordowała!

Tymczasem głowa pana Zagłoby przechylała się z wolna w tył, wreszcie przechyliła zupełnie, aż na koniec garncówkę od poczerwieniałej twarzy odjął, wargę wysunął, brwi podniósł i mówił jakby sam do siebie:

— O! wcale niezły — odstały. Zaraz widać, że niezły. Szkoda takiego miodu na wasze chamskie gardła. Dobra by była dla was i braha. Srogi miód, srogi, czuję, że mi ulżyło i żem się trochę pocieszył.

Jakoż ulżyło panu Zagłobie rzeczywiście, w głowie mu pojaśniało, nabrał fantazji i widocznym było, że krew jego, podlana miodem, utworzyła on wyborny likwor, o którym sam powiadał, a od którego na całe ciało rozchodzi się męstwo i odwaga.

Skinął Kozakom ręką, że mogą dalej pić, i odwróciwszy się przeszedł wolnym krokiem cały dziedziniec, obejrzał uważnie wszystkie kąty, przeszedł most na fosie i skręcił wedle częstokołu, aby zobaczyć, czy straże dobrze pilnują domostwa.

Pierwszy strażnik spał, drugi, trzeci i czwarty również. Byli pomęczeni drogą, a przy tym przyszli już pijani na miejsca i pospali się od razu.

— Mógłbym jeszcze i którego z nich wykraść, abym zaś miał pachołka do posług — mruknął pan Zagłoba.

To rzekłszy wrócił wprost do dworu, wszedł znowu do

złowrogiej sieni, zajrzał do Bohuna, a widząc, że watażka nie daje znaku życia, cofnął się ku drzwiom Heleny i otworzywszy je z cicha, wszedł do komnaty, z której dochodził szmer jakoby modlitwy.

Właściwie była to komnata kniazia Wasyla, Helena jednak była przy kniaziu, w pobliżu którego czuła się bezpieczniejszą. Ślepy Wasyl klęczał przed obrazem Świętej-Przeczystej, przed którym paliła się lampka, Helena obok niego; oboje modlili się głośno. Ujrzawszy Zagłobę, zwróciła nań przerażone oczy. Zagłoba położył palec na ustach.

— Mościa panno — rzekł — jam przyjaciel pana Skrzetuskiego.

— Ratuj! — odpowiedziała Helena.

— Po tom też tu przyszedł; zdaj się na mnie.

— Co mam czynić?

— Trzeba uciekać, póki ten czort bez zmysłów leży.

— Co mam czynić?

— Wdziej na się ubiór męski i jak zapukam we drzwi, wyjdź.

Helena zawahała się. Nieufność błysnęła w jej oczach.

— Mamże waćpanu wierzyć?

— A co masz lepszego?

— Prawda, prawda jest. Ale mi przysiąż, że nie zdradzisz.

— Rozum się waćpannie pomieszał. Ale kiedy chcesz, przysięgnę. Tak mi dopomóż Bóg i święty krzyż. Tu twoja zguba, ocalenie w ucieczce.

— Tak jest, tak jest.

— Wdziej męski ubiór co prędzej i czekaj.

— A Wasyl?

— Jaki Wasyl?

— Brat mój obłąkany — rzekła Helena.

— Tobie grozi zguba, nie jemu — odparł Zagłoba. — Jeśli on obłąkany, to on dla Kozaków święty. Jakoż widziałem, że go mają za proroka.

— Tak jest. Bohunowi nic on nie zawinił.

— Musimy go zostawić, inaczej zginiemy — i pan Skrzetuski z nami. Śpiesz się waćpanna.

Z tymi słowy pan Zagłoba opuścił izbę i udał się wprost do Bohuna.

Watażka blady był i osłabiony, ale oczy miał otwarte.

— Lepiej ci? — spytał Zagłoba.

Bohun chciał przemówić i nie mógł.

— Nie możesz mówić?

Bohun poruszył głową na znak, że nie może, ale w tej samej chwili cierpienie wyryło się na jego twarzy. Rany od ruchu zabolały go widocznie.

— To i krzyczeć byś nie mógł?

Bohun oczyma tylko dał znać, że nie.

— Ani się ruszyć?

Ten sam znak.

— To i lepiej, bo nie będziesz ani mówił, ani krzyczał, ani się ruszał, a ja tymczasem z kniaziówną do Łubniów pojadę. Jeśli ci jej nie zdmuchnę, to się pozwolę starej babie w żarnach na osypkę zemleć. Jak to łajdaku? myślisz, że nie mam dosyć twojej kompanii, że się będę dłużej z chamem pospolitował? O niecnoto, myślałeś, że dla twego wina, dla twoich kości i twoich chłopskich amorów zabójstwa będę czynił i do rebelii z tobą pójdę? Nie, nic z tego, gładyszu!

W miarę jak pan Zagłoba perorował, czarne oczy watażki rozwierały się szerzej i szerzej. Czy śnił? czy była to jawa? czy żart pana Zagłoby?

A pan Zagłoba mówił dalej:

— Czegóż ślepie wytrzeszczasz jak kot na sperkę? Czy myślisz, że tego nie uczynię? Może się każesz pokłonić komu w Łubniach? Może cyrulika ci stamtąd przysłać? a może mistrza u księcia pana zamówić?

Blada twarz watażki stała się straszną. Zrozumiał, że Zagłoba prawdę mówi, z oczu strzeliły mu gromy rozpaczy i wściekłości, na twarz uderzył płomień. Jedno nadludzkie wysilenie — podniósł się i z ust wyrwał mu się krzyk:

— Hej, semen...

Nie skończył, gdyż pan Zagłoba z szybkością błyskawicy zarzucił mu na głowę jego własny żupan i w jednej chwili okręcił ją całkowicie — po czym obalił go na wznak.

— Nie krzycz, bo ci to zaszkodzi — mówił z cicha, sapiąc mocno. — Mogłaby cię jutro głowa rozboleć, przeto jako dobry przyjaciel, mam o tobie staranie. Tak, tak, będzie ci i ciepło, i zaśniesz smacznie, i gardła nie przekrzyczysz. Abyś zaś opatrunku nie zdarł, to ci ręce zawiążę, a wszystko *per amicitiam*, abyś mnie wspominał wdzięcznie.

To rzekłszy obwinął pasem ręce Kozaka, zaciągnął węzeł; drugim, swoim własnym, skrępował mu nogi. Watażka nic już nie czuł, bo zemdlał.

— Choremu przystoi leżeć spokojnie — mówił — aby mu humory do głowy nie biły, od czego *delirium* przychodzi. No, bądź zdrów; mógłbym cię nożem pchnąć, co może byłoby z lepszym moim pożytkiem, ale mi wstyd po chłopsku mordować. Co innego, jeśli się zatkniesz do rana, bo to się już niejednej świni przygodziło. Bądźże zdrów. *Vale et me amantem redama*. Może się i spotkamy kiedy, ale jeśli ja się będę o to starał, to niech mnie ze skóry obedrą i podogonia z niej porobią.

Rzekłszy to pan Zagłoba wyszedł do sieni, przygasił ogień w grubach i zapukał do Wasylowej komnaty.

Smukła postać wysunęła się z niej natychmiast.

— Czy to waćpanna? — spytał Zagłoba.

— To ja.

— Chodźże, byleśmy się do koni dobrali. Ale oni tam pijani wszyscy, noc ciemna. Nim się rozbudzą, będziemy daleko. Ostrożnie, tu kniazie leżą!

— W imię Ojca i Syna, i Ducha — szepnęła Helena.

Rozdział XIX

Dwaj jeźdźcy jechali cicho i wolno przez lesisty jar przytykający do dworu w Rozłogach. Noc zrobiła się bardzo ciemna, bo księżyc zaszedł od dawna, a do tego chmury okryły horyzont. W jarze nie widać było na trzy kroki przed końmi, które też potykały się co chwila o korzenie drzew idące w poprzek przez drogę. Jechali długi czas z największą ostrożnością, aż dopiero gdy dojrzeli już koniec jaru i step otwarty, oświecony nieco szarym odbłyskiem chmur, jeden z jeźdźców szepnął:

— W konie!

Pomknęli jak dwie strzały wypuszczone z łuków tatarskich i tylko tętent koni biegł za nimi. Ciemny step zdawał się uciekać spod nóg końskich. Pojedyncze dęby, stojące tu i owdzie przy gościńcu, migały jak widma i lecieli tak długo, długo, bez odpoczynku i wytchnienia, aż wreszcie konie postulały uszy i poczęły chrapać ze zmęczenia; bieg ich stał się ociężały i wolniejszy.

— Nie ma rady, trzeba zwolnić koniom — rzekł grubszy jeździec.

A właśnie już też i świt począł spychać noc ze stepu. Coraz większe przestrzenie wychylały się z cienia, rysowały się blado stepowe bodiaki, dalekie drzewa, mogiły: w powietrze wsiąkało coraz więcej światła. Białawe blaski rozświeciły i twarze jeźdźców.

Byli to pan Zagłoba i Helena.

— Nie ma rady, trzeba zwolnić koniom — powtórzył

pan Zagłoba. — Wczoraj przyszły z Czehryna do Rozłogów bez wytchnienia. Długo tak nie wytrzymają, a boję się, by nie padły. Jakże się waćpanna czujesz?

Tu pan Zagłoba spojrzał na swoją towarzyszkę i nie czekając jej odpowiedzi zawołał:

— Pozwólże mi się waćpanna przy dniu obejrzeć. Ho, ho! czy to po braciach ubranie? Nie ma co mówić: bardzo foremny z waćpanny kozaczek. Jeszczem też takiego pachołka, póki żyję, nie miał — ale tak myślę, że mi go pan Skrzetuski odbierze. A to co? O dla Boga, zwińże waćpanna te włosy, boć się nikt co do płci twej białogłowskiej nie omyli.

Rzeczywiście po plecach Heleny spływał potok czarnych włosów rozwiązanych przez szybki bieg i wilgoć nocną.

— Dokąd jedziemy? — pytała związując je obiema rękami i usiłując wsunąć je pod kołpaczek.

— Gdzie oczy niosą.

— To nie do Łubniów?

Na twarzy Heleny odbił się niepokój, a w bystrym spojrzeniu, jakie rzuciła na pana Zagłobę, malowała się rozbudzona na nowo nieufność.

— Widzisz waćpanna, mam ja swój rozum i wierzaj, żem wszystko dobrze wykalkulował. A kalkulacja moja jest na następnej mądrej maksymie oparta: nie uciekaj w tę stronę, w którą cię gonić będą. Owóż, jeśli gonią nas już w tej chwili, to nas gonią w stronę Łubniów, bom też głośno się wczoraj o drogę wypytywał i Bohunowi na odjezdnym zapowiedziałem, że tam uciekać będziemy. *Ergo*: uciekamy ku Czerkasom. Jeśli nas gonić zaczną, to nieprędko, bo dopiero wtedy, gdy się przekonają, że nas na drodze łubniańskiej nie ma, a to im ze dwa dni czasu zajmie. Tymczasem my będziemy w Czerkasach, gdzie teraz stoją chorągwie polskie pana Piwnickiego i Rudominy. A w Korsuniu cała potęga hetmańska. Rozumiesz waćpanna?

— Rozumiem i póki życia mego, póty wdzięczności dla waćpana. Nie wiem, kto jesteś, skądeś się w Rozłogach znalazł, ale myślę, że cię Bóg zesłał na obronę moją i na ratunek, bo byłabym się pierwej nożem pchnęła, niżbym miała iść w moc tego zbója.

— Smok to jest na niewinność waćpanny srodze zażarty.

— Co ja mu uczyniłam, nieszczęśliwa, że mnie prześladuje? Z dawna go znałam i z dawna miałam go w nienawiści; z dawna bojaźń we mnie tylko wzbudzał. Czy to ja jedna na świecie, że mnie umiłował, że przeze mnie tyle krwi rozlał, że pomordował mi braci?... Boże, gdy wspomnę, krew we mnie krzepnie. Co ja pocznę? gdzie się przed nim schronię? Waćpan się nie dziw moim narzekaniom, bom nieszczęsna, bo mnie i wstyd tych afektów, bo stokroć wolałabym śmierć.

Policzki Heleny oblały się płomieńmi, na które stoczyły się dwie łzy wyciśnięte przez gniew i wzgardę, i ból.

— Nie będę się o to spierał — rzekł pan Zagłoba — że wielkie nieszczęście spotkało wasz dom, ale pozwól waćpanna sobie powiedzieć, iż twoi krewniacy w części sami sobie winni. Nie trzeba było Kozakowi ręki twej obiecywać, a potem go zdradzać, co gdy się wydało, już on tak się rozsierdził, iż żadna perswazja moja nic nie pomogła. Żal mnie też twoich braci pobitych, a osobliwie tego najmłodszego, boć to był dzieciuch prawie, ale zaraz widać było, że wyrośnie na wielkiego kawalera.

Helena poczęła płakać.

— Nie przystoją łzy tym szatkom, które waćpanna nosisz, otrzyj je tedy i tak sobie powiedz, że to była wola boża. Bóg też ukarze zabójcę, który już nawet został ukarany, gdy na próżno krew przelał, a waćpannę, jedyny i główny cel swych namiętnościów, utracił.

Tu pan Zagłoba umilkł, po chwili zaś rzekł:

— Ej, dałżeby on mi łupnia — miły Boże — gdyby mię tylko w ręce dostał! Na jaszczur skórę by mi wyprawił.

Waćpanna nie wiesz, żem ja już w Galacie od Turków palmę otrzymał, ale też mam dosyć, drugiej nie pragnę i dlatego nie do Łubniów, tylko ku Czerkasom zdążam. Dobrze by było do księcia się schronić, ale nużby dogonili? Słyszałaś waćpanna, że gdym konie od palika odwiązywał pachołek Bohunów się obudził. A nuż larum podniósł? Tedyby zaraz do pościgu byli gotowi i złapaliby nas w godzinę — bo oni tam mają kniaziowskie świeże konie, a ja nie miałem czasu wybierać. Bestia to jest dzika, ten Bohun, mówię waćpannie. Takem go sobie zbrzydził, że wolałbym diabła zobaczyć niż jego.

— Boże nas broń od jego rąk.

— Sam on się zgubił. Czehryn wbrew rozkazowi hetmańskiemu opuścił, z księciem wojewodą ruskim zadarł. Nie pozostaje mu nic innego, jak do Chmielnickiego umykać. Ale straci on na fantazji, jeśli Chmielnicki pobit będzie, a to się mogło już zdarzyć. Rzędzian spotkał za Krzemieńczugiem wojska płynące pod Barabaszem i Krzeczowskim na Chmiela a oprócz tego pan Stefan Potocki lądem z usarią pociągnął; ale Rzędzian w Krzemieńczugu dziesięć dni dla naprawy czajki przesiedział, więc nim do Czehryna dociągnął, bitwa musiała się zdarzyć. Lada chwila czekaliśmy wiadomości.

— To więc Rzędzian z Kudaku listy przywiózł? — pytała Helena.

— Tak jest, były listy od pana Skrzetuskiego do kniahini i do waćpanny, ale Bohun je przejął, z nich się wszystkiego dowiedział, więc zaraz Rzędziana rozszczepił i na Kurcewiczach mścić się pociągnął.

— O, nieszczęsne pacholę! Przeze mnie to on krew wylał.

— Nie frasuj się waćpanna. Żyw będzie.

— Kiedyż to się stało?

— Wczoraj rano. U Bohuna człeka zabić, to jak drugiemu kubek wina łyknąć. A ryczał tak po przeczytaniu listów, że się cały Czehryn trząsł.

Rozmowa przerwała się na chwilę. Już też zrobiło się i widno zupełnie. Różana zorza bramowana jasnym złotem, opalami i purpurą płonęła na wschodniej stronie nieba. Powietrze było świeże, rzeźwe; konie poczęły prychać wesoło.

— No, ruszajmy z Bogiem, a żywo! Szkapy odpoczęły, czasu zaś do stracenia nie mamy — rzekł pan Zagłoba.

Puścili się znowu cwałem i lecieli z pół mili bez wypoczynku. Nagle naprzeciw nich ukazał się jakiś punkt ciemny, który zbliżał się z nadzwyczajną szybkością.

— Co to może być? — rzekł pan Zagłoba. — Zwolnijmy. To człek na koniu.

Istotnie jakiś jeździec zbliżał się całym pędem i pochylony na siodle, z twarzą ukrytą w grzywie końskiej, smagał jeszcze nahajem swego źrebca, który zdawał się ziemi nie tykać.

— Co to za diabeł może być i czego tak leci? Ależ leci! — rzekł pan Zagłoba dobywając z olster pistoletu, aby być gotowym na wszelki wypadek.

Tymczasem goniec zbliżył się już na kroków trzydzieści.

— Stój! — huknął pan Zagłoba wymierzając pistolet. — Ktoś jest?

Jeździec zdarł konia i podniósł się na siodle, ale zaledwie spojrzał, gdy krzyknął:

— Pan Zagłoba!

— Pleśniewski, sługa starościński z Czehryna? A ty tu co robisz? gdzie lecisz?

— Mości panie! zawracaj i ty ze mną! Nieszczęście! Gniew boży, sąd boży!

— Co się stało? Gadaj.

— Czehryn już zajęty przez Zaporożców. Chłopy szlachtę rżną, sąd boży.

— W imię Ojca i Syna! Co gadasz... Chmielnicki?...

— Pan Potocki pobity, pan Czarniecki w niewoli. Tatary idą z Kozakami. Tuhaj-bej!

— A Barabasz i Krzeczowski?

— Barabasz zginął, Krzeczowski połączył się z Chmielnickim. Krzywonos jeszcze wczoraj w nocy ruszył na hetmanów, Chmielnicki dziś do dnia. Siła straszna. Kraj w ogniu, chłopstwo wszędy powstaje, krew się leje! Uciekaj waćpan!

Pan Zagłoba oczy wybałuszył, usta otworzył i zdumiał się tak, że słowa nie mógł przemówić.

— Uciekaj waćpan! — powtórzył Pleśniewski.

— Jezus Maria! — jęknął pan Zagłoba.

— Jezus Maria! — powtórzyła Helena i wybuchnęła płaczem.

— Uciekajcie, bo czasu nie ma.

— Gdzie? dokąd?

— Do Łubniów.

— A ty tam dążysz?

— Tak jest. Do księcia wojewody.

— A niechże to kaduk porwie! — zawołał pan Zagłoba. — A hetmani gdzie są?

— Pod Korsuniem. Ale Krzywonos już pewnie się bije z nimi.

— Krzywonos czy Prostonos, niechże go zaraza ukąsi! To tam nie ma po co jechać?

— Jako lwu w paszczę, na zgubę waćpan leziesz.

— A ciebie kto wysłał do Łubniów? Twój pan?

— Pan z życiem uszedł, a mnie kum mój, co go mam między Zaporożcami, życie ocalił i uciec pomógł. Do Łubniów sam z własnej myśli jadę, bo i nie wiem, gdzie się schronić.

— A omijaj Rozłogi, bo tam Bohun. On także do rebelii chce się zapisać.

— O dla Boga! Rety! W Czehrynie mówili, że jeno patrzyć, jak i na Zadnieprzu chłopstwo się podniesie!

— Być to może, być może! Ruszajże w swoją drogę, gdzie się podoba, bo ja mam dość o swojej skórze myśleć.

— Tak i uczynię! — rzekł Pleśniewski i uderzywszy konia nahajem, ruszył.

— A omijaj Rozłogi! — krzyknął mu na drogę Zagłoba — jeśli zaś spotkasz Bohuna, nie gadaj, żeś mię widział, słyszysz?

— Słyszę — odparł Pleśniewski. — Z Bogiem!

I popędził, jakby już goniony.

— No! — rzekł Zagłoba — masz diable kubrak! Wykręcałem się sianem z różnych okazji, ale w takich jeszcze nie byłem. Z przodu Chmielnicki, z tyłu Bohun, co gdy tak jest, nie dałbym jednej złamanej orty ani za swój przód, ani za tył, ani za całą skórę. Głupstwom pono zrobił, żem do Łubniów z waćpanną nie uciekał, ale o tym nie czas mówić. Tfu! tfu! Cały mój dowcip niewart teraz tego, żeby nim buty wysmarować. Co uczynić? gdzie się udać? W całej tej Rzeczypospolitej nie ma widać już kąta, w którym by człowiek swoją, nie darowaną śmiercią mógł zejść ze świata. Dziękuję za takie podarunki: niech je inni biorą!

— Mości panie! — rzekła Helena. — To wiem, że moi dwaj bracia, Jur i Fedor, są w Zołotonoszy: może od nich będzie jakowy ratunek?

— W Zołotonoszy? Czekajże waćpanna. Poznałem i ja w Czehrynie pana Unierzyckiego, który pod Zołotonoszą ma majętność Kropiwnę i Czernobój. Ale to daleko stąd, dalej jak do Czerkas. Cóż robić?... kiedy nie ma gdzie indziej, to uciekajmy i tam. Ale trzeba będzie zjechać z gościńca; stepem i lasami przebierać się bezpieczniej. Żeby tak choć na tydzień przyczaić się gdzie, bodaj i w lasach, może przez ten czas hetmani z Chmielnickim skończą i będzie pogodniej na Ukrainie.

— Nie po to nas Bóg z rąk Bohunowych ocalił, abyśmy zginąć mieli. Ufaj waćpan.

— Czekaj waćpanna. Jakoś duch wstępuje we mnie znowu. Bywało się w różnych okazjach. Wolnym czasem opowiem waćpannie, co mnie w Galacie spotkało, z czego wraz zmiarkujesz, że i wtedy krucho było ze mną, a przecieżem się własnym dowcipem z tamtych terminów salwował i wyszedłem cało, chociaż mi broda, jak to widzisz, posiwiała. Ale musimy zjechać z gościńca. Skręć waćpanna... tak właśnie. Waćpanna tak koniem powodujesz, jak najsprawniejszy kozaczek. Trawy wysokie, żadne oko nas nie dojrzy.

Rzeczywiście trawy, w miarę jak się zagłębiali w step, stawały się coraz wyższe, tak że w końcu utonęli w nich zupełnie. Ale koniom ciężko było iść w tej plątaninie źdźbeł cieńszych i grubszych, a czasem ostrych i kaleczących. Wkrótce też zmęczyły się tak, że ustały zupełnie.

— Jeśli chcemy, by nam służyły one szkapiny dłużej — mówił Zagłoba — trzeba zsiąść i rozsiodłać je. Niechby się wytarzały i podjadły trochę: inaczej nie pójdą. Miarkuję, że niedługo do Kahamliku się dostaniemy. Rad bym już tam był; nie masz jak oczerety: jak się schowasz, sam diabeł cię nie znajdzie. Byleśmy tylko nie zbłądzili!

To rzekłszy zsiadł z konia i Helenie zsiąść pomógł; następnie jął zdejmować terlice i wydobywać zapasy żywności, w które się był przezornie w Rozłogach zaopatrzył.

— Należy się pokrzepić — rzekł — bo droga daleka. Zróbże waćpanna jakie wotum do św. Rafała, byśmy ją szczęśliwie odbyli. Przecie w Zołotonoszy jest stara warowienka, może i prezydium w niej jakie stoi. Pleśniewski mówił, że i na Zadnieprzu chłopi się podniosą. Hm! być może, skory tu wszędy lud do buntu, ale na Zadnieprzu spoczywa ręka księcia wojewody, a diablo ciężka to ręka! Bohun zdrowy ma kark, ale jeśli ta ręka nań spadnie, to się przecie ugnie do samej ziemi, co daj Boże, amen. Jedzże waćpanna.

Pan Zagłoba wydobył zza cholewy sztuciec i podał go Helenie, następnie ułożył przed nią na czapraku pieczeń wołową i chleb.

— Jedzże waćpanna — rzekł — „kiedy w brzuchu pusto, w głowie groch z kapustą..." „Chcesz nie podrwić głową, jedz pieczeń wołową". My zaś już raz podrwili, bo pokazuje się, że lepiej było do Łubniów uciekać, ale stało się. Książę też pewnie z wojskiem do Dniepru ruszy na pomoc hetmanom. Strasznych to czasów dożyliśmy, gdyż wojna domowa to ze wszystkiego złego najgorsze. Nie będzie kąta dla spokojnych ludzi. Lepiej mi było księdzem zostać, do czego miałem i powołanie, bom człek spokojny i wstrzemięźliwy, ale fortuna inaczej zrządziła. Mój Boże, mój Boże! byłbym sobie teraz kanonikiem krakowskim i śpiewałbym godzinki w stallach, bo mam głos bardzo piękny. Ale cóż! Z młodu podobały mi się podwiki! Ho! ho! nie uwierzysz waćpanna, jaki był ze mnie gładysz. A com się na którą spojrzał, to jakby w nią piorun trzasł. Żeby mi tak dwadzieścia lat mniej, miałby się z pyszna pan Skrzetuski. Bardzo foremny z waćpanny kozaczek. Nie dziwić się młodym, że wedle ciebie zabiegają i że się o ciebie za łby biorą. Pan Skrzetuski — zabijaka to także nie lada. Byłem świadkiem, jak mu Czapliński okazję dawał, a on, prawda, że miał w głowie, ale kiedy nie porwie go za łeb i — z przeproszeniem waćpanny — za hajdawery, kiedy nie grzmotnie nim o drzwi — to mówię waćpannie, że mu wszystkie kości z zawiasów wyszły. Stary Zaćwilichowski powiadał mi też o waćpanny narzeczonym, iż wielki z niego rycerz, księcia wojewody ulubiony, ale i ja sam poznałem zaraz, iż żołnierz to powagi niepośledniej i eksperiencji nad wiek. Gorąco się robi. Chociaż miła mi waćpanny kompania, ale dałbym nie wiem co, żeby już być w Zołotonoszy. Widzę, że we dnie trzeba nam będzie w trawach siedzieć, a nocą jechać. Nie wiem jeno, czy waćpanna takie trudy wytrzymasz?

— Jam zdrowa, wszystkie trudy wytrzymam. Możemy jechać choćby i zaraz.

— Całkiem nie białogłowska w waćpannie fantazja. Konie się wytarzały, więc i pokulbaczę je zaraz, żeby na wszelki przypadek były gotowe. Nie będę się czuł bezpiecznym, póki kahamlickich oczeretów i zarośli nie zobaczę. Żebyśmy byli z gościńca nie zjeżdżali, to byśmy się byli bliżej Czehryna na rzekę natknęli, ale w tym miejscu będzie do niej od gościńca z mila drogi. Tak przynajmniej miarkuję. Przeprawimy się zaraz na drugą stronę rzeki. Powiem waćpannie, że okrutnie spać mi się chce. Wczorajszą noc całą przebaraszkowało się w Czehrynie, wczorajszego dnia do Rozłogów licho mnie z Kozakiem niosło, a dzisiejszej nocy znowu z Rozłogów odnosi. Spać mi się tak chce, że i do rozmowy straciłem ochotę, a choć milczeć nie mam zwyczaju, bo filozofowie mówią, że kot powinien być łowny, a chłop mowny, jednakże widzę, że język mi jakoś zleniwiał. Przepraszam tedy waćpannę, jeśli się zdrzemnę.

— Nie ma za co — odpowiedziała Helena.

Pan Zagłoba niepotrzebnie wprawdzie oskarżał swój język o lenistwo, bo od świtu mełł nim bez przestanku, ale spać chciało mu się istotnie. Jakoż gdy siedli znowu na koń, począł zaraz drzemać, i żydy wozić na kulbace, a na koniec usnął na dobre. Uśpił go trud i szum traw rozchylanych piersiami końskimi. Helena zaś oddała się myślom, które w jej głowie wichrzyły się jak stado ptactwa. Dotychczas wypadki tak szybko następowały po sobie, że dziewczyna nie umiała zdać sobie sprawy ze wszystkiego, co ją spotkało. Napad, straszne sceny mordu, strach, niespodziany ratunek i ucieczka — wszystko to przewaliło się jak burza w ciągu jednej nocy. A przy tym zaszło tyle rzeczy niezrozumiałych! Kto był ten, co ją ratował? Powiedział jej wprawdzie swe nazwisko, ale to nazwisko w niczym nie objaśniało powodów jego postępku. Skąd się wziął w Rozłogach? Mówił, że przyjechał z Bohunem, więc widocznie trzymał z nim kompanię, był mu znajomym i przyjacielem. Ale w takim razie dlaczego ją ratował narażając się na największe niebezpieczeństwo i straszną zemstę Kozaka? Żeby to zrozumieć, trzeba było znać dobrze pana Zagłobę i jego niespokojną głowę przy dobrym sercu. Helena zaś znała go od sześciu godzin. I oto ten nieznajomy człowiek z bezczelną twarzą warchoła i opoja jest jej zbawcą. Gdyby go spotkała trzy dni temu, wzbudziłby w niej wstręt i nieufność, a teraz patrzy nań jak na swego dobrego anioła i ucieka z nim — dokąd? Do Zołotonoszy — lub gdzie indziej, sama dobrze jeszcze nie wie. Co za zmiana losu! Wczoraj jeszcze kładła się do snu pod spokojnym dachem rodzinnym, dzisiaj jest w stepie, na koniu, w męskich szatach, bez domu i bez przytułku. Za nią straszliwy watażka godzący na jej cześć, na jej miłość; przed nią pożar buntu chłopskiego, wojna domowa, wszystkie jej zasadzki, trwogi i okropności. A cała ufność w tym człowieku? Nie! jeszcze w kimś, potężniejszym nad gwałtowników, nad wojny, mordy i pożogi...

Tu dziewczyna podniosła oczy do nieba:

— Ratujże ty mnie, Boże wielki a miłosierny, ratuj sierotę, ratuj nieszczęsną, ratuj zabłąkaną! Bądź wola Twoja, ale stań się miłosierdzie Twoje!

A przecież już stało się miłosierdzie, bo oto wyrwana jest z rąk najokropniejszych, cudem bożym, niezrozumiałym ocalona. Niebezpieczeństwo nie minęło jeszcze, ale może i zbawienie niedalekie. Kto wie, gdzie jest ten, którego sercem wybrała. Z Siczy musiał już wrócić, może jest gdzie na tym samym stepie. Będzie jej szukał i odnajdzie, a wtedy radość zastąpi łzy, wesele — smutek, groźby i trwogi miną raz na zawsze — przyjdzie spokój i pocieszenie. Dzielne, proste serce dziewczyny napełniło się ufnością i step szumiał słodko naokoło, a powiew, który tymi trawami kołysał, nawiewał zarazem myśli słodkie do jej głowy. Nie taka ona przecie sierota na tym świecie, gdy oto przy niej jeden dziwny, nieznany opiekun — a drugi, znany i kochany, zatroszczy się o nią, nie opuści, przyhołubi raz na zawsze. A to jest człowiek żelazny, mocniejszy i potężniejszy od tych, którzy na nią dybią w tej chwili.

Step szumiał słodko, z kwiatów wychodziły zapachy silne i upajające, czerwone głowy bodiaków, purpurowe kistki roztocza, białe perły mikołajków i pióra bylicy pochylały się ku niej, jakby w tym kozaczku przebranym, o długich warkoczach, mlecznej twarzy i kraśnych ustach rozpoznawały siostrę-dziewczynę. Chyliły się tedy ku niej, jakby chciały mówić: „Nie płacz, krasnodiwo, my także na opiece bożej!" Jakoż uspokojenie przychodziło do niej od stepu coraz większe. Zacierały się obrazy mordu i pogoni w umyśle, a natomiast ogarniała ją jakaś niemoc, ale słodka, sen począł kleić i jej powieki, konie szły wolno — ruch ją kołysał. Usnęła.

Rozdział XX

Obudziło ją szczekanie psów. Otworzywszy oczy ujrzała w dali przed sobą dąb wielki, cienisty, zagrodę i żuraw studzienny. Wnet zbudziła towarzysza.

— Mości panie, zbudź się waszmość!

Zagłoba otworzył oczy.

— A to co? A my gdzie przyjechali?

— Nie wiem.

— Czekajże wasanna. To jest zimownik kozacki.

— Tak i mnie się widzi.

— Pewnie tu czabanowie mieszkają. Niezbyt miła kompania. Czego te psy ujadają, żeby ich wilcy ujedli! Widać konie i ludzi pod zagrodą. Nie ma rady, trzeba zajechać, żeby nie ścigali, jak ominiem. Musiałaś i waćpanna się zdrzemnąć.

— Tak jest.

— Raz, dwa, trzy, cztery konie osiodłane — czterech ludzi pod zagrodą. No, niewielka potęga. Tak jest, to czabanowie. Coś żywo rozprawiają. Hej tam, ludzie! a bywaj no tu!

Czterech Kozaków zbliżyło się natychmiast. Byli to istotnie czabanowie, czyli koniuchowie, którzy latem stad wśród stepów pilnowali. Pan Zagłoba zauważył natychmiast, że jeden z nich miał tylko szablę i piszczel, trzej inni zbrojni byli w szczęki końskie poprzywiązywane do kijów, ale wiedział i to także, że tacy koniuchowie bywają to ludzie dzicy i często dla podróżnych niebezpieczni.

Jakoż wszyscy czterej zbliżywszy się poglądali spode łba na przybyłych. W brązowych twarzach ich nie było najmniejszego śladu życzliwości.

— Czego chcecie? — pytali nie zdejmując czapek.

— Sława Bohu — rzekł pan Zagłoba.

— Na wiki wikiw. Czego chcecie?

— A daleko do Syrowatej?

— Nie znajem nikakij Syrowatej.

— A ówże zimownik jak się zwie?

— Huśla.

— Dajcie no koniom wody.

— Nie ma wody, wyschła. A wy skąd jedziecie?

— Z Kriwoj Rudy.

— A dokąd?

— Do Czehryna.

Czabanowie spojrzeli po sobie.

Jeden z nich, czarny jak żuk i kosooki, począł wpatrywać się w pana Zagłobę, wreszcie rzekł:

— A czego wy z gościńca zjechali?

— Bo upał.

Kosooki położył rękę na lejcach pana Zagłoby.

— Zleź no, panku, z konia. Do Czehryna nie masz po co jechać.

— I czemuż to? — spytał spokojnie pan Zagłoba.

— A widzisz ty tego mołojca? — rzekł kosooki ukazując jednego z czabanów.

— Widzę.

— On z Czehryna prijichaw. Tam Lachiw rižut.

— A wiesz ty, chłopie, kto do Czehryna za nami jedzie?

— Kto takij?

— Kniaź Jarema!

Zuchwałe twarze czabanów spokorniały w jednej chwili. Wszyscy jakby na komendę poodkrywali głowy.

— A wiecie wy, chamy — mówił dalej pan Zagłoba — co Lachy robią z takimi, co rižut? Oni takich wiszajut! A wiecie, ile kniaź wojska prowadzi? a wiecie, że on nie dalej, jak pół mili stąd? A co, psie dusze? Dudy w miech? Jak to wy nas tu przyjęli? Studnia wam wyschła? wody dla koni nie macie? A, basałyki! a, kobyle dzieci! pokażę ja wam!

— Ne serdyteś, pane! Studnia wyschła. My sami do Kahamliku jeździm poić i wodę dla siebie nosimy.

— A, skurczybyki!

— Prostyte, pane. Studnia wyschła. Każecie, to skoczym po wodę.

— Obejdzie się bez was, sam pojadę z pachołkiem. Gdzie tu Kahamlik? — spytał groźnie.

— Ot, dwie staje stąd! — rzekł kosooki pokazując na pas zarośli.

— A do gościńca czy tędy muszę wracać, czy brzegiem dojedzie?

— Dojedzie, pane. Milę stąd rzeka do gościńca skręca.

— Pachołek, ruszaj przodem! — rzekł pan Zagłoba zwracając się do Heleny.

Mniemany pachołek skręcił konia na miejscu i poskoczył.

— Słuchać! — rzekł Zagłoba zwracając się do chłopów. — Jeśli tu podjazd przyjdzie, powiedzieć, żem brzegiem do gościńca pojechał.

— Dobrze, pane.

W kwadrans później Zagłoba jechał znów obok Heleny.

— W porę im księcia wojewodę wymyśliłem — rzekł przymrużając oko pokryte bielmem. — Będą teraz siedzieli cały dzień i czekali podjazdu. Drżączka ich porwała na samo imię książęce.

— Widzę, że waszmość tak obrotny masz dowcip, iż z każdej biedy ratować się potrafisz — rzekła Helena — i Bogu dziękuję, że mi zesłał takiego opiekuna.

Szlachcicowi poszły po sercu te słowa, uśmiechnął się, ręką brodę pogładził i rzekł:

— A co? ma Zagłoba głowę na karku? Chytrym jak Ulisses i to muszę waćpannie powiedzieć, iż gdyby nie ta chytrość, dawno by mnie krucy zdziobali. Ale cóż robić? trzeba się ratować. Oni w bliskość księcia snadnie uwierzyli, boć to jest prawdziwa rzecz, że dziś, jutro on się w tych stronach zjawi z mieczem ognistym jako archanioł. A żeby tak i Bohuna po drodze gdzie rozcisnął, ofiarowałbym się boso do Częstochowy. Choćby też byli oni czabanowie i nie uwierzyli, samo przypomnienie mocy książęcej wystarczyło, by ich od napaści na nasze zdrowie powstrzymać. Wszelako powiem waćpannie, że zuchwałość ich niedobre to dla nas *signum*, bo to znaczy, że już się tu chłopstwo o wiktoriach Chmielnickiego zwiedziało i coraz się będzie stawać zuchwalsze. Musimy teraz pustek się trzymać i do wsiów mało zaglądać, bo niebezpiecznie. Dajże Boże jak najprędzej księcia wojewodę, bośmy się w taką matnię dostali, że jakom żyw, gorszej trudno wymyślić.

Trwoga znów ogarnęła Helenę, pragnąc więc wydobyć jakie słowo nadziei z ust pana Zagłoby, rzekła:

— Już ja teraz ufam, że waszmość i siebie, i mnie ocalisz.

— To się rozumie — odpowiedział stary wyga — głowa od tego, żeby o skórze myślała. A waćpannę takem już polubił, że za nią jako za własną córką będę obstawał. Najgorsze tylko to, że prawdę rzekłszy, sami nie wiemy, gdzie uciekać, boć i ta Zołotonosza niezbyt to pewne *asilum*.

— To wiem na pewno, że bracia są w Zołotonoszy.

— Są albo ich nie ma, bo mogli wyjechać, a do Rozłogów pewnie nie tą drogą, którą my jedziemy, wracają. Więcej ja liczę na tamtejsze prezydium. Żeby tak choć z pół chorągiewki albo z pół regimenciku w zameczku! Ale ot i Kahamlik. Tymczasem przynajmniej oczerety pod bokiem. Przeprawimy się na drugą stronę i zamiast z biegiem ku gościńcowi ciągnąć, pociągniemy w górę, żeby ślad pomylić. Prawda, że zbliżymy się do Rozłogów, ale nie bardzo...

— Zbliżymy się do Browarków — rzekła Helena — przez które do Zołotonoszy się jedzie.

— To i lepiej. Stój no waćpanna.

Napoili konie. Następnie pan Zagłoba zostawiwszy Helenę dobrze ukrytą w zaroślach pojechał wyszukać brodu, który znalazł z łatwością, bo leżał o kilkadziesiąt zaledwie kroków od miejsca, do którego przyjechali. Właśnie tamtędy owi czabanowie przepędzali konie na drugą stronę rzeki, która zresztą cała była dość płytka, jeno brzegi miała mało dostępne, bo zarosłe i błotniste. Przeprawiwszy się tedy na drugą stronę, ruszyli śpiesznie w górę rzeki i jechali bez wytchnienia aż do nocy. Droga była ciężka, bo do Kahamliku wpadało mnóstwo strumieni, które rozlewając się szerzej przy ujściach, tworzyły tu i owdzie trzęsawice i topieliska. Trzeba było co chwila wyszukiwać brodów lub przedzierać się przez zarośla trudne do przebycia dla jezdnych. Konie pomęczyły się okrutnie i zaledwie wlokły za sobą nogi. Chwilami zapadały tak, że Zagłobie zdawało się, iż nie wylezą już więcej. Na koniec wydostali się na wysoki, suchy brzeg, porosły dębiną. Ale już też noc była głęboka i ciemna bardzo. Dalsza podróż stała się niepodobieństwem, bo w ciemnościach można było trafić na chłonące bagna i zginąć, więc pan Zagłoba postanowił czekać ranka.

Rozsiodłał konie, popętał je i puścił na pastwisko, po czym jął zbierać liście, wymościł z nich posłanie, zasłał czaprakami i okrywszy burką rzekł do Heleny:

— Połóż się waćpanna i śpij, bo nie masz nic lepszego do zrobienia. Rosa ci oczki przemyje, to i dobrze. Ja też przyłożę głowę do terlicy, bo już kości nie czuję w sobie. Ognia nie będziem palili, gdyż światło by nam tu jakich czabanów ściągnęło. Noc krótka, świtaniem ruszymy dalej. Śpij waćpanna spokojnie. Nakluczyliśmy jak zające, niewiele po prawdzie drogi zrobiwszy, ale też takeśmy zatarli za sobą ślady, że zje diabła, kto nas odnajdzie. Dobranoc waćpannie!

— Dobranoc waćpanu!

Smukły kozaczek ukląkł i modlił się długo, podnosząc oczy do gwiazd, a pan Zagłoba wziął na plecy terlicę i poniósł ją nieco opodal, gdzie sobie upatrzył miejsce do spania. Brzeg dobrze był wybrany do noclegu, bo wysoki i suchy, zatem bez komarów. Gęste liście dębów mogły stanowić niezłą ochronę od deszczu.

Helena długo nie mogła zasnąć. Wypadki ubiegłej nocy stanęły jej zaraz jako żywe w pamięci, z ciemności wychyliły się twarze pomordowanych: stryjny i braci. Zdawało się jej, że jest razem z ich trupami w owej sieni zamknięta i że do tej sieni zaraz wejdzie Bohun. Widziała jego oblicze wybladłe i sobole brwi czarne, bólem ściągnięte, i oczy w sobie utkwione. Trwoga ogarnęła ją niewymowna. A nuż nagle w tych ciemnościach, które ją otaczają, ujrzy naprawdę dwoje świecących oczu...

Księżyc przelotem wyjrzał zza chmur, pobielił garścią promieni dąbrowę i ponadawał fantastyczne kształty pniom i gałęziom. Derkacze ozwały się po łąkach, przepiórki na stepach; czasem dochodziły jakieś dziwne, dalekie odgłosy ptaków czy zwierząt nocnych. Bliżej prychały konie, które gryząc trawę i skacząc w pętach, oddalały się coraz więcej od śpiących. Ale te wszystkie głosy uspokajały Helenę, bo rozpraszały fantastyczne widzenia i przenosiły ją w rzeczywistość; mówiły jej, że ta sień, która ciągle stawała jej przed oczyma, i te trupy krewnych, i ten Bohun blady, z zemstą w oczach, to złuda zmysłów, urojenie strachu, nic więcej. Przed kilku dniami myśl o takiej nocy pod gołym niebem, w pustyni, przerażałaby ją śmiertelnie; dziś musiała sobie przypominać, że istotnie jest nad Kahamlikiem, daleko od swej komnaty dziewiczej, aby się uspokoić.

Grały jej tedy do snu derkacze i przepiórki, migotały gwiazdy, gdy powiew poruszył gałęzie, brzęczały chrząszcze na dębowych liściach — i usnęła wreszcie. Ale noce w pustyni mają także swoje niespodzianki. Szaro już było, gdy uszu jej doszły z dala jakieś straszne głosy, jakieś harkotania, wycia, chrapania, później kwik tak bolesny i przeraźliwy, że krew ścięła się w jej żyłach. Zerwała się na równe nogi okryta zimnym potem, przerażona i nie wiedząca, co czynić. Nagle w oczach jej mignął Zagłoba, który leciał bez czapki w stronę tych głosów, z pistoletem w ręku. Po chwili rozległ się jego głos: „U-ha! u-ha! siromacha!" — huknął wystrzał i wszystko umilkło. Helenie zdawało się, że wieki czeka; na koniec przecie poniżej brzegu słyszała znów Zagłobę.

— A żeby was psi pojedli! żeby was ze skóry obdarto! żeby was Żydzi na kołnierzach nosili!

W głosie Zagłoby brzmiała prawdziwa desperacja.

— Mości panie, co się stało? — pytała dziewczyna.

— Wilcy konie porżnęli.

— Jezus Maria! oba?

— Jeden zarżnięty, drugi skaleczon tak, że i stajania nie ujdzie. W nocy odeszły nie dalej, jak trzysta kroków, i już po nich.

— Cóż teraz poczniem?

— Co poczniem? Wystrużemy sobie kije i siądziemy na nie. Czy ja wiem, co poczniem? Ot, czysta desperacja! Mówię waćpannie, że diabeł wyraźnie zawziął się na nas — co i nic dziwnego, bo musi on być Bohunowi przyjacielem albo zgoła krewnym. Co poczniem? Jeśli wiem, to niech się w konia zmienię, przynajmniej waćpanna będziesz miała na czym jechać. Szelmą jestem, jeśli kiedy byłem w podobnej imprezie.

— Pójdziemy pieszo...

— Dobrze to waćpannie przy jej dwudziestu leciach, ale nie mnie przy mojej cyrkumferencji chłopską modą podróżować. Choć i to źle mówię, bo tu lada chłop na szkapę się zdobędzie, a psi tylko chodzą na piechotę. Czysta desperacja, jak mnie Bóg miły. Jużci, nie będziem tu siedzieć, tylko pójdziemy, ale kiedy zajdziemy do onej Zołotonoszy? — nie wiem. Jeśli uciekać nawet i na koniu niemiło, to na piechotę ostatnia rzecz. Tedy przygodziło się już nam, co się mogło najgorszego przygodzić. Kulbaki musimy zostawić, a co do gęby włożyć, to na własnym karku dźwigać.

— Nie pozwolę ja na to, abyś waćpan sam dźwigał, a co będzie trzeba, to i ja też poniosę.

Zagłoba udobruchał się widząc takową determinację dziewczyny.

— Moja mościa panno — rzekł — a toż chyba byłbym Turkiem albo poganinem, gdybym na to pozwolił! Nie do dźwigania to te bieluchne rączki, nie do dźwigania te strzeliste pleczyki. Jakoś Bóg da, że i sam poradzę, jeno wypoczywać często muszę, bo nadtom był zawsze wstrzemięźliwy w jedle i napoju, od czego mam teraz dech krótki. Weźmiemy czapraki do spania i żywności trochę, a zresztą niewiele już jej zostanie licząc, że zaraz trzeba się dobrze pokrzepić.

Jakoż zabrali się do posiłku, przy którym pan Zagłoba porzuciwszy swą zachwalaną wstrzemięźliwość starał się o dech długi. Koło południa przeszli nad bród, którym widocznie od czasu do czasu przejeżdżali ludzie i wozy, bo po obu brzegach były ślady kół i kopyt końskich.

— Może to droga do Zołotonoszy? — rzekła Helena.

— Ba, nie ma się kogo spytać.

Ledwie pan Zagłoba skończył mówić, gdy z oddali doszedł ich uszu głos ludzki.

— Czekaj waćpanna, ukryjmy się — szepnął Zagłoba.

Głos zbliżał się coraz bardziej.

— Widzisz co waćpan? — spytała Helena.

— Widzę.

— Kto się zbliża?

— Dziad-ślepiec z lirą. Wyrostek go prowadzi. Teraz buty zdejmują. Przejdą ku nam przez rzekę.

Po chwili pluskanie wody oznajmiło, że istotnie przechodzą.

Zagłoba wraz z Heleną wyszli z ukrycia.

— Sława Bohu! — rzekł głośno szlachcic.

— Na wiki wikiw — odpowiedział dziad. — A kto tam jest?

— Chrześcijanie. Nie bój się, dziadu, naści ortę.

— Szczob wam światyj Mikołaj daw zdorowla i szczastje.

— A skąd, dziadu, idziecie?

— Z Browarków.

— A ta droga dokąd prowadzi?

— Do chutoriw, pane, do seła...

— A do Zołotonoszy nią dojdzie?

— Można, panie.

— Dawnoście wyszli z Browarków?

— Wczoraj rano, panie.

— A w Rozłogach byliście?

— Byli. Ale powiadają, że tam łycary prijszli, szczo bitwa buła.

— Któż to powiadał?

— W Browarkach powiadali. Tam jeden z kniaziowej czeladzi przyjechał, a co powiadał, strach!

— A wyście go nie widzieli?

— Ja, pane, nikogo nie widzę, ja ślepy.

— A ówże wyrostek?

— On widzi, ale on niemowa, ja jeden jego rozumiem.

— Daleko też stąd do Rozłogów, bo my tam właśnie idziemy?

— Oj, daleko!

— Więc powiadacie, żeście byli w Rozłogach?

— Byli, pane.

— Tak? — rzekł pan Zagłoba i nagle chwycił za kark wyrostka.

— Ha, łotry, złodzieje, łajdaki, na przeszpiegi chodzicie, chłopów do buntu podmawiacie! Hej, Fedor, Olesza, Maksym, brać ich, obedrzeć do naga i powiesić albo utopić? Bij ich, to buntownicy, szpiegi, bij, zabijaj!

Począł szarpać wyrostka i potrząsać nim silnie, i krzyczeć coraz głośniej. Dziad rzucił się na kolana prosząc o miłosierdzie, wyrostek wydawał przeraźliwe głosy właściwe niemowom, a Helena spoglądała ze zdumieniem na ową napaść.

— Co waćpan robisz? — pytała nie wierząc własnym oczom.

Ale pan Zagłoba wrzeszczał, przeklinał, poruszał całe piekło, wzywał wszystkich nieszczęść, chorób — groził wszelkimi rodzajami mąk i śmierci.

Kniaziówna myślała, że mu się rozum pomieszał.

— Umykaj! — wołał na nią — nie przystoi ci patrzyć na to, co się tu stanie, umykaj, mówię.

Nagle zwrócił się do dziada:

— Zdejmuj przyodziewek, capie, a nie, to cię tu potnę na sztuki.

I obaliwszy wyrostka na ziemię począł go własnymi rękami obdzierać. Dziad, przerażony, zrzucił co prędzej lirę, torbę i świtkę.

— Zdziewaj wszystko!... bogdaj cię zabito! — wrzeszczał Zagłoba.

Dziad począł ściągać koszulę.

Kniaziówna widząc, na co się zanosi, oddaliła się śpiesznie, aby swej skromności widokiem nagich członków nie obrazić, a za uciekającą goniły jeszcze przekleństwa Zagłoby.

Oddaliwszy się znacznie, zatrzymała się nie wiedząc sama, co począć. W pobliżu leżał pień obalonego przez wichry drzewa, siadła więc na nim i czekała. Do uszu jej dochodziły wrzaski niemowy, jęki dziada i warchoł czyniony przez pana Zagłobę.

Wreszcie umilkło wszystko. Słychać było tylko świergotanie ptaków i szmer liści. Po chwili dało się słyszeć sapanie i ciężki chód ludzki.

Był to pan Zagłoba.

Na ramieniu niósł przyodziewek zdarty z dziada i pacholęcia, w ręku dwie pary butów i lirę. Zbliżywszy się począł mrugać swoim zdrowym okiem, uśmiechać się i sapać.

Widocznie był w doskonałym humorze.

— Żaden woźny w trybunale nie nakrzyczy się tak, jakom się ja nakrzyczał! — rzekł. — Ażem ochrypł. Ale mam, czegom chciał. Wypuściłem ich nagich, jak ich matka porodziła. Jeśli mnie sułtan nie zrobi baszą albo hospodarem wołoskim, to jest niewdzięcznikiem, gdyż przysporzyłem dwóch tureckich świętych. O łajdaki! prosili, by im też choć koszule zostawić! Alem im rzekł, iż dość powinni być wdzięczni, że ich przy żywocie zostawiam. A zobacz no waćpanna. Wszystko nowe, i świty, i buty, i koszule. Maż tu być porządek w tej Rzeczypospolitej, gdy chamstwo tak zbytkownie się ubiera? Ale oni byli na odpuście w Browarkach, gdzie niemało zebrali grosiwa, toż sobie kupili wszystko nowe na jarmarku. Niejeden szlachcic tyle nie wyorze w tym kraju, ile dziad wyżebrze. Odtąd porzucam rycerskie rzemiosło, a będę dziadów na gościńcach obdzierał, bo widzę, że *eo modo* prędzej do fortuny dojść można.

— Ale na jakiż pożytek waćpan to uczyniłeś — pytała Helena.

— Na jaki pożytek? Waćpanna tego nie rozumiesz?

Tedy poczekaj trochę, zaraz się ów pożytek widocznie waćpannie ukaże.

To rzekłszy wziął połowę zdartego przyodziewku i oddalił się w krze zarastające brzegi. Po niejakim czasie w krzach ozwały się dźwięki liry, a następnie ukazał się... już nie pan Zagłoba, ale prawdziwy did ukraiński z bielmem na jednym oku, z siwą brodą. Did zbliżył się do Heleny śpiewając ochrypłym głosem:

Sokołe jasnyj, brate mij ridnyj
Ty wysoko litajesz,
Ty szyroko widajesz.

Kniaziówna klasnęła w ręce i po raz pierwszy od ucieczki z Rozłogów uśmiech rozjaśnił jej śliczną twarz.

— Gdybym nie wiedziała, że to waćpan, zgoła bym go nie poznała!

— A co? — rzekł pan Zagłoba. — Pewnie i na zapusty nie widziałaś waćpanna lepszej maszkary. Przejrzałem się też w Kahamliku i jeślim widział kiedy foremniejszego dziada, niech mnie na własnej torbie powieszą! Na pieśniach też mnie nie zbraknie. Co waćpanna wolisz? Może o Marusi Bohusławce, o Bondariwnie albo o Sierpiahowej śmierci? Mogę i to. Szelmą jestem, jeśli na kawałek chleba między największymi hultajami nie zarobię.

— Już teraz rozumiem waszmościów uczynek, dlaczegoś szatki zewlókł z tych biedaków, a to by drogę w przebraniu bezpieczniej odbyć.

— Rozumie się — rzecze pan Zagłoba.— Cóż to waćpanna myślisz? Tu, na Zadnieprzu, lud gorszy niż gdzie indziej i tylko ręka księcia hultajów od swywoli powstrzymuje, a teraz, gdy się zwiedzą o wojnie z Zaporożem i o wiktoriach Chmielnickiego, tedy żadna moc ich od rebelii nie powstrzyma. Widziałaś waćpanna owych czabanów, którzy się już do naszej skóry chcieli zabierać?

Jeśli prędko hetmany Chmielnickiego nie zetrą, to za dzień, za dwa, cały kraj będzie w ogniu — i jakże ja waćpannę wówczas przez kupy zbuntowanego chłopstwa przeprowadzę? A mielibyśmy wpaść w ich ręce, to lepiej było dla waćpanny w Bohunowych pozostać.

— O, nie może to być! Wolę śmierć! — przerwała kniaziówna.

— Ja zaś wolę życie, bo śmierć to na raz sztuka, od której się żadnym dowcipem nie wykręcisz. Ale tak myślę, że Bóg nam zesłał tych dziadów. Takem ich przestraszył, że książę z całym wojskiem blisko, jak i owych czabanów. Będą ze trzy dni od strachu goli w oczeretach siedzieli. A my tymczasem w przebraniu jakoś do Zołotonoszy się przebierzem, znajdziemy braci waćpanny i pomoc — dobrze; nie, to pójdziem dalej, aż do hetmanów, albo na księcia będziem czekać, a wszystko w przezpieczności, bo dziadom od chłopów i od Kozaków żaden strach. Moglibyśmy przez obozy Chmielnickiego zdrowo głowy przenieść. Tylko jednych Tatarów *vitare* nam należy, bo oni by waćpannę jako pachołka młodego w jasyr wzięli.

— To i ja tedy przebrać się muszę?

— Tak jest, zrzuć waćpanna z siebie kozaczka a w wyrostka chłopskiego się przedzierzgnij. Trochęś jak na chamskie dziecko za gładka, ja także na dida, ale to nic. Wiater opali liczko waćpanny, a mnie od chodzenia brzuch spadnie. Wszystką tłustość z siebie wypocę. Gdy mnie Wołosi oko wypalili, myślałem, iż zgoła okrutna przygoda mię nachodzi, a widzę teraz, że mi się to właśnie przyda, bo dziad nie ślepiec byłby podejrzanym. Będziesz mnie waćpanna za rękę prowadzić, a zwij mnie Onufrij, bo takowe jest moje dziadowskie imię. Teraz zaś się przebierz co prędzej, bo nam czas w drogę, która, ile że na piechotę, dłużyć się będzie.

Pan Zagłoba odszedł, a Helena wnet jęła się przebierać za dziadowskie pacholę. Wypluskawszy się w rzece, zrzuciła żupanik kozacki, a wdziała świtkę chłopską i kapelusz ze słomy, i sakwy podróżne. Szczęściem, wyrostek ów obdarty przez Zagłobę smukłym był, więc pasowało na nią wszystko dobrze.

Zagłoba wróciwszy obejrzał ją uważnie i rzekł:

— Mój Boże, niejeden rycerz chętnie by zbył staniku swego, byle go taki pachołek prowadził, a już jednego husarza znam, któren by to na pewno uczynił. Tylko już z tymi włosami trzeba koniecznie coś uczynić. Widziałem ja w Stambule urodziwe pacholęta, ale takiego nie widziałem.

— Daj Boże, aby mi na złe nie wyszła gładkość moja! — rzekła Helena.

Ale uśmiechała się jednak, bo jej niewieście uszy mile łechtał podziw pana Zagłoby.

— Gładkość nigdy na złe nie wychodzi, a ja tego pierwszym przykładem, bo gdy mnie Turcy w Galacie oko wypalili, chcieli wypalić i drugie, gdy mnie żona tamecznego baszy uratowała, a to dla nadzwyczajnej mojej urody, której ostatki możesz jeszcze waćpanna oglądać.

— A mówiłeś waćpan, iż to Wołosi mu oczy wypalili?

— Bo Wołosi, ale poturczeni i w Galacie u baszy służący.

— Przecie waćpanu nawet i tego jednego nie wypalili?

— Jeno mi od gorącości żelaza bielmem zaszło. Wszystko to jedno. Cóż tedy waćpanna z warkoczami swymi chcesz uczynić?

— A cóż? trzeba obciąć.

— A trzeba. Ale jak?

— Waćpanową szablą.

— Dobrze to szablą głowę uciąć, ale włosy to już nie wiem, *quo modo?*

— Wiesz waćpan co? Siądę ja przy tym zwalonym pniu, a włosy przez pień przełożę, waćpan zaś tniesz i utniesz. Jeno mi głowy nie utnij.

— O to się waćpanna nie bój. Nieraz ja knoty u świec po pijanemu obcinałem, samej świecy nie zaciąwszy. Nie uczynię i waćpannie krzywdy, chociaż takowa prezentacja dla mnie pierwsza.

Helena siadła koło pnia i rzuciwszy w poprzek swe ogromne, czarne włosy podniosła oczy ku panu Zagłobie.

— Gotowam — rzekła — tnij waćpan.

I uśmiechała się do niego trochę smutno, bo jej żal było owych włosów, które przy głowie ledwie by w dwie piędzie można ująć. A i panu Zagłobie było jakoś niesporo. Okraczył pień dla lepszego cięcia i mruczał:

— Tfu! tfu! wolałbym zostać cyrulikiem i osełedce Kozakom podgalać. Zdaje mi się, żem jest mistrzem i że do katowskiej przystępuję roboty, gdyż wiadomo waćpannie, że oni czarownicom włosy na głowie obcinają, aby zaś diabeł się w nich nie utaił i swoją mocą efektu torturów nie zepsował. Aleś waćpanna nie czarownica, przeto i ten postępek paskudnym mi się wydaje, za który jeśli mi pan Skrzetuski uszu nie obetnie, to mu *imparitatem* zadam. Dalibóg, że mnie mrowie chodzi po ręku. Zamruż przynajmniej waćpanna oczy.

— Już! — rzekła Helena.

Pan Zagłoba podniósł się w górę, jakby się na strzemionach do cięcia wznosił. Płytkie żelazo świsnęło w powietrzu i natychmiast długie, czarne sploty zsunęły się po gładkiej korze pnia na ziemię.

— Już — rzekł z kolei Zagłoba.

Helena podniosła się żywo i natychmiast krótko obcięte włosy rozsypały się czarnym koliskiem koło jej twarzy, na które biły rumieńce wstydu, bo w owych czasach ucięcie warkocza dziewczynie poczytywano za hańbę wielką, więc była to z jej strony ciężka ofiara, którą z konieczności tylko przenieść mogła.

Nawet i łzy pokazały się w jej oczach, a pan Zagłoba, niekontent z siebie, wcale jej nie pocieszał.

— Zdaje mi się, żem się na coś bezecnego odważył — rzekł — i powtarzam waćpannie, że pan Skrzetuski, jeżeli jest godnym kawalerem, uszy mi za to obciąć powinien. Ale nie można było inaczej, boćby *sexus* waćpanny zaraz odgadnięto. Teraz przynajmniej pójdziemy śmiało. Rozpytałem się też dziada o drogę, przyłożywszy mu sztych do gardła. Wedle tego, co powiadał, ujrzymy na stepie trzy dęby, koło których będzie wilczy jar, a wedle jaru droga na Demianówkę ku Zołotonoszy. Mówił, że i czumakowie drogą jeżdżą, będzie się można przysiąść na wozie. Ciężkie my to chwile z waćpanną przeżywamy, które wiecznie wspominać będziem. Teraz ot, trzeba się będzie i z szablami rozstać, bo nie przystoi dziadowi ni jego pacholęciu mieć szlacheckie oznaki przy sobie. Wetknę je pod ten pień; może Bóg da, że kiedyś odnajdę. Dużo wypraw ta szabla widziała i wielkich przewag była przyczyną. Wierzaj mi waćpanna, że dotąd byłbym już regimentarzem, gdyby nie *invidia* i złość ludzka, która mnie o miłość do gorących napojów posądzała. Tak to zawsze na świecie. W niczym nie masz sprawiedliwości! Żem nie lazł, jak kto głupi, na zgubę i z męstwem umiałem jako drugi Cunctator łączyć roztropność, tedy pierwszy pan Zaćwilichowski powiadał, że mnie tchórz oblatywał. Dobry on człowiek, ale zły język. Jeszcze niedawno dogryzał mi, żem się z Kozaki bratał, a gdyby nie owo bratanie, pewnie byś waćpanna mocy Bohunowej nie uszła.

Tak rozmawiając powtykał pan Zagłoba szable pod pień, nakrył je zielskiem i trawą, następnie przewiesił przez plecy sakwy i teorban, wziął w rękę dziadowski kij sadzony krzemieniami, machnął nim raz i drugi, po czym rzekł:

— No, niezłe i to, można jakowemu psu albo i wilkowi świeczki w ślepiach zapalić i zęby porachować. Najgorsze ze wszystkiego, że trzeba iść piechotą, ale nie ma rady! Chodźmy!

Poszli.

Pacholę czarnowłose przodem, dziad za nim. Dziad mruczał i przeklinał, bo mu było gorąco iść piechotą, chociaż po stepie wiatr przeciągał. Wiatr ten opalał i czynił smagłym lice ślicznego pacholęcia. Wkrótce trafili na jar, na którego dnie biła krynica sącząc swe przeczyste wody do Kahamliku. Koło tego jaru, niedaleko rzeki, rosły na mogile trzy potężne dęby; ku nim zaraz skręcili nasi podróżni. Zaraz też trafili na ślady drogi, która żółciła się na stepie od kwiecia wyrosłego na bydlęcym nawozie. Droga była pusta, ani czumaka na niej, ani mazi, ani siwych wołów wolno idących. Gdzieniegdzie leżały tylko kości bydlęce porozwłóczone przez wilki i wybielone na słońcu. Podróżni szli ciągle, wypoczywali jeno w dąbrowach cienistych. Czarnowłose pacholę układało się do snu na zielonej murawie, a dziad czuwał. Przechodzili też i przez ruczaje, a gdzie brodu nie było, to go szukali chodząc długo brzegiem. Czasem też dziad przenosił pacholę na ręku z siłą dziwną w człeku, który już chodził po żebranym chlebie. Ale był to barczysty dziad! Tak wlekli się znowu aż do wieczora, aż wreszcie pachołek usiadł przy drodze w lesie dębowym i rzekł:

— Już mi i tchu brak, i siły zbyłam. Nie pójdę dalej. Tu się położę i zamrę.

Dziad zakłopotał się srodze.

— O, to przeklęte pustkowie! — rzekł — ani futora, ani sadyby na drodze, ani żywego człeka. Ale nie możemy tutaj na noc zostawać. Wieczór już zapada, za godzinę ciemno będzie — a posłuchaj jeno waćpanna!

Tu dziad umilkł i przez chwilę panowała cisza głęboka.

Ale nagle przerwał ją daleki, posępny głos, który zdawał się wychodzić z wnętrzności ziemi, a rzeczywiście wychodził z jaru leżącego niedaleko drogi.

— To wilcy — rzekł pan Zagłoba. — Zeszłej nocy mieliśmy konie, to nam konie zjedli, teraz by do nas samych się zabrali. Trzymam ci ja wprawdzie pistolet pod świtką, ale mi prochu nie wiem, czy na dwa razy stanie, a nie chciałbym służyć za marcepan na wilczym weselu. Słyszysz waćpanna — znowu!

Wycie istotnie rozległo się znowu i zdawało się bliższym.

— Wstawaj, detyno! — rzekł dziad. — A nie możesz iść, to cię poniosę. Cóż robić! Widzę, że zanadto polubiłem waćpannę, ale to pewnie dlatego, że żyjąc w stanie bezżennym, własnych prawych potomków zostawić nie mogłem, a jeśli mam nieprawe, to są bisurmanami, bom w Turczech długo przebywał. Na mnie też kończy się ród Zagłobów herbu Wczele. Waćpanna się starością moją zaopiekujesz, ale teraz wstawaj alboli siadaj mi na plecy, na barana.

— Nogi mi tak ociężały, że i ruszać się nie mogę.

— A chwaliłaś się waćpanna swoją siłą! Ale cicho no! cicho! Jak mi Bóg miły, tak słyszę szczekanie psów. Tak jest, to psi, nie wilcy. Tedy niedaleko musi być Demianówka, o której mnie dziad powiadał. Chwała bądź Bogu najwyższemu! Jużem myślał, czyby ognia nie napalić od wilków, ale byśmy się pewnie pospali, bośmy oboje znużeni. Tak jest, to psi. Słyszysz?

— Chodźmy — rzekła Helena, której nagle sił przybyło.

Jakoż zaledwie wyszli z lasu, pokazały się o kilka stajań ognie licznych chat. Dojrzeli także trzy kopułki cerkwi pobite świeżymi gontami, które świeciły jeszcze w pomroce od ostatnich blasków zorzy wieczornej. Szczekanie psów dochodziło coraz wyraźniej.

— Tak jest, to Demianówka, nie może być nic innego — rzekł pan Zagłoba. — Dziadów wszędy chętnie przyjmują, może zdarzy się i nocleg, i wieczerza, a może dobrzy ludzie dalej podwiozą. Czekajże waćpanna, to jest książęca wieś, więc pewnie i podstarości w niej mieszka. I spoczniem, i wieści zasięgniem. Książę już musi być w drodze. Może poratowanie prędzej się zdarzy, niż się waćpanna spodziewasz. Ale! pamiętajże, żeś niemowa. Zaczynam już w piętkę gonić, gdyż kazałem ci się zwać Onufrym, a skoro jesteś niemową, nie możesz mnie nijak nazywać. Ja sam będę gadał za ciebie i za siebie, a chwalić Boga, po chłopsku tak dobrze mówię jak i po łacinie. Dalej, dalej! Ot! już i pierwsze chaty niedaleko. Mój Boże! kiedyż się już skończy nasze tułactwo! Żebyśmy choć piwa grzanego mogli dostać, chwaliłbym Pana Boga i za to.

Pan Zagłoba umilkł i przez czas niejaki szli cicho koło siebie. Po czym znów mówić począł:

— Pamiętajże waćpanna, żeś niemowa. Gdy cię ktoś o co spyta, zaraz mu pokaż na mnie i rzeknij: „Hum, hum, hum! nija, nija!" Waćpanna, uważałem, wiele masz roztropności, a to przecie o naszą skórę chodzi. Chybabyśmy przypadkiem na hetmańskie albo książęce chorągwie trafili, wtedy zaraz ogłosimy, kto jesteśmy, zwłaszcza jeśli się znajdzie oficer grzeczny i pana Skrzetuskiego znajomy. Prawda, żeś to waćpanna pod opieką książęcą, tedy nie masz się czego żołnierzów obawiać. O! a to co za ogniska tam w dołku buchają? Aha! kują, to kuźnia! Ale widzę i ludzi przy niej niemało, pójdźmy tam.

Istotnie, w rozpadlinie stanowiącej przedsionek jaru stała kuźnia, z której komina sypały się snopy i kłęby złotych iskier, a przez otwarte drzwi i przez liczne dziury wiercone w ścianach buchało jaskrawe światło przesłaniane chwilami przez ciemne postacie kręcące się we wnętrzu. Na zewnątrz, przed kuźnią, widać było także w pomroce nocnej kilkadziesiąt postaci stojących kupkami. Młoty w kuźnicy biły w takt, aż echo rozlegało się dokoła, a odgłos ten mieszał się ze śpiewami przed kuźnią, z gwarem rozmów, ze szczekaniem psów. Widząc to wszystko pan Zagłoba skręcił zaraz w ów jar, zabrząknął w lirę i począł śpiewać:

Ej, tam na hori
Żenci żnut',
A popid horoju,
Popid załenoju,
Kozaki idut!

Tak śpiewając zbliżył się do gromady ludzi stojących przed kuźnią. Rozejrzał się: byli to chłopi, po większej części pijani. Prawie wszyscy trzymali w ręku drągi. Na niektórych z tych drągów widniały kosy poobsadzane sztorcem i ostrza spis. Kowale w kuźni pracowali właśnie nad wyrobem tych ostrzy i odginaniem kos.

— Ej, did! did! — poczęto wołać w gromadzie.

— Sława Bohu! — rzekł pan Zagłoba.

— Na wiki wikiw.

— Skażyte, ditki, wże je Demianiwka?

— Demianiwka. Abo szczo?

— Bo mnie po drodze mówili — ciągnął dalej dziad — że tu dobrzy ludzie mieszkają, co dziada przygarną, nakarmią, napoją, przenocują i hroszi dadut. Ja stary, daleką drogę odbył, a chłopiec, to już dalej krokiem nie może. On biedny, niemowa, mnie starego prowadzi, bo nie widzę, ślepiec ja nieszczęsny. Bóg was pobłogosławi, dobrzy ludzie, i święty Mikołaj cudotwórca pobłogosławi, i święty Onufrij pobłogosławi. W jednym oku trochę mi światła bożego zostało, a drugie ciemne na wieki; tak z teorbanem chodzę, pieśni śpiewam i żyję jak ptaki, tym co z rąk dobrych ludzi spadnie.

— A skąd wy, didu?

— Oj, z daleka, z daleka! Ale pozwólcie spocząć, bo widzę, pod kuźnią jest ława. Siadaj i ty, nieboże — mówił dalej, ukazując ławkę Helenie. — My aż znad Ladawy, dobrzy ludzie. Ale z domu dawno, dawno wyszli, a teraz z Browarków, z odpustu idziemy.

— A co tam słyszeli dobrego? — spytał stary chłop z kosą w ręku.

— Słyszeli, słyszeli, ale czy co dobrego, nie wiemy. Ludzi tam naschodziło się mnogo. O Chmielnickim mówili, że hetmańskiego syna i jego łycariw zwojował. Słyszeli także, że na ruskim brzegu chłopi na panów się podnoszą.

Gromada otoczyła zaraz Zagłobę, który siedząc obok kniaziówny, od czasu do czasu w struny liry uderzał.

— To wy, ojcze, słyszeli, że się podnoszą?

— A jakże. Nieszczęśliwa bo nasza chłopska dola!

— Ale mówią, że koniec będzie?

— W Kijowie pismo od Chrysta na ołtarzu znaleźli, że będzie wojna straszna i okrutna i wielkie krwi przelanie na całej Ukrainie.

Półkole otaczające ławę, na której siedział pan Zagłoba, ścieśniło się jeszcze bardziej.

— Mówicie, że pismo było?

— Było, jako żywo! O wojnie, o krwi przelaniu... Ale nie mogę mówić więcej, bo mi staremu, biednemu, w gardle już zaschło.

— Macie, ojcze, miarkę gorzałki, a mówcie, coście na świecie słyszeli. Wiemy i my, że dziady wszędy bywają i wszystko znajut. Bywały już u nas, taj kazały, szczo na paniw przyjdzie od Chmiela czarna godzina. No, tak my kosy i spisy kazali sobie robić, aby nie byli ostatni, ale teraz nie wiemy, zaczynać-li już czy pisma od Chmiela czekać.

Zagłoba wychylił miarkę, posmakował, potem pomyślał chwilę i rzekł:

— A kto wam mówił, że czas zaczynać?

— My sami chcemy.

— Zaczynać! zaczynać! — ozwały się liczne głosy. — Koły Zaporożci paniw pobyły, tak zaczynać!

Kosy i spisy zatrzęsły się w krzepkich rękach i wydały brzęk złowrogi.

Potem nastała chwila milczenia, jeno młoty w kuźnicy

biły. Przyszli rezunowie czekali, co powie did. Dziad myślał, myślał, wreszcie spytał:

— Czyi wy ludzie?

— My kniazia Jaremy.

— A kogóż wy będziecie rizaty?

Chłopi spojrzeli po sobie.

— Jego? — spytał dziad.

— Ne zderżymo...

— Oj, ne zderżyte, ditki, ne zderżyte. Bywał ja i w Łubniach i widział kniazia na własne oczy. Straszny on! Kiedy krzyknie, drzewa drżą w lesie, a jak nogą tupnie, jar się robi. Jego i korol boitsia, i hetmany słuchają, i wszyscy się jego boją, A wojska więcej u niego niż u chana i u sułtana. Ne zderżyte, ditki, ne zderżyte. Nie wy jego poszukacie, ale on was poszuka. A jeszcze tego nie wiecie, co ja wiem, że jemu wszystkie Lachy przyjdą w pomoc, a to znajte: szczo Lach, to szabla!

Ponure milczenie zapanowało w gromadzie; dziad brzęknął znów o teorban i mówił dalej, podniósłszy twarz ku księżycowi:

— Idzie kniaź, idzie, a przy nim tyle krasnych kit i chorągwi, ile gwiazd na niebie a bodiaków na stepie. Leci przed nim wiater i jęczy, a znajete, ditki, dlaczego on jęczy? Nad waszą dolą on jęczy. Leci przed nim śmierć-matka z kosą i dzwoni, a wiecie, dlaczego dzwoni? Na wasze szyje dzwoni.

— Hospody, pomyłuj! — ozwały się ciche, przerażone głosy.

I znowu słychać było tylko bicie młotów.

— Kto tu kniaziowy komysar? — pytał dziad.

— Pan Gdeszyński.

— A gdzie on?

— Uciekł.

— A czemu on uciekł?

— Bo słyszał, że dla nas spisy taj kosy kują, tak się przeląkł i uciekł.

— Tym gorzej, bo on o was kniaziowi doniesie.
— Coś ty, didu, kraczesz jak kruk — rzekł stary chłop.
— A tak my i wierzymy, że na paniw czarna godzina nadchodzi. I nie będzie ich ani na ruskim, ani na tatarskim brzegu, ni panów, ni kniaziów, tylko Kozaki, wolni ludzie będą — i nie będzie ni czynszu, ni czopowego, ni suchomielszczyzny, ni przewozowego, i nie będzie Żydów, bo tak stoi w piśmie od Chrystusa, o którym ty sam powiadał. A Chmiel taki, jak i kniaź mocny. Naj sia poprobujut.
— Dajże mu Boże! — mówił did. — Ciężka nasza chłopska dola, a dawniej inaczej bywało.
— Czyja ziemia? kniazia; czyj step? kniazia; czyj las? czyje stada? kniazia; a dawniej był boży las, boży step; kto przyszedł pierwszy, to wziął i nikomu nie był powinien. Teraz wsio paniw a kniaziej...
— Dobra wasza, ditki — rzekł dziad — ale ja wam jedną rzecz powiem. Sami wiecie, że tu kniaziowi nie zdzierżycie, więc oto, co powiem: kto chce paniw rizaty, niech się tu nie ostaje, póki się Chmiel z kniaziem nie popróbuje, ale niech do Chmiela ucieka — i to zaraz, jutro, bo kniaź już w drodze. Jeśli jego pan Gdeszyński do Demianówki namówi, to nie będzie on kniaź was tu żywił, ale do ostatniego wybije — tak wy do Chmiela uciekajcie. Im was więcej tam będzie, tym Chmiel łatwiej sobie poradzi. O! a ciężką on ma przed sobą robotę. Hetmany naprzód i wojsk koronnych bez liku, a potem kniaź od hetmanów mocniejszy. Lećcie wy, ditki, pomagać Chmielowi i Zaporożcom, bo oni, niebożęta, nie wydzierżą — a przecie za waszą to oni swobodę i za wasze dobro z panami się biją. Lećcie, to się i przed kniaziem ocalicie, i Chmielowi pomożecie.
— Wże prawdu każe! — ozwały się głosy w gromadzie.
— Dobrze mówi.
— Mudryj did!
— To ty widział kniazia w drodze?

— Widzieć, nie widziałem, alem w Browarkach słyszał, że już ruszył z Łubniów; pali i ścina, gdzie jedną spisę znajdzie: ziemię i niebo zostawia.

— Hospody pomyłuj!

— A gdzie nam Chmiela szukać?

— Po to ja tu, ditki, przyszedł, żeby wam powiedzieć, gdzie Chmiela szukać. Pójdźcie wy, dzieci, do Zołotonoszy, a potem do Trechtymirowa pójdziecie i tam już Chmiel będzie na was czekał, tam się też ze wszystkich wsiów, sadyb i chutorów ludzie zbiorą, tam i Tatary przyjdą, bo inaczej kniaź wszystkim wam by po ziemi, po matce, chodzić nie dał.

— A wy, ojcze, pójdziecie z nami?

— Pójść, nie pójdę, bo stare nogi ziemia już ciągnie. Ale mnie telegę zaprzężcie, taj pojadę z wami. A przed Zołotonoszą pójdę naprzód zobaczyć, czy tam pańskich żołnirów nie ma. Jak będą, to ominiemy i prosto na Trechtymirów pociągniem. Tam już kozacki kraj. A teraz mnie jeść i pić dajcie, bom ja stary głodny i pachołek mój głodny. Jutro rano ruszymy, a po drodze o panu Potockim i o kniaziu Jaremie wam zaśpiewam. Oj, srogie to lwy! Wielkie będzie przelanie krwi na Ukrainie, niebo czerwieni się okrutnie, a i miesiąc jakoby we krwi pływa. Proście wy, ditki, zmiłowania bożego, bo niejednemu nie chodzić już długo po bożym świecie. Słyszał ja też, że upiory z mogił wstają i wyją.

Jakiś przestrach ogarnął zgromadzone chłopstwo. Mimo woli zaczęli się oglądać i żegnać, i szeptać między sobą. Na koniec jeden wykrzyknął:

— Do Zołotonoszy!

— Do Zołotonoszy! — powtórzyli wszyscy, jakby tam właśnie była ucieczka i ocalenie.

— W Trechtymirów!

— Na pohybel Lachom i panom!

Nagle młody jakiś kozaczek wystąpił naprzód, potrząsnął spisą i krzyknął:

— Bat'ki! a kiedy jutro do Zołotonoszy idziem, to dziś chodźmy na komisarski dwor!

— Na komisarski dwór! — krzyknęło od razu kilkadziesiąt głosów.

— Spalić! dobro zabrać!

Ale dziad, który dotąd głowę miał spuszczoną na piersi, podniósł ją i rzekł:

— Ej, ditki, nie chodźcie wy na komisarski dwór i nie palcie go, bo będzie łycho. Kniaź tu może gdzie blisko z wojskiem krąży; łunę zobaczy, to przyjdzie i będzie łycho. Lepiej wy mnie jeść dajcie i nocleg pokażcie. Siedzieć wam cicho, nie hulaty po pasikam.

— Prawdu każe! — odezwało się kilka głosów.

— Prawdu każe, a ty, Maksym, durny!

— Chodźcie, ojcze, do mnie na chleb i sól, i na miodu kwaterkę, a podjecie, to pójdziecie spać na siano do odryny — rzekł stary chłop zwracając się do dziada.

Zagłoba wstał i pociągnął Helenę za rękaw świtki. Kniaziówna spała.

— Zmordowało się pacholę, to choć i przy młotach usnęło — rzekł pan Zagłoba.

A w duszy pomyślał sobie:

„O słodka niewinności, która wśród spis i nożów spać możesz! Widać, anieli niebiescy cię strzegą, a przy tobie i mnie ustrzegą".

Zbudził ją i poszli ku wsi, która leżała nieco opodal. Noc była pogodna, cicha — goniło ich echo bijących młotów. Stary chłop szedł naprzód, by drogę w ciemnościach pokazywać, a pan Zagłoba udając, że pacierz odmawia, mruczał monotonnym głosem:

— O hospody Boże, pomyłuj nas hrisznych... Widzisz waćpanna!... Świataja-Preczystaja... Cóż byśmy zrobili nie mając chłopskiego przebrania?... Jako wże na zemli i dosza ku nebesech... Jeść dostaniemy, a jutro pojedziemy ku Zołotonoszy miasto iść piechotą... Amin, amin, amin... Można się spodziewać, że Bohun trafi tu naszym śladem, bo go nie oszukają nasze fortele... Amin, amin!... Ale już będzie za późno, bo w Prochorówce Dniepr przejdziemy, a tam już moc hetmańska... Diawoł błahougodnyku ne straszen. Amin... Tu za parę dni kraj będzie w ogniu, niech tylko książę za Dniepr ruszy... Amin... Żeby ich czarna śmierć wydusiła, niech im kat świeci... Słyszysz no waćpanna, jako tam wyją pod kuźnią? Amin... Ciężkie na nas przyszły terminy, ale kpem jestem, jeśli waćpanny z nich nie wydobędę, choćbyśmy mieli do samej Warszawy uciekać.

— A co tam mruczycie, ojcze? — spytał chłop.

— Nic, modlę się za wasze zdrowie. Amin, amin!...

— A ot, i moja chata...

— Sława Bohu.

— Na wiki wikiw.

— Proszę na chleb-sól.

— Bóg nagrodzi.

W kilka chwil później dziad pokrzepiał się silnie baraniną popijając obficie miodem, a nazajutrz rano ruszył wraz z pacholęciem wygodną telegą ku Zołotonoszy, eskortowany przez kilkudziesięciu konnych chłopów zbrojnych w spisy i kosy.

Jechali na Kawrajec, Czarnobaj i Kropiwnę. Po drodze widzieli, że wrzało już wszystko. Chłopi wszędzie zbroili się, kuźnice po jarach pracowały od rana do nocy i tylko straszna potęga, straszne imię księcia Jeremiego wstrzymywało jeszcze krwawy wybuch.

Tymczasem za Dnieprem burza rozszalała się z całą wściekłością. Wieść o klęsce korsuńskiej rozbiegła się lotem błyskawicy po całej Rusi, więc zrywał się, kto żył.

Rozdział XXI

Bohuna znaleźli semenowie następnego rana po ucieczce Zagłoby na wpół zduszonego w żupanie, w który pan Zagłoba go obwinął, ale że ran nie miał ciężkich, wkrótce przyszedł do przytomności. Przypomniawszy sobie wszystko, co się stało, wpadł we wściekłość, ryczał jak dziki zwierz, krwawił ręce na własnym krwawym łbie i nożem godził w ludzi, tak że semenowie nie śmieli do niego przystąpić. Wreszcie nie mogąc się jeszcze na kulbace utrzymać, kazał przywiązać między dwa konie kolebkę żydowską i wsiadłszy w nią, pognał jak szalony w stronę Łubniów, sądząc, że tam udali się zbiegowie. Leżąc tedy w betach żydowskich w puchu i własnej krwi, rwał stepem jak upiór, który przed brzaskiem rannym do mogiły ucieka, a za nim pędzili wierni semenowie w tej myśli, że na oczywistą śmierć pędzą. Lecieli tak aż do Wasiłówki, w której stało na załodze sto piechoty węgierskiej, książęcej. Dziki watażka, jakby mu życie zbrzydło, uderzył na nią bez wahania, sam pierwszy rzucił się w ogień i po kilkugodzinnej walce wyciął w pień z wyjątkiem kilku żołnierzy, których oszczędził, aby mękami zeznania z nich wydobyć. Dowiedziawszy się od nich, że żaden szlachcic nie uciekał tą stroną z dziewczyną, sam nie wiedział, co począć, i darł na sobie bandaże z bólu. Iść dalej było już niepodobieństwem, gdyż wszędzie ku Łubniom stały pułki książęce, które mieszkańcy zbiegli w czasie bitwy z Wasiłówki musieli już ostrzec o napaści. Porwali więc wierni semenowie osłabłego z wściekłości atamana i prowadzili nazad do Rozłogów. Wróciwszy nie zastali już i śladów ze dworu, bo go chłopi miejscowi zrabowali i spalili wraz z kniaziem Wasylem, sądząc, że w razie gdyby się kniaziowie albo książę Jarema mścić chcieli, z łatwością zwalą winę na Kozaków i Bohuna. Spalono przy tym wszystkie zabudowania, wycięto sad wiśniowy, wybito wszystką czeladź, bo chłopstwo mściło się bez litości za twarde rządy i ucisk, jakiego od Kurcewiczów doznawało. Zaraz za Rozłogami wpadł w ręce Bohuna Pleśniewski, który od Czehryna z wieścią o klęsce żółtowodzkiej jechał. Ten pytany, dokąd i z czym jedzie, gdy plątał się i nie dawał jasnych odpowiedzi, wpadł w podejrzenie, a przypieczony ogniem, wyśpiewał, co wiedział i o klęsce, i o panu Zagłobie, którego poprzedzającego dnia spotkał. Uradowany watażka odetchnął. Powiesiwszy Pleśniewskiego puścił się dalej, już prawie pewny, że mu Zagłoba nie ujdzie. Jakoż czabanowie dostarczyli nowych wskazówek, ale za to za brodem wszelkie ślady jak w wodę wpadły. Na dziada obdartego przez pana Zagłobę ataman nie mógł się natknąć, bo ten posunął się już niżej z biegiem Kahamliku i zresztą tak był przerażony, że krył się jak lis w oczeretach.

Tymczasem upłynęły znowu dzień i noc, a że pościg w stronę Wasiłówki zajął również ze dwa dni, Zagłoba miał więc ogromny czas za sobą. Co tedy było robić?

W tym trudnym razie przyszedł Bohunowi z radą i pomocą esauł, stary wilk stepowy, przyzwyczajony od młodości do tropienia Tatarów w Dzikich Polach.

— Bat'ku! — rzekł — uciekali oni do Czehryna i mądrze uciekali, bo zyskali na czasie — ale gdy się o Chmielu i żółtowodzkiej batalii od Pleśniewskiego dowiedzieli, zmienili drogę. Ty, bat'ku, sam widział, że zjechali z gościńca i w bok się rzucili.

— W step?

— W stepie ja by ich, bat'ku, znalazł, ale oni poszli ku Dnieprowi, by się do hetmanów dostać, więc poszli albo na Czerkasy, albo na Zołotonoszę i Prochorówkę... a jeśli i ku Perejasławiu poszli, chociaż ne dumaju, to i tak ich znajdziemy. Nam by, bat'ku, trzeba jednemu do Czerkas, drugiemu do Zołotonoszy na czumacką drogę — i prędko, bo jak się przez Dniepr przeprawią, to do hetmanów zdążą albo ich Tatary Chmielnickiego ogarną.

— Ruszajże ty do Zołotonoszy, ja do Czerkas pociągnę.

— Dobrze, bat'ku.

— A pilnuj dobrze, bo to chytry lis.

— Oj, i ja chytry, bat'ku.

Tak ułożywszy plan pogoni, skręcili natychmiast, jeden ku Czerkasom, drugi wyżej, ku Zołotonoszy. Wieczorem tegoż samego dnia stary esauł Anton dotarł do Demianówki.

Wieś była pusta, zostały tylko same baby, gdyż wszyscy mężczyźni ruszyli za Dniepr do Chmielnickiego. Widząc zbrojnych, a nie wiedząc, kto by byli, baby pokryły się po strzechach i stodołach. Anton długo musiał szukać, nim odnalazł staruszkę, która nie obawiała się już niczego, nawet i Tatarów.

— A gdzie chłopy, matko? — pytał Anton.

— A czy ja wiem! — odparła ukazując żółte zęby.

— My Kozaki, matko, nie bójcie się, my nie od Lachiw.

— Lachiw?... szczob ich łycho!

— Wy nam życzycie?... prawda?

— Wam? — Starucha zastanowiła się chwilę. A was szczoby bolaczka!

Anton nie wiedział, co ma począć, gdy nagle drzwi jednej chaty skrzypnęły i młodsza, ładna kobieta wyszła na podwórko.

— Ej, mołojcy, słyszała ja, szczo wy ne Lachy.

— Tak jest.

— A wy od Chmiela?

— Tak jest.
— Ne od Lachiw?
— Ni.
— A czego wy o chłopów pytali?
— Ot, tak pytali, czy już poszli.
— Poszli, poszli!
— Sława Bohu! A powiedz no, mołodycio, nie uciekał tu tędy jeden szlachcic, Lach przeklęty, z córką?
— Szlachcic? Lach? ja ne baczyła.
— Nikogo tu nie było?
— Buw did. On chłopów namówił, żeby do Chmiela, do Zołotonoszy poszli, bo mówił, że tu kniaź Jarema przyjdzie.
— Gdzie?
— A tutki. A potem do Zołotonoszy ma ciągnąć, to mówił did.
— I did namówił chłopów do buntu?
— A did.
— A sam był?
— Nie. Z niemową.
— A jak wyglądał?
— Kto?
— Did.
— Oj, stary, stareńki, na lirze grał i na paniw płakał. Ale ja jego nie widziała.
— I on chłopów do buntu namawiał? — pytał raz jeszcze Anton.
— A on.
— Hm! ostańcie z Bogiem, mołodycio.
— Jedźcie z Bogiem.
Anton zastanowił się głęboko. Gdyby ten dziad był przebranym Zagłobą, dlaczego by, u licha, chłopów do Chmielnickiego namawiał? Zresztą skąd by przebrania wziął? Gdzie by koni zbył? Uciekał przecie konno. Ale przede wszystkim dlaczego by chłopów do buntu namawiał i o przyjściu księcia ich ostrzegał? Szlachcic by nie

ostrzegał i przede wszystkim sam się pod moc książęcą schronił. A jeśli książę idzie do Zołotonoszy, w czym nie masz nic niepodobnego, to za Wasiłówkę niezawodnie zapłaci. Tu Anton wzdrygnął się, bo nagle kół nowy we wrotach wydał mu się kubek w kubek do pala podobny.

— Nie! Ten dziad to był tylko dziad i nic więcej. Nie ma co gonić do Zołotonoszy, chyba uciekać w tamtą stronę.

Ale uciekłszy, co dalej robić? Czekać — to książę może nadejść; iść do Prochorówki i za Dniepr się przeprawić — to znaczy na hetmanów wpaść.

Staremu wilkowi stepowemu stało się jakoś ciasno na szerokich stepach. Uczuł także, że wilkiem będąc, na lisa w panu Zagłobie trafił.

Nagle uderzył się w czoło.

A czemu ten did chłopów powiódł do Zołotonoszy, za którą była Prochorówka, a za nią, za Dnieprem, hetmani i cały obóz koronny?

Anton postanowił bądź co bądź jechać do Prochorówki.

Jeśli przybywszy na brzeg usłyszy, iż po drugiej stronie stoją wojska hetmańskie, to się nie będzie przeprawiał, jeno w dół rzeki pójdzie i naprzeciw Czerkas z Bohunem się połączy. Zresztą wieści o Chmielnickim po drodze zasięgnie. Antonowi było już wiadomo z relacji Pleśniewskiego, że Chmielnicki Czehryn zajął, że Krzywonosa już na hetmanów wysłał, a sam z Tuhaj-bejem zaraz miał ruszyć za nim. Anton więc, jako żołnierz doświadczony i położenie miejsc dobrze znający, pewien był, iż bitwa musiała być już stoczona. W takim razie należało wiedzieć, czego się trzymać. Jeśli Chmielnicki był pobity, tedy wojska hetmańskie rozlały się w pogoń po całym Podnieprzu i w takim razie Zagłoby nie ma co już szukać. Ale jeśli Chmielnicki pobił?... Co prawda, Anton nie bardzo w to wierzył. Łatwiej pobić syna hetmańskiego jak hetmana; łatwiej podjazd jak całe wojsko.

„Et — myślał stary Kozak — nasz ataman lepiej by zrobił, żeby o własnej skórze, nie o dziewczynie myślał. Pod Czehrynem można by się przez Dniepr przeprawić, a stamtąd póki czas, na Sicz umknąć. Tu, między księciem Jaremą a hetmanami, ciężko mu teraz będzie usiedzieć".

Tak rozmyślając posuwał się szybko wraz ze swymi semenami w kierunku Suły, którą przebyć zaraz za Demianówką musiał, chcąc do Prochorówki się dostać. Dojechali do Mohylnej, nad samą rzeką leżącej. Tu los posłużył Antonowi, bo jakkolwiek Mohylna, również jak i Demianówka była pusta, zastał jednak promy gotowe i przewoźników, którzy przeprawiali chłopstwo uciekające ku Dnieprowi. Zadnieprze nie śmiało samo pod ręką księcia powstać, ale za to ze wszystkich wsi, osad i słobód chłopstwo uciekało, by się z Chmielnickim połączyć i pod jego znaki zaciągnąć. Wieść o zwycięstwie Zaporoża pod Żółtymi Wodami przeleciała jak ptak przez całe Zadnieprze. Dziki lud nie mógł usiedzieć spokojnie, chociaż tam właśnie żadnych prawie ucisków nie doznawał, bo jako się rzekło, książę, niemiłosierny dla buntów, był prawdziwym ojcem spokojnych osiedleńców, komisarze zaś jego bali się czynić krzywd powierzonemu sobie ludowi. Ale lud ten, niedawno ze zbójców w rolników zmieniony, przykrzył sobie prawo, surowość rządów i porządek, uciekał więc tam, kędy nadzieja dzikiej swobody zabłysła. W wielu wioskach uciekły do Chmielnickiego nawet i baby. W Czabanówce i w Wysokiem wyszła cała ludność spaliwszy za sobą chaty, aby nie było gdzie wracać. W tych wioskach, w których zostało jeszcze trochę ludu, zbrojono się na gwałt.

Anton począł wypytywać zaraz przewoźników, czyliby wieści z Zadnieprza nie mieli. Wieści były, ale sprzeczne, pomieszane, niejasne. Mówiono, że Chmiel bije się z hetmany: lecz jedni twierdzili, że pobit, drudzy, że zwycięski. Jakiś chłop uciekający ku Demianówce mówił, że hetmani wzięci w niewolę. Przewoźnicy podejrzewali, że to szlachcic przebrany, ale nie śmieli go zatrzymać, bo słyszeli także, że książęce wojska niedaleko. Jakoż strach mnożył wszędzie liczbę wojsk książęcych i czynił z nich wszędobylskie zastępy, gdyż pewno nie było w tej chwili ani jednej wioski na całym Zadnieprzu, w której by nie mówiono, że książę tuż, tuż. Anton spostrzegł, że wszędzie biorą jego oddział za podjazd kniazia Jaremy.

Ale wnet uspokoił przewoźników i począł ich wypytywać o chłopów demianowskich.

— A jakże. Byli, my ich przeprawili na drugą stronę — rzekł przewoźnik.

— A dziad był z nimi?

— Był.

— I niemowa z dziadem? małe pacholę?

— Jako żywo.

— Jak wyglądał dziad?

— Niestary, gruby, oczy miał jak u ryby, na jednym bielmo.

— To on! — mruknął Anton i pytał dalej: — A pacholę?

— Oj! otcze atamane! każe prosto cheruwym. Takoho my i ne baczyły.

Tymczasem dopłynęli do brzegu.

Anton wiedział już, czego się trzymać.

— Ej! przywieziemy mołodycię atamanowi — mruczał sam do siebie.

Potem zwrócił się do semenów:

— W konie.

Pomknęli jak stado spłoszonych dropiów, choć droga była trudna, bo kraj w jary popękany. Ale wjechali w jeden wielki, na którego dnie przy krynicy był jakoby gościniec przez naturę uczyniony. Jar aż do Kawrajca, lecieli więc kilkadziesiąt stajań bez wypoczynku, a Anton na najlepszym koniu naprzód. Już było widać szerokie ujście jaru, gdy nagle Anton osadził konia, aż mu zadnie kopyta zazgrzytały na kamieniach.

— Szczo ce?

Ujście zaćmiło się nagle ludźmi i końmi. Jakaś jazda wchodziła w parów i formowała się szóstkami. Było ich ze trzysta koni. Anton spojrzał i lubo stary był wojownik, wszelkich niebezpieczeństw zwyczajny, przecie serce zadygotało mu w piersiach, a na lice wystąpiła bladość śmiertelna.

Poznał dragonów księcia Jeremiego.

Uciekać było za późno, ledwie dwieście kroków dzieliło zastęp Antona od dragonów, a zmęczone konie semenów nie uszłyby daleko przed pogonią. Tamci też dostrzegłszy ich puścili się z miejsca rysią. Po chwili otoczono semenów ze wszystkich stron.

— Co wy za ludzie? — spytał groźno porucznik.

— Bohunowi! — rzekł Anton widząc, że trzeba prawdę mówić, bo sama barwa zdradzi. Ale poznawszy porucznika, którego widywał w Perejasławiu, wykrzyknął zaraz z udaną radością:

— Pan porucznik Kuszel! Sława Bohu!

— A to ty, Anton! — rzekł porucznik przyjrzawszy się esaułowi. — Co wy tu robicie? Gdzie wasz ataman?

— Każe, pane, hetman wielki wysłał naszego atamana do księcia wojewody prosząc o pomoc, tak ataman pojechał do Łubniów, a nam tu kazał włóczyć się po wsiach, by zbiegów łapać.

Anton łgał jak najęty, ale ufał w to, że skoro chorągiew dragońska idzie od strony Dniepru, nie może przeto jeszcze wiedzieć ani o napaści na Rozłogi, ani o bitwie pod Wasiłówką, ani o żadnych imprezach Bohunowych.

Wszelako porucznik rzekł:

— Rzekłby kto, do rebelii chcecie się przekraść.

— Ej, pane poruczniku — rzekł Anton — żeby my chcieli do Chmiela, tak by my nie byli z tej strony Dniepra.

— Prawda jest — rzecze Kuszel — prawda oczywista,

której ci nie mogę negować. Ale ataman nie zastanie księcia wojewody w Łubniach.

— O! a gdzież kniaź?

— Był w Przyłuce. Może dopiero wczoraj do Łubniów ruszył.

— To i szkoda. Ataman ma pismo od hetmana do kniazia, a z przeproszeniem waszej miłości, czy to wasza miłość z Zołotonoszy wojsko prowadzi?

— Nie. My stali w Kalenkach, a teraz dostali rozkaz, jak i wszystko wojsko, żeby do Łubniów ściągać, skąd książę całą potęgą wyruszy. A wy dokąd idziecie?

— Do Prochorówki, bo tam chłopstwo się przeprawia.

— Dużo już uciekło?

— Oj, bahato! bahato!

— No, to jedźcie z Bogiem.

— Dziękujemy pokornie waszej miłości. Niech Bóg prowadzi.

Dragoni rozstąpili się i poczet Antona wyjechał spośród nich ku ujściu jaru.

Minąwszy ujście Anton stanął i słuchał pilnie, a gdy już dragoni zniknęli mu z oczu i ostatnie echa po nich przebrzmiały, zawrócił się do swoich semenów i rzekł:

— Wiecie, durnie, że gdybym nie ja, to by wy za trzy dni na palach w Łubniach pozdychali. A teraz w konie, choćby ostatni dech z nich wyprzeć!

I ruszyli z kopyta.

„Dobra nasza! — myślał Anton — podwójnie dobra nasza: raz, żeśmy skórę całą unieśli, a po wtóre, że ci dragoni nie szli z Zołotonoszy i że Zagłoba minął się z nimi, bo gdyby ich był napotkał, tedy byłby już przed wszelką pogonią bezpieczny".

Jakoż istotnie był to termin dla pana Zagłoby nader niepomyślny, w którym fortuna zgoła mu nie dopisywała, że się nie natknął na pana Kuszla i jego chorągiewkę, gdyż byłby od razu ocalony i wolen od wszelkiej obawy.

Tymczasem w Prochorówce uderzyła w niego jak piorun wieść o klęsce korsuńskiej. Już po drodze do Zołotonoszy po wsiach i chutorach chodziły słuchy o wielkiej bitwie, nawet o zwycięstwie Chmiela, ale pan Zagłoba nie dawał im wiary, wiedział bowiem z doświadczenia, że między ludem wieść każda rośnie i rośnie do niebywałych rozmiarów i że zwłaszcza o przewagach kozackich lud ten chętnie cuda sobie opowiada. Ale w Prochorówce trudno było już dłużej wątpić. Prawda straszna i złowroga biła obuchem w głowę. Chmiel tryumfował, wojsko koronne było zniesione, hetmani w niewoli, cała Ukraina w ogniu.

Pan Zagłoba w pierwszej chwili stracił głowę. Był bowiem w strasznym położeniu. Fortuna nie dopisała mu i po drodze, bo w Zołotonoszy nie znalazł żadnej załogi. Miasto wrzało przeciw Lachom, a stara forteczka była opuszczona. Nie wątpił on ani chwili, że Bohun szuka go i że prędzej czy później trafi na jego ślady. Kluczył wprawdzie szlachcic jak ścigany szarak, ale znał na wylot ogara, który go ścigał, i wiedział, że ogar ten nie da się zbić z tropu. Miał więc pan Zagłoba poza sobą Bohuna, przed sobą morze chłopskiego buntu, rzezie, pożogi, zagony tatarskie, tłumy rozbestwione.

Uciekać w takim położeniu było to zadanie prawie niepodobne do spełnienia, zwłaszcza uciekać z dziewczyną, która, lubo przebrana za dziadowskie pacholę, zwracała wszędy uwagę swoją nadzwyczajną pięknością.

Zaiste, było od czego głowę stracić.

Ale pan Zagłoba nigdy na długo jej nie tracił. Wśród największego zamętu w mózgownicy widział doskonale to jedno, a raczej czuł najwyraźniej, że Bohuna boi się sto razy więcej jak ognia, wody, buntu, rzezi i samego Chmielnickiego. Na samą myśl, że mógłby dostać się w ręce strasznego watażki, skóra na panu Zagłobie cierpła. „Ten by mi dał łupnia! — powtarzał sobie co chwila. — A tu przede mną morze buntu!"

Pozostawał jeden sposób ocalenia: porzucić Helenę i zostawić ją na bożej woli, ale tego pan Zagłoba uczynić nie chciał.

— Nie może być — mówił do niej — musiałaś mi waćpanna czegoś zadać, co będzie miało ten skutek, że mi przez waćpannę skórę na jaszczur wyprawią.

Ale porzucić jej nie chciał i do głowy nawet nie dopuszczał tej myśli. Cóż więc miał robić?

„Ha! — myślał — księcia szukać nie czas! Przede mną morze, więc dam nurka w ono morze, przynajmniej się skryję, a Bóg da, to i na drugi brzeg przepłynę".

I postanowił przeprawić się na prawy brzeg Dnieprowy.

Ale w Prochorówce nie było to rzeczą łatwą. Pan Mikołaj Potocki pozabierał jeszcze dla Krzeczowskiego i wyprawionych z nim wojsk wszystkie dumbasy, szuhaleje, promy, czajki i pidjizdki, to jest mniejsze czółna i łodzie, począwszy od Perejasławia aż do Czehryna. W Prochorówce był tylko jeden dziurawy prom. Na ten prom czekały tysiące ludzi zbiegłych z okolicznego Zadnieprza. W całej wiosce zajęte były wszystkie chaty, obory, stodoły, chlewy, i drożyzna niesłychana. Pan Zagłoba naprawdę musiał lirą a pieśnią na kawałek chleba zarabiać. Przez całą dobę nie mogli się przeprawić, bo prom zepsuł się dwa razy, musiano go więc naprawiać. Noc spędzili z Heleną siedząc na brzegu rzeki razem z gromadami pijanego chłopstwa, przy ogniskach. A noc była wietrzna i chłodna. Kniaziówna upadała ze znużenia i bólu, bo chłopskie buty poczyniły jej rany na nogach. Bała się, czy nie zachoruje obłożnie. Twarz jej sczerniała i zbladła, cudne oczy przygasły, co chwila dobijała ją obawa, że może być poznana pod przebraniem albo że niespodzianie nadejdzie pogoń Bohunowa. Tej nocy nakarmiono jej oczy strasznym widokiem. Chłopi sprowadzili od ujścia Rosi kilku szlachty chcących przed nawałą tatarską schronić się do państwa Wiśniowieckiego i pomordowali ich nad brzegiem okrutnie. Wiercono im świdrami oczy, a głowy gnieciono między kamieniami. Prócz tego w Prochorówce było dwóch Żydów z rodzinami. Tych rozszalała tłuszcza wrzuciła do Dniepru, a gdy nie chcieli zaraz iść na dno, pogrążono ich samych, Żydowice i Żydzięta za pomocą długich osęków. Towarzyszyły temu wrzaski i pijaństwo. Podchmieleni mołojcy gzili się z podchmielonymi mołodyciami. Straszne wybuchy śmiechu brzmiały złowrogo na ciemnych brzegach Dnieprowych! Wiatr rozrzucał ogniska, czerwone głownie i iskry, porwane wichurą, leciały konać na fali. Chwilami zrywał się popłoch. Od czasu do czasu jakiś głos pijacki, ochrypły wołał w ciemnościach: „Ludy, spasajtes, Jarema ide!!" I tłum rzucał się na oślep ku brzegowi, tratował się, spychał w wodę. Raz mało nie roztratowano Zagłoby i kniaziówny. Była to piekielna noc, a zdawała się nie mieć końca. Zagłoba wyżebrał kwartę wódki, sam pił i kniaziównę zmuszał do picia, bo inaczej zemdlałaby lub wpadła w gorączkę. Na koniec fala Dnieprowa poczęła bielić się i połyskiwać. Świtało. Dzień robił się chmurny, posępny, blady. Zagłoba chciał co prędzej przeprawić się na drugą stronę. Szczęściem i prom też naprawiono. Ale ścisk stał się przy nim okropny.

— Miejsce dla dziada, miejsce dla dziada! — krzyczał Zagłoba trzymając przed sobą między wyciągniętymi rękoma Helenę i broniąc jej od ścisku. — Miejsce dla dziada! Do Chmielnickiego i do Krzywonosa idę! Miejsce dla dziada, dobrzy ludzie, lube mołojcy, żeby was czarna śmierć wydusiła, was i dzieci wasze! Nie widzę dobrze, wpadnę w wodę, pacholę mi utopicie. Ustąpcie, ditki, żeby paraliż powytrząsał wam wszystkie członki, żebyście polegli, żebyście na palach pozdychali.

Tak wrzeszcząc, klnąc, prosząc i rozpychając tłum swymi potężnymi łokciami, wepchnął naprzód Helenę na prom, a potem wgramoliwszy się sam, zaraz począł znowu wrzeszczeć:

— Dosyć już was tu!... czego się tak pchacie?... prom zatopicie, jak was tyle się tu napcha. Dosyć, dosyć!... przyjdzie kolej i na was, a jeśli nie przyjdzie, mniejsza z tym.

— Dosyć, dosyć! — wołali ci, którzy dostali się na prom. — Na wodę! na wodę!

Wiosła wyprężyły się i prom począł oddalać się od brzegu. Bystra fala zaraz go zniosła nieco z biegiem rzeki, w kierunku Domontowa.

Przebyli już połowę szerokości koryta, gdy na prochorowskim brzegu dały się słyszeć krzyki, wołania. Zamieszanie okropne wszczęło się między tłumami, które zostały nad wodą; jedni uciekali jak szaleni ku Domontowu, drudzy wskakiwali w wodę, a inni krzyczeli, machali rękami lub rzucali się na ziemię.

— Co to? co się stało? — pytano na promie.

— Jarema! — krzyknął jeden głos.

— Jarema, Jarema! uciekajmy! — wołali inni.

Wiosła poczęły bić gorączkowo o wodę, prom mknął jak kozacka czajka po fali.

W tejże chwili jacyś konni ukazali się na prochorowskim brzegu.

— Wojska Jaremy! — wołano na promie.

Konni biegali po brzegu, kręcili się, wypytywali o coś ludzi — wreszcie poczęli krzyczeć na płynących:

— Stój! stój!

Zagłoba spojrzał i zimny pot oblał go od stóp do głowy: poznał Kozaków Bohunowych.

Rzeczywiście był to Anton ze swymi semenami.

Ale jako się rzekło, pan Zagłoba nigdy na długo głowy nie tracił; przykrył oczy ręką, niby to jako człek źle widzący wpatrywać się musiał czas jakiś, wreszcie począł krzyczeć, jakby go kto ze skóry obdzierał:

— Ditki! to Kozacy Wiśniowieckiego! O, dla Boga i Świętej-Przeczystej! prędzej do brzegu! Już my tamtych, co zostali, odżałujemy, a porąbać prom, bo inaczej pohybel nam wszystkim!

— Prędzej, prędzej, porąbać prom — wołali inni.

Zrobił się krzyk, wśród którego nie było słychać nawoływań od strony Prochorówki. W tej chwili prom zgrzytnął o żwir brzegowy. Chłopi poczęli wyskakiwać, ale jedni nie zdążyli jeszcze wysiąść, gdy drudzy rwali już burty promu, bili siekierami w dno. Deski i oderwane szczapy poczęły latać w powietrzu. Niszczono nieszczęsny statek z wściekłością, rwano na sztuki i kawałki, przestrach zaś dodawał siły burzącym.

A przez ten czas pan Zagłoba krzyczał:

— Rąb, tłucz, rwij, pal!... ratuj się! Jarema idzie! Jarema idzie!

Tak krzycząc wycelował swoje zdrowe oko na Helenę i począł nim mrugać znacząco.

Tymczasem z drugiego brzegu krzyki wzmogły się na widok niszczenia statku, ale że było zbyt daleko, przeto nie można było zrozumieć, co krzyczano. Wymachiwania rękami podobne były do gróźb i zwiększały tylko pośpiech w niszczeniu.

Statek zniknął po chwili, ale nagle ze wszystkich piersi znów wyrwał się okrzyk grozy i przerażenia:

— Skaczut w wodu! płynut k'nam! — wrzeszczeli chłopi.

Jakoż naprzód jeden konny, a za nim kilkudziesięciu innych wparło konie w wodę i puściło się wpław do drugiego brzegu. Był to czyn szalonej niemal śmiałości, gdyż z wiosny wezbrana fala płynęła potężniej jak zwykle, tworząc tu i owdzie liczne wiry i zakręty. Porwane pędem rzeki konie nie mogły płynąć wprost, fala poczęła je znosić z nadzwyczajną szybkością.

— Nie dopłyną! — krzyczeli chłopi.

— Potoną!

— Sława Bohu! O! o! już koń jeden zanurzył się.

— Na pohybelże im!

Konie przepłynęły trzecią część rzeki, ale woda znosiła je w dół coraz silniej. Widocznie poczęły tracić siły, z wolna też zanurzały się coraz głębiej. Po chwili siedzący na nich mołojcy byli już do pasa w wodzie. Przeszedł czas jakiś. Nadbiegli chłopi z Szelepuchy patrzyć, co się dzieje: już tylko łby końskie wyglądały nad falą, a mołojcom woda dochodziła do piersi. Ale też przepłynęli już pół rzeki. Nagle jeden łeb i jeden mołojec zniknął pod wodą, za nim drugi, trzeci, czwarty, piąty... liczba płynących zmniejszała się coraz bardziej. Po obu stronach rzeki zapanowało w tłumach głuche milczenie, ale szli wszyscy z biegiem wody, żeby widzieć, co się stanie. Już dwie trzecie rzeki przebyte, liczba płynących zmniejszyła się jeszcze, ale słychać już ciężkie chrapanie koni i głosy zachęcające mołojców; już widać, że niektórzy dopłyną.

Nagle głos Zagłoby rozległ się wśród ciszy:

— Hej! ditki! do piszczeli! na pohybel kniaziowym!

Buchnęły dymy, zahuczały wystrzały. Krzyk z rzeki zabrzmiał rozpaczliwie i po chwili konie, mołojcy, wszystko znikło. Rzeka była pusta, tylko gdzieś już dalej, w rozkrętach fal, zaczerniał czasem brzuch koński, czasem mignęła krasna czapka mołojca.

Zagłoba patrzył na Helenę i mrugał...

Rozdział XXII

Książę wojewoda ruski, zanim pana Skrzetuskiego siedzącego na zgliszczach Rozłogów spotkał, wiedział już o klęsce korsuńskiej, gdyż mu o niej pan Polanowski, towarzysz książęcy husarski w Sahotynie doniósł. Poprzednio bawił książę w Przyłuce i stamtąd pana Bogusława Maszkiewicza do hetmanów z listem wysłał pytając, gdzie by mu się z całą potęgą stawić rozkazali. Gdy jednak pana Maszkiewicza z odpowiedzią hetmanów długo nie było widać, ruszył książę ku Perejasławiu, wysyłając na wszystkie strony podjazdy oraz rozkazy, by te pułki, które jeszcze po Zadnieprzu tu i owdzie były rozrzucone, do Łubniów jak najśpieszniej ściągały.

Ale przyszły wieści, że kilkanaście chorągwi kozackich, na granicach ku Tatarszczyźnie w polankach stojących, rozsypało się lub też do buntu poszło. Tak więc widział książę swe siły nagle uszczuplone i zgryzł się tym niemało, bo nie spodziewał się, by ci ludzie, których tylekroć do zwycięstw prowadził, kiedykolwiek opuścić go mogli. Jednakże po spotkaniu z panem Polanowskim i po odebraniu wieści o niesłychanej klęsce, takową przed wojskiem zataił i ciągnął dalej ku Dnieprowi chcąc iść na oślep w środek burzy i buntu i albo klęskę pomścić, niesławę wojsk zetrzeć, albo samemu krew rozlać. Sądził przy tym, że musiało się coś, a może i sporo wojska koronnego z pogromu ocalić. Ci, gdyby jego sześciotysięczną dywizję wzmogli, mógłby się z nadzieją zwycięstwa z Chmielnickim zmierzyć.

Stanąwszy tedy w Perejasławiu polecił małemu panu Wołodyjowskiemu i panu Kuszlowi, by swoich dragonów na wszystkie strony, do Czerkas, do Mantowa, Siekiernej, Buczacza, Stajek, Trechtymirowa i Rzyszczowa, rozesłali dla sprowadzenia wszelkich statków i promów, jakie by się w okolicy znalazły. Po czym wojsko miało się z lewego brzegu do Rzyszczowa przeprawić.

Wysłańcy dowiedzieli się od spotykanych tu i owdzie zbiegów o klęsce, ale we wszystkich onych miejscach ani jednego statku nie znaleźli, gdyż jako już było wspomniane, połowę ich hetman wielki koronny dawno dla Krzeczowskiego i Barabasza zabrał, resztę zaś zbuntowana na prawym brzegu czerń z obawy przed księciem poniszczyła. Wszelako dostał się pan Wołodyjowski samodziesięć na prawy brzeg, kazawszy z pni zbić naprędce tratwę. Tam schwytał kilkunastu Kozaków, których przed księciem stawił. Od nich dowiedział się książę o potwornych rozmiarach buntu i straszliwych owocach, jakie klęska korsuńska już zrodziła. Cała Ukraina, co do jednej głowy, powstała. Bunt rozlewał się tak właśnie, jak powódź, która tocząc się równiną, w mgnieniu oka coraz większe i większe przestrzenie zajmuje. Szlachta broniła się w zamkach i zameczkach. Ale wiele z nich już zdobyto.

Chmielnicki rósł z każdą chwilą w siły. Schwytani Kozacy podawali już kwotę jego wojsk na dwieście tysięcy ludzi; a za parę dni siły te mogły zdwoić się łatwo. Dlatego po bitwie stał jeszcze w Korsuniu, a zarazem korzystając z chwili spokoju wprowadził ład w swoje niezliczone zastępy. Czerń dzielił na pułki, wyznaczył pułkowników z atamanów i co doświadczeńszych esaułów zaporoskich — wyprawiał podjazdy lub całe dywizje dla dobywania pobliskich zamków. Zważywszy to wszystko książę Jeremi widział, iż i dla braku statków, których przygotowanie dla 6000 wojska zajęłoby kilka tygodni czasu, i dla wybujałej nad wszelką miarę potęgi nieprzyjaciela nie masz sposobu przeprawienia się za Dniepr w tych okolicach, w których obecnie zostawał. Na radzie wojennej pan Polanowski, pułkownik Baranowski, strażnik pan Aleksander Zamojski, pan Wołodyjowski i Wurcel byli zdania, by na północ ku Czernihowu ruszyć, któren za głuchymi lasami leżał, stamtąd iść na Lubecz i tam dopiero ku Brahinowi się przeprawić. Była to droga długa i niebezpieczna, bo za czernihowskimi lasami leżały ku Brahinowi olbrzymie błota, przez które i piechocie niełatwo się było przeprawiać, a cóż dopiero ciężkiej jeździe, wozom i artylerii! Księciu wszelako przypadła do smaku ta rada, pragnął tylko raz jeszcze przed tą długą, a jak się spodziewał i niepowrotną drogą, na swym Zadnieprzu tu i owdzie się ukazać, by wybuchu zaraz nie dopuścić, szlachtę pod swe skrzydła zgarnąć, grozą przejąć i pamięć owej grozy między ludem zostawić, która pod niebytność pana sama jedna miała być stróżem kraju i opiekunem tych wszystkich, co z wojskiem pociągnąć nie mogli. Prócz tego księżna Gryzelda, panny Zbaraskie, fraucymer, dwór cały i niektóre regimenta, mianowicie piechoty, były jeszcze w Łubniach, postanowił więc książę pójść na ostatnie pożegnanie do Łubniów.

Wojska ruszyły tegoż samego dnia, a na czele pan Wołodyjowski ze swymi dragonami, którzy choć wszyscy bez wyjątku Rusini, przecie w kluby dyscypliny ujęci i w żołnierza regularnego zmienieni, wiernością prawie wszystkie inne chorągwie przewyższali. Kraj był jeszcze spokojny. Gdzieniegdzie potworzyły się już kupy hultajów rabując zarówno dwory, jak i chłopów. Tych znacznie po drodze wygnieciono i na pale powbijano. Ale chłopstwo nigdzie nie powstało. Umysły wrzały, ogień był w chłopskich oczach i duszach, zbrojono się po cichu, uciekano za Dniepr. Wszelako strach panował jeszcze nad głodem krwi i mordu. To tylko za złą wróżbę na przyszłość poczytanym być mogło, że w tych nawet wioskach, w których chłopi nie puścili się dotąd do Chmiela, uciekali za zbliżeniem się wojsk książęcych, jakby w obawie, by im straszny kniaź z twarzy nie wyczytał tego, co w sumieniach się kryło, i z góry nie pokarał. Karał on jednakże tam, gdzie najmniejszą oznakę knującego się buntu znalazł, a jako naturę miał i w nagradzaniu, i w karaniu niepohamowaną, karał bez miary i litości. Można było rzec, iż po dwóch stronach Dniepru błądziły podówczas dwa upiory: jeden dla szlachty — Chmielnicki, drugi dla zbuntowanego ludu — książę Jeremi. Szeptano sobie między ludem, że gdy ci dwaj się zetrą, chyba słońce się zaćmi i wody po wszystkich rzekach poczerwienieją. Ale starcie nie było bliskim, bo ów Chmielnicki, zwycięzca spod Żółtych Wód, zwycięzca spod Korsunia, ów Chmielnicki, który rozbił w puch wojska koronne, wziął do niewoli hetmanów i teraz stał na czele setek tysięcy wojowników, po prostu bał się tego pana z Łubniów, który chciał go szukać za Dnieprem. Wojska książęce przebyły właśnie Śleporód, sam zaś książę zatrzymał się dla wypoczynku w Filipowie, gdy dano mu znać, że przybyli wysłańcy Chmielnickiego z listem i proszą o posłuchanie. Książę kazał im się stawić natychmiast. Weszło tedy sześciu Zaporożców do podstarościńskiego dworku, w którym stał książę, i weszło dość hardo, zwłaszcza najstarszy z nich, ataman Sucharuka, pamiętny na pogrom korsuński i na swą świeżą pułkownikowską szarżę. Ale gdy spojrzeli na oblicze księcia, wnet ogarnął ich strach tak wielki, że padłszy mu do nóg, nie śmieli słowa przemówić.

Książę, siedząc w otoczeniu co przedniejszego rycerstwa, kazał im podnieść się i pytał, z czym przybyli.

— Z listem od hetmana — odparł Sucharuka.

Na to książę utkwił w Kozaku oczy i rzekł spokojnie, lubo z przyciskiem na każdym słowie:

— Od łotra, hultaja i rozbójnika, nie od hetmana!

Zaporożcy pobledli, a raczej posinieli tylko, i spuściwszy głowy na piersi stali w milczeniu u drzwi.

Tymczasem książę kazał panu Maszkiewiczowi wziąć list i czytać.

List był pokorny. W Chmielnickim, lubo już po Korsuniu, lis wziął górę nad lwem, wąż nad orłem, bo pamiętał, że pisze do Wiśniowieckiego[1]. Łasił się może, by uspokoić i tym łatwiej ukąsić, ale łasił się.

Pisał, iż co się stało, z winy Czaplińskiego się stało; a że hetmanów również spotkała fortuny odmienność, tedy to nie jego, nie Chmielnickiego wina, ale złej ich doli

[1] Samoił Weliczko, str. 79. Pisał Chmielnicki do księcia: „żeby tedi o toje, szczo sia z hetmanami koronnymi stało, on, kniaź Wiszniewiecki, ne urażałsia i gniewa swojeho k'nemu, Chmielnickomu, prostyraty ne izwolił".

i ucisków, jakich na Ukrainie Kozacy doznają. Prosi on jednak księcia, by się o to nie urażał i przebaczyć mu to raczył, za co on zostanie zawsze powolnym i pokornym książęcym sługą; aby zaś łaskę książęcą dla wysłanników swych zjednać i od srogości książęcego gniewu ich zbawić, oznajmia, iż towarzysza usarskiego, pana Skrzetuskiego, który na Siczy był pojman, zdrowo wypuszcza.

Tu następowały skargi na pychę pana Skrzetuskiego, że listów od Chmielnickiego nie chciał do księcia brać, czym godność jego hetmańską i całego wojska zaporoskiego wielce spostponował. Tej właśnie pysze i poniewierce, jakie ustawicznie od Lachów Kozaków spotykały, przypisywał Chmielnicki wszystko, co się stało, począwszy od Żółtych Wód aż do Korsunia. Wreszcie list kończył się zapewnieniami żalu i wierności dla Rzeczypospolitej oraz zaleceniem pokornych służb, wedle książęcej woli.

Słuchając tego listu sami wysłańcy byli zdziwieni, nie wiedzieli bowiem poprzednio, co się w piśmie onym znajduje, a przypuszczali, że prędzej obelgi i harde wyzwania niż prośby. Jasnym im tylko było, że Chmielnicki nie chciał wszystkiego na kartę przeciw tak wsławionemu wodzowi stawić, i zamiast całą potęgą na niego ruszyć, zwlekał, pokorą łudził, oczekiwał widocznie, by się siły książęce w pochodach i walkach z pojedynczymi watahami wykruszyły, słowem: widocznie bał się księcia. Wysłańcy spokornieli więc jeszcze bardziej i w czasie czytania pilnie oczyma w twarzy książęcej czytali, czy czasem śmierci swej nie wyczytają. I choć idąc byli na nią gotowi, przecie teraz strach ich zdejmował. A książę słuchał spokojnie, jeno od chwili do chwili powieki na oczy spuszczał, jakby chcąc utajone w nich gromy zatrzymać, i widać było jak na dłoni, że gniew straszny trzyma na wodzy. Gdy skończono list, nie ozwał się ni słowa do posłańców, tylko kazał Wołodyjowskiemu wziąć ich precz i pod strażą zatrzymać, sam zaś zwróciwszy się do pułkowników ozwał się w następujące słowa:

— Wielką jest chytrość tego nieprzyjaciela, bo albo mię chce owym listem uśpić, by na uśpionego napaść, albo-li w głąb Rzeczypospolitej pociągnie, tam układ zawrze, przebaczenie od powolnych stanów i króla uzyska, a wtenczas będzie się czuł bezpiecznym, bo gdybym go dłużej chciał wojować, tedy nie on już, ale ja postąpiłbym wbrew woli Rzeczypospolitej i za rebelizanta bym uchodził.

Wurcel aż się za głowę złapał.

— *O vulpes astuta!*

— Co tedy radzicie czynić, mości panowie? — rzekł książę. — Mówcie śmiało, a potem ja wam swoją wolę oznajmię.

Stary Zaćwilichowski, który już od dawna, porzuciwszy Czehryn, z księciem się był połączył, rzekł:

— Niechże się stanie wedle woli waszej książęcej mości; ale jeśli radzić wolno, tedy powiem, że zwykłąś sobie bystrością wasza książęca mość intencje Chmielnickiego wyrozumiał, gdyż takie one są, a nie inne; mniemałbym przeto, że na list jego nic nie potrzeba zważać, ale księżnę panią wpoprzód ubezpieczywszy, za Dniepr iść i wojnę rozpocząć, nim Chmielnicki jakowe układy zawiąże; wstyd by to bowiem i dyshonor był dla Rzeczypospolitej, by takie *insulta* płazem puścić miała. Zresztą (tu zwrócił się do pułkowników) czekam zdania waciów, mego za nieomylne nie podając.

Strażnik obozowy pan Aleksander Zamojski w szablę się uderzył.

— Mości chorąży, *senectus* przez was mówi i *sapientia*. Trzeba łeb urwać tej hydrze, póki zaś się nie rozrośnie i nas samych nie pożre.

— Amen! — rzekł ksiądz Muchowiecki.

Inni pułkownicy, zamiast mówić, poczęli za przykładem pana strażnika trzaskać szablami a sapać, a zgrzytać, pan Wurcel zaś zabrał głos w ten sposób:

— Mości książę! Kontempt to nawet jest dla imienia waszej książęcej mości, iż ów łotr pisać się do waszej książęcej mości odważył, bo ataman koszowy nosi w sobie preeminencję od Rzeczypospolitej potwierdzoną i uznaną, czym nawet kurzeniowi zasłaniać się mogą. Ale to jest hetman samozwańczy, któren nie inaczej, jeno za zbójcę uważany być może, w czym pan Skrzetuski chwalebnie się spostrzegł, gdy listów jego do waszej książęcej mości brać nie chciał.

— Tak też i ja myślę — rzekł książę — a ponieważ jego samego nie mogę dosięgnąć, przeto w osobach swych wysłanników ukaranym zostanie.

To rzekłszy zwrócił się do pułkownika tatarskiej nadwornej chorągwi:

— Mości Wierszułł, każ waść swoim Tatarom tych Kozaków pościnać, dla naczelnego zaś palik zastrugać i nie mieszkając go zasadzić.

Wierszułł pochylił swą rudą jak płomień głowę i wyszedł, a ksiądz Muchowiecki, który zwykle księcia hamował, ręce złożył jak do modlitwy i w oczy mu błagalnie patrzył pragnąc łaskę wypatrzyć.

— Wiem, księże, o co ci chodzi — rzekł książę wojewoda — ale nie może być. Trzeba tego i dla okrucieństw, które oni tam za Dnieprem spełniają, i dla godności naszej, i dla dobra Rzeczypospolitej. Trzeba, aby się dowodnie okazało, iż jest ktoś, co się jeszcze tego watażki nie lęka i jak zbója go traktuje, któren choć pokornie pisze, przecie zuchwale postępuje i na Ukrainie jakby udzielny książę sobie poczyna, i taki paroksyzm na Rzeczpospolitą sprowadza, jakiego z dawna nie doznała.

— Mości książę, on pana Skrzetuskiego, jako pisze, odesłał — rzekł nieśmiało ksiądz.

— Dziękuję-ć w jego imieniu, że go z rezunami równasz. — Tu książę zmarszczył brwi. — Wreszcie dość o tym. Widzę — mówił dalej, zwracając się do pułkowników — że waszmościowie wszyscy *sufragia* za wojną dajecie; taka jest i moja wola. Pójdziemy tedy na Czernihów, zabierając szlachtę po drodze, a pod Brahinem się przeprawimy, za czym ku południowi ruszyć nam wypadnie. Teraz do Łubniów!

— Boże nam pomóż! — rzekli pułkownicy.

W tej chwili drzwi się otworzyły i ukazał się w nich Roztworowski, namiestnik wołoskiej chorągwi, wysłany przed dwoma dniami w trzysta koni na podjazd.

— Mości książę! — zawołał — rebelia szerzy się! Rozłogi spalone, w Wasiłówce chorągiew do nogi wybita.

— Jak? co? gdzie? — pytano ze wszystkich stron.

Ale książę skinął ręką, by milczano, i sam pytał:

— Kto to uczynił — hultaje czy jakowe wojsko?

— Mówią, że Bohun.

— Bohun?

— Tak jest.

— Kiedy się to stało?

— Przed trzema dniami.

— Szedłeś waść śladem? Dognałeś, schwytałeś języka?

— Szedłem śladem, dognać nie mogłem, gdyż po trzech dniach było za późno. Wieścim po drodze zbierał; uciekali z powrotem ku Czehrynowi, potem się rozdzielili. Połowa poszła ku Czerkasom, połowa ku Zołotonoszy i Prochorówce.

Na to pan Kuszel:

— A tom ja spotkał ten oddział, któren szedł ku Prochorówce, o czym waszej książęcej mości donosiłem. Powiadali się być wysłanymi od Bohuna, by ucieczki chłopstwa za Dniepr nie dopuszczać, przeto ich puściłem wolno.

— Głupstwoś waść zrobił, ale cię nie winuję. Trudno się tu nie mylić, gdy zdrada na każdym kroku i grunt pod nogami piecze — rzekł książę.

Nagle ułapił się za głowę.

— Boże wszechmogący! — zakrzyknął — przypominam sobie, co mnie Skrzetuski powiadał, że Bohun na niewinność Kurcewiczówny się zasadził. Rozumiem teraz, czemu Rozłogi spalone. Dziewka musi być porwana.

Hej, Wołodyjowski! sam tu! Weźmiesz waść pięćset koni i ku Czerkasom jeszcze raz ruszysz; Bychowiec w pięćset Wołochów niech na Zołotonoszę do Prochorówki idzie. Koni nie żałować; któren mi dziewczynę odbije, Jeremiówkę w dożywocie weźmie. Ruszać! Ruszać!

Po czym do pułkowników:

— Mości panowie, a my na Rozłogi do Łubniów!

Tu pułkownicy wysypali się spod starościńskiego dworku i skoczyli do swoich chorągwi. Rękodajni pobiegli na koń siadać; księciu też dzianeta cisawego sprowadzono, którego zwykle w pochodach zażywał. Za chwilę chorągwie ruszyły i wyciągnęły się długim, barwistym i błyszczącym wężem po filipowieckiej drodze.

Wedle kołowrotu krwawy widok uderzył żołnierskie oczy. Na płocie w chrustach widać było pięć odciętych głów kozaczych, które patrzyły na przechodzące wojska martwymi białkami otwartych oczu, a opodal, już za kołowrotem, na zielonym pagórku, rzucał się jeszcze i drgał, zasadzony na pal, ataman Sucharuka. Ostrze przeszło już pół ciała, ale długie godziny konania znaczyły się jeszcze nieszczęsnemu atamanowi, bo i do wieczora mógł tak drgać, zanimby śmierć go uspokoiła. Teraz zaś nie tylko żyw był, ale oczy straszne zawracał za chorągwiami, w miarę jak która przechodziła; oczy, które mówiły: „Bogdaj was Bóg pokarał, was i dzieci, i wnuki wasze do dziesiątego pokolenia, za krew, za rany, za męki! bogdajeście sczeźli, wy i wasze plemię! bogdaj wszystkie nieszczęścia w was biły! bogdajeście konali ciągle i ni umrzeć, ni żyć nie mogli!" A choć to prosty był Kozak, choć konał nie w purpurze ani w złotogłowiu, ale w sinym żupaniku, i nie w komnacie zamkowej, ale pod gołym niebem, na palu, przecie owa męka jego, owa śmierć krążąca mu nad głową taką okryły go powagą, taką siłę włożyły w jego spojrzenie, takie morze nienawiści w jego oczy, iż wszyscy dobrze zrozumieli, co chciał mówić — i chorągwie przejeżdżały w milczeniu koło niego, a on w złotych blaskach południa górował nad nimi i świecił na świeżo ostruganym palu jako pochodnia...

Książę przejechał, okiem nie rzuciwszy, ksiądz Muchowiecki krzyżem nieszczęsnego przeżegnał i już mijali wszyscy, aż jakieś pacholę spod usarskiej chorągwi, nie pytając się nikogo o pozwolenie, zatoczyło konikiem na wzgórze i przyłożywszy pistolet do ucha ofiary, jednym strzałem skończyło jej mękę. Zadrżeli wszyscy na tak zuchwały i wykraczający przeciw wojennej dyscyplinie postępek i znając surowość księcia zgoła już za zgubionego pachołka uważali; ale książę nie mówił nic: czy udawał, że nie słyszy, czy też był tak w myślach pogrążony, dość, że pojechał dalej spokojnie i wieczorem dopiero kazał wołać pachołka.

Stanął wyrostek ledwie żywy przed pańskim obliczem i myślał, że właśnie ziemia rozpada mu się pod nogami. A książę spytał:

— Jak cię zowią?

— Żeleński.

— Ty strzeliłeś do Kozaka?

— Ja — wyjąkało blade jak płótno pacholę.

— Przecz-żeś to uczynił?

— Gdyż na mękę patrzeć nie mogłem.

Książę, zamiast się rozgniewać, rzekł:

— Oj, napatrzysz ty się ich postępków, że od tego widoku litość od ciebie jak anioł odleci. Ale żeś dla litości swoje zaważył życie, przeto ci skarbnik w Łubniach dziesięć czerwonych złotych wypłaci i do mojej osoby na służbę cię biorę.

Dziwili się wszyscy, iż tak skończyła się owa sprawa, ale wtem dano znać, iż podjazd od bliskiej Zołotonoszy przyjechał, i umysły zwróciły się w inną stronę.

Rozdział XXIII

Późnym wieczorem, przy księżycu, doszły wojska do Rozłogów. Tam pana Skrzetuskiego na swej kalwarii zastały siedzącego. Rycerz, jak wiadomo, z bólu i męki zupełnie się zapamiętał, a gdy dopiero ksiądz Muchowiecki do przytomności go wrócił, oficerowie wzięli go między siebie, witać i pocieszać zaczęli, a osobliwie pan Longinus Podbipięta, któren już od ćwierci w chorągwi Skrzetuskiego był sowitym towarzyszem. Gotów mu też był towarzyszyć we wzdychaniach i płakaniu i zaraz ślub nowy na jego intencję uczynił, że wtorki do śmierci suszyć będzie, jeśli Bóg w jakikolwiek sposób ześle namiestnikowi pocieszenie. Tymczasem poprowadzono pana Skrzetuskiego do księcia, któren w chłopskiej chacie się zatrzymał. Ten, gdy swego ulubieńca ujrzał, nie rzekł ni słowa, tylko mu ramiona otworzył i czekał. Pan Jan rzucił się natychmiast z wielkim płakaniem w owe ramiona, a książę do piersi go cisnął, w głowę całował, przy czym obecni oficerowie widzieli łzy w jego dostojnych oczach.

Po chwili dopiero mówić począł:

— Jako syna cię witam, gdyż tak myślałem, iż cię już nie ujrzę więcej. Znieśże mężnie twoje brzemię i na to pamiętaj, że tysiące będziesz miał towarzyszów w nieszczęściu, którzy potracą żony, dzieci, rodziców, krewnych i przyjaciół. A jako kropla ginie w oceanie, niechże tak twoja boleść w morzu powszechnej boleści utonie. Gdy na ojczyznę miłą tak straszne przyszły termina, kto mężem jest i miecz przy boku nosi, ten się płakaniu nad swoją stratą nie odda, ale na ratunek tej wspólnej matce pośpieszy i albo w sumieniu zyska uspokojenie, albo sławną śmiercią polęże i koronę niebieską, a z nią wiekuistą szczęśliwość posiędzie.

— Amen! — rzekł kapelan Muchowiecki.

— O mości książę, wolałbym ją zmarłą widzieć! — jęczał rycerz.

— Płaczże, bo wielką jest twoja strata, i my z tobą płakać będziem, gdyż nie do pogan, nie do dzikich Scytów ani Tatarów, jeno do braci i towarzyszów życzliwych przyjechałeś, ale tak sobie powiedz: „Dziś płaczę nad sobą, a jutro już nie moje" — bo to wiedz, iż jutro na bój ruszamy.

— Pójdę z waszą książęcą mością na kraj świata, ale pocieszyć się nie mogę, bo mi tak bez niej ciężko, że ot, nie mogę, nie mogę...

I biedny żołnierzysko to się za głowę chwytał, to palce w zęby wkładał i gryzł je, by jęki potłumić, bo go wichura rozpaczy znowu targała.

— Rzekłeś: Stań się wola Twoja! — mówił surowo ksiądz.

— Amen, amen! Woli Jego się poddaję, jeno... z bólem... nie mogę dać rady — odpowiedział przerywanym głosem rycerz.

I widać było, jak się łamał, jak się pasował, aż męka jego wszystkim łzy wycisnęła, a czulsi, jako pan Wołodyjowski i pan Podbipięta, strumienie prawdziwe wylewali. Ten ostatni ręce składał i powtarzał żałośnie:

— Braciaszku, braciaszku, pohamuj się!

— Słuchaj — rzekł nagle książę — mam wieść, że Bohun stąd ku Łubniom gonił, bo mi w Wasiłówce ludzi wysiekał. Nie desperujże naprzód, bo może on jej nie dostał, gdyż po cóż by się ku Łubniom puszczał?

— Jako żywo, może to być! — zakrzyknęli oficerowie. — Bóg cię pocieszy.

Pan Skrzetuski oczy otworzył, jakby nie rozumiał, co mówią, nagle nadzieja zaświtała i w jego umyśle, więc rzucił się jak długi do nóg książęcych.

— O mości książę! życie, krew! — wołał.

I nie mógł więcej mówić. Zesłabł tak, iż pan Longinus musiał go podnieść i posadzić na ławce, ale już znać mu było z twarzy, że się owej nadziei uchwycił jak tonący deski i że go boleść opuściła. Zaś inni rozdmuchiwali ową iskrę mówiąc, że może swoją kniaziównę w Łubniach znajdzie. Po czym przeprowadzono go do innej chaty, a następnie przyniesiono miodu i wina. Namiestnik chciał pić, ale dla ściśniętego gardła nie mógł; natomiast towarzysze wierni pili, a podpiwszy poczęli go ściskać, całować i dziwić się nad jego chudością i oznakami choroby, które na twarzy nosił.

— Jako Piotrowin wyglądasz! — mówił gruby pan Dzik.

— Musieli cię tam w Siczy insultować, jeść i pić nie dawać?

— Powiedz, co cię spotykało?

— Kiedy indziej opowiem — mówił słabym głosem pan Skrzetuski. — Poranili mię i chorowałem.

— Poranili go! — wołał pan Dzik.

— Poranili, choć posła — odrzekł pan Śleszyński.

I obaj patrzyli na się ze zdumieniem nad zuchwałością kozacką, a potem zaczęli się ściskać z wielkiej ku panu Skrzetuskiemu przychylności.

— A widziałeś Chmielnickiego?

— Tak jest.

— Dawajcie go nam sam! — krzyczał Migurski — wnet go tu będziem bigosowali!

Na takich rozmowach zeszła noc. Nad ranem dano znać, że i ten drugi podjazd, który w dalszą drogę ku Czerkasom był posłany, wrócił. Podjazd oczywiście Bohuna nie dognał ani nie schwytał, wszelako przywiózł dziwne wiadomości. Sprowadził on wielu spotkanych na drodze ludzi, którzy przed dwoma dniami Bohuna widzieli. Ci mówili, iż watażka widocznie kogoś gonił, wszędy bowiem rozpytywał, czy nie widziano grubego szlachcica uciekającego z kozaczkiem. Przy tym śpieszył się bardzo i leciał na złamanie karku. Ludzie owi zaręczali także, że nie widzieli, aby Bohun jaką pannę uwoził, która gdyby była, tedyby się jej dopatrzyli niezawodnie, gdyż semenów niewielu przy Bohunie się znajdowało. Nowa otucha, ale i nowa troska wstąpiły w serce pana Skrzetuskiego, gdyż relacje owe były po prostu dla niego niezrozumiałe.

Nie rozumiał bowiem, dlaczego Bohun gonił początkowo w stronę Łubniów, rzucił się na prezydium wasiłowskie, a potem nagle zwrócił się w stronę Czerkas. Że Heleny nie porwał, to zdawało się być pewnym, bo pan Kuszel spotkał oddział Antonowski, w którym jej nie było, ludzie zaś sprowadzeni teraz od strony Czerkas nie widzieli jej przy Bohunie. Gdzież więc być mogła? gdzie się schroniła? Uciekła-li? Jeśli tak, to w którą stronę? Dla jakich powodów mogła uciekać nie do Łubniów, ale ku Czerkasom lub Zołotonoszy? A jednak oddziały Bohunowe goniły i polowały na kogoś koło Czerkas i Prochorówki. Ale czemu znowu rozpytywały się o szlachcica z kozaczkiem? Na wszystkie te pytania nie znajdował namiestnik odpowiedzi.

— Radźcieże, mówcie, tłumaczcie, co to się znaczy — rzekł do oficerów — bo moja głowa nic po tym!

— Przecie myślę, że ona musi być w Łubniach — rzecze pan Migurski.

— Nie może to być — odparł chorąży Zaćwilichowski — bo gdyby ona była w Łubniach, tedy Bohun co prędzej do Czehryna by się schronił, nie zaś pod hetmanów się posuwał, o których pogromie nie mógł jeszcze wiedzieć. Jeżeli zaś semenów podzielił i gnał we dwie strony, to już, mówię waci, nie za kim innym, jeno za nią.

— A przecz o starego szlachcica i o kozaczka pytał?

— Nie potrzeba na to wielkiej *sagacitatis*, aby odgadnąć, że jeśli uciekała, to nie w białogłowskich szatach, ale chyba w przebraniu, aby śladu za sobą nie dawać. Tak tedy mniemam, iż ten kozaczek to ona.

— O, jako żywo, jako żywo! — powtórzyli inni.

— Ba, ale kto ów szlachcic?

— Tego ja nie wiem — mówił stary chorąży — ale o to można by się i rozpytać. Musieli przecie chłopi widzieć, kto tu był i co się zdarzyło. Dawajcie no tu sam gospodarza tej chaty.

Oficerowie skoczyli i wkrótce przywiedli za kark z obory pidsusidka.

— Chłopie — rzekł Zaćwilichowski — a byłeś, gdy Kozacy z Bohunem na dwór napadli?

Chłop, jako zwykle, począł się przysięgać, że nie był, że niczego nie widział i o niczym nie wie, ale pan Zaćwilichowski wiedział, z kim ma do czynienia, więc rzekł:

— O, wierę, pogański synu, żeś ty siedział pod ławą, gdy dwór rabowali! Powiedz to innemu — ot, tu leży czerwony złoty, a tam czeladnik z mieczem stoi — obieraj! W ostatku i wieś spalimy, krzywda ubogim ludziom przez ciebie się stanie.

Dopieroż pidsusidok jął opowiadać, co widział. Gdy Kozacy hulać na majdanie przede dworem poczęli, tedy poszedł z innymi zobaczyć, co się dzieje. Słyszeli, że kniaziowa i kniazie pobici, ale że Mikołaj atamana poranił, któren też leży jak bez duszy. Co się z panną stało, nie mogli się dopytać, ale drugiego dnia świtaniem zasłyszeli, że uciekła z jednym szlachcicem, który z Bohunem przybył.

— Ot, co jest! ot, co jest! — mówił pan Zaćwilichowski. — Masz, chłopie, czerwony złoty: widzisz, żeć krzywda się nie dzieje. A ty widział tego szlachcica? czy to kto z okolicy?

— Widział ja jego, pane, ale to nietutejszy.

— A jakże wyglądał?

— Gruby, pane, jak piec, z siwą brodą. A proklinaw kak didko. Ślepy na jedno oko.

— O dla Boga! — rzecze pan Longinus — taż to chyba pan Zagłoba!... albo kto? a?

— Zagłoba? Czekaj wać! Zagłoba. Mogłoby to być! Oni w Czehrynie się z Bohunem powąchali, pili i w kości grali. Może to być. Jego to konterfekt.

Tu pan Zaćwilichowski zwrócił się znów do chłopa:

— I to ów szlachcic z panną uciekł?

— Tak jest. Tak my słyszeli.

— A wy znacie Bohuna dobrze?

— Oj! oj! pane. On tu przecie miesiącami przesiadywał.

— A może ów szlachcic za jego wolą ją uwiózł?

— Gdzie tam, pane! On Bohuna związał i żupanikiem okręcił, a pannę, mówili, porwał, że tyle ją oko ludzkie widziało. Ataman tak wył, jak siromacha. Do dnia kazał się między konie uwiązać i do Łubniów pognał, ale nie zgonił. Potem też gnał w inną stronę.

— Chwała bądź Bogu! — rzecze Migurski — to ona może być w Łubniach, bo że gonili i ku Czerkasom, to nic nie znaczy; nie znalazłszy jej tam, próbowali tu.

Pan Skrzetuski klęczał już i modlił się żarliwie.

— No, no! — mruczał stary chorąży — nie spodziewałem się po Zagłobie tego animuszu, by on z tak bitnym mężem, jako jest Bohun, zadrzeć się ośmielił. Prawda, że panu Skrzetuskiemu bardzo był życzliwy za ów trojnik łubniański, któryśmy razem w Czehrynie pili, i nieraz mnie o tym mówił, i zacnym kawalerem go nazywał... No, no! aż mnie się w głowie nie mieści, bo i za Bohunowe pieniądze wypił on przecie niemało. Ale by Bohuna miał związać, a pannę porwać — tak śmiałego postępku od niego nie wyglądałem, gdyżem miał go za warchoła i tchórza. Obrotny on jest, ale kolorysta z niego wielki, a u takich ludzi cała odwaga zwykle w gębie spoczywa.

— Niechże on sobie będzie, jaki chce, dość, że kniaziówną z rąk rozbójnickich wydostał — rzecze pan Wołodyjowski. — A że, jak widać, na fortelach mu nie zbywa, więc pewnikiem tak z nią umknie, by od nieprzyjaciół był bezpieczny.

— Jego własne gardło w tym — odpowiedział Migurski.

Po czym zwrócił się do pana Skrzetuskiego:

— Pocieszże się, towarzyszu miły!

— Jeszcze ci wszyscy będziem drużbowali!

— I popijemy się na weselu.

Zaćwilichowski dodał:

— Jeśli on uciekał za Dniepr, a o pogromie korsuńskim się dowiedział, to powinien był do Czernihowa się zwrócić, a w takim razie w drodze go dognamy.

— Za pomyślny koniec trosków i umartwień naszego przyjaciela! — zawołał Śleszyński.

Poczęto wznosić wiwaty dla pana Skrzetuskiego, kniaziówny, ich przyszłych potomków i pana Zagłoby, i tak schodziła noc. Świtaniem zatrąbiono wsiadanego — wojska ruszyły do Łubniów.

Pochód odbywał się szybko, gdyż hufce książęce szły bez taborów. Chciał był pan Skrzetuski z tatarską chorągwią naprzód skoczyć, ale zbyt był osłabiony, zresztą książę trzymał go przy swej osobie, bo życzył mieć relację z namiestnikowego posłowania do Siczy. Musiał więc rycerz sprawę zdawać, jako jechał, jak go na Chortycy napadli i do Siczy powlekli, tylko o swych certacjach z Chmielnickim zamilczał, by się nie zdawało, że sobie chwalbę czyni. Najbardziej zalterowała księcia wiadomość o tym, że stary Grodzicki prochów nie miał i że przeto długo się bronić nie obiecywał.

— Szkoda to jest niewypowiedziana — mówił — bo siła by ta forteca mogła rebelii przeszkadzać i wstrętów czynić. Mąż też to wielki jest pan Grodzicki, prawdziwe Rzeczypospolitej *decus et praesidium*. Czemuż on jednak do mnie po prochy nie przysłał? Byłbym mu był z piwnic łubniańskich udzielił.

— Sądził widać, że hetman wielki *ex officio* powinien był o tym pamiętać — rzekł pan Skrzetuski.

— A wierzę... — rzekł książę i umilkł.

Po chwili jednak mówił dalej:

— Wojennik to stary i doświadczony, hetman wielki, ale zbyt on dufał w sobie, i tym się zgubił. Wszakże on całą tę rebelię lekceważył, i gdym mu się z pomocą kwapił, wcale nie chciwie mnie wyglądał. Nie chciał się z nikim sławą dzielić, bał się, że mnie wiktorię przypiszą...

— Tak i ja mniemam — rzekł poważnie Skrzetuski.

— Batogami zamierzał Zaporoże uspokoić, i ot, co się zdarzyło. Bóg pychę skarał. Pychą też to, Bogu samemu nieznośną, ginie ta Rzeczpospolita i podobno nikt tu nie jest bez winy...

Książę miał słuszność, gdyż nawet i on sam nie był bez winy. Nie tak to dawno jeszcze, jak w sprawie z panem Aleksandrem Koniecpolskim o Hadziacz książę wjechał w cztery tysiące ludzi do Warszawy, którym rozkazał, aby jeśli będzie zmuszony do przysięgi w senacie, do izby senatorskiej wpadli i wszystkich siekli. A czynił to nie przez co innego, jeno także przez pychę, która nie chciała pozwolić, by go do przysięgi pociągnięto, słowom nie wierząc.

Może w tej chwili przypomniał sobie oną sprawę, bo się zamyślił — i jechał dalej w milczeniu, błądząc oczyma po szerokich stepach okalających gościniec — a może myślał o losach tej Rzeczypospolitej, którą kochał ze wszystkich sił swej gorącej duszy, a dla której zdawała się zbliżać *dies irae et calamitatis*.

Aż też po południu pokazały się z wysokiego brzegu Suły wydęte kopułki cerkwi łubniańskich, błyszczący dach i spiczaste wieże kościoła Św. Michała. Wojska powoli wchodziły i zeszło aż do wieczora. Sam książę udał się natychmiast na zamek, w którym, wedle naprzód wysłanych rozkazów, wszystko miało być do drogi gotowe; chorągwie zaś roztasowywały się na noc w mieście, co nie było rzeczą łatwą bo zjazd był wielki. Wskutek wieści o postępach wojny domowej na prawym brzegu i wskutek wrzenia między chłopstwem całe szlacheckie Zadnieprze zwaliło się do Łubniów. Przyciągała szlachta z dalekich nawet okolic, z żonami, dziećmi, czeladzią, końmi, wielbłądami i całymi stadami bydła. Pozjeżdżali się także komisarze książęcy, podstarościowie, najrozmaitsi oficjaliści stanu szlacheckiego, dzierżawcy, Żydzi — słowem, wszyscy, przeciw którym bunt ostrze noża mógł zwrócić. Rzekłbyś: odprawował się w Łubniach jakiś wielki doroczny jarmark, nie brakowało nawet kupców moskiewskich i Tatarów astrachańskich, którzy na Ukrainę z towarem ciągnąc, tu się przed wojną zatrzymali. Na rynku stały tysiące wozów najrozmaitszego kształtu, o kołach wiązanych wiciami, i o kołach bez szprych, z jednej sztuki drzewa wyciętych; teleg kozackich, szarabanów szlacheckich. Goście co przedniejsi mieścili się w zamku i w gospodach, drobiazg zaś i czeladź w namiotach obok kościołów. Porozpalano ognie na ulicach, przy których warzono jadło. A wszędy ścisk, zamieszanie i gwar jak w ulu. Najrozmaitsze stroje i najrozmaitsze barwy; żołnierstwo książęce spod różnych chorągwi: hajducy, pajucy, Żydzi w czarnych opończach, chłopstwo, Ormianie w fioletowych myckach, Tatarzy w tołubach. Pełno języków, nawoływań, przekleństw, płaczu dzieci, szczekania psów i ryku bydła. Tłumy te witały z radością nadchodzące chorągwie, bo w nich widziały pewność opieki i zbawienia. Inni poszli pod zamek wrzeszczeć na cześć księcia i księżny. Chodziły też najrozmaitsze wieści między tłumem: to że książę zostaje w Łubniach, to że wyjeżdża aż hen, ku Litwie, gdzie trzeba będzie za nim jechać; to nawet, że już pobił Chmielnickiego. A książę po przywitaniu się z małżonką i oznajmieniu o jutrzejszej drodze patrzył frasobliwie na one gromady wozów i ludzi, którzy mieli ciągnąć za wojskiem i być mu kulą u nóg, opóźniając szybkość pochodu. Pocieszał się tylko myślą, że za Barhinem, w spokojniejszym kraju, wszystko to się rozproszy, po rozmaitych kątach pochowa i ciążyć przestanie. Sama księżna z fraucymerem i dworem miała być odesłana do Wiśniowca, aby książę z całą potęgą bezpiecznie i bez przeszkód mógł w ogień ruszyć. Przygotowania na zamku były już zrobione, wozy z rzeczami i kosztownościami spakowane, zapasy zgromadzone, dwór choćby zaraz do wsiadania na wozy i konie gotowy. A oną gotowość sprawiła księżna Gryzelda, która duszę w nieszczęściu miała tak wielką jak książę — i prawie mu wyrównywała energią i nieugiętością charakteru. Widok ten bardzo pocieszył księcia, choć serce rozdzierało mu się na myśl, że przychodzi opuścić gniazdo łubniańskie, w którym tyle szczęścia zażył, tyle potęgi rozwinął, tyle sławy zdobył. Zresztą smutek ten podzielali wszyscy, i wojsko, i służba, i cały dwór; bo też wszyscy byli pewni, że gdy kniaź w dalekich stronach będzie walczył, nieprzyjaciel nie zostawi Łubniów w spokojności, ale się na tych kochanych murach zemści za wszystkie ciosy, jakie z rąk książęcych poniesie. Nie brakowało więc płaczu i lamentów, osobliwie między płcią niewieścią i tymi, którzy się już tu porodzili i groby rodzicielskie zostawiali.

Rozdział XXIV

Pan Skrzetuski, który pierwszy przed chorągwiami do zamku skoczył, o kniaziównę i Zagłobę pytając, oczywiście ich tu nie znalazł. Ni tu ich widziano, ani o nich słyszano, jakkolwiek były już wieści o napadzie na Rozłogi i o zniesieniu wasiłowskiego prezydium. Zamknął się tedy rycerz w swojej kwaterze, w cekhauzie, razem z zawiedzioną nadzieją — i żal, i obawa, i troski na nowo do niego przyleciały. Ale opędzał się im, jak ranny żołnierz opędza się na pobojowisku krukom i kawkom, które się ku niemu zgromadzają, by ciepłą krew pić i świeże mięso szarpać. Krzepił się myślą, że Zagłoba, tak w fortele obfity, przecie się może wykręci i do Czernihowa, po otrzymaniu wiadomości o zniesieniu hetmanów, się schroni. Przypomniał też sobie w porę owego dziada, którego jadąc do Rozłogów spotkał, a który, jak sam powiadał, przez jakiegoś czorta z odzieży wraz z pachołkiem odarty, trzy dni goły w oczeretach kahamlickich siedział bojąc się na świat wychylić. Przyszła nagle myśl panu Skrzetuskiemu, że to Zagłoba musiał dziada obedrzeć, aby dla siebie i dla Heleny przebranie zdobyć. „Nie może to inaczej być!" — powtarzał sobie namiestnik — i ulgi wielkiej na tę myśl doznawał, gdyż takie przebranie bardzo ucieczkę ułatwiało. Spodziewał się też, że Bóg, któren nad niewinnością czuwa, Heleny nie opuści, a chcąc łaskę jego tym bardziej dla niej zjednać, postanowił sam z grzechów się oczyścić. Wyszedł tedy z cekhauzu i szukał księdza

Muchowieckiego, a znalazłszy go pocieszającego niewiasty, o spowiedź prosił. Ksiądz powiódł go do kaplicy, zaraz siadł do konfesjonału i słuchać począł. Wysłuchawszy, naukę dawał, budował, w wierze utwierdzał, pocieszał i gromił. A gromił w ten sens, iż nie wolno jest chrześcijaninowi w moc Bożą wątpić, a obywatelowi więcej nad swym własnym niż nad ojczyzny nieszczęściem płakać, gdyż prywata to jest swego rodzaju mieć więcej łez dla siebie niż dla publiki — i więcej swego kochania żałować niż klęsk powszechnych. Po czym te klęski, ten upadek i hańbę ojczyzny w tak wzniosłych i żałośliwych wyraził słowach, że zaraz wielką miłość dla niej w sercu rycerza rozniecił, od której własne nieszczęścia tak mu zmalały, że prawie ich dostrzec nie mógł. Oczyścił też go z zawziętości i nienawiści, jaką przeciw Kozakom w nim spostrzegł. „Których gromić będziesz — mówił — jako nieprzyjaciół wiary, ojczyzny, jako sprzymierzeńców pogaństwa, ale jako swoim krzywdzicielom przebaczysz, z serca odpuścisz i mścić się nie będziesz. A gdy tego dokażesz, tedy widzę już, że Bóg cię pocieszy i kochanie twoje tobie odda, i spokój tobie ześle..."

Po czym go przeżegnał, pobłogosławił i wyszedł, krzyżem mu za pokutę do rana przed Chrystusem rozpiętym leżeć kazawszy.

Kaplica była pusta i ciemna, jeno dwie świece migotały przed ołtarzem, kładąc blaski różowe i złote na twarz Chrystusa wykonaną z alabastru a pełną słodyczy i cierpienia. Godziny całe upływały, a namiestnik leżał bez ruchu niby martwy — ale też czuł coraz wyraźniej, że gorycz, rozpacz, nienawiść, ból, troski, cierpienie odwijają mu się od serca, wypełzają mu z piersi i pełzną jak węże, i kryją się, gdzieś w ciemnościach. Uczuł, że lżej oddycha, że jakoby wstępuje w niego nowe zdrowie, nowe siły, że w głowie robi mu się jaśniej i błogość jakaś ogarnia — słowem, przed tym ołtarzem i przed tym Chrystusem znalazł wszystko, cokolwiek mógł znaleźć człowiek tamtych wieków, człowiek wiary niewzruszonej, bez śladu i cienia zwątpienia.

Nazajutrz był też namiestnik jakby odrodzony. Rozpoczęła się praca, ruch i krętanina, bo był to dzień odjazdu z Łubniów. Oficerowie od rana mieli lustrować chorągwie, czy konie i ludzie w należytym porządku, następnie wyprowadzać na błonia i szykować do pochodu. Książę słuchał mszy świętej w kościele Św. Michała, po czym wrócił do zamku i przyjmował deputacje od greckiego duchowieństwa i od mieszczan z Łubniów i z Chorola. Zasiadł tedy na tronie w sali malowanej przez Helma, w otoczeniu co przedniejszego rycerstwa, i tu go burmistrz łubniański Hruby żegnał po rusku w imieniu wszystkich miast do dzierżawy zadnieprzańskiej należących. Prosił go naprzód, żeby nie odjeżdżał i nie zostawiał ich jako owiec bez pasterza, co słysząc inni deputaci składając ręce powtarzali: „Ne odjiżaj! ne odjiżaj!" — a gdy książę odpowiedział, iż nie może to być — padli mu do nóg, dobrego pana żałując lub udając żal, gdyż mówiono, że wielu z nich mimo całej łaskawości książęcej bardziej sprzyjało Kozakom i Chmielnickiemu. Ale zamożniejsi bali się motłochu, co do którego była obawa, że zaraz po wyjeździe księcia z wojskiem powstanie. Książę odpowiedział, że ojcem starał się im być, nie panem, i zaklinał ich, by wytrwali w wierności dla majestatu i Rzeczypospolitej, wspólnej wszystkim matki, pod której skrzydłami krzywd nie cierpieli, w spokoju żyli, w zamożność wzrastali, jarzma żadnego nie doznając, którego by postronni włożyć na nich nie zaniechali. Podobnymiż słowy pożegnał i duchowieństwo greckie, po czym nadeszła godzina wyjazdu. Dopieroż płacze i lamenty służby rozległy się na całym zamczysku. Panny z fraucymeru mdlały, a panny Anny Borzobohatej ledwie się docucić mogli. Sama księżna tylko siadała z suchymi oczyma do karety i z podniesioną głową, bo dumna pani wstydziła się pokazywać ludziom cierpienia. Tłumy zaś ludu stały pod zamkiem, w Łubniach bito we wszystkie dzwony, popi żegnali krzyżami wyjeżdżających, korowód powozów, szarabanów i wozów zaledwie mógł się przecisnąć przez zamkową bramę.

Wreszcie i sam książę siadł na konia. Chorągwie po pułkach zniżyły się przed nim, uderzono na wałach z dział; płacze, gwar ludu i okrzyki pomieszały się z głosem dzwonów, z wystrzałami, z dźwiękami trąb wojennych, z huczeniem kotłów. Ruszono.

Naprzód szły dwie tatarskie chorągwie pod Roztworowskim i Wierszułłem, potem artyleria pana Wurcla, piechoty obersztera Machnickiego, za nimi jechała księżna z fraucymerem i cały dwór, wozy z rzeczami, za nimi wołoska chorągiew pana Bychowca i wreszcie komput wojska, górne pułki ciężkiej jazdy, chorągwie pancerne i usarskie, pochód zaś zamykała dragonia i semenowie.

Za wojskiem ciągnął się nieskończony i pstry jak wąż orszak wozów szlacheckich, wiozących rodziny tych wszystkich, którzy po wyjeździe książęcym nie chcieli zostawać na Zadnieprzu.

Surmy po pułkach grały, ale serca były ściśnięte. Każdy patrząc na owe mury myślał sobie w duszy: „Miły domie, zali cię zobaczę jeszcze w życiu?” Wyjechać łatwo, ale wrócić trudno. A przecie każdy część jakowąś duszy w tych miejscach zostawiał i pamięć słodką. Więc wszystkie oczy zwracały się po raz ostatni na zamek, na miasto, na wieże kościołów i kopuły cerkwi, i dachy domów. Każdy wiedział, co tu zostawiał, a nie wiedział, co go tam czekało w owej sinej dali, ku której dążył tabor...

Żal więc był we wszystkich duszach. Miasto wołało za odjeżdżającymi głosami dzwonów, jakby prosząc i zaklinając ze swej strony, by go nie opuszczano, nie wystawiano na niepewność, na złe losy przyszłe; wołało, jakby tym żałosnym dźwiękiem dzwonów chciało się żegnać i utrwalić w pamięci...

Więc choć pochód oddalał się, głowy były ku miastu zwrócone, a we wszystkich obliczach czytałeś pytanie:

— Zali nie ostatni raz?

Tak jest! Z tego całego wojska i tłumu, z tych tysiąców, które w tej chwili szły z księciem Wiśniowieckim, ani on sam, ani nikt nie miał już ujrzeć więcej ni miasta, ni kraju.

Trąby grały. Tabor posuwał się z wolna, ale ciągle, i po niejakim czasie miasto poczęło przesłaniać się mgłą błękitną, domy i dachy zlewały się w jedną masę mocno w słońcu świecącą. Wtedy książę wypuścił naprzód konia i wjechawszy na wysoką mogiłę stanął nieruchomie i patrzył długo. Toż ten gród błyszczący teraz w słońcu i cały ten kraj widny z mogiły to było dzieło jego przodków i jego własne. Wiśniowieccy bowiem zmienili te głuche dawniej pustynie na kraj osiadły, otworzyli je ludzkiemu życiu i rzec można: stworzyli Zadnieprze. A największą część tego dzieła spełnił sam książę. On budował te kościoły, których wieże, ot, błękitnieją tam, nad miastem, on wzmógł miasto, on połączył je traktami z Ukrainą, on trzebił lasy, osuszał bagna, wznosił zamki, zakładał wsie i osady, sprowadzał mieszkańców, tępił łupieżców, bronił od inkursji tatarskich, utrzymywał spokój dla rolnika i kupca pożądany, wprowadzał panowanie prawa i sprawiedliwości. Przez niego ten kraj żył, rozwijał się i kwitnął. On był mu duszą i sercem — a teraz przyszło to wszystko porzucić.

I nie tej fortuny olbrzymiej, równej całym księstwom niemieckim, żałował książę, ale się do tego dzieła rąk własnych przywiązał; wiedział, że gdy jego tu zbraknie, wszystkiego zbraknie, że praca lat całych od razu zostanie zniszczona, że trud pójdzie na marne, dzicz się rozpęta, pożary ogarną wsie i miasta, że Tatar będzie poił konie w tych rzekach, bór porośnie na zgliszczach i że jeśli Bóg da wrócić — wszystko, wszystko wypadnie poczynać na nowo — a może już tych sił nie będzie i czasu zbraknie, i ufności takiej, jak pierwej, nie stanie. Tu zeszły lata, które były dlań chwałą przed ludźmi, zasługą przed Bogiem — a teraz chwała i zasługa mają się z dymem rozwiać...

Więc też dwie łzy stoczyły mu się z wolna na policzki. Były to ostatnie łzy, po których zostały w tych oczach same tylko błyskawice.

Koń książęcy wyciągnął szyję i zarżał, a rżeniu temu odpowiedziały zaraz inne pod chorągwiami. Te głosy ocuciły księcia z zadumy i napełniły go otuchą. A toż zostaje mu jeszcze sześć tysięcy wiernych towarzyszów, sześć tysięcy szabel, z którymi świat mu otwarty, a których czeka jak jedynego zbawienia pognębiona Rzeczpospolita. Idylla zadnieprzańska skończona, ale tam, gdzie działa grzmią, gdzie wsie i miasta płoną, gdzie po nocach z rżeniem koni tatarskich i wrzaskiem kozackim miesza się płacz niewolników, jęki mężów, niewiast i dzieci — tam pole otwarte i sława zbawcy i ojca ojczyzny do zdobycia... Któż po ten wieniec sięgnie, któż będzie ratował tak pohańbioną, chłopskimi nogami zdeptaną, upokorzoną, konającą ojczyznę, jeśli nie on — książę, jeśli nie te wojska, które owo tam, na dole, zbrojami ku słońcu świecą i migocą?

Tabor przechodził właśnie koło stóp mogiły, a na widok księcia, stojącego z buławą w ręku na szczycie pod krzyżem, wszystkim żołnierzom wydarł się naraz z piersi okrzyk:

— Niech żyje książę! Niech żyje wódz nasz i hetman, Jeremi Wiśniowiecki!

I setki chorągwi zniżyło się do nóg jego, husarie wydały karwaszami dźwięk groźny, kotły huknęły do wtóru okrzykom.

Wtedy książę wydobył szablę i wzniósłszy ją wraz z oczami ku niebu tak mówił:

— Ja, Jeremi Wiśniowiecki, wojewoda ruski, książę na Łubniach i Wiśniowcu, przysięgam tobie Boże w Trójcy świętej jedyny i tobie Matko Najświętsza, jako podnosząc tę szablę przeciw hultajstwu, od którego ojczyzna jest pohańbiona, póty jej nie złożę, póki mi sił i życia stanie, póki hańby owej nie zmyję, każdego nieprzyjaciela do nóg Rzeczypospolitej nie zegnę, Ukrainy nie uspokoję i buntów chłopskich we krwi nie utopię. A jako ten ślub ze szczerego serca czynię, tak mi, Panie Boże dopomóż — amen!

To rzekłszy stał jeszcze przez chwilę patrząc w niebo, po czym z wolna zjechał z mogiły ku chorągwiom. Wojska doszły na noc do Basani, wsi pani Krynickiej, która przyjęła księcia klęcząc we wrotach, bo już ją byli chłopi we dworze oblegali, którym z pomocą co wierniejszej czeladzi się opędzała, gdy nagłe przyjście wojsk ocaliło ją i jej dziewiętnaścioro dzieci, a w tym samych panien czternaście. Książę, kazawszy napastników pochwytać, wysłał Poniatowskiego, rotmistrza kozackiej chorągwi, ku Kaniowu, który tejże nocy przywiódł pięciu Zaporożców z wasiutyńskiego kurzenia. Uczestniczyli oni wszyscy w bitwie korsuńskiej i przypieczeni ogniem, zdali dokładną o niej księciu relację. Zapewnili również, że Chmielnicki jeszcze jest w Korsuniu. Tuhaj-bej zaś z jasyrem, z łupami i z oboma hetmanami udał się do Czehryna, skąd do Krymu miał jechać. Słyszeli także, że Chmielnicki prosił go bardzo, aby wojsk zaporoskich nie opuszczał i przeciw księciu szedł, wszelako murza nie chciał się na to zgodzić mówiąc, iż po zniesieniu wojsk i hetmanów sami Kozacy mogą już sobie poradzić, on zaś nie będzie dłużej czekał, bo jasyr by mu wymarł. Badani o siły Chmielnickiego podawali je na dwieście tysięcy, ale dość lada jakich, a dobrych tylko pięćdziesiąt, to jest Zaporożców i Kozaków pańskich albo grodowych, którzy się do buntu przyłączyli.

Po otrzymaniu tych wiadomości pokrzepił się na duchu książę, spodziewał się bowiem także za Dnieprem znacznie w potęgę urosnąć przez szlachtę, zbiegów wojska koronnego i poczty pańskie. Za czym nazajutrz rano udał się w dalszą drogę.

Za Perejasławiem weszły wojska w olbrzymie, głuche lasy ciągnące się wzdłuż biegu Trubieży aż do Kozielca i dalej pod sam Czernihów. Był to schyłek maja — upały straszliwe. W lasach miasto chłodu było tak duszno, iż ludziom i koniom powietrza brakło do oddechu. Bydło prowadzone za taborem padało co krok lub zwietrzywszy wadę biegło ku niej jak szalone, przewracając wozy i powodując zamieszanie. Zaczęły też i konie padać, zwłaszcza w ciężkiej jeździe. Noce szczególniej były nieznośne dla niezmiernej ilości robactwa i zbyt silnego zapachu żywicy, którą z powodu upałów drzewa roniły obficiej niż zwykle.

Wleczono się tak cztery dni, na koniec piątego upał stał się nadnaturalny. Gdy przyszła noc, konie zaczęły chrapać, a bydło ryczeć żałośnie, jakoby przewidując jakieś niebezpieczeństwo, którego ludzie nie mogli się jeszcze domyślić.

— Krew wietrzą! — mówiono z taboru między tłumami uciekających rodzin szlacheckich.

— Kozacy gonią nas! bitwa będzie!

Na te słowa niewiasty podniosły lament — wieść doszła do czeladzi, wszczął się popłoch i zamieszanie — wozy jęły się prześcigać wzajemnie albo zjeżdżać z traktu na oślep w las, w którym więzły między drzewami.

Ale ludzie przysłani przez księcia przywrócili szybko porządek. Rozesłano na wszystkie strony podjazdy, by się przekonać, czy rzeczywiście jakie niebezpieczeństwo nie groziło.

Pan Skrzetuski, który na ochotnika z Wołoszą poszedł, wrócił pierwszy nad ranem, a wróciwszy udał się natychmiast do księcia.

— Co tam? — spytał Jeremi.

— Mości książę, lasy się palą.

— Podpalone?

— Tak jest. Schwytałem kilku ludzi, którzy wyznali, iż Chmielnicki wysłał ochotnika, który by za waszą książęcą mością szedł a ogień, jeśli wiatr będzie pomyślny, podkładał.

— Żywcem by nas chciał upiec, bitwy nie staczając. Dawać tu tych ludzi!

Za chwilę przyprowadzono trzech czabanów, dzikich, głupich, przestraszonych, którzy natychmiast przyznali się, iż istotnie kazano im lasy podpalić.

Wyznali także, że i wojska były już za księciem wyprawione, ale te szły ku Czernihowu inną drogą, bliżej Dniepru.

Tymczasem przybyły i inne podjazdy, a każdy przywiózł tęż samą wieść:

— Lasy się palą.

Ale książę nie zdawał się tym bynajmniej trwożyć.

— Pogański to sposób — rzekł — ale nic po tym! Ogień nie przejdzie za rzeki idące do Trubieży.

Jakoż istotnie do Trubieży, wzdłuż której posuwał się ku północy tabor, wpadało tyle rzeczek tworzących tu i owdzie szerokie bagna, iż nie było obawy, aby ogień mógł się przez nie przedostać. Potrzeba było chyba za każdą z nich na nowo bór podpalać.

Podjazdy sprawdziły wkrótce, iż tak i czyniono. Codziennie też sprowadzały podpalaczów, którymi ubierano sosny przydrożne.

Ogień szerzył się gwałtownie, ale wzdłuż rzeczek ku wschodowi i zachodowi, nie ku północy. Nocami niebo czerwieniło się, jak okiem dojrzał. Niewiasty śpiewały od wieczora do świtania pieśni pobożne. Przerażony dziki zwierz z płonących borów chronił się na trakt i ciągnął za taborem mieszając się ze stadami domowego bydła. Wiatr naniósł dymów, które przesłoniły cały widnokrąg. Wojska i wozy posuwały się jak we mgle gęstej, przez którą wzrok nie sięgał. Piersi nie miały czym oddychać, dym gryzł oczy — a wiatr napędzał go coraz więcej. Światło słoneczne nie mogło się przebić przez te tumany i nocami było widniej niż w dzień, bo świeciły łuny. Bór zdawał się nie mieć końca.

Wśród takich to płonących lasów i dymów prowadził Jeremi swoje wojska. Przy tym nadeszły wieści, że nieprzyjaciel idzie drugą stroną Trubieży, ale nie wiedziano, jak wielką była jego potęga — wszelako Tatarzy Wierszułła sprawdzili, że był jeszcze bardzo daleko.

Tymczasem pewnej nocy przyjechał do taboru pan Suchodolski z Bodenek, z tamtej strony Desny. Był to dawny dworzanin, rękodajny księcia, który przed kilkoma laty na wieś się przeniósł. Uciekał i on przed chłopstwem, ale przywiózł wieść, o której nie wiedziano jeszcze w wojsku.

Wielka też zrobiła się konsternacja, gdy zapytany przez księcia o nowiny, odpowiedział:

— Złe, mości książę! O pogromie hetmańskim już wiecie, zarówno jak i o śmierci królewskiej?

Książę, który siedział na małym taboreciku podróżnym przed namiotem, zerwał się na równe nogi:

— Jak to? król umarł?

— Miłościwy pan oddał ducha w Mereczu jeszcze na tydzień przed pogromem korsuńskim — rzekł Suchodolski.

— Bóg w miłosierdziu swoim nie dał mu dożyć takiej chwili! — odpowiedział książę, po czym za głowę się wziąwszy mówił dalej: — Straszne to czasy nadchodzą na tę Rzeczpospolitą. Konwokacje i elekcje — *interregnum*, niezgody i machinacje zagraniczne teraz, gdy potrzeba by, aby cały naród w jeden miecz w jednych ręku się zmienił. Bóg chyba odwrócił od nas oblicze swoje i w gniewie swym za grzechy chłostać nas zamierza. Toż tę pożogę sam tylko król Władysław mógł ugasić, gdyż dziwną on miał miłość między Kozactwem, a prócz tego wojenny był pan.

W tej chwili kilkunastu oficerów, między nimi Zaćwilichowski, Skrzetuski, Baranowski, Wurcel, Machnicki i Polanowski, zbliżyło się do księcia, który rzekł:

— Mości panowie, król umarł!

Głowy odkryły się jak na komendę. Twarze spoważniały. Wieść tak niespodziana mowę wszystkim odjęła. Po chwili dopiero wybuchnął żal powszechny.

— Wieczne odpocznienie racz mu dać Panie! — rzekł książę.

— I światłość wiekuista niechaj mu świeci na wieki!

Wkrótce potem ksiądz Muchowiecki zaintonował „*Dies irae*" i wśród tych lasów, wśród tego dymu pognębienie niewypowiedziane ogarnęło serca i dusze. Wszystkim zdawało się, jakby jakaś oczekiwana odsiecz zawiodła, jakby już teraz wobec groźnego nieprzyjaciela sami zostali na świecie... i nie mieli na nim nikogo więcej, ino swego księcia.

Toteż wszystkie oczy zwróciły się ku niemu i nowy węzeł został między nim a żołnierstwem zawiązany.

Tegoż dnia wieczorem książę rzekł do Zaćwilichowskiego tak, iż słyszeli go wszyscy:

— Potrzeba nam króla wojownika, toteż jeśli Bóg pozwoli, byśmy dali nasze kreski na elekcji, damy je za królewiczem Karolem, któren więcej od Kazimierza ma wojennego animuszu.

— *Vivat Carolus rex!* — zawołali oficerowie.

— *Vivat!* — powtórzyły usarie, a za nimi całe wojsko.

I nie spodziewał się zapewne książę wojewoda, że te okrzyki brzmiące na Zadnieprzu, wśród głuchych lasów czernihowskich, dojdą aż do Warszawy i że mu buławę wielką koronną z rąk wytrącą.

Rozdział XXV

Po dziesięciodniowym pochodzie, którego pan Maszkiewicz był Ksenofontem, i trzydniowej przeprawie przez Desnę przyszły wreszcie wojska do Czernihowa. Przed wszystkimi wszedł pan Skrzetuski z Wołoszą, którego umyślnie książę do zajęcia miasta wykomenderował, aby się mógł prędzej o kniaziównę i Zagłobę rozpytać. Ale tu również, jak i w Łubniach, ani w mieście, ani na zamku nikt o nich nie słyszał. Przepadli gdzieś bez śladu jak kamień w wodzie i rycerz sam już nie wiedział, co o tym myśleć. Gdzie się mogli schronić? Przecie nie do Moskwy ani do Krymu, ani na Sicz? Pozostawało jedno przypuszczenie, iż przeprawili się przez Dniepr, ale w takim razie znaleźli się od razu w środku burzy. Tam rzezie, pożogi, pijane tłumy czerni, Zaporożcy i Tatarzy, przed którymi nawet i przebranie Heleny nie chroniło, bo dzicz pogańska chętnie zagarniała w jasyr chłopców dla wielkiego na nich na targach stambulskich pokupu. Przychodziło nawet do głowy panu Skrzetuskiemu straszliwe podejrzenie, że może umyślnie Zagłoba w tamtą stronę ją powiódł, ażeby Tuhaj-bejowi ją sprzedać, który mógł hojniej od Bohuna go nagrodzić — i ta myśl prawie go o szaleństwo przyprawiała, ale uspokajał go w tym znacznie pan Longinus Podbipięta, który Zagłobę poznał dawniej od Skrzetuskiego.

— Braciaszku, mości namiestniku — mówił — wybijże sobie to z głowy. Jużże ten szlachcic tego nie uczynił!

Było i u Kurcewiczów dosyć skarbów, które by mu Bohun chętnie odstąpił, taż gdyby chciał dziewczynę gubić, gardła by nie narażał i do fortuny doszedł.

— Prawda jest — mówił namiestnik — ale czemuż za Dniepr, a nie do Łubniów lub do Czernihowa z nią uciekał?

— Jużże ty się uspokój, mileńki. Ja tego Zagłobę znam. Pił on ze mną i zapożyczał się u mnie. O pieniądze on nie dba ani o swoje, ani o cudze. Swoje ma, to straci — cudzych nie odda, ale żeby miał na takie postępki się puszczać, tego po nim się nie spodziewam.

— Lekki to jest człek, lekki — mówił Skrzetuski.

— To może i lekki, ale i frant, który każdego w pole wywiedzie i ze wszystkich niebezpieczeństw się wykręci. A jako tobie ksiądz prorockim duchem przepowiedział, iż ci ją Bóg powróci — tak i będzie, gdyż słuszna to jest, aby wszelki szczery afekt był wynagrodzony, którą ufnością pocieszaj się, jako ja się pocieszam.

Tu pan Longinus sam począł wzdychać ciężko, a po chwili dodał:

— Popytajmyż się jeszcze w zamku, może oni choć przechodzili tędy.

I pytali się wszędzie, ale na próżno — nie było żadnego śladu nawet i przejścia zbiegów. W zamku pełno było szlachty z żonami i dziećmi, która się tu przed Kozakami zawarła. Książę namawiał ich, by szli z nim razem, i przestrzegał, że Kozacy idą za nim w tropy. Nie śmieli oni uderzyć na wojsko, ale było prawdopodobnym, że po odejściu księcia pokuszą się o zamek i miasto. Szlachta jednak w zameczku dziwnie była zaślepiona.

— Bezpieczni my tu jesteśmy za lasami — odpowiadali księciu. — Nikt tu do nas nie przyjdzie.

— A przecie ja owe lasy przeszedłem — mówił książę.

— To wasza książęca mość przeszła, ale hultajstwo nie przejdzie. Ho! ho! nie takie to lasy.

I nie chcieli iść trwając w swoim zaślepieniu, które potem srodze przypłacili, gdyż po odejściu księcia rychło nadciągnęli Kozacy. Zamek bronił się mężnie przez trzy tygodnie, po czym został zdobyty i wszyscy w nim w pień wycięci. Kozacy dopuszczali się strasznych okrucieństw, rozdzierając dzieci, paląc niewiasty na wolnym ogniu — i nikt nie zemścił się nad nimi.

Książę tymczasem przyszedłszy do Lubecza nad Dniepr, tam wojsko dla odpoczynku rozłożył, sam zaś z księżną, dworem i ciężarami jechał do Brahina, położonego wśród lasów i błot nieprzebytych. W tydzień później przeprawiło się i wojsko. Ruszono następnie do Babicy pod Mozyr — i tam w święto Bożego Ciała wybiła godzina rozstania się, bo księżna z dworem miała jechać do Turowa, do pani wojewodziny wileńskiej, ciotki swojej, książę zaś z wojskiem w ogień ku Ukrainie.

Na ostatnim pożegnalnym obiedzie byli oboje księstwo, fraucymer i co przedniejsze towarzystwo. Ale wśród panien i kawalerów nie było zwykłej wesołości, bo niejedno tam żołnierskie serce krajało się na myśl, że za chwilę trzeba będzie porzucić tę wybraną, dla której by się chciało żyć, bić i umierać, niejedne jasne lub ciemne oczy dziewczęce zachodziły łzami z żalu, iż on odjedzie na wojnę, między kule i miecze, między Kozaki i dzikie Tatary... odjedzie i może nie wróci...

Toteż gdy książę przemówił żegnając żonę i dwór, panniątka zapiszczały jedna w drugą żałośnie jak kocięta, rycerze zaś, jako to silniejszego ducha, powstali z miejsc swoich i chwyciwszy za głownie szabel krzyknęli razem:

— Zwyciężymy i powrócimy!

— Dopomóż wam Bóg! — odpowiedziała księżna.

Na to rozległ się okrzyk, aż okna i ściany się zatrzęsły:

— Niech żyje księżna pani! niech żyje matka nasza i dobrodziejka!

— Niech żyje! niech żyje!

Kochali ją też żołnierze za jej przychylność dla rycerstwa, za jej wielką duszę, hojność i łaskawość, za opiekę nad ich rodzinami. Kochał ją nad wszystko książę Jeremi, bo to były dwie natury jakby dla siebie stworzone, kubek w kubek do siebie podobne, obie ze złota i spiżu ulane.

Więc wszyscy szli ku niej i każdy klękał z kielichem przed jej krzesłem, a ona za głowę każdego ścisnąwszy, kilka słów łaskawych przemówiła. Skrzetuskiemu zaś rzekła:

— Niejeden tu podobno rycerz szkaplerzyk albo wstążeczkę na waletę dostanie, a że nie masz tu tej, od której byś waćpan najbardziej pragnął, przeto przyjm ode mnie jakby od matki.

To rzekłszy zdjęła krzyżyczek złoty turkusami usiany i zawiesiła go na szyi rycerza, któren rękę jej ze czcią ucałował.

Znać było, że i książę był bardzo kontent z tego, co pana Skrzetuskiego spotkało, gdyż w ostatnich czasach jeszcze bardziej go polubił za to, iż godność książęcą, posłując na Siczy, ochronił — i listów od Chmielnickiego brać nie chciał. Tymczasem ruszono się od stołu. Panny, chwyciwszy w lot słowa księżny do pana Skrzetuskiego wyrzeczone i biorąc je za zgodę i pozwolenie, zaraz też poczęły wydobywać: ta szkaplerz, ta szarfę, ta krzyżyk — co widząc rycerze obces każdy do swojej, jeśli nie wybranej, to przynajmniej do najmilszej. Sunął tedy Poniatowski do Żytyńskiej, Bychowiec do Bohowitynianki, bo tę sobie w ostatnich czasach upodobał, Roztworowski do Żukówny, rudy Wierszułł do Skoropackiej, oberszter Machnicki, choć stary, do Zawiejskiej; jedna tylko Anusia Borzobohata-Krasieńska, choć najpiękniejsza ze wszystkich, stała pod oknem sama i opuszczona. Lice jej zarumieniło się, oczki nakryte powiekami strzelały z ukosa, jakby gniewem a zarazem i prośbą, by jej nie czyniono takiego afrontu, zaś zdrajca Wołodyjowski zbliżył się i rzekł:

— Chciałem też i ja prosić pannę Annę o jakową pamiątkę, alem się tej chęci wyrzekł, gdyżem tak mniemał, że dla zbyt wielkiego tłoku się nie docisnę.

Policzki Anusi zapałały jeszcze ogniściej, wszelako bez chwili namysłu odrzekła:

— Z innych byś waćpan rąk, nie z moich, chciał pamiątki, ale jej nie dostaniesz, bo tam jeśli nie za ciasno, to dla waszeci za wysoko.

Cios był dobrze wymierzony i podwójny, bo po pierwsze — zawierał przymówkę do małego wzrostu rycerza, a po wtóre — do jego afektu dla księżniczki Barbary Zbaraskiej. Pan Wołodyjowski kochał się naprzód w starszej Annie, ale gdy tę zaswatano, przebolał i w cichości ofiarował serce Barbarze sądząc, że nikt się tego nie domyśla. Więc też, gdy o tym od Anusi zasłyszał, choć to niby szermierz pierwszej wody i na szable, i na słowa, skonfundował się tak, że języka w gębie zapomniał, i tylko jąkał nie do rzeczy:

— Waćpanna także mierzysz wysoko, bo tak właśnie, jak głowa pana... Podbipięty...

— Wyższy on istotnie od waćpana i mieczem, i polityką — odparła rezolutna dziewczyna. — Dziękuję-ć też, żeś mi go przypomniał. Dobrze i tak!

To rzekłszy zwróciła się ku Litwinowi:

— Mości panie, zbliż się jeno waćpan. Chcę też i ja mieć swojego rycerza, a już nie wiem, czybym mogła na mężniejszej piersi oną szarfę przewiązać.

Pan Podbipięta oczy wytrzeszczył jakby nie wierząc sobie, czy dobrze słyszy, nareszcie jak rzuci się na kolana, aż podłoga zatrzeszczała:

— Dobrodziko moja! dobrodziko!

Anusia przewiązała szarfę, a potem małe rączki jej znikły całkiem pod płowymi wąsami pana Longina, rozległo się tylko mlaskanie i mruczenie, którego słuchając pan Wołodyjowski rzekł do porucznika Migurskiego:

— Przysiągłbyś, że niedźwiedź pszczoły psowa i miód wyjada.

Po czym odszedł z pewną złością, bo czuł w sobie Anusine żądło, a przecie kochał się w niej także swego czasu.

Ale już też i książę począł się z księżną żegnać — i w godzinę później dwór ruszył do Turowa, wojska zaś ku Prypeci.

W nocy na przeprawie, gdy budowano tratwy do przeniesienia dział, a usarie pilnowały robót, rzekł pan Longinus do Skrzetuskiego:

— Ot, braciaszku, nieszczęście!

— Coć się stało? — pytał namiestnik.

— A to te wieści z Ukrainy!

— Jakie?

— Powiadali przecie Zaporożcy, że Tuhaj-bej odszedł z ordą do Krymu.

— To i cóż z tego? Na to przecie nie będziesz płakał.

— Owszem, braciaszku, boś mnie powiedział i miałeś słuszność — co? — że kozackich głów liczyć nie mogę, a skoro Tatarzy odeszli, tak skądże ja wezmę trzech głów pogańskich? gdzie ich szukać będę? A mnie one, ach, jak potrzebne!

Skrzetuski, choć sam strapiony, uśmiechnął się i odrzekł:

— Zgaduję, o co ci chodzi, bom widział, jak cię dziś na rycerza pasowano.

Na to pan Longinus ręce złożył:

— Tak, bo po cóż dłużej i skrywać, polubiłem, braciaszku, polubiłem... Ot, nieszczęście!

— Nie martw się. Nie wierzę ja w to, by Tuhaj-bej już odszedł, a zresztą będziesz miał pogaństwa jak tych komarów nad głową.

Rzeczywiście całe chmury komarów unosiły się nad końmi i ludźmi, bo wojska weszły w kraj błot nieprzebytych, lasów bagnistych, łąk rozmiękłych, rzek, rzeczek i strumieni, w kraj pusty, głuchy, jedną puszczą szumiący, o którego mieszkańcach mawiano w owych czasach:

Dał dla córeczki
Szlachcic Hołota
Dziegciu dwie beczki,
Grzybów wianuszek,
Wiunów garnuszek
I lechę błota.

Na błocie owym rosły wprawdzie nie tylko grzyby, ale wbrew owym rymom i wielkie fortuny pańskie. Wszelako w tej chwili ludzie książęcy, którzy w znacznej części wychowali się i wyrośli na suchych, wysokich stepach zadnieprzańskich, nie chcieli oczom własnym wierzyć. Wszakżeż i tam były miejscami bagna i lasy, ale tu cały kraj zdawał się jednym bagnem. Noc była pogodna, jasna — i przy blasku księżyca, jak okiem sięgnąć, nie zajrzałeś sążnia suchego gruntu. Kępy tylko czerniły się nad wodą, lasy zdawały się z wody wyrastać, woda chlupotała pod nogami końskimi, wodę wyciskały koła wozów i armat. Wurcel wpadł w desperację. „Dziwny pochód — mówił — pod Czernihowem groził nam ogień, a tu woda nas zalewa". Rzeczywiście ziemia wbrew przyrodzeniu nie dawała tu stałej podpory nogom, ale gięła się, trzęsła, jakby się chciała rozstąpić i pochłonąć tych, co się po niej poruszali.

Wojska przez Prypeć przeprawiały się cztery dni, potem niemal codziennie trzeba było przebywać rzeki i rzeczułki płynące w rozkisłym gruncie. A nigdzie mostu. Lud cały na łodziach, w szuhalejach. Po kilku dniach wszczęły się i mgły, i deszcze. Ludzie dobywali ostatnich sił, by się na koniec wydostać z tych zaklętych okolic. A książę śpieszył, pędził. Kazał walić całe lasy, układać drogi z okrąglaków i szedł naprzód. Żołnierz też widząc, jak nie szczędził sił własnych, jak od rana do nocy był na koniu, wojska sprawował, nad pochodem czuwał, wszystkim osobiście zawiadywał — nie śmiał szemrać, choć trud był prawie nad siły. Od rana do nocy lgnąć i moknąć — oto był wspólny los wszystkich. Koniom róg począł złazić z kopyt, wiele ich od armat odpadło, więc piechota i dragoni Wołodyjowskiego sami ciągnęli działa. Najgórniejsze pułki, jako usarie Skrzetuskiego, Zaćwilichowskiego i pancerni, brali się do siekier dla moszczenia dróg. Był to sławny pochód o chłodzie, wodzie i głodzie, w którym wola wodza i zapał żołnierzy łamały wszystkie przeszkody. Nikt tędy dotychczas nie odważył się z wiosny, przy rozlaniu wód, wojsk prowadzić. Szczęściem, pochód nie był ani razu żadnym napadem przerwany. Lud tam cichy, spokojny, nie myślał o buncie, a choć później podburzany przez Kozaków i zachęcany przykładem, nie chciał garnąć się pod ich znaki. Toż i teraz spoglądał sennym okiem na przechodzące zastępy rycerzy, którzy wynurzali się z borów i bagien, jakby zaklęci, a przechodzili jak sen; dostarczał przewodników, spełniał cicho i posłusznie wszystko, czego od niego żądano.

Co widząc książę powściągał surowie wszelką swawolę żołnierską i nie płynęły za wojskiem jęki ludzkie, przekleństwa i narzekania, a gdy po przejściu wojsk została w jakiej dymnej wiosce wieść, że to kniaź Jarema przechodził, ludzie potrząsali głowami. „Wże win dobryj!” — mówili sobie z cicha.

Na koniec po dwudziestu dniach nadludzkich trudów i wysileń wychyliły się wojska książęce w kraj zbuntowany. „Jarema ide! Jarema ide!” — rozlegało się po całej Ukrainie, aż hen, po Dzikie Pola, do Czehryna i Jahorliku. „Jarema ide!” — rozlegało się po miastach, wsiach, chutorach i pasiekach i na tę wieść kosy, widły i noże wypadały z rąk chłopskich, twarze bladły, kupy swawolne pomykały nocami ku południowi jak stada wilków przed odgłosem rogów myśliwskich; Tatar zabłąkany dla grabieży zeskakiwał z konia i ucho co chwila do ziemi przykładał; w nie zdobytych jeszcze zamkach i zameczkach bito w dzwony i śpiewano *Te Deum laudamus!*

A ów groźny lew położył się na progu zbuntowanego kraju i odpoczywał.

Siły zbierał.

Rozdział XXVI

Tymczasem Chmielnicki, postawszy czas jakiś w Korsuniu, do Białocerkwi się cofnął i tam stolicę swą założył. Orda zapadła koszem z drugiej strony rzeki, rozpuszczając zagony po całym województwie kijowskim. Niepotrzebnie się też martwił pan Longinus Podbipięta, że mu głów tatarskich nie stanie. Pan Skrzetuski słusznie przewidywał, że Zaporożcy, schwytani przez pana Poniatowskiego pod Kaniowem, fałszywą dali wiadomość: Tuhaj-bej nie tylko nie odszedł, ale nawet do Czehryna się nie ruszał. Co więcej, nowe czambuły nadciągnęły ze wszystkich stron. Przyszli carzykowie: azowski i astrachański, którzy nigdy przedtem w Polsce nie bywali, w cztery tysiące wojowników; przyszło dwanaście tysięcy hordy nohajskiej, dwadzieścia tysięcy biłgorodzkiej i budziackiej, wszystko zaklęci ongi Zaporoża i kozactwa nieprzyjaciele, dziś bracia i na krew chrześcijańską zaprzysięgli sprzymierzeńcy. Na koniec przybył i sam chan Islam Girej z dwunastoma tysiącami Perekopców. Cierpiała od tych przyjaciół cała Ukraina, cierpiał nie tylko stan szlachecki, ale i lud ruski, któremu palono wioski, zabierano dobytek, a samych chłopów, niewiasty i dzieci pędzono w jasyr. W tych czasach mordu, pożogi i krwi wylania jeden tylko dla chłopa był ratunek: uciec do obozu Chmielnickiego. Tam z ofiary stawał się zbójem i sam własną ziemię niszczył, ale przynajmniej żywota był bezpieczny. Nieszczęsny kraj!... Gdy bunt w nim wybuchł, pokarał go naprzód i spustoszył pan Mikołaj Potocki, potem Zaporożcy i Tatarzy, którzy niby dla oswobodzenia go przyszli, a teraz zawisł nad nim Jeremi Wiśniowiecki.

Uciekał też, kto mógł, do obozu Chmielnickiego, uciekała nawet i szlachta, gdy innego środka ocalenia nie było. Dzięki temu Chmielnicki rósł w siły i że nie zaraz ruszył w głąb Rzeczypospolitej, że leżał długo w Białocerkwi, to przeważnie dlatego, by ład w te rozhukane i dzikie żywioły wprowadzić.

Jakoż w żelaznym jego ręku zmieniały się one szybko w bojową potęgę. Kadry z wyćwiczonych Zaporożców były gotowe, podzielono czerń na pułki, wyznaczono pułkowników z dawnych atamanów koszowych, pojedyncze oddziały wysyłano na zdobywanie zamków, by je do boju zaprawić. A bitny to był z natury lud, do wojny tak jak żaden inny sposobny, do broni przywykły, przez napady tatarskie z ogniem i krwawym obliczem wojny oswojony.

Poszło więc dwóch pułkowników, Handża i Ostap, na Nesterwar, który zdobyli, ludność żydowską i szlachecką w pień wycięli. Czetwertyńskiemu kniaziowi własny jego młynarz głowę na progu zamkowym odciął, a z księżny — Ostap niewolnicę swoją uczynił. Szli inni w inne strony i powodzenie towarzyszyło ich orężowi, bo strach serca Lachom odjął — strach „temu narodowi niezwyczajny", któren broń z rąk wytrącał i sił zbawiał.

Nieraz, bywało, pułkownicy nagabywali Chmielnickiego: „Czemu zaś ku Warszawie nie ruszasz, ale spoczywasz, z czarownicami czary odprawujesz i gorzałką się zalewasz, a Lachom się obaczyć od strachu i wojska zebrać pozwalasz?" Nieraz też czerń pijana wyła po nocach, oblegała kwaterę Chmielnickiego żądając, by ją na Lachiw prowadził. Chmielnicki podniósł bunt i dał mu siłę straszliwą, ale teraz jął miarkować, że już siła owa jego samego pcha ku nieznanej przyszłości, więc często chmurnym okiem w oną przyszłość spoglądał i zbadać ją usiłował — i sercem wobec niej się trwożył.

Jako się rzekło, wśród tych pułkowników i atamanów on jeden wiedział, ile jest straszliwej potęgi w pozornej bezsilności Rzeczypospolitej. Podniósł bunt, zbił pod Żółtymi Wodami, zbił pod Korsuniem, starł wojska koronne — a co dalej?

Zbierał tedy pułkowników do rady i wodząc po nich stkrwawymi oczyma, przed którymi drżeli wszyscy, stawiał im ponuro toż samo pytanie: „Co dalej? czego wy chcecie?"

— Iść do Warszawy? to tu kniaź Wiśniowiecki przyjdzie, żony i dzieci wasze jako piorun pobije, ziemię a wodę tylko zostawi, a potem i on za nami do Warszawy z całą potęgą szlachecką, która się do niego przyłączy, pociągnie — i we dwa ognie wzięci, zginiem, jeśli nie w bitwach, to na palach...

— Na przyjaźń tatarską liczyć nie można. Oni dziś z nami, jutro przeciw nam się odwrócą i do Krymu popędzą albo panom nasze głowy sprzedadzą.

— Ano, co dalej, mówcie. Iść na Wiśniowieckiego? to on siłę naszą i tatarską całą na sobie zadzierży, a przez ten czas wojska się zbiorą i z głębi Rzeczypospolitej w pomoc mu ruszą. Wybierajcie...

I potrwożeni pułkownicy milczeli, a Chmielnicki mówił:

— Czemużeście to zmaleli? czemu więcej nie przecie na mnie, bym ku Warszawie ciągnął? Gdy tedy nie wiecie, co czynić, na mnie to zdajcie, a Bóg da, swoją i wasze głowy ocalę i kontentację dla wojska zaporoskiego i wszystkich Kozaków otrzymam.

Jakoż pozostawał jeden sposób: układy. Chmielnicki dobrze wiedział, ile tą drogą można w Rzeczypospolitej wymóc; liczył, że sejmy prędzej na znaczną kontentację się zgodzą niż na podatki, zaciągi i wojnę, która musiałaby być i długą, i trudną. Wiedział wreszcie, że w Warszawie jest potężna partia, a na jej czele sam król, o którego śmierci wieść jeszcze nie doszła[1], i kanclerz, wielu panów, którzy radzi by wzrost olbrzymich fortun magnackich na Ukrainie powstrzymać, z Kozaków siłę dla rąk królewskich stworzyć, wieczysty pokój z nimi zawrzeć i one tysiące zebrane do postronnej wojny użyć. W tych warunkach mógł i dla siebie Chmielnicki znamienitą szarżę zyskać, buławę hetmańską z królewskiego ramienia otrzymać i dla Kozaków nieprzeliczone ustępstwa osiągnąć.

Oto dlaczego leżał długo pod Białocerkwią. Zbroił się, uniwersały na wszystkie strony rozsyłał, lud ściągał, całe armie tworzył, zamki pod moc swoją zagarniał, bo wiedział, że tylko z silnym układać się będą, ale w głąb Rzeczypospolitej nie ruszał.

O! gdyby na mocy układów pokój mógł zawrzeć!... Wtedy tym samym albo broń z ręki Wiśniowieckiego wytrąci, albo — jeśli kniaź jej nie złoży — to nie on, Chmielnicki, ale kniaź będzie rebelizantem, wbrew woli króla i sejmów wojnę wiodącym.

Naówczas ruszy on na Wiśniowieckiego — ale już z królewskiego i Rzeczypospolitej mandatu — i wybije wtedy ostatnia godzina nie tylko dla kniazia, ale dla wszystkich ukrainnych królewiąt, dla ich fortun i latyfundiów.

Tak myślał samozwańczy hetman zaporoski, taki

---

[1] 12 czerwca pod Białocerkwią nie wiedziano jeszcze o śmierci króla.

gmach na przyszłość budował. Ale na rusztowaniach pod on gmach przygotowanych siadało często czarne ptactwo trosk, zwątpień, obaw — i krakało złowrogo.

Będzie-li dość silną pokojowa partia w Warszawie? zaczną-li z nim układy? Co powie sejm i senat? zatkną-li tam uszy na jęki i wołania ukrainne? zamkną oczy na łuny pożarów?...

Czy nie przeważy wpływ panów owe niezmierne latyfundia posiadających, o których ochronę im iść będzie? I czy ta Rzeczpospolita tak się już przeraziła, że mu przebaczy to, iż się z Tatary połączył?

A z drugiej strony szarpało duszę Chmielnickiego zwątpienie, czy i ów bunt nie zanadto się już rozpalił i rozwinął. Czy owe zdziczałe masy dadzą się wtłoczyć w jakie karby? Dobrze: on, Chmielnicki, pokój zawrze, a rezuny — pod jego imieniem — dalej mord i pożogę szerzyć będą albo się też na jego głowie swych zawiedzionych nadziei pomszczą. Toż to rzeka wezbrana, morze, burza! Straszne położenie! Gdyby wybuch był słabszy, tedyby nie układano się z nim, jako ze słabym; ponieważ bunt jest potężny, więc układy siłą rzeczy mogą się rozbić.

I co będzie?

Gdy takie myśli opadły ciężką głowę hetmana, naówczas zamykał się w swej kwaterze i pił dnie całe i noce. Wówczas między pułkownikami i czernią rozchodziła się wieść: „Hetman pije!” — i za przykładem jego pili wszyscy, karność się rozprzęgała, mordowano jeńców, bito się wzajemnie, rabowano łupy — rozpoczynał się sądny dzień, panowanie zgrozy i okropności. Białocerkiew zmieniała się w piekło prawdziwe.

Aż pewnego dnia do pijanego hetmana wszedł szlachcic Wyhowski, pod Korsuniem do niewoli wzięty i na sekretarza hetmańskiego awansowany. Wszedłszy począł trząść bez ceremonii opoja, aż go wreszcie porwał za ramiona, na tapczanie posadził i ocucił.

— A ce szczo takie, jakie łycho? — pytał Chmielnicki.

— Mości hetmanie, wstawaj i oprzytomniej! — odpowiedział Wyhowski. — Poselstwo przyszło!

Chmielnicki zerwał się na równe nogi i w jednej chwili otrzeźwiał.

— Hej! — wołał na pacholę kozackie siedzące w progu — delię, kołpak i buławę!

A potem do Wyhowskiego:

— Kto przyjechał? od kogo?

— Ksiądz Patroni Łasko z Huszczy od pana wojewody bracławskiego.

— Od pana Kisiela?

— Tak jest.

— Sława Otcu i Synu, sława Swiatomu Duchu i Swiatoj-Preczystoj!! — mówił żegnając się Chmielnicki.

I twarz mu pojaśniała, wypogodziła się — rozpoczynano z nim układy.

Ale tegoż dnia przyszły i wieści wprost przeciwne pokojowemu poselstwu pana Kisiela.

Doniesiono, iż książę wypocząć dawszy wojsku, strudzonemu pochodem przez lasy i błota, wstąpił w kraj zbuntowany; że bije, pali, ścina; że podjazd wysłany pod Skrzetuskim rozbił dwutysięczną watahę Kozaków i czerni — i wytępił ją co do nogi; że sam książę wziął szturmem Pohrebyszcze, majętność książąt Zbaraskich — i ziemię a wodę tylko zostawił. Opowiadano przerażające rzeczy o tym szturmie i zdobyciu Pohrebyszcz — było to bowiem gniazdo najzaciętszych rezunów. Książę miał powiedzieć do żołnierzy: „Mordujcie ich tak, by czuli, że umierają”[1]. Więc też żołnierstwo najdzikszych dopuszczało się okrucieństw. Z całego miasta nie ocalała jedna żywa dusza. Siedmiuset jeńców powieszono, dwustu wbito na pale. Mówiono również o wierceniu oczu

[1] Rudawski twierdzi, iż słowa owe były wyrzeczone w Niemirowie.

świdrami, o paleniu na wolnym ogniu. Bunt zgasł od razu w całej okolicy. Mieszkańcy albo pouciekali do Chmielnickiego, albo przyjmowali pana łubniańskiego na klęczkach, z chlebem i solą, wyjąc o miłosierdzie. Pomniejsze watahy wszystkie były starte — a w lasach, jak twierdzili zbiegowie z Samhorodka, Spiczyna, Pleskowa i Wachnówki, nie było jednego drzewa, na którym by Kozak nie wisiał.

I działo się to wszystko pod bokiem Białocerkwi i krociowej armii Chmielnickiego.

Toteż Chmielnicki, gdy się o tym dowiedział, począł ryczeć jak ranny tur. Z jednej strony układy, z drugiej miecz. Jeśli ruszy na księcia, będzie to oznaką, że nie chce układów proponowanych przez pana z Brusiłowa.

Jedyna nadzieja pozostawała w Tatarach. Chmielnicki zerwał się i ruszył do Tuhaj-bejowej kwatery.

— Tuhaj-beju, mój przyjacielu! — rzekł po oddaniu zwykłych salamów — jakoś mnie pod Żółtą Wodą i pod Korsuniem ratował, tak i teraz mnie ratuj. Przyszedł tu poseł od wojewody bracławskiego z pismem, w którym mnie wojewoda obiecuje kontentację, a wojsku zaporoskiemu powrócenie do dawnych swobód pod warunkiem, żebym wojny zaprzestał, co ja uczynić muszę chcąc swoją szczerość i dobrą chęć pokazać. A tymczasem przyszły tu wieści od niedruga mojego, księcia Wiśniowieckiego, że Pohrebyszcze wyciął i nikogo nie żywił — i dobrych mołojców moich wycina, na pale wbija i świdrami oczy wierci. Na którego ja ruszyć nie mogąc, do ciebie z pokłonem przyszedłem, abyś ty na tego mojego i swojego niedruga z Tatary ruszył, gdyż inaczej wkrótce on tu na nasze obozy nastąpi.

Murza siedząc na kupie kobierców pobranych pod Korsuniem lub złupionych po dworach szlacheckich kiwał się czas jakiś w tył i naprzód, oczy zamrużył jakby dla lepszego namysłu, nareszcie odrzekł:

— Ałła! Ja tego uczynić nie mogę.

— Czemu? — pytał Chmielnicki.

— Bom i tak już dosyć dla ciebie bejów i czausów pod Żółtą Wodą i Korsuniem wytracił; po cóż mam jeszcze tracić? Jarema to wielki wojownik! Ruszę na niego, gdy i ty ruszysz, ale sam nie. Nie głupim w jednej bitwie wszystko, com dotąd zyskał, utracić; lepiej mi czambuły po łup i jasyr wysyłać. Dosyć ja już dla was, psów niewiernych, uczynił. I sam nie pójdę, i chanowi będę odradzał. Rzekłem.

— Pomoc mi zaprzysiągłeś!

— Tak jest, alem przysięgał obok ciebie, nie za ciebie wojować. Idźże ty precz!

— Jam ci jasyr z mego własnego ludu pozwolił, łupy oddał, hetmanów oddał.

— Bo gdybyś nie oddał, to bym ja ciebie im oddał.

— Do chana pójdę.

— Idź precz, capie, mówię ci.

I kończaste zęby murzy już zaczęły błyskać spod warg. Chmielnicki poznał, że nie ma co tu robić, a dłużej nastawać niebezpiecznie, więc wstał i rzeczywiście udał się do chana.

Ale od chana takąż samą odebrał odpowiedź. Tatarzy mieli swój rozum i szukali własnej korzyści. Zamiast ważyć się na walną bitwę z wodzem, który za niezwyciężonego uchodził, woleli zagony rozpuszczać i bogacić się bez krwi przelewu.

Chmielnicki wrócił wściekły do swej kwatery i z desperacji już do gąsiora się zabierał, ale mu go Wyhowski wyrwał z ręki.

— Nie będziesz pił, mości hetmanie — rzekł. — Poseł jest, trzeba posła odprawić.

Chmielnicki wpadł w gniew straszliwy.

— Ja ciebie i posła każę na pal wbić!

— A ja ci gorzałki nie dam. Nie wstyd-że ci, gdy cię fortuna tak wysoko wyniosła, wódką się jak prostemu Kozakowi zalewać? Tfu, tfu, mości hetmanie, nie może tak być. Wieść o przybyciu posła już się rozeszła. Wojsko i pułkownicy chcą na radę. Tobie nie pić teraz, ale kuć żelazo, póki gorące — bo teraz możesz pokój zawrzeć i wszystko, co chcesz, otrzymać; potem będzie za późno, a gardło moje i twoje w tym. Wysłać tobie zaraz poselstwo do Warszawy i króla o łaskę prosić...

— Mądra ty głowa — rzekł Chmielnicki. — Każ uderzyć w dzwon na radę, a na majdanie powiedz pułkownikom, że zaraz wyjdę.

Wyhowski wyszedł, a po chwili ozwał się dzwon na radę, na którego głos wnet wojska zaporoskie poczęły się zbierać. Zasiedli więc dowódcy i pułkownicy: straszliwy Krzywonos, prawa Chmielnickiego ręka, Krzeczowski, miecz kozacki, stary i doświadczony Filon Dziedziała, pułkownik kropiwnicki, Fedor Łoboda perejasławski, okrutny Fedoreńko kalnicki, dziki Puszkareńko połtawski, który samym czabanom przewodził; Szumejko niżyński, ognisty Czarnota hadziacki, Jakubowicz czehryński, dalej Nosacz, Hładki, Adamowicz, Głuch, Pułjan, Panicz — nie wszyscy, bo niektórzy byli na wyprawach, a niektórzy na tamtym świecie, których już książę Jeremi tam wysłał.

Tatarzy nie byli tym razem wezwani na naradę. „Towarzystwo" zebrało się obok na majdanie, cisnącą się czerń odpędzano kijami, a nawet kiścieniami, przy czym i zabójstw nie brakło.

Na koniec ukazał się i sam Chmielnicki, przybrany w czerwień, w kołpak i z buławą w ręku. Obok niego szedł biały jak gołąb ksiądz błahocześciwy Patroni Łasko, a z drugiej strony Wyhowski z papierami w ręku.

Chmiel zasiadłszy między pułkownikami siedział przez chwilę w milczeniu, po czym zdjął kołpak na znak, iż narada się rozpoczyna, wstał i tak mówić począł:

— Mości panowie pułkownicy i atamani dobrodziejstwo! Wiadomo wam, jako dla wielkich a niewinnie cierpianych krzywd naszych musieliśmy za broń uchwycić, a z pomocą najjaśniejszego carza krymskiego o dawne wolności i przywileje, odjęte nam bez woli króla jegomości, od paniąt się upomnieć, którą imprezę Bóg błogosławił i spuściwszy na nieszczerych tyranów naszych strach, wcale im niezwyczajny, nieprawdy i uciski ich pokarał, a nam znacznymi wiktoriami wynagrodził, za co mu wdzięcznym sercem powinniśmy dziękować. Gdy tedy pycha ich pokaraną została, należy myśleć nam, aby rozlew krwi chrześcijańskiej powstrzymać, co nam Bóg miłosierny i nasza błahocześciwa wiara nakazuje, a szabli póty z ręki nie puszczać, póki nam za wolą najjaśniejszego króla jegomości nasze dawne wolności i przywileje nie będą powrócone. Pisze mi tedy pan wojewoda bracławski, iż się to może stać, co i ja tak myślę, gdyż nie my to, ale panięta, Potoccy, Kalinowscy, Wiśniowieccy i Koniecpolscy, z posłuszeństwa majestatowi i Rzeczpospolitej wyszli, których żeśmy ukarali, przeto nam się słuszna kontentacja i nagroda od majestatu i stanów należy. Proszę ja więc mości panów dobrodziejów i łaskawców moich, abyście pismo wojewody bracławskiego, mnie przez ojca Patroniego Łaska, szlachcica wiary błahocześciwej, przysłane, przeczytali i mądrze postanowili, aby rozlew krwi chrześcijańskiej był wstrzymany, a nam kontentacja uczyniona i nagroda za posłuszeństwo i wierność Rzplitej oddana.

Chmielnicki nie pytał, czy wojna ma być zaniechaną, ale żądał postanowienia, aby była zaniechaną, zaraz przeto niechętni podnieśli szemranie, to zaś po chwili zamieniło się w krzyki groźne, którym głównie Czarnota hadziacki przewodził.

Chmielnicki milczał, patrzył tylko uważnie, skąd wychodzą protesty, i opornych sobie w pamięci notował.

Tymczasem powstał Wyhowski z listem Kisielowym w ręku. Kopię pisma poniósł Zorko, aby ją odczytać „towarzystwu", więc tam i tu zapadła cisza głęboka.

Wojewoda poczynał list w te słowa:

„Mości Panie Starszy Wojska Rzeczypospolitej Zaporoskiego, z dawna mnie miły panie i przyjacielu!

Gdy wiele jest takich, którzy o WMci jako o nieprzyjacielu Rzplitej rozumieją, ja nie tylko zostawam sam cale upewnionym o WMci wiernym ku Rzplitej afekcie, ale i innych w tym upewniam IMP. Panów Senatorów, kolegów moich. Trzy rzeczy mnie upewniają: pierwsza, iż lubo od wieków wojsko Dnieprowe sławy i wolności swoich przestrzega, ale wiary swojej zawsze królom, panom i Rzplitej dotrzymywa. Druga, że naród ruski nasz w wierze swej prawowiernej tak stateczny, że woli każdy z nas zdrowie swoje pokładać niźli tę wiarę czymkolwiek naruszyć. Trzecia, że lubo różne bywają (jako i teraz się stało, żal się Boże) wnętrzne krwi rozlania, przecie jednak ojczyzna nam wszystkim jest jedna, w której się rodzimy, wolności naszych zażywamy, i nie masz prawie we wszystkim świecie inszego państwa i drugiego podobnego ojczyźnie naszej w prawach i swobodach. Dlatego zwykliśmy wszyscy jednostajnie tej matki naszej, Korony, całości przestrzegać; a chociaż bywają różne dolegliwości (jako to na świecie), to jednak rozum każe uważać, że łatwiej domówić się w państwie wolnym, co którego z nas boli, niźli straciwszy tę matkę, już drugiej takiej nie naleźć ani w chrześcijaństwie, ani w pogaństwie..."

Łoboda perejasławski przerwał czytanie.

— Prawdu każe — rzekł głośno.

— Prawdu każe! — powtórzyli inni pułkownicy.

— Neprawdu, bresze psia wira! — wrzasnął Czarnota.

— Milcz sam psia wira!

— Wy zdrajcy! Na pohybel wam!

— Na pohybel tobi!

— Słuchać, czytać dalej! czytać! on nasz czołowik. Słuchać, słuchać!

Burza zbierała się na dobre, ale Wyhowski jął dalej czytać, więc uciszyło się znowu.

Pisał wojewoda w dalszym ciągu, iż wojsko zaporoskie

powinno mieć do niego ufność, gdyż wie dobrze, że on tej samej będąc krwi i wiary, życzliwym mu być musi; przypominał jako w nieszczęsnym krwi wylaniu pod Kumejkami i pod Starcem udziału nie brał, następnie wzywał Chmielnickiego, aby wojny poprzestał, Tatarów odprawił albo na nich oręż obrócił — i w wierności dla Rzplitej się utrwalił. Wreszcie list kończył się w następujące słowa:

„Obiecuję waszmości, tak jakom synem Cerkwi Bożej i jako dom mój ze krwie narodu ruskiego starożytnej idzie, że sam będę pomocny do wszystkiego dobrego. Wiecie WMć bardzo dobrze, że i na mnie w tej Rzplitej (za łaską Bożą) cokolwiek zależy i beze mnie ani wojna uchwalona być może, ani pokój stanowiony, a ja pierwszy wnętrznej wojny nie życzę" etc...

Powstały zaraz tedy tumulty za i przeciw, ale list w ogóle podobał się i pułkownikom, i nawet „towarzystwu". Niemniej przeto w pierwszej chwili nie można było niczego zrozumieć ani dosłyszeć dla wielkiej furii, z jaką nad pismem rozprawiano. „Towarzystwo" podobne było z dala do wielkiego wiru, w którym wrzało, kotłowało się i huczało mrowie ludzkie. Pułkownicy potrząsali piernaczami i przyskakiwali sobie z pięściami do oczu. Widziałeś twarze czerwone, rozpalone oczy, pianę na ustach, a wszystkim partyzantom dalszej wojny przewodził Erazm Czarnota, który wpadł w szał prawdziwy. Chmielnicki też patrząc na jego wściekłość bliski był wybuchu, przed którym cichło zwykle wszystko jak przed rykiem lwa. Ale pierwej jeszcze wskoczył na ławę Krzeczowski, piernaczem machnął i krzyknął głosem do grzmotu podobnym:

— Czabanować wam, nie radzić, raby pogańskie!

— Cicho! Krzeczowski chce mówić! — krzyknął pierwszy Czarnota, który spodziewał się, iż przesławny pułkownik za wojną będzie przemawiał.

— Cicho! cicho! — wrzeszczeli inni.

Krzeczowski był niezmiernie szanowany między kozactwem, a to dla wielkich usług, które oddał, dla wielkiej głowy wojennej i — dziwna rzecz — dlatego, iż był szlachcic. Uciszyło się więc zaraz i wszyscy czekali z ciekawością, co powie; sam Chmielnicki utkwił w niego wzrok niespokojny.

Ale Czarnota mylił się przypuszczając, iż pułkownik za wojną wystąpi. Krzeczowski bystrym swym umysłem zrozumiał, iż teraz albo nigdy mógł uzyskać od Rzplitej owe starostwa i dostojeństwa, o których marzył. Odgadł, że przy pacyfikacji Kozaków jego przed wielu innymi będą się starali ująć i zaspokoić, czemu pan krakowski, jako w niewoli będący, nie będzie mógł przeszkadzać; więc też odezwał się w takie słowa:

— Rzecz moja bić, nie radzić; ale gdy do rady przyszło, poczuwam się też do tego, abym swoje zdanie powiedział, gdyżem na taki wasz fawor, jak i inni, jeżeli nie lepiej zarobił. Po to my wojnę podniecili, aby nam nasze wolności i przywileje zostały powrócone, a pisze wojewoda bracławski, że tak być ma. Więc albo będzie, albo nie będzie. Jeśli nie będzie, tak wojna, a jeśli będzie — pokój! Po co darmo krew lać? Niech nas zaspokoją, a my czerń uspokoimy i wojna ustanie; nasz bat'ko Chmielnicki mądrze wszystko ułożył i obmyślił, aby my po stronie najjaśniejszego króla jegomości stanęli, któren nagrodę za to nam da, a jeśli panięta się sprzeciwią, pozwoli nam z nimi pohulać — i pohulamy. Tego bym tylko nie radził, by Tatarów odprawiać: niech koszem na Dzikich Polach zapadną i leżą, póki nam wóz lub przewóz.

Chmielnicki rozjaśnił twarz słysząc te słowa, a pułkownicy w ogromnej już większości poczęli wołać, by wojnę zawiesić i posłów do Warszawy wysłać, a pana z Brusiłowa prosić, by sam dla układów przybył. Czarnota krzyczał jeszcze i protestował, ale pułkownik oczy groźne w niego utkwił i rzekł:

— Ty Czarnota, hadziacki pułkowniku, o wojnę i krwi przelanie wołasz, a gdy pod Korsuniem szli na cię petyhorcy pana Dmochowskiego, toś jak pidswynok kwiczał: „Braty ridnyje, spasajte!”, i uciekałeś przed całym twoim pułkiem.

— Łżesz! — wrzasnął Czarnota — jać się nie boję ni Lachiw, ni ciebie.

Krzeczowski piernacz w ręku ścisnął i ku Czarnocie skoczył; inni też poczęli pięściami okładać hadziackiego pułkownika. Tumult znowu począł się wzmagać. Na majdanie „towarzystwo” ryczało jak stado dzikich żubrów.

Wtem powstał znowu sam Chmielnicki.

— Mości panowie pułkownicy dobrodziejstwo! — rzekł. — Za czym ustanowiliście, aby posłów do Warszawy wysłać, którzy służby nasze wierne najjaśniejszemu królowi jegomości zalecą i o nagrodę prosić będą. Ale też kto chce wojny, ten ją mieć może — nie z królem, nie z Rzecząpospolitą, bo my z nimi nigdy wojny nie prowadzili, ale z największym niedrugiem naszym, któren już cały od krwi kozackiej czerwony, który pod Starcem jeszcze się w niej umazał i teraz mazać się nie przestaje, w nieżyczliwości dla wojsk zaporoskich trwając. Do którego ja pismo i posłów wysłałem prosząc, aby onej nieżyczliwości zaniechał, a on ich tyrańsko pomordował, odpowiedzią żadną mnie, starszego waszego, nie uczciwszy, przez co kontempt całemu wojsku zaporoskiemu wyrządził. A teraz z Zadnieprza przyszedł i Pohrebyszcze w pień wyciął, niewinnych ludzi pokarał, nad którymim ja rzewnymi łzami płakał. Potem, jako mnie dziś rano dali znać, do Niemirowa on poszedł i także nikogo nie żywił. A gdy Tatarzy dla strachu i bojaźni ruszyć na niego nie chcą, rychło patrzeć, jak on tu przyjdzie, aby i nas, niewinnych ludzi, wygubić, przeciw woli przychylnego nam najjaśniejszego króla jegomości i całej Rzeczypospolitej, bo on w pysze swej o nikogo nie dba, a jako się teraz buntuje, tak zawsze się jest gotów przeciw woli jego królewskiej mości zbuntować...

W zgromadzeniu zrobiło się bardzo cicho. Chmielnicki odsapnął i mówił dalej:

— Bóg nam nad hetmanami wiktorią nagrodził, ale on gorszy od hetmanów i od wszystkich królewiąt, diabelski syn samą nieprawdą żyjący. Na którego gdybym ja sam ruszył, tedy by on w Warszawie przez przyjaciół swych krzyczeć nie omieszkał, iż pokoju nie chcemy, i przed jego królewską mością niewinność naszą by oskarżał. Co aby się nie stało, potrzeba, iżby król jegomość i cała Rzplita wiedziała, iż ja wojny nie chcę i cicho siedzę, a on pierwszy na nas wojną nastaje; przeto ja ruszyć nie mogę, bo i do układów z panem wojewodą bracławskim zostać muszę, ale by on, diabelski syn, siły naszej nie złamał, trzeba mu się zastawić i potęgę jego tak zgubić, jakeśmy pod Żółtymi Wodami i pod Korsuniem niedrugów naszych, panów hetmanów, zgubili. O to więc proszę, abyście waszmościowie na niego na ochotnika ruszyli, a ja do króla jegomości pisać będę, iż to się stało beze mnie i dla koniecznej obrony naszej przed jego, Wiśniowieckiego, nieżyczliwością i napaścią.

Głuche milczenie panowało w zgromadzeniu.

Chmielnicki mówił dalej:

— Który tedy z waszmościów na ów przemysł wojenny wyjdzie, temu ja wojska dosyć dam, dobrych mołojców, i armatę dam, i ludu ognistego, aby z pomocą bożą niedruga naszego mógł znieść i wiktorię nad nim otrzymać...

Ani jeden z pułkowników nie wysunął się naprzód.

— Sześćdziesiąt tysięcy wybranego komunika dam! — rzekł Chmielnicki.

Cisza.

A przecież byli to wszystko nieustraszeni wojownicy, których okrzyki wojenne odbijały się nieraz o mury Carogrodu. I może właśnie dlatego każdy z nich obawiał się utracić zdobytej sławy w spotkaniu ze straszliwym Jeremim.

Chmielnicki wodził oczyma po pułkownikach, którzy pod wpływem tego spojrzenia wzrok spuszczali ku ziemi. Twarz Wyhowskiego przybrała wyraz szatańskiej złośliwości.

— Znam ja mołojca — rzekł posępnie Chmielnicki — któren by przemówił w tej chwili i od tej wyprawy się nie wybiegał, ale go nie masz między nami...

— Bohun! — rzekł jakiś głos.

— Tak jest. Zniósł on już regiment Jaremy w Wasiłówce, jeno go poszczerbili w tej potrzebie i leży teraz w Czerkasach, ze śmiercią-matką walczy. A gdy jego nie masz, nikogo nie masz, jak widzę! Gdzie sława kozacka? gdzie Pawluki, Nalewajki, Łobody i Ostranice?

Wtem niski, gruby człowiek, z twarzą siną, ponurą, rudym jak ogień wąsem nad skrzywionymi ustami, i zielonymi oczyma, powstał z ławy, wysunął się ku Chmielnickiemu i rzekł:

— Ja pójdę.

Był to Maksym Krzywonos.

Okrzyki zabrzmiały: „Na sławu!", on zaś wsparł się piernaczem w bok i tak mówił chrapliwym, urywanym głosem:

— Nie myśl, hetmanie, żeby ja się bał. Ja by od razu się podjął — ale myślał: są lepsi! Ale kiedy tak, to pójdę. Wy co? wy głowy i ręce, a u mnie nie ma głowy, tylko ręce a szabla. Raz maty rodyła! Wojna mnie mać i siostra. Wiśniowiecki reżet i ja budu; on wiszajet i ja budu. A ty mnie, hetmanie, mołojców dobrych daj, bo czernią nie z Wiśniowieckim to poczynać. Tak i pójdę — zamkiw dobuwaty, byty, rizaty, wiszaty! Na pohybel im, biłoruczkym!

Drugi ataman wysunął się naprzód.

— Ja z toboju, Maksym!

Był to Pułjan.

— I Czarnota hadziacki, i Hładki mirhorodzki, i Nosacz ostręski pójdą z tobą! — rzekł Chmielnicki.

— Pójdziemy! — ozwali się jednogłośnie, bo już ich przykład Krzywonosa zachęcił i duch w nich wstąpił.

— Na Jaremu! na Jaremu! — zagrzmiały okrzyki w zgromadzeniu.

— Koli! koli! — powtórzyło „towarzystwo" i po pewnym czasie narada zmieniła się w pijatykę. Pułki wyznaczone z Krzywonosem piły na śmierć — bo też i szły na śmierć. Mołojcy sami dobrze o tym wiedzieli, ale już w ich sercach nie było strachu. „Raz maty rodyła" — powtarzali za swym wodzem i dlatego też sobie już nic nie żałowali, jako zwyczajnie przed śmiercią. Chmielnicki pozwalał i zachęcał — czerń szła za ich przykładem. Tłumy zaczęły śpiewać pieśni w sto tysięcy głosów. Rozproszono konie powodowe, które szalejąc po obozie i wzbijając tumany kurzawy wszczęły nieopisany nieład. Goniono je z krzykiem, zgiełkiem i śmiechami; znaczne watahy włóczyły się nad rzeką, strzelały z samopałów, parły się i cisnęły do kwatery samego hetmana, który kazał je wreszcie Jakubowiczowi rozpędzać. Wszczęły się bójki i zamęt, dopóki deszcz ulewny nie zapędził wszystkich pod szałasy i wozy.

Wieczorem burza rozhulała się na niebie. Grzmoty przewalały się z jednego końca chmur w drugi, błyskania oświecały całą okolicę to białym, to czerwonym światłem.

Przy blaskach ich wyruszył z obozu Krzywonos na czele sześćdziesięciu tysięcy co przedniejszych, wybranych wojowników i czerni.

Rozdział XXVII

Szedł tedy Krzywonos z Białocerkwi na Skwirę i Pohrebyszcze ku Machnówce, a gdzie przeszedł, ginęły nawet ślady ludzkiego życia. Kto do niego nie przystał, pod nożem ginął. Palono nawet zboża na pniu, lasy i sady, a książę tymczasem prowadził na swoją rękę zniszczenie. Po wycięciu Pohrebyszcz i krwawym chrzcie, jaki pan Baranowski Niemirowowi sprawił, wygniotły jeszcze wojska kilkanaście znacznych watah i stanęły obozem pod Rajgrodem, gdyż miesiąc to już upływał, jak nie zsiadały z konia, i trud je nadwątlił, i śmierć je znacznie umniejszyła. Trzeba było odpocząć, gdy ręce tych kosiarzy od krwawej kośby pomdlały. Wahał się nawet książę i rozmyślał, czyby nie pójść na czas jakiś do spokojniejszego kraju dla odpoczynku i pomnożenia wojsk, a zwłaszcza koni, które podobniejsze były do szkieletów zwierzęcych niż do żywych stworzeń, gdyż od miesiąca ziarna nie zaznały, stratowaną trawą tylko żyjąc. A wtem po tygodniowym postoju dano znać, że posiłki idą. Książę zaraz wyjechał na spotkanie — i istotnie spotkał pana Janusza Tyszkiewicza, wojewodę kijowskiego, który nadchodził w półtora tysiąca ludzi dobrych, a z nim pan Krzysztof Tyszkiewicz, podsędek bracławski, młody pan Aksak, prawie pacholę jeszcze, z dobrze okrytą własną chorągiewką usarską i wiele szlachty, jako panowie Sieniutowie, Połubińscy, Żytyńscy, Jełowiccy, Kierdeje, Bohusławscy, jedni z pocztami, drudzy bez, razem całej siły blisko dwa tysiące koni prócz czeladzi. Ucieszył się więc książę bardzo i wdzięcznie pana wojewodę do swej kwatery zaprosił, który nie mógł się oddziwić jej ubóstwu i prostocie. Bo książę, o ile w Łubniach żył po królewsku, o tyle na wyprawach, chcąc przykład dać żołnierstwu, żadnych wygód sobie nie pozwalał. Stał więc w jednej izbie, do której pan wojewoda kijowski zaledwie mógł się z powodu swej ogromnej tuszy przez wąskie drzwi przecisnąć, aż się kazał rękodajnemu z tyłu pchać. W izbie prócz stołu, ław drewnianych i tapczana okrytego skórą końską nie było nic więcej, jeno jeszcze siennik przy drzwiach, na którym sypiał pacholik zawsze do posług gotowy. Ta prostota zdziwiła bardzo wojewodę, któren wygodę lubił i z kobiercami się woził. Wszedł tedy i ze zdumieniem na księcia poglądał dziwiąc się, jak mógł tak wielki duch mieścić się w takiej prostocie i takim ubóstwie. Widywał on czasem księcia na sejmach w Warszawie, był mu nawet z dala pokrewnym, ale go bliżej nie znał. Dopiero gdy z nim mówić począł, poznał zaraz, że ma z nadzwyczajnym człowiekiem do czynienia. I on, stary senator i stary żołnierz rubacha, któren kolegów senatorów po ramieniu klepał, księciu Dominikowi Zasławskiemu mówił: „Mój łaskawco!", i z samym królem był poufale, nie mógł się na takową poufałość z Wiśniowieckim zdobyć, chociaż książę przyjął go uprzejmie, bo był mu wdzięczen za posiłki.

— Mości wojewodo — rzekł — Bogu chwała, iżeście przybyli ze świeżym ludem, bom też już ostatnim tchem gonił.

— Widziałem ja po żołnierzach waszej książęcej mości, iż się napracowali, niebożęta, co i mnie trapi niemało, gdyżem tu z prośbą przybył, byś wasza książęca mość na ratunek mnie pośpieszył.

— A czy pilno?

— *Periculum in mora, periculum in mora!* Nadciągnęło hultajstwa kilkadziesiąt tysięcy, a nad nimi Krzywonos, któren jakom słyszał, na waszą książęcą mość był komenderowany, ale dostawszy języka, iżeś wasza książęca mość ku Konstantynowu ruszył, tam pociągnął, a teraz po drodze mnie Machnówkę obległ i takie spustoszenie poczynił, iż żaden język tego wypowiedzieć nie jest w możności.

— Słyszałem ja o Krzywonosie i tum go czekał, ale skoro mnie minął, widzę, że sam go szukać muszę. Istotnie rzecz nie cierpi zwłoki. Siła w Machnówce jest załogi?

— Jest w zamku dwieście Niemców bardzo dobrych, którzy wytrzymają jeszcze czas jakiś. Ale co najgorzej, to iż do miasta zjechało się sporo szlachty z rodzinami, miasto zaś, jeno wałem i częstokołem obronne, długo oporu stawiać nie może.

— Istotnie, rzecz nie cierpi zwłoki — powtórzył książę.

A potem zwróciwszy się ku pacholikowi:

— Żeleński! — rzekł — biegaj po pułkowników.

Wojewoda kijowski siadł tymczasem na ławie i sapał; trochę się przy tym za wieczerzą oglądał, gdyż był głodny, a lubił jeść dobrze.

Wtem rozległy się zbrojne stąpania i weszli oficerowie książęcy — czarni, wychudli, brodaci, z pozapadanymi oczyma, ze śladami niewypowiedzianych trudów na twarzy. Skłonili się w milczeniu księciu, gościom i czekali, co powie.

— Mości panowie — rzekł książę — czy konie u toków?

— Tak jest.

— Gotowe?

— Jako zawsze.

— To dobrze. Za godzinę ruszamy na Krzywonosa.

— Hę? — rzekł wojewoda kijowski i spojrzał ze zdziwieniem na pana Krzysztofa, podsędka bracławskiego.

A książę mówił dalej:

— Imć Poniatowski i Wierszułł ruszą pierwsi. Za nimi pójdzie Baranowski z dragonią, a w godzinę żeby mi i armaty Wurcla wyszły.

Pułkownicy skłoniwszy się opuścili izbę i po chwili rozległy się trąbki grające wsiadanego. Wojewoda kijowski takiego pośpiechu się nie spodziewał, a nawet sobie nie życzył, gdyż był zmęczony i zdrożony. Liczył on na to, że z dzionek u księcia wypocznie i jeszcze zdąży — a tu przychodziło zaraz, nie śpiąc, nie jedząc, na koń siadać.

— Mości książę — rzekł — a czy zajdą żołnierze wasi do Machnówki, bo widziałem, strasznie *fatigati*, a to droga daleka.

— Niech waszą mość o to głowa nie boli. Jak na śpiewanie idą oni na bitwę.

— Widzę ja to, widzę. Siarczysty żołnierz, ale bo to... i mój lud podrożony.

— Mówiłeś wasza mość: *periculum in mora*.

— Tak jest, ale może by przez noc odpocząć. My spod Chmielnika idziemy.

— Mości wojewodo, my z Łubniów, z Zadnieprza.

— Cały dzień byliśmy w drodze.

— My cały miesiąc.

To rzekłszy książę wyszedł, by osobiście szyk pochodowy sprawić, a wojewoda oczy na podsędka, pana Krzysztofa, wytrzeszczył, dłońmi po kolanach uderzył i mówił:

— Ot, mam, czegom chciał. Dalibóg, oni mnie tu głodem zamorzą. O! to w gorącej wodzie kąpani! Przychodzę o pomoc, myślę, że po wielkich molestacjach za dwa, trzy dni ruszą, a tu i odetchnąć nie dadzą. Niechże ich kaduk porwie! Puślisko mi nogę przetarło, co mi je zdrajca pachołek źle przypiął, w brzuchu mi kruczy... niechże ich kaduk porwie! Machnówka Machnówką, a brzuch brzuchem! Jam też stary żołnierz, więcej jam może od nich wojny zażywał — ale nie tak łap, cap! To diabły, nie ludzie: nie śpią, nie jedzą — tylko się biją. Jak mi Bóg miły, tak oni nigdy nie jedzą. Widziałeś panie Krzysztofie, tych pułkowników — czy nie wyglądają jak *spectra*? co?

— Ale fantazja u nich ognista — odpowiedział pan Krzysztof, który żołnierz był zamiłowany. — Miły Boże! ile to zamieszania i nieładu po innych obozach, gdy ruszać przyjdzie! ile bieganiny, szykowania wozów, posyłania po konie!... a tu — słyszycie waszmość? — oto już lekkie chorągwie wychodzą!

— A juści, że tak jest! Desperacja! — mówił wojewoda.

A młody pan Aksak dłonie swoje chłopięce złożył:

— Ach, wielki to wódz! ach, wielki to wojennik! — mówił z uniesieniem.

— U waści mleko pod nosem! — huknął na niego wojewoda. — Cunctator także był wielki wódz!... rozumiesz wasze?

Wtem wszedł książę:

— Mości panowie, na koń! ruszamy!

Wojewoda nie wytrzymał.

— Każże, wasza książęca mość, dać coś zjeść, bom głodny! — wykrzyknął z wybuchem złego humoru.

— A, mój mości wojewodo! — rzekł książę śmiejąc się i biorąc go w ramiona — wybaczcie, wybaczcie, całym sercem, ale na wojnie człek o tych rzeczach zapomina.

— A co, panie Krzysztofie? czy nie mówiłem, że oni nic nie jedzą? — rzecze wojewoda zwracając się do podsędka bracławskiego.

Ale wieczerza niedługo trwała i w parę godzin później nawet i piechoty wyszły już z Rajgrodu. Ciągnęły wojska na Winnicę i Lityń ku Chmielnikowi. Po drodze natknął się Wierszułł na zagonek tatarski w Sawerówce, który wraz z panem Wołodyjowskim wygnietli do szczętu, oswobodziwszy kilkaset dusz jasyru, samych prawie dziewcząt. Tamże rozpoczynał się już kraj spustoszony, pełen śladów Krzywonosowej ręki. Strzyżawka była spalona, a ludność jej wymordowana w straszny sposób. Widocznie nieszczęśnicy stawili opór Krzywonosowi, za który dziki wódz oddał ich mieczom i płomieniom. U wejścia do wsi wisiał na dębie sam pan Strzyżewski, którego ludzie Tyszkiewicza zaraz poznali. Wisiał nagi zupełnie, a na piersiach miał okropny naszyjnik z głów ponawłóczonych na powróz. Były to głowy jego sześciorga dziatek i żony.

W samej wsi, spalonej zresztą do szczętu, ujrzały chorągwie po obu stronach drogi długi szereg „świec" kozackich, to jest ludzi z wzniesionymi nad głową rękoma, poprzywiązywanych do żerdzi wbitych w ziemię, obwiniętych słomą, oblanych smołą i zapalonych od dłoni. Większa ich część miała poupalane tylko ręce, gdyż deszcz przeszkodził widocznie dalszemu gorzeniu. Ale straszne były te trupy z powykrzywianymi twarzami, wyciągające ku niebu czarne kikuty. Zapach zgnilizny rozchodził się dokoła. Nad słupami kotłowały się chorowody wron i kawek, które za zbliżeniem się wojska zrywały się z wrzaskiem z bliższych słupów, by siąść na dalszych. Kilka wilków pomknęło przed chorągwiami ku zaroślom. Wojska posuwały się w milczeniu straszliwą aleją i liczyły „świece". Było ich trzysta kilkadziesiąt. Minęli wreszcie ową nieszczęsną wioskę i odetchnęli świeżym powietrzem polnym. Ale ślady zniszczenia szły dalej. Była to pierwsza połowa lipca. Zboża już prawie dochodziły, spodziewano się bowiem wczesnych żniw. Ale całe łany były częścią spalone, częścią stratowane, zwikłane, wdeptane w ziemię. Zdawać by się mogło, że huragan przeszedł przez niwy. Jakoż i przeszedł po nich huragan najgroźniejszy ze wszystkich — wojny domowej. Żołnierze książęcy widzieli nieraz żyzne okolice spustoszałe po napadzie Tatarów, ale podobnej zgrozy, podobnej wściekłości zniszczenia nie widzieli nigdy w życiu. Lasy popalono tak samo jak zboża. Gdzie ogień drzew nie pożarł, tam odarł z nich ognistym językiem liść i korę, opalił oddechem, odymił, poczernił — i drzewa więc sterczały jak szkielety. Pan wojewoda kijowski patrzył i oczom nie wierzył. Miedziaków, Zhar, Futory, Słoboda — jedno zgliszcze! Gdzieniegdzie chłopi uciekli do Krzywonosa, kobiety zaś i dzieci poszły w jasyr owego zagonu ordy, który Wierszułł z Wołodyjowskim wygnietli. Na ziemi pustosz, na niebie zaś stada wron, kruków, kawek, sępów, które pozlatywały się, Bóg wie skąd, na kozacze żniwo... Ślady przejścia wojsk stawały się coraz świeższe. Napotykano raz wraz złamane wozy, trupy bydlęce i ludzkie jeszcze nie popsute, potłuczone garnki, miedziane kotły, wory z zamokłą mąką, zgliszcza jeszcze dymiące, stogi świeżo napoczęte i rozrzucone. Książę parł chorągwie ku Chmielnikowi, nie dając im odetchnąć, stary zaś wojewoda za głowę się chwytał powtarzając żałośnie:

— Moja Machnówka! moja Machnówka! widzę już, iż nie zdążymy.

Tymczasem w Chmielniku przyszła wiadomość, że nie sam stary Krzywonos, ale syn jego Machnówkę w kilkanaście tysięcy ludzi oblega i że on to naczynił tak nieludzkich spustoszeń po drodze. Miasto, wedle tego, co głosiły wieści, było już zdobyte. Kozacy dostawszy go wyrżnęli w pień szlachtę i Żydów, szlachcianki zaś pobrali do swego taboru, gdzie oczekiwał je los gorszy od śmierci. Ale zameczek pod wodzą pana Lwa bronił się jeszcze. Kozacy szturmowali go z klasztoru bernardynów, w którym wysiekli zakonników. Pan Lew, goniąc ostatkiem sił i prochów, nie obiecywał się dłużej trzymać nad jedną noc.

Zostawił więc książę piechoty, działa i główne siły wojska, którym kazał iść do Bystrzyka, sam zaś z wojewodą, panem Krzysztofem, panem Aksakiem, we dwa tysiące komunika na pomoc skoczył. Stary wojewoda już hamował, bo głowę stracił: „Machnówka przepadła, przyjdziemy za późno! lepiej poniechać, a innych miejsc bronić i w prezydia je zaopatrzyć" — powtarzał. Ale książę nie chciał słuchać. Pan podsędek bracławski naglił, a wojska rwały się do boju. „Skorośmy tu przyszli, nie odejdziemy bez krwi" — mówili pułkownicy. I ruszono naprzód.

Aż w pół mili do Machnówki kilkunastu jeźdźców pędzących co koń wyskoczy zabiegło wojsku drogę. Był to pan Lew z towarzyszami. Ujrzawszy go wojewoda kijowski odgadł natychmiast, co się stało.

— Zamek zdobyty! — krzyknął.

— Tak jest! — odpowiedział pan Lew i w tejże chwili omdlał, bo był posieczony i postrzelany, więc krew go uszła. Ale inni poczęli opowiadać, co się stało. Niemców na murach wybito do nogi, gdyż woleli umierać niż się poddawać; pan Lew przebił się przez gęstwę czerni i wyłamane bramy, wszelako w izbach na wieży broniło się kilkudziesięciu szlachty — tym należało śpieszny dać ratunek.

Ruszono więc z kopyta. Po chwili ukazało się na górze miasto i zamek, a nad nimi ciężka chmura dymów od wszczętego pożaru. Dzień już zapadał. Na niebie paliły się olbrzymie zorze purpurowe i złote, które wojska zrazu za łunę poczytały. Przy tych blaskach widać było pułki Zaporożców i zbite masy czerni płynące przez bramy na spotkanie wojsk tym śmielej, że nikt w mieście nie wiedział o przybyciu księcia, sądzono bowiem, że sam tylko wojewoda kijowski nadciąga z odsieczą. Znać wódka oślepiła ich zupełnie albo świeże zdobycie zamku natchnęło pychą niezmierną, gdyż śmiało zstąpili z góry i dopiero na równinie poczęli się szykować do bitwy z ochotą wielką, grzmiąc w kotły i litaury. Na ten widok okrzyk radości wyrwał się ze wszystkich polskich piersi, a pan wojewoda kijowski miał sposobność po raz wtóry podziwiać sprawność chorągwi książęcych. Zatrzymawszy się na widok kozactwa, stanęły od razu w szyku bojowym, ciężka jazda we środku, lekkie na skrzydłach, tak iż nic nie należało poprawiać i można było z miejsca zaczynać.

— Panie Krzysztofie, co to za lud! — rzekł wojewoda. — Od razu stanęli w ordynku. Mogliby oni i bez wodza bitwy staczać.

Książę wszelako, jako wódz przezorny, przelatywał z buławą w ręku między chorągwiami od skrzydła do skrzydła, opatrywał, ostatnie dawał rozkazy. Zorze odbijały się w jego srebrnym pancerzu i podobny był do jasnego płomienia latającego między szeregami, ile że śród ciemnych zbroic sam jeden świecił mocno.

Stanęły tedy: w środku, w pierwszej linii trzy chorągwie — pierwsza, którą sam wojewoda kijowski sprawował, druga młodego pana Aksaka, trzecia pana Krzysztofa Tyszkiewicza; za nimi, w drugiej linii, dragonia pod panem Baranowskim, a wreszcie olbrzymia husaria książęca — przy niej jako sprawca pan Skrzetuski.

Skrzydła zajęli Wierszułł, Kuszel i Poniatowski. Armaty nie było, gdyż Wurcel został w Bystrzyku.

Książę poskoczył do wojewody i buławą skinął.

— Za swoje krzywdy poczynaj wasza mość najpierwszy.

Wojewoda z kolei machnął buzdyganem — pochylili się żołnierze w kulbakach i ruszyli. A zaraz po sposobie prowadzenia chorągwi można było poznać, iż wojewoda, choć ciężki i kunktator, bo wiekiem przygnieciony, przecie żołnierz jest doświadczony i mężny. Nie zerwał on z miejsca chorągwi do największego impetu, by sił oszczędzić, ale prowadził z wolna, powiększając pęd w miarę, jak ku nieprzyjacielowi się zbliżał. Sam też biegł w pierwszym szeregu z buzdyganem w ręku, pacholik mu tylko pod ręką trzymał koncerz długi i ciężki, nie za ciężki jednak na jego rękę. Czerń też sypnęła się ku chorągwi, z kosami i cepami, by pierwszy impet powstrzymać i Zaporożcom atak ułatwić. Gdy więc nie dzieliło ich więcej nad kilkadziesiąt kroków, poznali wojewodę machnowiczanie po olbrzymim wzroście i tuszy, a poznawszy wołać poczęli:

— Hej, jaśnie wielmożny wojewodo, żniwa bliskie, czemu to poddanym wychodzić nie każesz? Czołem, jasny pane! już my ci ten brzuch przewiercimy.

I grad kul posypał się na chorągiew, ale szkody nie uczynił, bo szła już jak wicher. Zderzyli się tedy mocno. Rozległ się stukot cepów i brzęk kos o pancerze, krzyki i jęki. Kopie otwarły bramę w zbitej masie czerni, przez którą rozhukane konie wpadły jak orkan tratując, przewalając, miażdżąc. I jako na łące, gdy stanie szereg kosiarzy, bujna trawa znika przed nimi, a oni idą naprzód, machając drągami od kos, tak właśnie pod cięciami mieczów szeroka ławica czerni zwężała się, topniała, nikła, a parta piersiami końskimi, nie mogąc ustać na miejscu, poczęła się kolebać. Wreszcie zagrzmiał krzyk: „Ludy, spasajtes!", i cała masa, rzucając kosy, cepy, widły, samopały, rzuciła się w dzikim popłochu na stojące w tyle pułki Zaporożców. Ale Zaporożcy bojąc się, by uciekający tłum nie zawichrzył ich szeregów, nadstawili mu spisy, więc czerń widząc tę zaporę rzuciła się z wyciem rozpaczliwym w obie strony, wnet jednak zegnali ją na nowo Kuszel i Poniatowski, którzy od skrzydeł książęcych właśnie ruszyli.

A zaś wojewoda idąc po trupach czerni stanął w obliczu Zaporożców i gnał ku nim, oni zaś ku niemu, chcąc na impet impetem odpowiedzieć. I tak właśnie uderzyli się o siebie jako dwie fale z przeciwnych stron idące, które przy zderzeniu grzebień pienisty utworzą. Tak konie wspięły się przed końmi, jeźdźcy jak wał, a szable nad wałem jak piana. I poznał wojewoda, że to nie z czernią robota, ale z ciętym i wyćwiczonym żołnierzem zaporoskim. Dwie linie parły się wzajem, gięły, jedna drugiej przegiąć nie mogąc. Trup padał gęsty, bo tam mąż uderzał na męża, miecz na miecz. Sam wojewoda, zasadziwszy za pas buzdygan, a porwawszy koncerz od pacholika, pracował w pocie czoła, sapiąc jak miech kowalski. Przy nim dwóch panów Sieniutów, panowie Kierdeje, Bohusławscy, Jełowiccy i Połubińscy uwijali się jak w ukropie. Ale po stronie kozackiej srożył się najbardziej Iwan Burdabut, z kalnickiego pułku podpułkownik, Kozak olbrzymiej siły i statury, tym straszniejszy, że i konia miał takiego, który na równi z panem walczył. Niejeden tedy towarzysz zdarł rumaka i cofnął się, by się z owym centaurem nie spotkać, szerzącym śmierć i spustoszenie. Skoczyli ku niemu bracia Sieniutowie, ale koń Burdabutowy schwycił młodszego, Andrzeja, zębami za twarz i zmiażdżył ją w mgnieniu oka, co widząc starszy, Rafał, ciął bestię nad oczyma. Zranił ją, ale nie zabił, bo szabla na guz mosiężny na naczółku trafiła. Jemu zaś Burdabut w tej chwili wepchnął sztych pod brodę i życia go zbawił. Tak polegli obaj bracia, panowie Sieniutowie, i leżeli w pozłocistych pancerzach w kurzawie, pod kopytami rumaków; zaś Burdabut rzucił się jak płomień w dalsze szeregi i porwał zaraz kniazia Połubińskiego, szesnastoletnie pacholę, któremu odciął prawe ramię wraz z ręką. Widząc to, pan Urbański chciał pomścić śmierć krewniaka i w samą twarz Burdabutowi z pistoletu wypalił, ale chybił, ucho mu tylko odstrzelił i krwią go oblał. Straszny był wtedy Burdabut i jego koń, obaj czarni jak noc, obaj krwią zlani, obaj z dzikimi oczyma i rozdętymi nozdrzami, szalejący jak burza. Nie wybiegał się od śmierci z jego ręki i pan Urbański, któremu głowę jak kat jednym zamachem uciął, i stary, ośmdziesiątletni pan Żytyński, i dwóch panów Nikczemnych — a inni cofać się poczęli z przerażeniem, zwłaszcza że za Burdabutem błyskało sto innych szabel zaporoskich i sto spis w krwi już zmoczonych.

Dojrzał na koniec dziki watażka wojewodę i wydawszy okropny okrzyk radości rzucił się ku niemu obalając po drodze konie i jeźdźców, a wojewoda się nie cofał. Dufając w siłę niepospolitą, sapnął jak ranny odyniec, wzniósł koncerz nad głowę i wspiąwszy konia ku Burdabutowi skoczył. I byłby pewnie nadszedł ostatni kres jego, pewno już Parka w nożyce nić jego żywota schwyciła, którą potem w Okrzei przecięła, gdyby nie Silnicki, pacholik szlachecki, któren jak błyskawica na watażkę się rzucił i wpół go chwycił, nim szablą został przeszyty. Bo gdy się Burdabut z nim zabawiał, krzyknęli panowie Kierdeje o ratunek dla wojewody; wnet skoczyło kilkadziesiąt ludzi, którzy go od watażki przedzielili, zaczem bitwa zawiązała się zacięta. Ale zmorzony pułk wojewodzin począł się już uginać pod przemocą zaporoską, cofać i mieszać, gdy pan Krzysztof, podsędek bracławski, i pan Aksak ze świeżymi chorągwiami nadbiegli. Wprawdzie i nowe pułki zaporoskie ruszyły w tej chwili do boju, ale przecie poniżej stał jeszcze książę z dragonami Baranowskiego i husarią pana Skrzetuskiego, którzy dotychczas nie brali w potrzebie udziału.

Zawrzała więc na nowo krwawa rzeźba, a tymczasem mrok już zapadał. Lecz pożar ogarnął skrajne domy miasta. Łuna oświeciła pobojowisko i widać było doskonale obie linie, polską i kozacką, łamiące się pod górą, widać było barwy proporców i nawet twarze. Już też pan Wierszułł, pan Poniatowski i pan Kuszel byli także w ogniu i pracy, bo starłszy czerń, bili się na skrzydłach kozackich, które pod ich naciskiem poczęły cofać się ku górze. Długa linia walczących wygięła się dwoma końcami ku miastu i poczęła wyginać się coraz bardziej, bo gdy skrzydła polskie awansowały, środek, party przez przeważne siły kozackie, ustępował ku księciu. Poszły trzy nowe pułki kozackie, by go rozerwać, ale w tej chwili książę pchnął dragonów pana Baranowskiego i ci pokrzepili siły walczących.

Przy księciu została sama husaria — z daleka, rzekłbyś: bór ciemny, co prosto z pola wyrasta, groźna ławica żelaznych mężów, koni i kopii. Powiew wieczorny szeleścił nad nimi proporcami, a oni stali cicho, nie rwąc się bez rozkazu do boju — cierpliwi, bo wytrawni i w tylu bitwach doświadczeni, i wiedzący, że ich udział krwawy nie minie. Między nimi książę, w srebrnej zbroi, ze złotą buławą w ręku, wytężał oczy na bitwę — a z lewej strony pan Skrzetuski trochę bokiem na końcu stojący. Rękaw, jako porucznik, na ramieniu zawinął i trzymając w potężnej, gołej do łokcia ręce koncerz zamiast buzdygana, czekał spokojnie komendy.

A książę lewą dłonią oczy przeciw pożarowi nakrył i patrzył na bitwę. Środek polskiego półksiężyca obsuwał się z wolna ku niemu, zmagany przez przemoc, bo nie na

długo wsparł go pan Baranowski, ten sam, któren Niemirów wyciął. Widział więc książę jak na dłoni pracę ciężką żołnierzy. Wydłużona błyskawica szabel to wznosiła się nad czarną linią głów, to nikła w zamachach. Konie bez jeźdźców wypadały z tej ławy walczących i rżąc biegły po równinie z rozwianymi grzywami, na tle pożaru do bestii piekielnych podobne. Czasem chorągiew kraśna powiewająca nad ciżbą zapadała nagle w tłum, by nie podnieść się więcej. Ale wzrok księcia biegł poza linię walczących, aż na górę ku miastu, gdzie na czele dwóch pułków wybranych stał sam młody Krzywonos czekając na chwilę, by się rzucić w środek walczących i złamać nadwątlone szyki polskie zupełnie.

Skoczył nareszcie biegnąc ze strasznym krzykiem wprost na dragonów Baranowskiego, ale na tę chwilę czekał także i książę.

— Prowadź! — krzyknął do Skrzetuskiego.

Skrzetuski koncerz w górę podniósł i żelazna nawała ruszyła naprzód.

Nie biegli długo, bo linia bojowa zbliżyła się do nich znacznie. Dragoni Baranowskiego rozstąpili się z błyskawiczną szybkością w prawo i lewo, by przystęp husarii do Kozaków otworzyć, oni zaś runęli przez te wrota całym ciężarem na zwycięskie już sotnie Krzywonosowe.

— Jarema! Jarema! — zawołali husarze.

— Jarema! — powtórzyło całe wojsko.

Straszne imię dreszczem trwogi ścisnęło serca Zaporożców. W tej chwili dopiero poznali, iż to nie wojewoda kijowski, lecz sam książę dowodzi. Zresztą nie mogli oni stawić oporu husarii, która samym swoim ciężarem druzgotała ich tak, jak walący się mur druzgoce stojących pod nim ludzi. Jedynym ratunkiem dla nich było rozstąpić się na obie strony, puścić husarię przez siebie i z boków na nią uderzyć; ale te boki były już pilnowane przez dragonię i przez lekkie chorągwie Wierszułła, Kuszla i Poniatowskiego, którzy spędziwszy skrzydła kozackie zepchnęli je w środek. Teraz postać walki zmieniła się, bo owe lekkie chorągwie utworzyły jakby ulicę, środkiem której lecieli w szalonym zapędzie husarze gnąc, łamiąc, pchając, waląc ludzi i konie, a przed nimi uciekało z rykiem i wyciem kozactwo ku górze i miastu. Gdyby skrzydło Wierszułła zdołało się zejść ze skrzydłem Poniatowskiego, byliby otoczeni i wycięci do szczętu. Wszelako ni Wierszułł, ni Poniatowski nie mogli tego dokonać dla zbytniej nawały uciekających, bili więc tylko z boku, aż ręce od cięć im mdlały.

Młody Krzywonos, choć mężny i dziki, gdy zrozumiał, że własne niedoświadczenie przychodzi mu takiemu wodzowi, jak książę, przeciwstawić, stracił całkiem głowę i umykał na czele innych ku miastu. Uciekającego spostrzegł pan Kuszel, z boku stojący, który na krótką metę tylko widział, przyskoczył więc koniem i w pysk młodego watażkę szablą trzasnął. Nie zabił, bo ostrze wstrzymała podpinka, ale zalał go krwią i tym bardziej serca pozbawił.

Wszelako o mało sam czynu tego życiem nie przypłacił, bo w tej chwili rzucił się na niego Burdabut na czele resztek kalnickiego pułku.

Dwakroć próbował on stawić czoło husarzom, ale dwakroć, jakoby siłą nadprzyrodzoną odparty i rozgromiony, musiał ustępować wraz z innymi. W końcu sprawiwszy ostatki postanowił z boku na Kuszla uderzyć i przez jego dragonów na wolne się pole wydostać. Nim jednak zdołał ich rozerwać, zapchała się owa droga wiodąca ku miastu i górze tak dalece, że szybka ucieczka stała się niemożliwą. Husarze wobec tego natłoku ludzi wstrzymali impet i skruszywszy kopie, mieczami ciąć tłumy poczęli. Zapanowała walka zmieszana, bezładna, dzika, bezpardonowa, wrząca w tłoku, zgiełku, gorącu, wśród wyziewów ludzkich i końskich. Trup padał na trupa, kopyta końskie grzęzły w drgających ciałach. Gdzieniegdzie masy tak skłębiły się, że nie było miejsca na zamach dla szabli; tam bito się głowniami, nożami i pięściami, konie poczęły kwiczeć. Tu i owdzie ozwały się głosy: „Pomyłujte, Lachy!" Głosy te wzmagały się, mnożyły, zagłuszały brzęk mieczów, zgrzyt żelaza o kości, chrapanie i straszną czkawkę konających. „Pomyłujte, pany!" — rozlegało się coraz żałośniej, ale miłosierdzie nie świeciło nad tą ławicą walczących; jak słońce nad burzą świecił im pożar.

Jeden Burdabut na czele swoich kalnickich ludzi o miłosierdzie nie prosił. Brakło mu miejsca do walki, więc czynił sobie rum nożem. Starł się naprzód z brzuchatym panem Dzikiem i pchnąwszy go w brzuch, z konia zwalił, a ten krzyknąwszy: „O Jezu!", już się więcej spod kopyt, które mu tratowały wnętrzności, nie podniósł. Wtedy zaraz przybyło miejsca, więc Burdabut już szablą rozrąbał głowę z hełmem towarzyszowi Sokolskiemu, potem obalił razem z końmi panów Pryjama i Certowicza; miejsce otworzyło się szersze. Młody Zenobiusz Skalski ciął go w głowę, ale szabla zwinęła mu się w ręku i uderzyła płazem, watażka zaś jego pięścią na odlew w twarz uderzywszy, zabił na miejscu. Ludzie kalniccy szli za nim siekąc i gindżałami kłując. „Charakternik! charakternik!" — poczęli wołać husarze. „Żelazo się jego nie ima! Mąż szalony!" On zaś istotnie miał pianę na wąsach, a wściekłość w oczach. Dojrzał nareszcie Skrzetuskiego i poznawszy oficera po odwiniętym rękawie, runął na niego.

Wszyscy dech zatrzymali w piersiach i bitwę przerwali patrząc na walkę dwóch najstraszliwszych rycerzy. Pan Jan się bowiem wołaniem: „Charakternik!", nie strwożył — ale gniew zawrzał mu w duszy na widok tylu spustoszeń, zgrzytnął więc zębem i z furią natarł na watażkę. Zwarli się więc, aż konie na zadach przysiadły. Rozległ się świst żelaza i nagle szabla watażki rozleciała się w kawałki pod cięciem polskiego koncerza. Już się zdawało, że żadna moc nie wyratuje Burdabuta, gdy on skoczył, sczepił się z panem Skrzetuskim tak, iż obaj jedno zdawali się tworzyć ciało — i nożem nad gardłem husarza błysnął.

Teraz Skrzetuskiemu śmierć stanęła w oczach, bo ciąć już mieczem nie mógł. Ale szybki jak błyskawica puścił miecz, który na rzemyku zawisł, a ręką za rękę watażki chwycił. Przez chwilę dwie te ręce drgały konwulsyjnie w powietrzu, ale żelazny to musiał być uścisk pana Skrzetuskiego, bo watażka zawył jak wilk i w oczach wszystkich nóż wypadł mu ze zdrętwiałych palców jak wyłuskwione ziarno z kłosa. Wtedy Skrzetuski rękę zgniecioną mu puścił i za kark ucapiwszy przygiął straszny łeb aż do kuli kulbaki, lewą zaś dłonią buzdygan zza pasa wychwycił, gruchnął raz, drugi — watażka zacharczał i spadł z konia.

Jęknęli na ten widok ludzie kalniccy i biegli pomścić — w tej chwili jednakże rzuciła się na nich husaria i wycięła co do nogi.

Na drugim zaś końcu ławy husarskiej bitwa nie ustawała ani na chwilę, bo tłok był mniejszy. Tam, przepasany Anusiną szarfą, szalał pan Longinus ze swoim Zerwikapturem. Nazajutrz po bitwie rycerze ze zdziwieniem oglądali te miejsca, a pokazując sobie ręce poodwalane wraz z ramionami, rozcięte głowy od czoła do brody, ciała rozchlastane straszliwie na dwie połowy, całą drogę ludzkich i końskich trupów, szeptali wzajem do siebie: „Patrzcie, tu walczył Podbipięta!" Sam książę trupy oglądał i choć nazajutrz bardzo był różnymi wieściami stroskany, dziwić się raczył, bo takich cięć zgoła dotąd w życiu nie widział.

Ale tymczasem walka zdawała się zbliżać ku końcowi. Ciężka jazda ruszyła znowu naprzód, goniąc przed sobą pułki zaporoskie, które pod górę ku miastu się chroniły. Reszcie uciekających przecięły odwrót chorągwie Kuszla i Poniatowskiego. Otoczeni bronili się z rozpaczą, póki nie wyginęli do nogi, lecz śmiercią swoją zbawili innych, bo gdy w dwie godziny potem pierwszy Wierszułł z nadwornymi Tatary wszedł do miasta, już tam ani jednego Kozaka nie zastał. Nieprzyjaciel korzystając z ciemności, bo deszcze zgasiły pożar, nabrał w lot czczych wozów w mieście i otaborzywszy się z szybkością Kozakom tylko właściwą, za miasto za rzekę uszedł zniszczywszy za sobą mosty.

Uwolniono owych kilkudziesięciu szlachty broniących się w zameczku. Prócz tego kazał książę Wierszułłowi pokarać mieszczan, którzy się byli z kozactwem połączyli, a sam ruszył w pogoń. Ale taboru bez armat i piechoty zdobyć nie mógł. Nieprzyjaciel zyskawszy na czasie przez spalenie mostów, gdyż rzekę daleko groblą należało obchodzić, uchodził tak szybko, iż pomęczone konie książęcej jazdy zaledwie go doścignąć mogły. Atoli Kozacy, lubo sławni z obrony w taborach, nie bronili się tak mężnie jak zwykle. Straszna pewność, iż sam książę ich ściga, tak dalece odebrała im serca, że zupełnie o swym ocaleniu zwątpili. I byłby pewnie na nich przyszedł kres, bo po całonocnej strzelaninie urwał już pan Baranowski czterdzieści wozów i dwie armaty, gdyby nie wojewoda kijowski, któren się dalszej pogoni sprzeciwił i swoich ludzi cofnął. Przyszło o to między nim a księciem do ostrych przymówek, które wielu pułkowników słyszało.

— Czemuż to wasza mość — pytał książę — chcesz teraz nieprzyjaciela poniechać, gdyś w bitwie z taką rezolucją przeciwko niemu stawał? Sławę, której wieczorem nabyłeś, rankiem przez opieszałość swą utracisz.

— Mości książę — odparł wojewoda — nie wiem, jaki duch w was mieszka, alem ja człowiek z ciała i kości, po pracy spoczynku potrzebuję — i moi ludzie także. Zawsze ja będę na nieprzyjaciela tak szedł, jakom dziś szedł, gdy czoło stawi, ale pobitego już i uciekającego nie będę gonił.

— Wybić ich do nogi! — zakrzyknął książę.

— I cóż z tego? — rzecze wojewoda. — Tych wybijemy, przyjdzie starszy Krzywonos. Popali, poniszczy, dusz nagubi, jako ten w Strzyżawce nagubił — i za zaciekłość naszą nieszczęśni ludzie zapłacą.

— O, widzę — już zawołał z gniewem książę — że

wasza mość wraz z kanclerzem i z tymi ich regimentarzami do pokojowej fakcji należysz, która by układami chciała bunt gasić, ale przez Bóg żywy! nie będzie z tego nic, póki u mnie szabla w garści!

A Tyszkiewicz na to:

— Nie do fakcji ja już należę, ale do Boga, bom stary i wkrótce mi przed nim stanąć przyjdzie. A że nie chcę, by mnie zbyt wielkie brzemię krwi w wojnie domowej przelanej obciążało, temu się, wasza książęca mość, nie dziw... Jeżeliś zaś wasza książęca mość krzyw o to, że cię regimentarstwo minęło, tedy tak powiem: z męstwa należało ci się słusznie, wszelako może i lepiej, żeć go nie dali, bo ty byś bunt, ale z nim razem i tę nieszczęsną ziemię we krwi utopił.

Jowiszowe brwi Jeremiego ściągnęły się, kark mu napęczniał, a oczy poczęły ciskać takie błyskawice, że wszyscy obecni struchleli o wojewodę, ale wtem zbliżył się szybko pan Skrzetuski i rzekł:

— Wasza książęca mość, są wieści o starszym Krzywonosie.

Zaraz więc umysł księcia w inną zwrócił się stronę i gniew na wojewodę w nim osłabł. Tymczasem wprowadzono przybyłych z wieściami czterech ludzi, w tym dwóch starych błahoczestywych księży, którzy ujrzawszy księcia rzucili się przed nim na kolana.

— Ratuj, władyko, ratuj! — powtarzali wyciągając ku niemu ręce.

— Skąd wy? — pytał książę.

— My z Połonnego. Starszy Krzywonos obległ zamek i miasto; jeśli twoja szabla nad jego karkiem nie zawiśnie, tedy zginiemy wszyscy.

Na to książę:

— O Połonnem ja wiem, iż się tam siła ludu schroniło, ale jak mnie doniesiono, najwięcej Rusinów. Zasługa to wasza przed Bogiem, iż zamiast połączyć się z buntem, opór mu dajecie, przy matce stawając, jednak boję się zdrady jakowej od was, takiej, jak w Niemirowie doznałem.

Na to posłańcy poczęli przysięgać na wszystkie świętości niebieskie, że jako Zbawiciela, tak księcia wyczekują, i myśl zdrady w głowie im nawet nie postała. Jakoż i szczerze mówili. Krzywonos bowiem obległszy ich w pięćdziesiąt tysięcy ludu, poprzysiągł im zgubę dlatego właśnie, że będąc Rusinami nie chcieli się z buntem łączyć.

Książę przyrzekł im pomoc, ale ponieważ główne siły jego były w Bystrzyku, musiał więc na nie czekać. Wysłańcy odeszli z pociechą w sercu, on zaś zwrócił się do wojewody kijowskiego i rzekł:

— Przebaczcie, wasza mość! Widzę już sam, iż trzeba Krzywonoska zaniechać, aby Krzywonosa dosięgnąć. Młodszy dłużej na powróz może poczekać. Sądzę też, iż mnie nie odstąpicie w tej nowej imprezie.

— Jako żywo! — rzecze wojewoda.

Wnet ozwały się trąby oznajmiając chorągwiom zagnanym za taborem, by się ściągały na powrót. Trzeba też było spocząć i dać „oddech" koniom. Wieczorem nadciągnęła cała dywizja z Bystrzyka, a z nią poseł, pan Stachowicz, od wojewody bracławskiego. Pisał pan Kisiel do księcia list pełen uwielbienia, że jako drugi Mariusz ojczyznę z ostatniej toni ratuje, pisał też o radości, jaką przybycie księcia z Zadnieprza we wszystkich sercach wzbudziło, winszował mu zwycięstw — ale w końcu listu pokazały się przyczyny, dla których był pisany. Oto pan z Brusiłowa oświadczał, że układy rozpoczęte, że on sam z innymi komisarzami udaje się do Białocerkwi i ma nadzieję Chmielnickiego powstrzymać i ukontentować. Na koniec prosił księcia, by do czasu układów nie nastawał tak bardzo na Kozaków i o ile można, kroków wojennych zaprzestał.

Gdyby doniesiono księciu, że całe jego Zadnieprze zniszczone, a wszystkie grody z ziemią zrównane, nie bolałby tak srodze, jako się nad tym listem rozbolał. Byli przy tym obecni pan Skrzetuski, pan Baranowski, pan Zaćwilichowski, obaj Tyszkiewiczowie i Kierdeje. Książę rękoma oczy zakrył, w tył głowę przewrócił, jakoby strzałą w serce trafiony.

— Hańba! hańba! Boże! dajże mnie już polec prędzej, abym na takie rzeczy nie patrzył!

Cisza zapanowała głęboka między obecnymi, a książę mówił dalej:

— Nie chcę ja żyć w tej Rzeczypospolitej, bo dziś wstydzić się za nią przychodzi. Oto czerń kozacka i chłopska zalała krwią ojczyznę, z pogaństwem się przeciw własnej matce połączyła. Pobici hetmani, zniesione wojska, zdeptana sława narodu, zgwałcony majestat, popalone kościoły, wyrżnięci księża, szlachta, pohańbione niewiasty, a na te klęski i na tę hańbę, na której wspomnienie samo pomarliby nasi przodkowie — czymże odpowiada ta Rzeczpospolita? Oto ze zdrajcą, z hańbicielem swym, ze sprzymierzeńcem pogan układy rozpoczyna i kontentację mu obiecuje! O Boże! daj śmierć, powtarzam, bo nie żyć nam na świecie, którzy dyshonor ojczyzny czujemy i głowy dla niej niesiemy w ofierze.

Wojewoda kijowski milczał, a pan Krzysztof, podsędek bracławski, ozwał się po chwili:

— Pan Kisiel nie stanowi Rzeczypospolitej.

Książę na to:

— Nie mów mnie waszmość o panu Kisielu, bo wiem dobrze, iż ma on całą partię za sobą: utrafił on w myśl prymasa i kanclerza, i księcia Dominika, i wielu panów, którzy dziś w czasie *interregnum* rządy w Rzeczypospolitej sprawują i majestat jej przedstawiają, a raczej hańbią ją słabością wielkiego narodu niegodną, bo nie układami, ale krwią ten ogień gasić należy, bo lepiej dla narodu rycerskiego ginąć niż się upodlić i kontempt całego świata dla siebie obudzić.

I znowu książę zakrył rękoma oczy — widok był to zaś

tak żałosny tego bólu i żalu, że pułkownicy zgoła nie wiedzieli, co czynić ze łzami, które im do oczu nabiegły.

— Mości książę — ośmielił się ozwać Zaćwilichowski — niechże oni szermują językiem, my mieczem będziem dalej szermowali.

— Zaiste — odpowiedział książę — i na tę myśl rozdziera się serce: co czynić nam dalej przystoi? Oto, mości panowie, słysząc o klęsce ojczyzny przyszliśmy tu przez płonące lasy i nieprzebyte błota, nie śpiąc, nie jedząc, ostatnich sił dobywając, by tę matkę naszą od zagłady i hańby ratować. Ręce mdleją nam od pracy, głód skręca kiszki, rany bolą — my zaś na trud nie baczym, byle nieprzyjaciela pohamować. Mówiono na mnie, żem krzyw, iż mnie regimentarstwo minęło. Niechże cały świat sądzi, czy godniejsi ci, co je dostali, a ja Boga i waszmościów na świadki biorę, że tak jak i wy nie dla nagrody i dostojeństw niosę krew swą w ofierze, ale z czystej ku ojczyźnie miłości. Ale gdy my ostatni dech z piersi wydajemy — cóż nam donoszą? Oto, że panowie w Warszawie, a pan Kisiel w Huszczy kontentację dla tego nieprzyjaciela obmyślają?[1] Hańba! hańba!!!

— Zdrajca Kisiel! — zawołał pan Baranowski.

Na to pan Stachowicz, człowiek poważny i śmiały, wstał i zwracając się ku Baranowskiemu rzekł:

---

[1] W tym czasie pisał książę do wojewody bracławskiego, między innymi, co następuje: „O, raczej było umierać potrzeba aniżeli takich doczekać czasów, które sławę tych zacnych narodów tak *turpiter deformarunt et irreparabile* zostawili w synach koronnych *damnum*". A w końcu listu znajduje się dopisek: „Jeżeli za zniesieniem wojska kwarcianego i pobraniem hetmanów do więzienia kontentację otrzyma Chmielnicki i przy dawnych wolnościach zostawać będzie z tym hultajstwem, ja w tej ojczyźnie wolę nie żyć i nam lepsza rzecz umierać, aniżeliby pogaństwo i hultajstwo miało nam panować". *Księga pamiętnicza*, 28, 55.

— Przyjacielem panu wojewodzie bracławskiemu będąc i posłując od niego, nie pozwolę, by go tu zdrajcą zwali. I jemu też broda od zgryzoty zbielała — a ojczyźnie służy tak, jak rozumie, może mylnie, ale uczciwie.

Książę nie słyszał tej odpowiedzi, bo pogrążył się w myślach i boleści, Baranowski nie śmiał też w obecności jego burdy robić, więc tylko oczy swe stalowe utkwił w panu Stachowiczu, jakby mu chciał rzec: „Znajdę cię!", i rękę na głowni miecza położył — tymczasem jednak Jeremi ocucił się z zamyślenia i rzekł ponuro:

— Nie ma tu innego wyboru, jeno albo posłuszeństwo złamać (boć w czasie bezkrólewia oni władzę sprawują), albo honor ojczyzny, dla któregośmy pracowali poświęcić...

— Z nieposłuszeństwa wszystko zło w tej Rzeczypospolitej płynie — rzekł poważnie wojewoda kijowski.

— Więc zezwolimy na pohańbienie ojczyzny? Więc jeśli jutro nam każą, byśmy z powrozem u szyi do Tuhaj-beja i Chmielnickiego poszli, tedy i to dla posłuszeństwa uczynim?

— *Veto!* — ozwał się pan Krzysztof, podsędek bracławski.

— *Veto!* — powtórzył pan Kierdej.

Książę zwrócił się do pułkowników:

— Mówcie, starzy żołnierze! — rzekł.

Pan Zaćwilichowski głos zabrał:

— Mości książę, ja mam lat siedmdziesiąt, jestem Rusin błahoczestywy, byłem komisarzem kozackim i ojcem mnie sam Chmielnicki nazywał. Prędzej bym powinien za układami przemawiać, ale jeśli mi rzec przyjdzie: „hańba" albo „wojna", tedy jeszcze do grobu zstępując powiem: „wojna!"

— Wojna! — powtórzył pan Skrzetuski.

— Wojna, wojna! — powtórzyło kilkanaście głosów, między nimi pan Krzysztof, panowie Kierdeje, Baranowski i prawie wszyscy obecni.

— Wojna! wojna!

— Niechże się stanie wedle słów waszych — odrzekł poważnie książę — i buławą w otwarty list pana Kisiela uderzył.

Rozdział XXVIII

W dzień później, gdy wojska zatrzymały się w Rylcowie, książę zawołał pana Skrzetuskiego i rzekł:

— Siły nasze słabe i zmorzone, a Krzywonos ma sześćdziesiąt tysięcy luda i jeszcze co dzień w potęgę rośnie, bo czerń do niego napływa. Na wojewodę kijowskiego też liczyć nie mogę, gdyż w duszy również on do pokojowej partii należy i choć idzie ze mną, ale niechętnie. Trzeba nam skąd posiłków. Otóż dowiaduję się, że niedaleko od Konstantynowa stoją dwaj pułkownicy: Osiński z gwardią królewską i Korycki. Weźmiesz dla bezpieczeństwa sto semenów nadwornych i pójdziesz do nich z moim listem, aby zaś się pośpieszyli i bez zwłoki do mnie przyszli, bo za parę dni na Krzywonosa uderzę. Z wszelkich funkcji nikt mi się lepiej od ciebie nie wywiązuje, dlatego też ciebie posyłam — a to jest ważna rzecz.

Pan Skrzetuski skłonił się i tegoż wieczoru ku Konstantynowu ruszył na noc, by przejść niepostrzeżenie, bo tu i owdzie kręciły się Krzywonosowe podjazdy albo kupy czerni, która czyniła zbójeckie zasadzki po lasach i gościńcach, książę zaś nakazał bitew unikać, aby zwłoki nie było. Idąc tedy cicho, świtaniem doszedł do Wiszowatego Stawu, gdzie się na obu pułkowników natknął i w sercu się na widok ich mocno uradował. Osiński miał gwardię dragońską wyborną, na cudzoziemski ład wyćwiczoną, i Niemców. Korycki zaś tylko piechotę niemiecką z samych prawie weteranów z trzydziestoletniej wojny złożoną. Był to żołnierz tak straszny i sprawny, że w ręku pułkownika jako jeden miecz działał. Oba pułki były przy tym obficie pokryte i w strzelbę zaopatrzone. Usłyszawszy, że do księcia mają iść, podnieśli zaraz radosne okrzyki, bo tęsknili za bitwami, a wiedzieli, że pod żadną komendą tylu ich nie będą zażywać. Na nieszczęście, obaj pułkownicy dali odpowiedź odmowną, gdyż obaj należeli do komendy księcia Dominika Zasławskiego i mieli wyraźne rozkazy, by się z Wiśniowieckim nie łączyli. Na próżno pan Skrzetuski tłumaczył im, jakiej by to sławy mogli nabyć pod takim wodzem służąc i jak wielkie krajowi oddać przysługi — nie chcieli słuchać twierdząc, iż subordynacja ma być dla wojskowych ludzi najpierwszym prawem i obowiązkiem. Mówili natomiast, że w takim tylko razie mogliby się z księciem połączyć, gdyby ocalenie ich pułków tego wymagało. Odjechał więc pan Skrzetuski mocno strapiony, bo wiedział, ile księciu będzie bolesnym nowy ten zawód i jak dalece wojska jego są istotnie znużone i wyczerpane pochodami, ustawicznym ścieraniem się z nieprzyjacielem, tępieniem pojedynczych watah, wreszcie ustawicznym czuwaniem, głodem i niewywczasem. Mierzyć się w podobnych warunkach z dziesięćkroć liczniejszym nieprzyjacielem było prawie niepodobieństwem, widział więc jasno pan Skrzetuski, że zwłoka w działaniach wojennych przeciw Krzywonosowi musi nastąpić, bo trzeba będzie dać dłuższą folgę wojsku i czekać na napływ świeżej szlachty do obozu.

Tymi myślami przejęty pan Skrzetuski wracał na powrót do księcia na czele swoich semenów, a musiał iść cicho, ostrożnie i tylko nocą, aby uniknąć i podjazdów Krzywonosowych, i licznych luźnych band złożonych z kozactwa i czerni, nieraz bardzo potężnych, które grasowały w całej okolicy paląc dwory, wycinając szlachtę i łowiąc uciekających po gościńcach. Tak przeszedł Bakłaj i wjechał w bory Mszynieckie, gęste, pełne zdradliwych jarów i rozłogów. Szczęściem, po niedawnych deszczach służyła mu piękna pogoda w tej podróży. Noc była pyszna, lipcowa, bez księżyca, ale usiana gwiazdami. Semenowie szli wąską dróżką leśną, prowadzeni przez służałych borowych mszynieckich, ludzi bardzo pewnych i znających swoje bory doskonale. W lesie panowała cisza głęboka, przerywana tylko trzaskiem suchych gałązek pod kopytami końskimi — gdy nagle do uszu pana Skrzetuskiego i semenów doszedł daleki jakiś szmer podobny do śpiewu przerywanego okrzykami.

— Stój! — rzekł cicho pan Skrzetuski i zatrzymał linię semenów. — Co to jest?

Stary borowy przysunął się ku niemu.

— To, panie, wariaty chodzą teraz po lesie i krzyczą, ci, co im się od okropności w głowie pomieszało. My wczoraj spotkali jedną szlachciankę, co chodzi, panie, chodzi, po sosnach patrzy i woła: „Dzieci! dzieci!" Widno, jej chłopi dzieci porżnęli. Na nas też oczy wytrzeszczyła i poczęła piszczeć, że aż nogi pod nami zadrżały. Mówią, że po wszystkich lasach takich jest dużo.

Pana Skrzetuskiego, choć był rycerzem bez trwogi, dreszcz przeszedł od stóp do głów.

— A może to wilcy wyją? Z daleka rozeznać nie można — rzekł.

— Gdzie tam, panie! Wilków teraz w lesie nie ma; wszystkie poszły do wsi, gdzie mają trupów dostatek.

— Straszne czasy — odrzekł na to rycerz — w których wilcy we wsiach mieszkają, a w lasach obłąkani ludzie wyją! Boże! Boże!

Przez chwilę zapanowała znów cisza, słychać było tylko szum zwykły w wierzchołkach sosen, ale po chwili owe dalekie odgłosy wzmogły się i stały wyraźniejsze.

— Hej! — rzekł nagle borowy. — Tam na to patrzy, że

jakaś większa kupa ludzi jest. Waszmościowie tu postójcie albo idźcie wolno naprzód, a my pójdziem z towarzyszem obaczyć.

— Idźcie — rzekł pan Skrzetuski. — Tu będziem czekali.

Borowi znikli. Nie było ich z godzinę; już pan Skrzetuski zaczął się niecierpliwić, a nawet podejrzewać, czy mu jakiej zdrady nie gotują, gdy nagle jeden wynurzył się z ciemności.

— Są, panie! — rzekł zbliżając się do Skrzetuskiego.

— Kto?

— Chłopy rezuny.

— A siła ich jest?

— Będzie ze dwustu. Nie wiadomo, panie, co począć, bo leżą w wąwozie, przez który droga nam wypada. Ognie palą, jeno blasku nie widać, bo w dole. Straży nijakich nie mają: można do nich podejść na strzelenie z łuku.

— Dobrze! — rzekł pan Skrzetuski i zwróciwszy się do semenów począł dwom starszym wydawać rozkazy.

Wnet orszak ruszył żywo przed siebie, ale tak cicho, że tylko trzaskanie gałązek mogło zdradzić pochód; strzemię nie zadzwoniło o strzemię, szabla nie zabrzękła, konie, zwyczajne podchodzeń i napadów, szły wilczym chodem bez parskania i rżenia. Przybywszy na miejsce, gdzie droga skręcała się nagle, semenowie ujrzeli zaraz z dala ognie i niewyraźne postacie ludzkie. Tu pan Skrzetuski podzielił ich na trzy oddziały, z których jeden pozostał na miejscu, drugi poszedł krawędzią wzdłuż wąwozu, by zamknąć przeciwległe ujście, a trzeci, zsiadłszy z koni i czołgając się na brzuchach, położył się na samej krawędzi, tuż nad chłopskimi głowami.

Pan Skrzetuski, który znajdował się w owym środkowym oddziele, spojrzawszy w dół widział jak na dłoni, w odległości dwudziestu lub trzydziestu kroków, całe obozowisko: ognisk paliło się dziesięć, ale nie płonęły zbyt jaskrawo, wisiały w nich bowiem kotły z jedzeniem.

Zapach dymu i warzonych miąs dochodził wyraźnie do nozdrzy pana Skrzetuskiego i semenów. Naokół kotłów stali lub leżeli chłopi pijąc i gwarząc. Niektórzy mieli w ręku flasze z wódką, inni wspierali się na spisach, na których ostrzach osadzone były, jako trofea, ścięte głowy mężczyzn, kobiet i dzieci. Blask ognia odbijał się w ich martwych źrenicach i wyszczerzonych zębach; tenże sam blask oświecał twarze chłopskie dzikie, okrutne. Tuż pod samą ścianą jaru kilkunastu ich spało chrapiąc głośno; inni gwarzyli, inni poprawiali ogniska, które strzelały wówczas do góry snopami złotych iskier. Przy największym ognisku siedział, zwrócony plecami do ściany wąwozu i do pana Skrzetuskiego, barczysty stary dziad — i brzdąkał na lirze; naokoło niego skupiło się półkolem ze trzydziestu rezunów.

Do uszu pana Skrzetuskiego doszły następujące słowa:

— Hej, didu! pro Kozaka Hołotu!

— Nie! — wołali inni — pro Marusiu Bohusławku!

— Do czorta z Marusią! o panu z Potoka, o panu z Potoka! — wołały najliczniejsze głosy.

Did uderzył silniej w lirę, odchrząknął i począł śpiewać:

Stań, obernysia, hlań, zadywysia, kotory majesz mnoho,
Że riwny budesz tomu, w kotoroho ne majesz niczoho,
Bo toj sprawujet, szczo wsim kierujet, sam Boh myłostywe,
Wsi naszy sprawy na swojej szali ważyt sprawedływe.
Stań, obernysia, hlań, zadywysia, kotory wysoko
Umom litajesz, mudrosty znajesz, szyroko, hłuboko...

Tu did przerwał na chwilę i westchnął, a za nim poczęli wzdychać i chłopi. Coraz też ich więcej zbierało się koło niego — a i pan Skrzetuski, choć wiedział, że już wszyscy jego ludzie muszą być w pogotowiu, nie dawał hasła do napadu. Ta noc cicha, płonące ogniska, dzikie postacie i pieśń o panu Mikołaju Potockim, jeszcze nie dośpiewana, wzbudziły w rycerzu jakieś dziwne myśli, jakieś uczucia i tęsknotę, z których sam sobie sprawy zdać nie umiał. Nie zagojone rany jego serca otworzyły się, ścisnął go żal głęboki za niedawną przeszłością, za utraconym szczęściem, za owymi chwilami ciszy i spokoju. Zadumał się i rozżalił — a tymczasem did śpiewał dalej:

Stań, obernysia, hlań, zadywysia, kotory wojujesz,
Łukom, striłami, porochom, kulami i meczem
szyrmujesz,
Bo też rycere i kawalere pered tym buwały
Tym wojowały, od tohož mecza sami umirały!
Stań, obernysia, hlań, zadywysia i skiń z sercia butu,
Nawerny oka, kotory z Potoka idesz na Sławutu.
Newynnyje duszy beresz za uszy, wolnost' odejmujesz,
Korola ne znajesz, rady ne dbajesz, sam sobie sejmujesz.
Hej, porażajsia, ne zapalajsia, bo ty rejmentarujesz,
Sam buławoju, w sem polskim kraju, jak sam choczesz
kierujesz[1].

Did znów ustał, a wtem kamyk wysunął się spod opartej na nim ręki jednego z semenów i począł się toczyć z szelestem na dół. Kilku chłopów zakryło oczy rękoma i poczęło patrzyć bystro w górę ku lasowi; wtedy pan Skrzetuski uznał, iż czas nadszedł, i wypalił w środek tłumu z pistoletu.

— Bij! morduj! — krzyknął i trzydziestu semenów dało ognia tak prawie, jak w twarz chłopstwu, a po wystrzeleniu, z szablami w ręku, zsunęli się błyskawicą po

---

[1] Zacytowane ułamki wyjęte są ze współczesnej pieśni zapisanej w *Latopiscu*, czyli *Kroniczce*, Joachima Jerlicza. Wydawca przypuszcza, że pieśń ułożył sam Jerlicz, ale niczym przypuszczenia nie popiera. Chociaż z drugiej strony polonizmy, których się autor pieśni dopuścił, zdradzają jego narodowość.

pochyłej ścianie wąwozu między przerażonych i zmieszanych rezunów.

— Bij! morduj! — zabrzmiało przy jednym ujściu wąwozu.

— Bij! morduj! — powtórzyły dzikie głosy przy drugim.

— Jarema! Jarema!

Napad tak był niespodziany, przerażenie tak straszne, iż chłopstwo, choć zbrojne, prawie żadnego nie dawało oporu. Już i tak opowiadano w obozach zbuntowanej czerni, że Jeremi przy pomocy złego ducha może być i bić jednocześnie w kilku miejscach, a teraz to imię spadłszy na nie oczekujących niczego i bezpiecznych — istotnie jak imię złego ducha — wytrąciło im broń z ręki. Zresztą spisy i kosy nie dały się użyć w ciasnym miejscu, więc też przyparci jako stado owiec do przeciwległej ściany jaru, rąbani szablami przez łby i twarze, bici, przebijani, deptani nogami, wyciągali z szaleństwem strachu ręce i chwytając nieubłagane żelazo ginęli. Cichy bór napełnił się złowrogim wrzaskiem bitwy. Niektórzy starali się ujść przez prostopadłą ścianę jaru i drapiąc się, kalecząc sobie ręce spadali na sztychy szabel. Niektórzy ginęli spokojnie, inni ryczeli litości, inni zasłaniali twarze rękoma, nie chcąc widzieć chwili śmierci, inni znów rzucali się na ziemię twarzą na dół, a nad świstem szabel, nad wyciem konających górował krzyk napastników: „Jarema! Jarema!" — krzyk, od którego włosy powstawały na chłopskich głowach i śmierć tym straszniejszą się wydawała.

A dziad gruchnął w łeb lirą jednego z semenów, aż się przewrócił, drugiego złapał za rękę, by cięciu szablą przeszkodzić, i ryczał ze strachu jak bawół.

Inni spostrzegłszy go biegli rozsiekać, aż przypadł i pan Skrzetuski:

— Żywcem brać! żywcem brać! — krzyknął.

— Stój! — ryczał dziad — jam szlachcic przebrany! *Loquor latine!* Jam nie dziad! Stójcie, mówię wam, zbóje, skurczybyki, kobyle dzieci, oczajdusze, łamignaty, rzezimieszki!

Ale dziad nie skończył jeszcze litanii, gdy pan Skrzetuski w twarz mu spojrzał i krzyknął, aż się ściany parowu echem ozwały:

— Zagłoba!

I nagle rzucił się na niego jak dziki zwierz, wpił mu palce w ramiona, twarz przysunął do twarzy i trzęsąc nim jak gruszką wrzasnął:

— Gdzie kniaziówna! gdzie kniaziówna?

— Żyje! zdrowa! bezpieczna! — odkrzyknął dziad. — Puść waćpan, do diabła, bo duszę wytrzęsiesz.

Wtedy tego rycerza, którego pokonać nie mogła ani niewola, ani rany, ani boleść, ani straszliwy Burdabut, pokonała wieść szczęsna. Ręce mu opadły, na czoło wystąpił pot obfity, obsunął się na kolana, twarz zakrył rękoma i oparłszy się głową o ścianę jaru, trwał w milczeniu — widać, Bogu dziękował.

Tymczasem docięto reszty nieszczęsnych chłopów, kilkunastu związano, którzy katu mieli być oddani w obozie, aby zeznania z nich wydobył, zaś inni leżeli porozciągani i martwi. Bitwa ustała — zgiełk uciszył się. Semenowie zbierali się koło swego wodza i widząc go klęczącego pod skałą, poglądali na niego niespokojnie nie wiedząc, czy nie ranny. On zaś wstał, a twarz miał taką jasną, jakby mu zorze w duszy świeciły.

— Gdzie ona jest? — spytał Zagłoby.

— W Barze.

— Bezpieczna?

— Zamek to potężny, żadnej inwazji się nie boi. Ona w opiece jest u pani Sławoszewskiej i u mniszek.

— Chwała bądź Bogu najwyższemu! — rzekł rycerz — a w głosie drgało mu głębokie rozrzewnienie. — Dajże mnie waść rękę. Z duszy, z duszy dziękuję.

Nagle zwrócił się do semenów:

— Siła jest jeńców?

— Simnadciat' — odpowiedzieli żołnierze.

Na to pan Skrzetuski:

— Potkała mnie wielka radość i miłosierdzie jest we mnie. Puścić ich wolno.

Semenowie uszom swoim wierzyć nie chcieli. Tego zwyczaju nie bywało w wojskach Wiśniowieckiego.

Skrzetuski zmarszczył z lekka brwi.

— Puścić ich wolno — powtórzył.

Semenowie odeszli, ale po chwili starszy esauł wrócił i rzekł:

— Panie poruczniku, nie wierzą, iść nie śmią.

— A pęta maja rozcięte?

— Tak jest.

— Tedy ostawić ich tutaj, a sami na koń.

W pół godziny później orszak posuwał się znów wśród ciszy wąską drożyną. Zeszedł też księżyc, który poprzenikał długimi, białymi pasmami do środka boru i rozświecił ciemne głębie. Pan Zagłoba i Skrzetuski, jadąc na czele, rozmawiali z sobą.

— Mówże mnie waszmość o niej wszystko, co tylko wiesz — rzekł rycerz. — To tedy waszmość ją z rąk Bohunowych wyrwałeś?

— A ja, jeszczem mu łeb na odjezdnym obwiązał, by krzyczeć nie mógł.

— O, toś waszmość postąpił wybornie, jak mnie Bóg miły! Ale jakżeście się do Baru dostali?

— Ej, siła by mówić, i to podobno będzie innym razem, bom okrutnie *fatigatus*, w gardle mi zaschło od śpiewania chamom. Nie masz waszmość czego się napić?

— Mam manierczynę z gorzałką — oto jest!

Pan Zagłoba uchwycił blaszankę i przechylił do ust; rozległy się długie grzdykania, a pan Skrzetuski, niecierpliwy, nie czekając ich końca pytał dalej:

— A zdroważ ona?

— Co tam! — odparł Zagłoba — na suche gardło każda zdrowa.

— Alećja o kniaziównę pytam!
— O kniaziównę? Jako łania.
— Bądźże chwała Bogu najwyższemu! Dobrze jej tam w Barze?
— Że i w niebie lepiej by jej być nie mogło. Dla jej gładkości wszystkie *corda* lgną do niej. Pani Sławoszewska tak ją miłuje, jakby właśnie rodzoną. A co tam się kawalerów w niej kocha, tego byś waszmość na różańcu nie zliczył, jeno że ona tyle o nich dba, ile ja teraz o waściną próżną manierkę, stałym ku waszmości afektem płonąc.
— Niechże jej Bóg da zdrowie, onej najmilszej! — mówił radośnie pan Skrzetuski. — Tak że to mię wdzięcznie wspomina?
— Czy waści wspomina? Mówię waćpanu, żem i sam już nie rozumiał, skąd się tam w niej powietrza na tyle wzdychań bierze. Aż się wszyscy litują, a najbardziej mniszeczki, bo je sobie przez swoją słodkość całkiem zjednała. Toż ona i mnie wyprawiła na one hazardy, których o mało zdrowiem nie przypłaciłem, żeby to koniecznie do waści iść a dowiedzieć się, czyś żyw i zdrów. Chciała też nieraz posłańców wyprawiać, ale nikt się nie chciał podjąć, więcem się w końcu zlitował i do waszegom obozu się wybrał. Jakoż gdyby nie przebranie, pewno bym głową nałożył. Ale mnie za dziada chłopy wszędy mają, bo i śpiewam bardzo pięknie.

Pan Skrzetuski aż zaniemówił z radości. Tysiąc myśli i wspomnień cisnęło mu się do głowy; Helena jak żywa stanęła mu przed oczyma, taka, jaką ją widział ostatni raz w Rozłogach przed samym na Sicz wyjazdem: więc śliczna, zarumieniona, smukła, z tymi jej oczyma czarnymi jak aksamit, pełnymi niewysłowionych ponęt. Zdawało mu się teraz, że ją widzi, że czuje ciepło bijące od jej policzków, że słyszy jej słodki głos. Wspomniał ową przechadzkę w sadzie wiśniowym i kukułkę, i te pytania, które jej zadawał, i wstyd Heleny, gdy im dwunastu chłopczysków wykukała — więc dusza prawie wychodziła z niego, serce aż omdlało z kochania i radości, przy której wszystkie przeszłe cierpienia były jakby kropla przy morzu. Sam nie wiedział, co się z nim dzieje. Chciał krzyczeć, to znów na kolana padać i znów Bogu dziękować; to wspominać, to pytać i pytać bez końca!

Wreszcie zaczął powtarzać:

— Żyje, zdrowa!

— Żyje, zdrowa! — odrzekł jak echo pan Zagłoba.

— I ona to waści wysłała?

— Ona.

— A list waść masz?

— Mam.

— Dawaj!

— Zaszyty i przecie noc. Hamuj się waść.

— Całkiem nie mogę. Sam waszmość widzisz.

— Widzę.

Odpowiedzi pana Zagłoby stawały się coraz lakoniczniejsze, w końcu kiwnął się raz, drugi — i usnął. Skrzetuski widział, że nie ma rady, więc na powrót oddał się rozmyślaniom. Przerwał je dopiero tętent koni jakiegoś znacznego oddziału jeźdźców zbliżającego się szybko. Był to Poniatowski z nadwornymi kozakami, którego książę naprzeciw wysłał z obawy, aby co złego Skrzetuskiego nie spotkało.

Rozdział XXIX

Łatwo zrozumieć, jak przyjął książę relację, którą mu świtaniem pan Skrzetuski uczynił, o odmowie Osińskiego i Koryckiego. Wszystko tak się składało, iż trzeba było tak wielkiej duszy, jaką miał ów żelazny kniaź, by się nie ugiąć, nie zwątpić i rąk nie opuścić. Próżno miał olbrzymią fortunę na utrzymanie wojsk rujnować, próżno się miał miotać jak lew w sieci, próżno urywać jedna po drugiej głowy buntu, dokazywać cudów męstwa, wszystko na próżno! Nadchodziła chwila, w której musiał poczuć własną bezsilność, cofnąć się gdzieś daleko w spokojne kraje i pozostać niemym świadkiem tego, co działo się na Ukrainie. I któż to go tak ubezwładnił? — oto nie miecze kozackie, ale niechęć swoich. Czyż nie słusznie spodziewał się ruszając w maju z Zadnieprza, że gdy, jako orzeł z góry na bunt uderzy, gdy w powszechnym przerażeniu i popłochu pierwszy szablę nad głową wzniesie, wnet cała Rzeczpospolita w pomoc mu przyjdzie i swą siłę, swój miecz karzący w jego ręce powierzy? Tymczasem cóż się stało? Król umarł, a po jego śmierci regimentarstwo oddano w inne ręce — jego zaś, księcia, ostentacyjnie pominięto. Było to pierwsze ustępstwo uczynione Chmielnickiemu — i nie z powodu utraconej godności cierpiała dusza księcia, ale cierpiała na myśl, że ta zdeptana Rzeczpospolita tak już upadła nisko, iż nie chce walki na śmierć, iż cofa się przed jednym Kozakiem i układami woli zuchwałą jego prawicę powstrzymać. Od chwili zwycięstwa pod Machnówką coraz gorsze wiadomości przychodziły do obozu: więc naprzód wieść o układach przez pana Kisiela przysłana, potem wieść o zalaniu Polesia wołyńskiego przez fale buntu — na koniec odmowa ze strony pułkowników, wykazująca jasno, jak dalece główny regimentarz, książę Dominik Zasławski-Ostrogski, był nieprzyjaźnie dla Wiśniowieckiego usposobiony. Właśnie podczas niebytności pana Skrzetuskiego przybył do obozu pan Korsz Zienkowicz z doniesieniem, iż całe Owruckie w ogniu już stoi. Lud tam cichy, nie rwał się do buntu, ale przyszli Kozacy pod Krzeczowskim i Półksiężycem i gwałtem zmuszali czerń, by się garnęła w ich szeregi. Dwory więc i miasteczka zostały popalone, szlachta, która nie uszła — wycięta, a między innymi stary pan Jelec, dawny sługa i przyjaciel domu Wiśniowieckich. Ułożył sobie tedy książę, że po połączeniu się z Osińskim i Koryckim zniesie Krzywonosa, a potem na północ ku Owruczowi ruszy, aby porozumiawszy się z hetmanem litewskim w dwa ognie wziąć buntowników. Ale te wszystkie plany upadały teraz z powodu zakazu danego obydwom pułkownikom przez księcia Dominika. Jeremi bowiem po wszystkich pochodach, bitwach i trudach nie był dość silny, by się z Krzywonosem mierzyć, zwłaszcza że i wojewody kijowskiego nie był pewien. Pan Janusz bowiem naprawdę duszą i sercem należał do partii pokojowej. Ugiął się on przed powagą i potęgą Jeremiego i musiał z nim iść, ale im bardziej widział ową powagę zachwianą, tym skłonniejszym był do stawienia oporu wojowniczym chęciom książęcym, co też się zaraz pokazało.

Zdawał więc sprawę pan Skrzetuski, a książę słuchał go w milczeniu. Wszystka starszyzna była obecna posłuchaniu, wszystkie twarze sposępniały na wieść o odmowie pułkowników, a oczy zwróciły się na księcia, któren rzekł:

— Więc to książę Dominik przysłał im zakaz?

— Tak jest. Pokazywali mi go na piśmie.

Jeremi wsparł się rękoma o stół i twarz ukrył w dłonie. Po chwili zaś mówił:

— Zaiste, jest to więcej, niż człowiek przenieść może. Zali ja jeden mam pracować i zamiast pomocy jeszcze impedimentów doznawać? Zali to nie mogłem hen! aż ku Sandomierzu, do swoich majętności pójść i tam spokojnie siedzieć? A przeczżem tego nie uczynił, jeśli nie dla miłości ku ojczyźnie? Oto mi nagroda teraz za trudy, za uszczerbek w fortunie, za krew...

Kniaź mówił spokojnie, ale taka gorycz, taki ból drgał w jego głosie, że wszystkie serca ścisnęły się żalem. Starzy pułkownicy, weterani spod Putywla, Starca, Kumejków, i młodzi zwycięzcy z ostatniej wojny poglądali na niego z niewysłowioną troską w oczach, bo wiedzieli, jaką ciężką walkę stacza z samym sobą ten żelazny człowiek, jak strasznie musi cierpieć jego duma od upokorzeń, które się na niego zwaliły. On, kniaź „z bożej miłości" — on, wojewoda ruski, senator Rzeczpospolitej, musiał ustępować takim Chmielnickim i Krzywonosom; on, monarcha prawie, który niedawno jeszcze przyjmował posłów postronnych władców, musiał się cofnąć z pola chwały i zamknąć w jakim zameczku czekając na rezultat wojny, którą inni prowadzić będą, albo upokarzających układów. On, stworzony do wielkich przeznaczeń, czując siłę, by im sprostać — musiał się uznać bezsilnym...

Cierpienie to razem z trudami odbiło się na jego postaci. Wychudł znacznie, oczy mu wpadły, czarna jak skrzydło kruka czupryna siwieć poczęła. Ale jakiś wielki, tragiczny spokój rozlał się po jego twarzy, bo duma broniła mu zdradzić się z cierpieniem.

— Ha, niechże tak będzie! — rzekł. — Pokażemy tej niewdzięcznej ojczyźnie, iż nie tylko wojować, ale i zginąć dla niej potrafimy. Zaiste, wolałbym sławniejszą śmiercią w jakiej innej wojnie polec niż przeciw chłopstwu w domowej zawierusze, ale trudno!

— Mości książę — przerwał wojewoda kijowski — nie mów wasza książęca mość o śmierci, bo choć nie wiadomo, co komu Bóg przeznaczył, ale przecie jeszcze może do niej daleko. Uwielbiam ja wojenny geniusz i rycerski animusz waszej książęcej mości, ale przecie nie mogę brać za złe ani vice-rexowi, ani kanclerzowi, ani regimentarzom, że tę wojnę domową starają się układami zahamować, boć się to bratnia krew w niej leje, a z obopólnej zawziętości któż, jeśli nie zewnętrzny nieprzyjaciel, będzie korzystał?

Książę popatrzył długo w oczy wojewodzie i rzekł dobitnie:

— Zwyciężonym łaskę okażcie, to ją przyjmą z wdzięcznością i pamiętać będą; u zwycięzców w pogardę tylko pójdziecie. Bogdaj temu ludowi nikt nigdy krzywd nie był czynił! Ale gdy raz bunt rozgorzał, tedy nie układami, ale krwią gasić go trzeba. Inaczej hańba i zguba nam!...

— Prędsza zguba, gdy na własną rękę wojnę prowadzić będziem — odpowiedział wojewoda.

— Czy to znaczy, że wasza mość nie pójdziesz dalej ze mną?

— Mości książę! Boga na świadka biorę, że nie stanie się to ze złej ku wam woli, ale sumienie mnie mówi, iżbym na oczywistą zgubę ludzi moich nie wystawiał, boć to krew droga i przyda się jeszcze Rzeczypospolitej.

Książę zamilkł, a po chwili zwrócił się ku swoim pułkownikom:

— Wy, starzy towarzysze, nie opuścicie mnie przecie, nieprawda?

Na te słowa pułkownicy, jakoby jedną siłą i wolą popchnięci, rzucili się ku księciu. Niektórzy całowali jego szaty, inni obejmowali kolana, inni ręce ku górze podnosząc wołali:

— My przy tobie do ostatniego tchu, do ostatniej krwi!
— Prowadź! prowadź! bez żołdu służyć będziem!

— Mości książę! i mnie przy sobie umierać pozwól! — wołał zapłoniony jak panna młody pan Aksak.

Widząc to nawet wojewoda kijowski był wzruszony, a książę od jednego do drugiego chodził, ściskał każdego za głowę i dziękował. Zapał wielki ogarnął starszych i młodszych. Z oczu wojowników sypały się iskry, ręce co chwila chwytały za szable.

— Z wami żyć, z wami umierać! — mówił książę.

— Zwyciężymy! — wołali oficerowie. — Na Krzywonosa! Pod Połonne! kto chce nas opuścić, niechaj to uczyni. Obejdziemy się bez pomocy. Nie chcemy się dzielić ni chwałą, ni śmiercią!

— Mości panowie? — rzekł na to książę. — Wola jest moja, abyśmy, nim na Krzywonosa ruszymy, zażyli choć krótkiego spoczynku, któren by siły nasze mógł restaurować. Oto już trzeci miesiąc idzie, jak nie zsiadamy prawie z koni. Od trudów, niewywczasów i zmienności aury już ciało odpada nam od kości. Koni nie mamy, piechoty nasze boso chodzą. Pójdziem tedy pod Zbaraż, tam się odżywim i wypoczniem, może też coś żołnierzy skupi się do nas i z nowymi siłami ruszymy w ogień.

— Kiedy wasza książęca mość rozkaże ruszyć? — pytał stary Zaćwilichowski.

— Bez zwłoki, stary żołnierzu, bez zwłoki!

Tu książę zwrócił się do wojewody:

— A wasza miłość dokąd się chcesz udać?

— Pod Gliniany, bo słyszę, że tam się wojska kupią.

— Tedy odprowadzimy waszą mość aż do spokojnej okolicy, aby wam się przypadek jaki nie trafił.

Wojewoda nie odrzekł nic, bo mu się stało jakoś niesmaczno. On księcia opuszczał, a książę mu jeszcze troskliwość okazywał i odprowadzić go zamierzał. Była-li to ironia w słowach księcia — wojewoda nie wiedział, niemniej przeto zamiaru swego nie zaniechał, bo pułkownicy książęcy coraz niechętniej na niego patrzyli i jasnym było, że w każdym innym, mniej karnym wojsku tumult by przeciw niemu powstał.

Skłonił się więc i wyszedł; pułkownicy też porozchodzili się, każdy do swojej chorągwi, aby je do pochodu sprawić; został tylko z księciem sam Skrzetuski.

— Jaki tam żołnierz pod tymi chorągwiami? — spytał książę.

— Tak przedni, że lepszego nie znaleźć. Dragonia moderowana na niemiecki ład, a w gwardii pieszej sami weterani z trzydziestoletniej wojny. Gdym ich ujrzał, myślałem, że *triarii* rzymscy.

— Siła ich jest?

— Dwa pułki z dragonią, razem trzy tysiące ludzi.

— Szkoda, szkoda, wielkich rzeczy można by z taką pomocą dokazać!

Cierpienie widoczne odmalowało się na twarzy księcia. Po chwili rzekł jakby sam do siebie:

— Nieszczęśnie to wybrano takich regimentarzy na te czasy klęski! Ostroróg byłby dobry, gdyby wymową a łaciną można tę wojnę zażegnać; Koniecpolski, dziewierz mój, z krwi wojowników, ale młodzik bez doświadczenia, a zaś Zasławski ze wszystkich najgorszy. Znam ja jego od dawna. Człek to małego serca i miałkiego umysłu. Jego rzecz nad dzbanem drzemać i przed się na brzuch spluwać, nie wojska sprawować... Tego ja głośno nie mówię, by nie sądzono, iż mnie *invidia* podnieca, ale straszne klęski przewiduję. I to teraz, teraz właśnie, tacy ludzie wzięli ster w dłonie! Boże, Boże, odwróć ten kielich! Co się też stanie z tą ojczyzną? Gdy o tym myślę, śmierci prędkiej pragnę, bom też już zmorzon bardzo i mówię ci: niedługo odejdę. Dusza się rwie do wojny, ale ciału sił braknie.

— Wasza książęca mość powinien byś więcej zdrowia chronić, bo całej ojczyźnie siła na nim zależy, a już też znać, że trudy bardzo waszą książęcą mość poszczerbiły.

— Ojczyzna znać inaczej myśli, gdy mnie pominięto; i teraz szablę mi z ręki wytrącają.

— Gdy Bóg da, królewicz Karol infułę na koronę zmieni, będzie wiedział, kogo wynieść, a kogo karać, wasza książęca mość zaś dość potężny jesteś, by o nikogo teraz nie dbać.

— Pójdę też swoją drogą.

Książę nie spostrzegał się może, że torem innych „królewiąt" politykę na własną rękę prowadził, ale gdyby się w tym i obaczył, byłby jej nie odstąpił, bo to jedno czuł dobrze, iż honor Rzeczypospolitej ratuje.

I znów nastała chwila milczenia, którą wkrótce przerwało rżenie koni i głosy trąbek obozowych. Chorągwie szykowały się do pochodu. Głosy te zbudziły księcia z zamyślenia, trząsnął głową, jakby cierpienie i złe myśli chciał strząsnąć, po czym rzekł:

— A drogę miałeś spokojną?

— Spotkałem w lasach mszynieckich sporą watahę chłopstwa, na dwieście ludzi, którą starłem.

— Dobrze. A jeńców wziąłeś, bo to teraz ważna rzecz?

— Wziąłem, ale...

— Ale kazałeś już ich sprawić? tak?

— Nie, wasza książęca mość! puściłem ich wolno.

Jeremi spojrzał ze zdziwieniem na Skrzetuskiego, po czym brwi jego ściągnęły się nagle.

— Cóż to? czy i ty do pokojowej partii już należysz? Co to znaczy?

— Wasza książęca mość języka przywiozłem, bo między chłopstwem był przebrany szlachcic, który został żyw. Zaś innych puściłem, bo Bóg łaskę na mnie zesłał i pocieszenie. Karę chętnie poniosę. Ten szlachcic — to jest pan Zagłoba, któren mnie wieść o kniaziównie przyniósł.

Książę zbliżył się żywo do Skrzetuskiego.

— Żyje? zdrowa?

— Bogu najwyższemu chwała! Tak jest!

— I gdzie się schroniła?

— Jest w Barze.

— To potężna forteca. Mój chłopcze! — tu książę ręce w górę wyciągnął i wziąwszy głowę pana Skrzetuskiego ucałował go kilkakroć w czoło — raduję się twoją radością, bo cię jak syna kocham.

Pan Jan ucałował serdecznie rękę książęcą i choć od dawna już byłby za niego chętnie krew przelał, przecie poczuł teraz na nowo, iż na jego rozkaz skoczyłby i w piekło gorejące. Tak ów groźny i okrutny Jeremi umiał sobie jednać serca rycerstwa.

— No, nie dziwię ci się, żeś tych chłopów puścił. Ujdzie ci to bezkarnie. Ale to ćwik ten szlachcic! To on ją tedy aż z Zadnieprza do Baru przeprowadził? Chwała Bogu! W tych ciężkich czasach i dla mnie to prawdziwa pociecha. Ćwik to, ćwik musi być nie lada! A dawaj no tu tego Zagłobę!

Pan Jan raźno ku drzwiom ruszył, ale w tej chwili rozwarły się one nagle i ukazała się w nich płomienista głowa pana Wierszułła, któren z nadwornymi Tatary na daleki podjazd był posłany.

— Mości książę! — zawołał oddychając ciężko. Połonne Krzywonos wziął, ludzi dziesięć tysięcy w pień wyciął, niewiast, dzieci.

Pułkownicy zaczęli się znowu schodzić i cisnąć koło Wierszułła, przyleciał i wojewoda kijowski, książę zaś stał zdumiały, bo się nie spodziewał takiej wieści.

— Toż tam sama Ruś się zamknęła! To chyba nie może być!

— Jedna dusza żywa z miasta nie wyszła.

— Słyszysz wasza mość — rzekł książę zwracając się do wojewody — prowadźże układy z takim nieprzyjacielem, któren swoich nawet nie szczędzi!

Wojewoda sapnął i rzekł:

— O dusze pieskie! kiedy tak, niechże diabli porwą wszystko! Pójdę jeszcze z waszą książęcą mością!

— A toś mi brat! — rzekł książę.

— Niech żyje wojewoda kijowski! — zakrzyknął stary Zaćwilichowski.

— Niech żyje zgoda!

A książę zwrócił się znów do Wierszułła:

— Gdzie ruszą z Połonnego? nie wiadomo?

— Podobno pod Konstantynów.

— O na Boga! to pułki Osińskiego i Koryckiego są zgubione, bo z piechotą ujść nie zdążą. Trzeba urazy zapomnieć i w pomoc im ruszyć. Na koń! na koń!

Twarz książęca zajaśniała radością, a rumieniec oblał na nowo wychudłe policzki, bo droga sławy znów stanęła przed nim otworem.

Rozdział XXX

Wojska minęły Konstantynów i zatrzymały się w Rosołowcach. Wyliczył bowiem książę, iż gdy Korycki i Osiński powezmą wiadomość o wzięciu Połonnego, muszą na Rosołowce się cofać, a jeśli nieprzyjaciel zechce ich gonić, to niespodzianie między całą siłę książęcą jakoby w pułapkę wpadnie i tym pewniej klęskę poniesie. Jakoż przewidywania te spełniły się w większej części. Wojska zajęły pozycje i stały cicho w gotowości do bitwy. Większe i mniejsze podjazdy rozeszły się na wszystkie strony z obozu. Książę zaś z kilku pułkami stanął we wsi i czekał. Aż wieczorem Tatarzy Wierszułła dali znać, iż od strony Konstantynowa zbliża się jakaś piechota. Usłyszawszy to książę wyszedł przede drzwi swej kwatery w otoczeniu oficerów, a z nimi kilkadziesiąt znaczniejszego towarzystwa, by patrzyć na owo wejście. Tymczasem pułki, oznajmiwszy się odgłosem trąb, zatrzymały się przede wsią, a dwaj pułkownicy biegli co prędzej, zadyszani, przed księcia, aby mu służby swoje ofiarować. Byli to Osiński i Korycki. Ujrzawszy Wiśniowieckiego, a przy nim wspaniałą świtę rycerstwa, zmieszali się bardzo, niepewni przyjęcia, i skłoniwszy się nisko czekali w milczeniu, co powie.

— Fortuna kołem się toczy i pysznych poniża — rzekł książę. — Nie chcieliście waszmościowie przyjść na zaprosiny nasze, teraz zaś sami przychodzicie.

— Wasza książęca mość! — rzekł śmiało Osiński.

— Duszą całą chcieliśmy pod waszą książęcą mością służyć, ale zakaz był wyraźny. Kto go wydał, niech zań odpowiada. My prosim o przebaczenie, choć niewinni, bo jako wojskowi, musieliśmy słuchać i milczeć.

— To książę Dominik rozkaz odwołał? — pytał książę.

— Rozkaz nie został odwołany — rzekł Osiński — ale już nas nie obowiązuje, gdyż jedyny ratunek i ocalenie wojsk naszych w łasce waszej książęcej mości, pod którego komendą odtąd żyć, służyć i umierać chcemy.

Słowa te, pełne siły męskiej, i postać Osińskiego jak najlepsze wywarły na księciu i towarzyszach wrażenie. Był to bowiem słynny żołnierz i choć młody jeszcze, bo nie więcej czterdziestu lat liczył, pełen już wojennej praktyki, której w armiach cudzoziemskich nabył. Każde żołnierskie oko spoczywało też na nim chętnie. Wysoki, prosty jak trzcina, z podczesanym do góry żółtym wąsem i szwedzką brodą, strojem i postawą przypominał zupełnie pułkowników z trzydziestoletniej wojny. Korycki, z pochodzenia Tatar, w niczym do niego nie był podobny. Małego wzrostu i krępy, spojrzenie miał posępne i dziwnie wyglądał w cudzoziemskim ubiorze nie licującym z jego wschodnimi rysami. Dowodził pułkiem niemieckiej wybranej piechoty i słynął zarówno z męstwa, jak z mrukliwości i żelaznej dyscypliny, w której żołnierzy swych utrzymywał.

— Czekamy rozkazów waszej książęcej mości — rzekł Osiński.

— Dziękuję za rezolucję waszmościów, a usługi przyjmuję. Wiem, iż żołnierz słuchać musi, i jeślim po waściów posyłał, to dlatego, żem o zakazie nie wiedział. Niejedną odtąd złą i dobrą chwilę z sobą przeżyjemy, ale spodziewam się także, iż waszmościowie radzi będziecie z nowej służby.

— Byleś wasza książęca mość był z nas rad i naszych pułków.

— Dobrze! — rzekł książę. — Daleko nieprzyjaciel za wami?

— Podjazdy blisko, ale główna siła dopiero na rano by tu zdążyć mogła.

— Dobrze. Tedy mamy czas. Każcie waszmościowie przejść waszym pułkom przez majdan, niech je zobaczę, abym poznał, jakiego to przywiedliście mi żołnierza, i czy siła będzie z nim można dokazać.

Pułkownicy wrócili do pułków i w kilka pacierzy weszli na ich czele do obozu. Towarzystwo spod górnych chorągwi książęcych sypnęło się jak mrowie, aby widzieć nowych towarzyszów. Szła więc naprzód dragonia królewska pod kapitanem Gizą, w ciężkich hełmach szwedzkich z wysokimi grzebieniami. Konie pod nimi podolskie, ale dobrane i dobrze wypasione, żołnierz świeży, wypoczęty, w jaskrawej i błyszczącej odzieży, wspaniale na pozór odbijał od wymizerowanych regimentów książęcych odzianych w podartą i wypłowiałą od deszczów i słońca barwę. Za nimi szedł z pułkiem Osiński, w końcu Korycki. Szmer pochwalny rozległ się między książęcym rycerstwem na widok głębokich szeregów niemieckich. Kolety na nich jednostajne, czerwone, na ramionach połyskujące muszkiety. Szli po trzydziestu w rzędzie, krokiem jednostajnym, jakby szedł jeden człowiek, silnym i grzmiącym. A wszystko chłopy rosłe, pleczyste — żołnierz stary, który w niejednym kraju i niejednym ogniu bywał, po większej części weterani z trzydziestoletniej wojny, sprawni, karni i doświadczeni.

Gdy nadeszli przed księcia, Osiński krzyknął: — *Halt!* — i pułk zatrzymał się jak w ziemię wkopany; oficerowie podnieśli trzciny do góry, a chorąży wzniósł chorągiew i chwiejąc nią, po trzykroć zniżył ją przed księciem. — *Vorwärts!* — zawołał Osiński. — *Vorwärts!* — powtórzyli oficerowie i pułk ruszył znów naprzód. Tak samo, a niemal jeszcze sprawniej zaprezentował swoich

Korycki, na który widok uradowały się wszystkie serca żołnierskie, a Jeremi, znawca nad znawcami, aż się w boki wsparł z zadowolenia i patrzył, i uśmiechał się, bo właśnie piechoty mu brakło, a pewien był, że lepszej trudno by mu było w całym świecie znaleźć. Czuł się też na siłach wzmożony i spodziewał się wielkich dzieł wojennych dokonać. Towarzystwo zaś rozmawiało o różnych rzeczach wojskowych i rozmaitych żołnierzach, których po świecie widzieć można.

— Dobra jest piechota zaporoska, szczególnie do obrony zza okopu — mówił pan Śleszyński — ale ci jej wytrzymają, bo wyćwiczeńsi.

— Ba! wiele lepsi! — odparł pan Migurski.

— Wszelako to ciężki lud — rzecze pan Wierszułł. — Żeby tak na mnie, podjąłbym się z moimi Tatary we dwa dni tak ich zmorzyć, iż trzeciego już bym ich jako barany mógł wyrzynać.

— Co waść gadasz! Niemcy dobrzy żołnierze.

A na to ozwał się pan Longinus Podbipięta swoją śpiewną litewską mową:

— Jak to Bóg w miłosierdziu swoim różne nacje różnymi cnotami obdarzył. Jako słyszałem, nie masz w świecie nad naszą jazdę, a znowu ani nasza, ani węgierska piechota porównać się z niemiecką nie może.

— Bo Bóg jest sprawiedliwy — rzecze na to pan Zagłoba. — Waści na przykład dał wielką fortunę, wielki miecz i ciężką rękę, a za to mały dowcip.

— Już się do niego przypił jak końska pijawka — rzekł śmiejąc się pan Skrzetuski.

A pan Podbipięta oczy zmrużył i rzekł ze zwykłą sobie słodyczą:

— Słuchać hadko! Waści dał język, pono za długi!

— Jeśli utrzymujesz, że źle zrobił dając mi taki, jaki mam, tedy pójdziesz do piekła razem ze swoją czystością, bo woli jego chcesz kontrować.

— Et, kto tam waści przegada! Gadasz i gadasz.

— A wieszże waćpan, czym człowiek różni się od zwierząt?

— A czym?

— Oto rozumem i mową.

— Ot, dałże mu, dał! — rzecze pułkownik Mokrski.

— Jeżeli tedy waćpan nie pojmujesz, dlaczego w Polsce najlepsza jazda, a u Niemców piechota, to ja ci to wytłumaczę.

— No, dlaczego? dlaczego? — spytało kilka głosów.

— Oto, gdy Pan Bóg konia stworzył, przyprowadził go przed ludzi, żeby zaś jego dzieło chwalili. A na brzegu stał Niemiec, jako to się oni wszędy wcisną. Pokazuje tedy Pan Bóg konia i pyta się Niemca: co to jest? A Niemiec na to: *Pferd!* — Co? powiada Stwórca — to ty na moje dzieło „pfe" mówisz? A nie będziesz ty za to, plucho, na tym stworzeniu jeździł — a jeśli będziesz, to kiepsko. To rzekłszy, Polakowi konia darował. Oto dlaczego polska jazda najlepsza, a zaś Niemcy, jak poczęli piechotą za Panem Bogiem drałować a przepraszać, tak się na najlepszą piechotę wyrobili.

— Bardzoś to waść misternie wykalkulował — rzekł pan Podbipięta.

Dalszą rozmowę przerwali nowi goście, nadbiegli z doniesieniem, iż jeszcze jakieś wojsko do obozu się zbliża, które nie może być kozackie, bo nie od Konstantynowa, ale całkiem z innej strony, od rzeki Zbrucza, nadciąga. Jakoż we dwie godziny później weszły te chorągwie z takim grzmieniem trąb i bębnów, że aż książę się rozgniewał i posłał do nich rozkaz, by byli cicho, bo nieprzyjaciel w pobliżu. Pokazało się, iż był to pan strażnik koronny Samuel Łaszcz, sławny zresztą awanturnik, krzywdziciel, warchoł i zabijaka, ale żołnierz wielki. Wiódł on ośmiuset ludzi takiego jak sam pokroju, częścią szlachty, częścią Kozaków, którzy by wszyscy, na dobrą sprawę, wisieć powinni. Ale książę Jeremi nie zrażał się swawolą tego żołnierstwa, dufając, że w jego ręku zmienić się na pokorne owieczki muszą, a zaś zaciekłością i męstwem inne braki nagrodzą. Był to tedy szczęśliwy dzień. Wczoraj jeszcze książę, zagrożony odejściem wojewody kijowskiego, już był postanowił wojnę aż do chwili przybytku sił zawiesić i do spokojniejszego kraju się na czas jakiś uchylić — dziś stał znów na czele blisko dwunastotysięcznej armii, a choć Krzywonos pięć razy tyle liczył, jednak ze względu, iż większość wojsk zbuntowanych składała się z czerni, obie siły za równe poczytywane być mogły. Teraz też książę już ani myślał o odpoczynku. Zamknąwszy się z Łaszczem, wojewodą kijowskim, Zaćwilichowskim, Machnickim i Osińskim, naradzał się nad dalszą wojną. Krzywonosowi nazajutrz postanowiono wydać bitwę, a gdyby nie nadszedł, tedy mieli iść ku niemu w odwiedziny.

Noc zapadła już głęboka, ale od czasu ostatnich deszczów, które pod Machnówką tak bardzo dokuczały żołnierzom, pogoda ustaliła się wyborna. Na ciemnym sklepieniu niebios świeciły roje gwiazd złotych. Księżyc wytoczył się wysoko i ubielił wszystkie dachy rosołowskie. W obozie nikt spać nie myślał. Wszyscy odgadli jutrzejszą bitwę i gotowali się do niej gwarząc po staremu, śpiewając i wielkie sobie rozkosze obiecując. Oficerowie i znaczniejsze towarzystwo, wszyscy w wybornych humorach, zebrali się naokół wielkiego ogniska i zabawiali się szklankami.

— Mówże zaś waćpan dalej! — wołali na Zagłobę. — Gdyście tedy przez Dniepr przeszli, cóżeście czynili i jakim sposobem dostaliście się do Baru?

Pan Zagłoba wychylił kwartę miodu i rzekł:

— ...*Sed iam nox humida coelo praecipitat,*
Suadentque sidera cadentia somnos,
Sed si tantus amor casus cognoscere nostros,
Incipiam...

— Moi mości panowie! gdybym zaczął wszystko szczegółowie opowiadać, tedy i dziesięciu nocy by nie starczyło, a pewnie i miodu, bo stare gardło jak stary wóz smarować trzeba. Dość, gdy waćpaństwu powiem, iżem do Korsunia, do obozu samego Chmielnickiego z kniaziówną poszedł i z tego piekła bezpieczniem ją wyprowadził.

— Jezus Maria! toś chyba waćpan czarował! — zakrzyknął pan Wołodyjowski.

— Co prawda, to czarowałem — odpowiedział pan Zagłoba — bom się też tego piekielnego kunsztu jeszcze za młodych lat od jednej czarownicy w Azji wyuczył, która zakochawszy się we mnie, wszystkie *arcana* czarnoksięskiej sztuki mi dywulgowała. Ale wiele czarować nie mogłem, bo sztuka na sztukę. Pełno tam wróżków i czarownic koło Chmielnickiego, ci tyle mu diabłów do usług posprowadzali, iż on nimi jak chłopami robi. Spać idzie, to mu diabeł musi buty ściągać; szaty mu się zakurzą, to je diabli ogonami trzepią, a on jeszcze, gdy pijany, tego lub owego w pysk, że to — powiada — źle służysz!

Pobożny pan Longinus przeżegnał się i rzekł:

— Z nimi moce piekielne, z nami niebieskie.

— Byliby też mnie czarni zdradzili przed Chmielnickim, ktom jest i kogo prowadzę, alem ich pewnym sposobem zaklął, że milczeli. Bałem się też, żeby Chmielnicki mnie nie poznał, bom się z nim w Czehrynie rok temu ze dwa razy u Dopuła zetknął; było też i kilku innych znajomych pułkowników, ale cóż? Brzuch mnie spadł, broda wyrosła do pasa, włosy do ramion, przebranie resztę zmieniło, więc nikt nie poznał.

— Toś waćpan widział samego Chmielnickiego i mówiłeś z nim?

— Czym widział Chmielnickiego? Tak, jako waszmościów widzę. Przecie on mnie jako szpiega na Podole wysłał, żebym jego manifesty chłopstwu po drodze rozdawał. Piernacz mnie dał dla bezpieczeństwa od Ordy, tak że już spod Korsunia jechałem wszędy bezpiecznie. Jak mnie chłopi albo Niżowi spotkali, tak ja im piernacz pod nos i mówię: „Powąchajcie to, ditki, i idźcie do diabła!" Kazałem też sobie dawać wszędzie jeść i pić suto, a oni dawali i podwody także, czemum był rad i już ciągle na moją niebogę kniaziówne patrzyłem, aby po takich wielkich fatygach i strachu wypoczęła. Mówię tedy waćpaństwu, że nimem dojechał do Baru, to już się tak odżywiła, że mało sobie ludziska tam w Barze oczu na nią nie powypatrywali. Jest tam wiele gładkich panien, gdyż się szlachta z dalekich okolic pozjeżdżała, ale tak im właśnie do niej, jako sowom do kraski. Miłują ją też ludzie, a i waszmościowie byście ją miłowali, gdybyście znać mogli.

— Pewnie, że nie byłoby inaczej! — rzekł mały pan Wołodyjowski.

— Ale czemużeś waszmość aż do Baru wędrował? — pytał pan Migurski.

— Bom sobie powiedział, że nie stanę, póki do bezpiecznego miejsca nie przybędę, więc też i małym zameczkom nie ufałem myśląc, że przecie bunt może do nich dojść. A do Baru choćby i doszedł, to by sobie zęby na nim połamał. Tam pan Andrzej Potocki potężnie mury obsadził i tyle dba o Chmiela, ile ja o próżną szklankę. Co waszmościowie myślicie, żem źle uczynił, tak daleko od ognia odjeżdżając? A toż mnie pewnie ów Bohun gonił, a gdyby był dogonił, tedy, mówię waszmościom, marcepan by ze mnie dla psów zrobił. Wy jego nie znacie, ale ja go znam. Niech go tam diabli porwą! Póty nie będę miał spokoju, póki jego nie powieszą. Dajże mu Boże tak szczęśliwy koniec — amen! Pewnie też nikogo sobie tak nie zakarbował, jako mnie. Brr! Gdy o tym pomyślę, aż mnie się zimno robi. Dlatego to i napitków chętniej teraz zażywam, chociaż z natury pić nie lubię.

— Co waćpan mówisz! — odezwał się pan Podbipięta — toż pijesz, brateńku, jak żuraw studzienny.

— Nie zaglądaj waćpan do studni, bo mądrego na dnie nie obaczysz. Ale mniejsza z tym. Jadąc tedy z piernaczem i manifestami Chmielnickiego, wielkich przeszkód nie doznałem. Przybywszy do Winnicy znalazłem tam chorągiew obecnego tu w obozie pana Aksaka, alem się przecie dziadowskiej skóry jeszcze nie pozbywał, bom się chłopstwa bał. Jenom się manifestów zbył. Jest tam rymarz, których się zowie Suhak i dla Zaporożców szpiegował a wiadomości Chmielnickiemu posyłał. Przez tego manifesty odesłałem wypisawszy na nich takie sentencje, że chyba go Chmiel każe ze skóry obedrzeć, gdy je przeczyta. Ale tymczasem pod samym Barem taka mnie przygoda spotkała, żem mało przy brzegu nie utonął.

— Jakże to było? jakże?

— Spotkałem pijanych żołnierzów swawolników, którzy usłyszeli, jakem do kniaziówny mówił: „waćpanna", bom się też nie bardzo już i strzegł, jako to blisko swoich. Tak tedy: co to za dziad i co to za szczególne chłopię, do którego się mówi: „waćpanna"? Kiedy spojrzą na kniaziównę: aż tu uroda jak malowanie! Dalejże do nas! Ja w kąt moją niebogę, zastawiłem ją sobą i do szabli...

— To dziw — przerwał Wołodyjowski — żeś waćpan za dziada przebranym będąc, miał szablę przy boku!

— Hę? — rzekł Zagłoba — że miałem szablę? A kto waćpanu powiedział, że miałem szablę? Nie miałem, jenom żołnierską pochwycił, co leżała na stole. Bo to było w karczmie w Szypińcach. Położyłem w mgnieniu oka dwóch napastników. Ci do bandoletów! Krzyczę: „Stójcie, sobaki, bom szlachcic!" Aż tu wołają: „Alt, alt! jedzie podjazd!" Pokazało się, że to nie był podjazd, jeno pani Sławoszewska z eskortą, którą syn w pięćdziesiąt koni odprowadzał, młode chłopię. Dopieroż tamtych pohamowali. A ja do pani z oracją. Takem ją rozczulił, że zaraz jej upusty w oczach się stworzyły. Wzięła kniaziównę do karety i ruszyliśmy do Baru. Ale myślicie, waćpaństwo, że na tym koniec? Gdzie tam!...

Nagle pan Śleszyński przerwał opowiadanie:

— Patrzcie no, waszmoście — rzekł — czy to tam świt, czy co?

— O! nie może być! — odparł pan Skrzetuski. — Za wczesna pora.

— To w stronie Konstantynowa!

— Tak jest. Ano widzicie: coraz jaśniej.

— Jako żywo, to łuna!

Na te słowa twarze spoważniały, wszyscy zapomnieli o opowiadaniu, zerwali się na równe nogi.

— Łuna! łuna! — powtórzyło kilka głosów.

— To Krzywonos nadszedł spod Połonnego.

— Krzywonos z całą potęgą.

— Przednie straże musiały podpalić miasto lub wsie pobliskie.

A wtem zabrzmiały ciche trąbki alarmowe; jednocześnie stary Zaćwilichowski pojawił się nagle między rycerstwem.

— Mości panowie! — rzekł — przyszły podjazdy z wieściami. Nieprzyjaciel w oczach! zaraz ruszamy! Do chorągwi! do chorągwi!...

Oficerowie ruszyli co prędzej do swoich pułków. Czeladź potłumiła ogniska i po chwili ciemność zapanowała w obozie. Tylko w dali, od strony Konstantynowa, niebo czerwieniło się coraz szerzej, coraz silniej, przy którym blasku bladły i gasły stopniowo gwiazdy. I znów zabrzmiały ciche trąbki. Grano wsiadanego przez munsztuk. Niewyraźne masy ludzi i koni poczęły się poruszać. Śród ciszy słychać było tętent koni, miarowe kroki piechurów, a wreszcie głuchy turkot armat Wurcla; czasem zabrzmiały muszkiety lub rozległy się głosy komend. Było coś groźnego i złowrogiego w tym nocnym pochodzie przysłoniętym pomroką, w tych głosach, szmerach, brzękaniu żelastwa, połysku zbroic i mieczów. Chorągwie spuszczały się ku konstantynowskiej drodze i płynęły nią w stronę pożaru, podobne do jakiegoś olbrzymiego smoka czy węża pełznącego wśród ciemności. Ale pyszna lipcowa noc miała się już ku schyłkowi. W Rosołowcach poczęły kury piać podając sobie głosy przez całe miasto. Mila drogi dzieliła Rosołowce od Konstantynowa, więc zanim wojska w wolnym pochodzie przeszły połowę drogi, spoza łuny pożarnej wychyliła się i jutrzenka blada, jakby przerażona, i nasycała coraz bardziej światłem powietrze wydobywając z cienia lasy, zagaje, białą wstęgę gościńca i idące po nim wojska. Teraz wyraźnie można już było odróżnić ludzi, konie i zbite szeregi piechurów. Podniósł się ranny, chłodny wietrzyk i łopotał chorągwiami nad głowami rycerzy.

Szli naprzód Tatarzy Wierszułła, za nimi Kozacy Poniatowskiego, potem dragonia, armaty Wurcla, a piechoty i husarie na ostatku. Pan Zagłoba jechał przy Skrzetuskim, ale wiercił się jakoś na kulbace i widać było, że wobec bliskiej bitwy niepokój go ogarnia.

— Mości panie — rzekł do Skrzetuskiego szepcąc cicho, jakby się bał, by go kto nie podsłuchał.

— A co waszmość powiesz?

— Czy to husarze pierwsi uderzą?

— Mówiłeś waćpan, żeś stary żołnierz, a nie wiesz, że husarzy konserwuje się do rozstrzygnięcia bitwy w chwili, gdy nieprzyjaciel najbardziej siły wytęży.

— Wiem ci ja to, wiem, alem się chciał upewnić.

Nastała chwila milczenia. Po czym pan Zagłoba zniżył głos jeszcze bardziej i pytał dalej:

— Czy to Krzywonos z całą potęgą?

— Tak jest.

— A ile prowadzi?

— Razem z czernią sześćdziesiąt tysięcy ludzi.

— O, do diabła! — rzekł pan Zagłoba.

Skrzetuski uśmiechnął się pod wąsem.

— Nie myśl waćpan, że ja się boję — szeptał dalej Zagłoba — ale mam krótki oddech i nie lubię tłoku, bo gorąco, a jak gorąco, to już nic po mnie. Bodaj to w pojedynkę sobie radzić! Człek przynajmniej fortelów może zażyć, a tu nic i po fortelach. Nie głowa, jeno ręce wygrywają. Tu ja głupi przy panu Podbipięcie. Mam na brzuchu te dwieście czerwonych złotych, co mi je książę darował, ale wierzaj mi waszmość, że brzuch wolałbym mieć gdzie indziej. Tfu! tfu! nie lubię ja tych wielkich bitew! Niech je zaraza tłucze!

— Nic waści nie będzie. Nabierz ducha.

— Ducha? Tego ja się tylko przecie boję, że męstwo roztropność we mnie zwycięży! Nadtom zapalczywy... A miałem zły omen: gdyśmy siedzieli przy ognisku, dwie gwiazdy spadło. Kto je wie?... może która moja!

— Za dobre uczynki Bóg waszmości nagrodzi i w zdrowiu zachowa.

— Byle mi za wcześnie nagrody nie obmyślił!

— Czemużeś nie został przy taborach?

— Myślałem, że przy wojsku bezpieczniej.

— Bo i tak jest. Obaczysz waćpan, że to nic wielkiego. My już zwyczajni, a *consuetudo altera natura*. Ot, już Słucz i Wiszowaty Staw.

Istotnie wody Wiszowatego Stawu, oddzielone od Słuczy długą groblą, zabłysły w oddaleniu. Wojska zatrzymały się naraz na całej linii.

— Czy to już? — spytał pan Zagłoba.

— Książę szyk będzie sprawiał — odparł pan Skrzetuski.

— Nie lubię tłoku!... powtarzam waści... nie lubię tłoku.

— Husaria na prawe skrzydło! — rozległ się głos służbowego, który od księcia przypadł do pana Jana.

Rozwidniło się zupełnie. Łuna zbladła w blaskach wschodzącego słońca, złociste promienie odbiły się w ostrzach husarskich kopii i zdało się, że nad rycerzami płoną tysiące świec. Po sprawieniu szyków wojsko nie ukrywając się już dłużej zaśpiewało w jeden głos: „Witajcie, podwoje zbawienia!” Potężna pieśń rozbiegła się po rosach, uderzyła się o bór sosnowy i odbita echem, wzleciała ku niebu.

Nareszcie brzeg po drugiej stronie grobli zaczernił się, jak okiem sięgnąć, chmarami kozactwa; pułki płynęły za pułkami, konni Zaporożcy zbrojni w długie spisy, pieszy lud z samopałami i fale chłopstwa zbrojnego w kosy, cepy i widły. Za nimi widać było jak we mgle olbrzymi tabor niby miasto ruchome. Skrzypienie tysięcy wozów i rżenie koni dochodziło aż do uszu książęcych żołnierzy. Kozactwo jednak szło bez zwykłych wrzasków, bez wycia i zatrzymało się po drugiej stronie grobli. Dwie przeciwne potęgi patrzyły czas jakiś na się w milczeniu.

Pan Zagłoba trzymając się ciągle przy Skrzetuskim spoglądał na owo morze ludzkie i mruczał:

— Jezu Chryste, po cóżeś stworzył tyle tego tałałajstwa! To chyba sam Chmielnicki z czernią i wszystkimi wszami! Nie rozpusta-że to, powiedz mi waszmość? Czapkami nas pokryją. A tak dobrze przedtem bywało na Ukrainie! Walą się i walą! bogdaj was diabli w piekle walili. I wszystko to na naszą skórę. Bogdaj ich nosacizna zżarła!...

— Nie klnij waść. Dziś niedziela.

— A prawda, dziś niedziela, lepiej by o Bogu pomyśleć... *Pater noster qui es in coelis*... Żadnego respektu od tych łajdaków spodziewać się nie można... *Sanctificetur nomen Tuum*... Co to się będzie działo na tej grobli!... *Adveniat regnum Tuum*... Już we mnie dech zaparło... *Fiat voluntas Tua*... Bodajeście wyzdychali, hamany mężobójcze!... Patrz no waść! Co to?

Oddział złożony z kilkuset ludzi oderwał się od czarnej masy i sunął bezładnie ku grobli.

— To harcownik — rzecze pan Skrzetuski. — Zaraz nasi ku nim wyjadą.

— Czy to już koniecznie bitwa się zacznie?

— Jak Bóg na niebie.

— Niech to diabli porwą! — (Tu zły humor pana Zagłoby nie miał już miary.) — A waść to patrzysz jakby na *teatrum* w mięsopust! — wykrzyknął z niechęcią do Skrzetuskiego — jakby nie o waści skórę chodziło!

— My już zwyczajni, mówiłem.

— I pewnie na harce ruszysz?

— Nie bardzo to przystoi rycerzom spod górnych znaków na pojedynkę z takim nieprzyjacielem się bić; nie czyni tego, kto powagę kocha. Ale w tych czasach nikt nie ma względu na godność.

— Idą już i nasi, idą! — wykrzyknął pan Zagłoba widząc kraśną linię dragonów Wołodyjowskiego posuwającą się truchtem ku grobli.

Za nimi ruszyło po kilkanaście ochotnika spod każdej chorągwi. Poszli między innymi: rudy Wierszułł, Kuszel, Poniatowski, dwóch Karwiczów, a spod husarskiego znaku pan Longinus Podbipięta.

Odległość między dwoma oddziałami zaczęła się zmniejszać gwałtownie.

— Pięknych rzeczy będziesz waść świadkiem — rzekł Skrzetuski do pana Zagłoby. — Uważ szczególnie Wołodyjowskiego i Podbipiętę. Wielcy to rycerze. Dojrzysz ich waść?

— Dojrzę.

— To patrz; sam się rozłakomisz.

Rozdział XXXI

Ale wojownicy zbliżywszy się do siebie zatrzymali konie i poczęli naprzód się łżyć wzajemnie.

— Bywajcie! bywajcie! zaraz tu psy waszym padłem nakarmimy! — wołali książęcy żołnierze.

— Wasze i dla psów się nie godzi.

— Pognijecie w tym stawie, zbóje bezecni!

— Komu pisano, ten zgnije. Was tu prędzej ryby oszczypią.

— Z widłami do gnoju, chamy! Lepiej wam to przystoi niż szabla.

— Chociaż my chamy, ale synki nasze będą szlachta, bo się z waszych panienek porodzą!

Jakiś Kozak, widno zadnieprzański, wysunął się naprzód i złożywszy dłonie koło ust, wołał potężnym głosem:

— U kniazia dwie synowice! Powiedzcie mu, żeby je Krzywonosowi przysłał...

Panu Wołodyjowskiemu aż pociemniało w oczach z wściekłości, gdy to bluźnierstwo usłyszał, i w tejże chwili wypuścił konia na Zaporożca.

Poznał go z dala pan Skrzetuski stojąc na prawym skrzydle z husarzami i krzyknął na Zagłobę:

— Wołodyjowski leci! Wołodyjowski! patrz waść! tam! tam!

— Widzę — wołał pan Zagłoba. — Już go dopadł! Już się biją! Raz! dwa! dalejże po nim! Widzę doskonale! Oho, już! To gracz, niech go las ogarnie!

Istotnie w drugim złożeniu bluźnierca padł na ziemię jak gromem rażony — i padł głową ku swoim, na złą im wróżbę.

A wtem wyskoczył drugi, ubrany w czerwony kontusz zdarty z jakiegoś szlachcica. Dopadł on pana Wołodyjowskiego trochę z boku, ale koń mu w chwili samego cięcia utknął. Pan Wołodyjowski zaś zwrócił się i wtedy to można było poznać mistrza, bo dłonią tylko samą poruszył robiąc ruch tak lekki i miękki, że prawie niewidoczny, a jednak szabla Zaporożca furknęła w górę, pan Wołodyjowski zaś za kark go ucapił i porwał wraz z koniem ku swoim.

— Braty ridnyje, spasajte! — wołał jeniec.

Ale oporu nie dawał widząc, że w razie najmniejszego szablą będzie natychmiast przeszyty; jeszcze konia piętami bił, by podążał. I tak go wiódł pan Wołodyjowski jak wilk kozę.

Sypnęło się na ten widok z obu stron po kilkunastu wojowników, bo więcej na wąskiej grobli nie mogło się pomieścić. Przypadali tedy do siebie pojedynczo. Mąż zwierał się z mężem, koń z koniem, szabla z szablą, i był to cudny widok tego szeregu pojedynków, na które oba wojska patrzyły z największą ciekawością, wróżąc sobie z nich o dalszym powodzeniu. Poranne słońce świeciło nad walczącymi, a powietrze tak było przezroczyste, że prawie twarze można było z obu stron odróżnić. Myślałby kto patrząc z dala, że to turniej jakowy lub zabawa. Czasem jednak koń wylatywał z zamętu bez jeźdźca; czasem trup wpadał z grobli w jasną szybę wody, która rozpryskiwała się w złote iskry, a potem szła kolistą falą od brzegu coraz dalej i dalej.

Rosło serce żołnierzom obu wojsk, patrzącym na męstwo swych rycerzy, i ochota do boju. Każdy ku swoim słał życzenia; nagle pan Skrzetuski w ręce klasnął, aż zadźwięczały karwasze, i wykrzyknął:

— Wierszułł zginął! padł razem z koniem... patrzcie: siedział na tym białym!

Ale Wierszułł nie zginął, chociaż istotnie padł razem z koniem, bo przewrócił obydwóch olbrzymi Pułjan, dawny kozak księcia Jeremiego, dziś drugi po Krzywonosie dowódca. Był to słynny harcownik i nigdy tej gry nie opuszczał. Silny tak, iż z łatwością mógł złamać dwie od razu podkowy, uchodził za niezwyciężonego w pojedynczej walce. Przewróciwszy Wierszułła uderzył na dzielnego oficera Kuroszlachcica i przeciął go strasznie, bo prawie aż do kulbaki. Inni cofnęli się przerażeni, co widząc pan Longinus zwrócił ku niemu swoją inflancką kobyłę.

— Pohybnesz! — krzyknął Pułjan widząc zuchwałego męża.

— Cóż robić? — odpowiedział pan Podbipięta wznosząc szablę do cięcia.

Nie miał on jednak swego Zerwikaptura, bo go do zbyt wielkich celów przeznaczył, aby się nim w pojedynczej walce posługiwać; zostawił go więc w rękach wiernego pachołka przy szeregu; miał zaś tylko lekką batorówkę o błękitnawej pisanej złotem klindze. Wytrzymał pierwsze jej cięcie Pułjan, choć zaraz poznał, że ma z nie lada zapaśnikiem do czynienia, bo mu aż szabla w garści zadrżała; wytrzymał jednak i drugie, i trzecie, po czym, czy większą przeciwnika biegłość w szermierce poznał, czy może wobec obu stron swoją straszliwą siłą pochlubić się pragnął, czy przyparty do skraju grobli, obawiał się, aby nie być przez ogromne bydlę pana Longina do wody wepchniętym, dość, że odbiwszy ostatnie cięcie, konia z koniem bokami zestosował i wpół Litwina w potężne ramiona uchwycił.

I szczepili się tak, jako dwa niedźwiedzie, gdy o samicę w czasie rui walczą; owinęli się koło siebie jak dwie sosny, które z jednego pnia wyrósłszy, wzajemnie się okręcą i prawie jedno drzewo utworzą.

Wszyscy dech wstrzymali i w milczeniu patrzyli na walkę tych zapaśników, z których każdy za największego siłacza między swymi uchodził. Oni zaś rzekłbyś: naprawdę zrośli się w jedno ciało — bo długi czas pozostali bez ruchu. I tylko twarze ich stały się czerwone, i tylko z żył, które wyskoczyły im na czoła, z wygiętych jak łuki grzbietów można było pod tym straszliwym spokojem poznać nadludzkie wytężenie ramion, które gniotły się nawzajem w uścisku.

Na koniec obaj poczęli dygotać. Ale stopniowo twarz pana Longina stawała się coraz czerwieńsza, a twarz watażki coraz sińsza. Upłynęła jeszcze chwila. Niepokój patrzących wzrastał. Nagle milczenie przerwał głuchy przyduszony głos:

— Puskaj...

— Nie... braciaszku!... — odpowiedział drugi głos. Jeszcze chwila: wtem chrobotnęło coś okropnie, dał się słyszeć jęk jakby z podziemia; fala czarnej krwi buchnęła z ust Pułjana i głowa mu zwisła na ramię.

Wtedy pan Longinus podniósł go z kulbaki i zanim patrzący mieli czas pomyśleć, co się stało, przerzucił go na swoje siodło, po czym ruszył rysią ku swoim.

— *Vivat!* — krzyknęli wiśniowiecczycy.

— Na pohybel! — odpowiedzieli Zaporożcy.

I zamiast się zmieszać klęską swego wodza, tym zacięciej uderzyli na nieprzyjaciół. Zawrzała walka tłumna, którą ciasnota miejsca tym zacieklejszą czyniła. I byliby mołojcy mimo całego męstwa ulegli pewnie większej szermierskiej wprawie przeciwników, gdyby nie to, że od taboru Krzywonosowego dały się nagle słyszeć trąby wołające ich do odwrotu.

Cofnęli się natychmiast, a przeciwnicy postawszy chwilę, by okazać, iż odzierżyli pole, zawrócili również ku swoim. Grobla opustoszała, zostały tylko na niej trupy ludzkie i końskie, jakby zapowiedź tego, co się dziać będzie — i czerniała ta droga śmierci między dwoma wojskami — jeno lekki powiew wiatru pomarszczył gładką powierzchnię jeziora i zaszumiał żałośnie w liściach wierzb stojących tu i owdzie nad brzegami stawu.

Tymczasem ruszyły Krzywonosowe pułki jakby nieprzejrzane okiem stada szpaków i siewek. Szła naprzód czerń, za nią sforna piechota zaporoska i sotnie konne, i ochotnicy Tatarowie, i artyleria kozacka, a wszystko bez wielkiego ładu. Pchali się jedni przez drugich, szli „na głowę" pragnąc liczbą niezmierną sforsować groblę, a potem zalać i pokryć wojsko książęce. Dziki Krzywonos wierzył w pięść i szablę, nie w sztukę wojenną, dlatego parł całą siłą do ataku i kazał pułkom idącym z tyłu popychać przednie, aby choć po niewoli iść musiały. Kule armatnie poczęły pluskać po wodzie na kształt dzikich łabędzi i nurów, nie czyniąc zresztą z powodu odległości szkody w książęcych wojskach ustawionych w szachownicę po drugiej stronie stawu. Powódź ludzka zalała groblę i szła naprzód bez przeszkody; część owej fali dosięgnąwszy rzeki szukała przez nią przeprawy i nie znajdując wracała znów ku grobli; i szli tak gęsto, że jak później mówił Osiński, po łbach konno można by było przejechać, i pokryli tak groblę, że piędzi wolnej ziemi nie zostało.

Patrzył na to Jeremi z wyższego brzegu i brwi marszczył, a z oczu szły mu złe błyskawice ku tym tłumom, widząc zaś bezład i przepychanie się Krzywonosowych pułków rzekł do obersztera Machnickiego:

— Po chłopsku nieprzyjaciel z nami poczyna i na sztukę wojenną nie dbając obławą idzie, ale nie dojdzie.

Tymczasem, jakby wbrew jego słowom, doszli już do połowy grobli i zatrzymali się zdziwieni i zaniepokojeni milczeniem wojsk książęcych. Ale właśnie w tej chwili zrobił się ruch między tymi wojskami i cofnęły się zostawiając między sobą a groblą obszerne puste półkole, które miało być polem walki.

Po czym piechoty Koryckiego rozstąpiły się odsłaniając zwrócone ku grobli paszcze armat Wurcla, a w kącie utworzonym przez Słucz i groblę połyskiwały w nadbrzeżnych zaroślach muszkiety Niemców Osińskiego.

I zaraz dla ludzi wojny widocznym było, na czyją tu stronę musi paść zwycięstwo. Tylko tak szalony watażka, jak Krzywonos, mógł porywać się na bitwę w takich warunkach, w których całą potęgą nie mógłby zdobyć nawet przeprawy, gdyby Wiśniowiecki chciał mu jej bronić.

Ale książę umyślnie postanowił puścić część jego sił za groblę, by ją otoczyć i zetrzeć. Wielki wódz korzystał z zaślepienia przeciwnika, któren nawet i na to nie baczył, że ludziom swoim walczącym na drugim brzegu będzie mógł przychodzić w pomoc tylko wąskim przejściem, przez które znaczniejszych oddziałów niepodobna od razu przeprawić. Więc praktycy wojenni patrzyli ze zdumieniem na czyn Krzywonosa, którego nic nie zmuszało do tak szalonego kroku.

Zmuszała go tylko ambicja i pragnienie krwi. Oto watażka dowiedział się, że Chmielnicki pomimo przewagi wysłanych pod Krzywonosem sił, lękając się o rezultat bitwy z Jeremim, szedł całą potęgą swoim w pomoc. Do Krzywonosa przyszły rozkazy, by bitwy nie staczał. Ale właśnie dlatego Krzywonos postanowił ją stoczyć — i śpieszył się.

Wziąwszy Połonne rozsmakował się we krwi i nie chciał się nią dzielić, dlatego śpieszył się. Straci połowę ludzi — to cóż z tego! Ale resztą zaleje szczupłe siły książęce i w pień je wytnie. Głowę Jeremiego poniesie Chmielnickiemu w podarunku.

Tymczasem fale czerni dosięgły końca grobli, na koniec przeszły ją i rozlały się po owym półkolu zostawionym przez wojska Jeremiego. Ale w tejże chwili ukryta piechota Osińskiego dała im w bok ognia; z armat Wurcla wykwitły długie smugi dymu, ziemia zatrzęsła się od huku i bitwa rozpoczęła się na całej linii.

Dymy przesłoniły brzegi Słuczy, staw, groble i samo pole, tak iż nic nie było widać; czasem tylko zamigotały czerwone barwy dragonów, czasem błysnęły grzebienie nad lecącymi hełmami i wrzało w onej chmurze okropnie. W mieście bito we wszystkie dzwony, których jęk żałosny mieszał się z basowym rykiem armat. Z taboru waliły ku grobli coraz nowe i nowe pułki.

Te zaś, które ją przeszły i dostały się na drugą stronę stawu, rozciągnąwszy się w mgnieniu oka w długą linię, uderzyły z wściekłością na książęce chorągwie. Bitwa rozciągnęła się od jednego końca stawu aż do skrętu rzeki i błotnistych łąk, ówczesnego mokrego lata zalanych.

Czerń i Niżowi musieli zwyciężyć lub zginąć mając za sobą wodę, ku której spierały ją ataki piechoty i jazdy książęcej.

Gdy husaria ruszyła naprzód, pan Zagłoba, choć oddech miał krótki i tłoku nie lubił, skoczył przecie z innymi, bo zresztą i nie mógł inaczej uczynić bez narażenia się na stratowanie. Leciał tedy przymknąwszy oczy, a w głowie latały mu z błyskawicową szybkością myśli: „Na nic fortele! na nic fortele! głupi wygrywa, mądry ginie!" Potem ogarnęła go złość na wojnę, na Kozaków, na husarzy i na wszystkich w świecie. Zaczął kląć — i modlić się. Powietrze świszczało mu w uszach, tamowało oddech w piersi! — nagle uderzył się o coś koniem, poczuł opór, więc otworzył oczy — i cóż ujrzał: oto kosy, szable, cepy, mnóstwo rozpalonych twarzy, oczu, wąsów... a wszystko to niewyraźne, nie wiadomo czyje, wszystko drgające, skaczące, wściekłe. Wtedy porwała go ostatnia pasja na tych nieprzyjaciół, że nie uciekli do diabła, że leźli w oczy i że zmuszali go do bitwy. „Chcecie, to macie!" — pomyślał — i począł ciąć ślepo na wszystkie strony. Czasem przecinał powietrze, a czasem czuł, iż ostrze mu grzęźnie w coś miękkiego. Jednocześnie czuł, że jeszcze żyje, i to dodawało mu nadzwyczajnej otuchy. „Bij! zabij!" — ryczał jak bawół — na koniec owe wściekłe twarze znikły mu z oczu, a natomiast ujrzał mnóstwo pleców, wierzchów od czapek, a krzyki mało mu uszu nie rozdarły.

„Zmykają? — przemknęło mu przez głowę. — Tak jest!"

Wtedy odwaga wezbrała w nim bez miary.

— Złodzieje! — krzyknął. — Tak to szlachcie stawacie?

I skoczył między uciekających, minął wielu i zamieszawszy się w gęstwinie, z większą już przytomnością pracować począł. Tymczasem towarzysze jego przyparli Niżowców do brzegów Słuczy, porośniętych dość gęsto drzewami, i gnali ich wzdłuż brzegu do grobli, nikogo żywcem nie biorąc, bo czasu nie stawało.

Nagle pan Zagłoba poczuł, że koń poczyna się pod nim rozpierać, a jednocześnie spadło nań coś ciężkiego i obwinęło mu całą głowę, tak iż otoczyła go ciemność zupełna.

— Mości panowie! ratujcie! — krzyknął bijąc piętami konia.

Rumak jednak, widocznie zmorzony ciężarem jeźdźca, jęczał tylko i stał w miejscu.

Pan Zagłoba słyszał wrzaski, krzyki przelatujących koło siebie jeźdźców, potem cały ten huragan przeleciał i naokół nastała względna cisza.

I znowu myśli, tak szybkie jak strzały tatarskie, poczęły mknąć przez jego głowę.

„Co to jest? co się stało? Jezus Maria! wzięto mnie w niewolę!"

I na czoło wystąpiły mu krople zimnego potu. Widocznie owinięto mu głowę tak samo, jak on niegdyś Bohunowi. Ten ciężar, który czuje na ramieniu — to dłoń hajdamacka. Ale czemuż go nie prowadzą lub nie zabijają? czemu stoi w miejscu?

— Puszczaj, chamie! — krzyknął wreszcie przyduszonym głosem.

Milczenie.

— Puszczaj, chamie! Daruję cię zdrowiem!

Żadnej odpowiedzi.

Pan Zagłoba raz jeszcze uderzył piętami w boki konia, ale znów bez skutku. Zatknięte bydlę rozkraczyło się tylko szerzej i stało w miejscu.

Wówczas ostatnia pasja pochwyciła nieszczęsnego jeńca i dobywszy noża z pochwy wiszącej mu na brzuchu dał straszne pchnięcie w tył za siebie.

Ale nóż przeciął powietrze.

Wtedy Zagłoba porwał obu rękoma za ową zasłonę obwijającą mu głowę i zerwał ją w mgnieniu oka.

Co to jest?

Hajdamaków nie ma. Naokół pusto. Z dala tylko widać

w dymie przelatujących kraśnych dragonów Wołodyjowskiego, a o kilkanaście staj dalej migocą zbroje husarzy, którzy gnają resztki niedobitków zawracając je z pola ku wodzie.

Natomiast u nóg pana Zagłoby leży pułkowa chorągiew zaporoska. Widocznie uciekający Kozak cisnął ją tak, że drzewcem wsparła się na ramieniu pana Zagłoby, a płachtą pokryła mu głowę.

Ujrzawszy to wszystko i zrozumiawszy dokładnie mąż ów oprzytomniał zupełnie.

— Aha! — rzekł — zdobyłem chorągiew. Jak to? możem jej nie zdobył? Jeśli justycja nie polegnie także w tej bitwie, tedy pewien jestem nagrody. O chamy! szczęście wasze, iż mi się koń rozparł. Nie znałem się mniemając, iż fortelom mogę ufać bardziej niż męstwu. Mogę się do czegoś więcej w wojsku przydać niż do zjadania sucharów. O dla Boga! znowu tu jakaś wataha leci. Nie tędy psubraty, nie tędy! Żeby tego konia wilcy zjedli!.. Bij!... zabij!

Istotnie nowa wataha Kozaków gnała ku panu Zagłobie, wyjąc nieludzkimi głosami, a na karku jej siedzieli pancerni Polanowskiego. I byłby może pan Zagłoba znalazł śmierć pod kopytami, gdyby nie to, że husaria Skrzetuskiego wytopiwszy tych, za którymi szła w pościgu, wracała teraz, by wziąć w dwa ognie owe nadbiegające oddziały. Co widząc Zaporożcy rzucili się w wodę na to tylko, by uszedłszy mieczów znaleźć śmierć w błotach i w głębokich dołach. Inni, którzy padli na kolana błagając o litość, marli pod cięciami. Pogrom stał się straszliwy i powszechny, ale najstraszliwszy na grobli. Wszystkie oddziały, które ją przeszły, zostały starte w owym półkolu utworzonym przez wojsko książęce. Te, które jeszcze nie przeszły, ginęły pod nieustającym ogniem armat Wurcla i salwami piechoty niemieckiej. Nie mogły iść naprzód ani w tył, gdyż Krzywonos wganiał coraz nowe pułki, które pchając się, prąc idących przed sobą, zaparły jedyną drogę ucieczki. Rzekłbyś: Krzywonos zaprzysiągł sobie wygubić własnych ludzi, którzy stłaczali się, dusili, bili się pomiędzy sobą, padali, wskakiwali w wodę po obu stronach — i tonęli. Z jednego końca czerniały masy uciekających, z drugiego — masy idących naprzód, w środku — góry i wały trupów, jęki, krzyk pozbawiony dźwięków ludzkich, szał strachu, zamieszanie, chaos. Cały staw zapełnił się trupami ludzi i koni. Wody wystąpiły z brzegów.

Chwilami działa milkły. Wówczas grobla na kształt paszczy armatniej wyrzucała tłumy Zaporożców i czerni, które rozbiegały się po półkolu i szły pod miecz czekającej na nie jazdy, a Wurcel poczynał grać na nowo; deszczem żelaza i ołowiu zamykał groblę wstrzymując przypływ posiłków.

W tych krwawych zapasach upływały całe godziny.

Krzywonos, wściekły, spieniony, jeszcze nie dawał za wygraną i rzucał tysiące mołojców w paszczę śmierci.

Po drugiej zaś stronie Jeremi, ubrany w srebrne blachy, stał konno na wysokiej mogile zwanej za owych czasów Krużą Mogiłą — i patrzył.

Twarz miał spokojną, wzrok jego ogarniał całą groblę, staw, brzegi Słuczy i biegł aż do miejsca, w którym owity w błękitnawą mgłę oddalenia stał olbrzymi tabor Krzywonosowy. Oczy księcia nie schodziły z tego zbiorowiska wozów, na koniec zwrócił się do grubego wojewody kijowskiego i rzekł:

— Dziś już nie zdobędziemy taboru.

— Jak to? wasza książęca mość chciałbyś?...

— Czas prędko leci. Za późno! Patrz wasza mość, oto i wieczór.

Istotnie od chwili wyjazdu harcowników bitwa, podsycana uporem Krzywonosa, trwała już tak długo, że słońce miało czas przebiegnąć cały swój łuk codzienny i kłoniło się ku zachodowi. Lekkie, wysokie chmurki zwiastujące pogodę, a rozproszone jak stada białorunych owieczek po niebie, poczęły się czerwienić i schodzić gromadami z pól niebieskich. Dopływ kozactwa do grobli ustawał z wolna, a te pułki, które już wstąpiły na nią, cofały się w popłochu i nieładzie.

Bitwa kończyła się, a kończyła dlatego, iż rozżarte zgraje opadły w końcu Krzywonosa wołając z rozpaczą i wściekłością:

— Zdrajco! wygubisz nas! Psie krwawy! Sami cię zwiążem i Jaremie wydamy, a tak życie okupimy. Na pohybel tobie, nie nam!

— Jutro wydam wam kniazia i całe wojsko albo sam zginę — odpowiadał Krzywonos.

Ale spodziewane to „jutro" miało dopiero nastąpić, a obecne „dziś" było dniem pogromu i klęski. Kilka tysięcy najdzielniejszych niżowych mołojców nie licząc czerni poległo na polu bitwy lub potopiło się w stawie i w rzece. Blisko dwa tysiące wzięto w niewolę. Poległo czternastu pułkowników nie licząc sotników, esaułów i rozmaitej starszyzny. Drugi po Krzywonosie wódz, Pułjan, żywcem lubo ze strzaskanymi żebrami, dostał się w moc nieprzyjaciół.

— Jutro wszystkich wyrżem! — powtarzał Krzywonos. — Gorzałki ni jadła pierwej w gębę nie wezmę.

A tymczasem w przeciwnym obozie rzucano zdobyte chorągwie pod nogi strasznego księcia. Każdy ze zdobywców ciskał swoją, tak iż utworzył się z nich stos niemały, było bowiem wszystkich czterdzieści. A gdy z kolei przechodził pan Zagłoba, zwalił swoją z taką mocą i hukiem, że aż ratyszcze pękło, co widząc książę zatrzymał go i pytał:

— A waść to własnymi rękami zdobyłeś ów znak?

— Do usług waszej książęcej mości!

— Widzę tedy, żeś nie tylko Ulisses, lecz i Achilles.

— Prosty ja żołnierz, jeno pod Aleksandrem Macedońskim służę.

— Ponieważ lafy waść nie bierzesz, niechże ci skarbnik jeszcze dwieście czerwonych złotych za tak cnotliwy twój proceder wypłaci.

Pan Zagłoba za kolana księcia chwycił i rzekł:

— Wasza książęca mość! większa to łaska niż moje męstwo, które rade by się we własnej modestii ukryć.

Zaledwie widzialny uśmiech błąkał się po czarniawej twarzy pana Skrzetuskiego, ale rycerz milczał i później nawet ani księciu, ani nikomu o niespokojnościach pana Zagłoby przed bitwą nie wspomniał; zaś pan Zagłoba odszedł z miną tak sierdzistą, że widząc go żołnierze spod innych chorągwi pokazywali go palcami, mówiąc:

— Ten ci to jest, co dziś najwięcej dokazywał.

Noc zapadła. Po obu stronach rzeki i stawu zapłonęły tysiące ognisk i dymy jako kolumny wzniosły się ku niebu. Strudzony żołnierz krzepił się jadłem, gorzałką lub ducha sobie do jutrzejszej bitwy dodawał opowiadając czyny dzisiejszej. Ale najgłośniej rozprawiał pan Zagłoba chwaląc się tym, czego dokazał, i tym, czego by mógł dokazać, gdyby mu się koń nie rozparł.

— Już to mówię waszmościom — rzekł zwracając się do oficerów książęcych i szlachty spod chorągwi Tyszkiewicza — że wielkie bitwy dla mnie nie nowina; doświadczyłem ich niemało i na Multanach, i w Turczech, ale żem pole zależał, bałem się — nie nieprzyjaciół, bo kto by się tam chamstwa bał! ale własnej zapalczywości, gdyż zaraz myślałem, iż mnie zbyt daleko uniesie.

— Jakoż i uniosła waści.

— Jakoż i uniosła! Spytajcie pana Skrzetuskiego! Jakem tylko ujrzał pana Wierszułła padającego z koniem, zaraz chciałem nie pytając na pomoc mu skoczyć. Ledwo mnie towarzysze powstrzymali.

— Tak jest! — rzecze pan Skrzetuski — musieliśmy waści hamować.

— Ale — przerwał Karwicz — gdzie jest Wierszułł?

— Pojechał już na podjazd; nie zna on spoczynku.

— Uważcie tedy, mości panowie — mówił pan Zagłoba niekontent, że mu przerwano opowiadanie — jakom tę chorągiew zdobył...

— To Wierszułł nie ranny? — pytał znów Karwicz.

— ...Nie pierwszą to już zdobyłem w życiu, ale żadna nie przyszła mi z taką pracą...

— Nie ranny, jeno potłuczony — odpowiedział pan Azulewicz, Tatar — i wody się napił, bo padł głową do stawu.

— To się dziwię, że ryby nie pozdychały — rzekł z gniewem pan Zagłoba — bo od takiej ognistej głowy musiała się woda zagotować.

— Wszelako wielki to kawaler!

— Nie tak zbyt wielki, skoro dość było na niego pół-Jana. Tfu, z waszmościami dogadać się nie można! Moglibyście się też ode mnie nauczyć, jak zdobywać chorągwie na nieprzyjacielu...

Dalszą rozmowę przerwał młodziuchny pan Aksak, który w tej chwili zbliżył się do ogniska.

— Nowiny przynoszę waszmościom! — rzekł dźwięcznym, półdziecięcym głosem.

— Niańka pieluch nie uprała, kot mleko zjadł i farfurka się stłukła — mruknął pan Zagłoba.

Ale pan Aksak nie zważał na tę przymówkę do swego chłopięcego wieku i rzekł:

— Półjana ogniem pieką...

— Będą psi mieli grzanki! — przerwał pan Zagłoba.

— ...I czyni zeznania. Układy zerwane. Pan z Brusiłowa mało nie szaleje. Chmiel idzie z całą potęgą w pomoc Krzywonosowi.

— Chmiel? cóż to Chmiel? Kto tu sobie co robi z Chmiela? Idzie Chmiel, będzie piwo, beczka ortę! Drwimy z Chmiela!... — trzepał pan Zagłoba tocząc przy tym groźnie i dumnie oczyma po obecnych.

— Idzie więc Chmiel, ale Krzywonos na niego nie czekał i dlatego przegrał...

— Grał duda, grał — aż przegrał kiszki...

— Sześć tysięcy mołojców już jest w Machnówce. Wiedzie ich Bohun.

— Kto? kto? — spytał nagle zgoła innym głosem Zagłoba.

— Bohun.

— Nie może być!

— Tak zeznaje Pułjan.

— Maszże, babo, placek! — zawołał żałośnie pan Zagłoba. — Prędkoż oni tu mogą być?

— We trzech dniach. Wszelako do bitwy idąc nie będą tak śpieszyć, by koni nie zegnać.

— Ale ja będę śpieszył! — mruknął szlachcic. — Anieli Pańscy, ratujcież mnie od tego łajdaka! Oddałbym chętnie moją zdobytą chorągiew, byle ten paliwoda kark skręcił, nim tu dojdzie. *Spero*, że nie będziem też tu długo czekać. Pokazaliśmy Krzywonosowi, co umiemy, a teraz czas by spoczynku zażyć. Nienawidzę tak owego Bohuna, że bez abominacji wspomnieć jego diabelskiego nazwiska nie mogę. Otom się wybrał! Nie mogłem to w Barze siedzieć? Licho mnie tu przyniosło...

— Nie trwóż się waść — szepnął Skrzetuski — bo wstyd! Między nami nic ci nie grozi.

— Nic mi nie grozi? Waść go nie znasz! On się już może gdzie między ogniami k'nam czołgnie. (Tu pan Zagłoba obejrzał się niespokojnie wokoło.) A i na waści on równie zawzięty, jak na mnie.

— Dajże mi Boże z nim się spotkać! — rzekł pan Skrzetuski.

— Jeśli to ma być łaska, to wolę jej nie doznać. Odpuszczę mu chętnie, jako chrześcijanin, wszystkie krzywdy, ale pod warunkiem, że go na dwa dni przedtem powieszą. Nie trwożę się ja, ale waść nie uwierzysz nawet, jak nadzwyczajna abominacja mnie porywa! Lubię ja wiedzieć, z kim mam do czynienia: z szlachcicem — to z szlachcicem, z chłopem — to z chłopem; ale to diabeł jakiś wcielony, z którym nie wiedzieć, czego się trzymać. Ważyłem ja się na niemałe z nim rzeczy, ale jakie oczy zrobił, gdym mu łeb obwiązywał, tego ja waści nie wypowiem i w godzinę śmierci pamiętać będę. Nie chcę budzić licha, póki śpi. Na raz sztuka. Waszmości też powiem, żeś jest niewdzięcznikiem i o tę niebogę nie dbasz...

— A to *quo modo*?

— Bo — rzecze pan Zagłoba odciągając rycerza od ogniska — waść swoim wojennym humorom i fantazji dogadzając wojujesz i wojujesz, a ona tam *lacrimis* się każdego dnia zalewa, na próżno responsu czekając. Czego by inny nie uczynił, ale już by dawno mnie wyprawił mając w sercu afekt prawdziwy i nad jej tęsknością zlitowanie.

— Myślisz tedy waść do Baru wracać?

— Choćby dziś, bo i mnie jej żal.

Pan Jan oczy tęskne ku gwiazdom podniósł i tak mówił:

— Nie pomawiajże mnie waszmość o nieszczerość, bo Bóg mi świadek, że kawałka chleba do ust nie wezmę ni nędznego ciała snem nie pokrzepię, żebym wprzód o niej nie pomyślał, a już to w sercu moim nikt stalszej nad nią rezydencji mieć nie może. A żem waszmości z responsem nie wyprawiał, to dlatego, żem sam chciał jechać, aby kochaniu folgę dać i nie zwłócząc, ślubem się wiekuistym z nią połączyć. I nie masz takowych skrzydeł na świecie ani takiego lotu, którym bym tam lecieć nie chciał, do tej niebogi mojej...

— To czemu waść nie lecisz?

— Bo mi przed bitwą tego czynić nie wypadało. Żołnierzem i szlachcicem jestem, przeto o honor dbać muszę...

— Ale dziś jest po bitwie, *ergo*... możemy ruszyć choć zaraz...

Pan Jan westchnął.

— Jutro uderzymy na Krzywonosa...

— Tego to ja, widzi waść, nie rozumiem. Pobiliście młodego Krzywonosa, przyszedł stary Krzywonos; pobijecie starego Krzywonosa, przyjdzie młody ten tam (żeby w złą godzinę nie wymówić)... Bohun; pobijecie jego, przyjdzie Chmielnicki. Co u diabła! Jak tak pójdzie, to się lepiej waść od razu zesforuj z panem Podbipiętą; będzie dudek z czystością plus imć Skrzetuski *summa facit*: dwóch dudków i czystość. Daj no waćpan pokój, bo dalibóg! pierwszy będę kniaziównę namawiał, żeby waści rogi przyprawiła, a tam pan Jędrzej Potocki, jak ją ujrzy, to aż skrami parska: czekać tylko, jak zarży końską manierą. Tfu, u licha! żeby mi to jaki młodzik powiadał, który bitwy nie zaznał i reputację czynić sobie dopiero potrzebuje, to bym rozumiał, ale nie waść, coś się krwie ożłopał jak wilk, a pod Machnówką, jak mnie powiadano, zabiłeś jakiegoś smoka piekielnego czy ludojada. *Juro* na ten miesiąc niebieski, że waść coś tu kręcisz alboś się tak już rozłakomił, że krew wolisz niż łożnicę.

Pan Skrzetuski mimo woli na księżyc spojrzał, któren na wysokim wyiskrzonym niebie płynął jak srebrny korab nad obozem.

— Mylisz się waść — rzekł po chwili. — Nie we krwi ja smakuję ani też na reputację zarabiam, ale nie godzi mi się porzucać towarzyszów w ciężkiej potrzebie, gdy chorągiew *nemine excepto* ma stawać. W tym honor kawalerski, a to jest święta rzecz. Co zaś do wojny, potrwa ona niezawodnie, gdyż zbyt się już rozwielmożyło tałałajstwo; wszelako, skoro Krzywonosowi idzie na pomoc Chmielnicki, to będzie przerwa. Albo jutro Krzywonos pole nam da, albo nie. Jeśli da, to z pomocą bożą słuszne otrzyma ćwiczenie, a potem musimy iść do spokojniejszego kraju, by też tchu trochę piersiami złapać. Wszak to już dwa miesiące przeszło, jak nie śpimy, nie jemy, jeno się bijem i bijem dzień i noc, dachu nad głową nie mając, na wszystkie nawałności elementów narażeni. Książę to wielki wódz, ale i roztropny. Nie porwie się on tak na

Chmielnickiego w kilka tysięcy ludzi przeciw krociom. Wiem też, że pójdzie ku Zbarażu, tam się odżywi, żołnierzów nowych pozbiera, szlachta się z całej Rzeczypospolitej do niego zbiegnie i dopieroż na walną rozprawę ruszymy. Jutro tedy ostatni dzień pracy, a pojutrze będę już mógł z waszmością z czystym sercem do Baru ruszyć. I to jeszcze waści dla uspokojenia dodam, że ów Bohun żadną miarą na jutro nie zdąży i w bitwie nie weźmie udziału, a choćby też i wziął, mam nadzieję, że jego chłopska gwiazda nie tylko przy książęcej, ale i przy mojej rycerskiej zblednie.

— Belzebub to jest wcielony. Mówiłem waści, że nie lubię tłoku, ale on gorszy od tłoku, choć *repeto*, że nie tyle bojaźni, ile wstrętu do niego przezwyciężyć nie mogę. Ale dobrze. Mniejsza z tym! Jutro tedy garbowanie chłopskich grzbietów, a potem drała do Baru! Oj! będąż się te śliczne oczy śmiały na waćpana *conspectus*! Oj! będzieże się to liczko płonić. A już to powiem waści, że i mnie do niej tęskno, bo ją jako ojciec miłuję. I nie dziw. Synów *legitime natos* nie mam, fortuna daleko, bo aż w Turczech, gdzie mi ją pogańscy komisarze kradną, i żyję jako sierota na tym świecie, a na starość chyba do pana Podbipięty, do Myszykiszek na rezydenta pójdę.

— Będzie to inaczej, niech waści głowa nie boli. Za to, coś dla nas uczynił, już też ci nadto wdzięczności okazać nie możem.

Dalszej rozmowie przeszkodził jakiś oficer, który przechodząc tuż obok spytał:

— A kto tam stoi?

— Wierszułł! — zawołał pan Skrzetuski poznając po głosie. — Z podjazdu?

— Tak jest. A teraz od księcia.

— Co tam słychać?

— Bitwa jutro. Nieprzyjaciel groblę poszerza, mosty na Styrze i na Słuczy stawi chcąc się do nas dostać koniecznie.

— A cóż książę na to?

— Książę powiedział: dobrze!

— I nic więcej?

— Nic. Nie kazał przeszkadzać, a tam siekiery aż huczą! Do rana będą pracować.

— Języka dostałeś?

— Porwałem siedmiu. Wszyscy zeznają, iż o Chmielnickim słyszeli, że idzie, ale podobno jeszcze daleko. Co za noc!

— Widno jak w dzień. A jak ci tam po upadku?

— Kości bolą. Idę podziękować naszemu Herkulesowi, a potem spać, bom strudzon. Żeby choć ze dwie godziny podrzemać!

— Dobranoc!

— Dobranoc!

— Pójdź i waszmość — rzekł pan Skrzetuski do Zagłoby — bo późno, a jutro praca.

— A pojutrze podróż — przypomniał pan Zagłoba.

Poszli i odmówiwszy pacierze pokładli się koło ognia. Wkrótce też ogniska poczęły gasnąć jedne po drugich. Obóz obwijała ciemność i tylko księżyc rzucał nań srebrne blaski, którymi rozświecał coraz to nowe grupy śpiących. Ciszę przerywało tylko ogólne potężne chrapanie i nawoływania strażników czuwających za obozem.

Ale sen nie na długo skleił ciężkie powieki żołnierzy. Zaledwie pierwszy brzask zabielił cienie nocy, gdy we wszystkich końcach obozu zabrzmiały trąbki na „wstawaj"!

W godzinę potem książę ku wielkiemu zdziwieniu rycerstwa cofał się na całej linii.

Rozdział XXXII

Ale było to cofanie się lwa, który potrzebuje miejsca do skoku.

Książę umyślnie puścił Krzywonosa za przeprawę, by tym większą zadać mu klęskę. W samym początku bitwy uderzył po koniu i począł niby uciekać, co widząc Niżowcy i czerń rozerwali swe szyki, aby go dogonić i otoczyć. Wtedy książę zwrócił się nagle i cała jazdą od razu na nich uderzył tak strasznie, że ani przez chwilę oporu dać nie mogli. Gnano ich tedy milę do przeprawy, potem przez mosty, groble i pół mili aż do taboru, siekąc i mordując bez miłosierdzia, a bohaterem dnia tego był szesnastoletni pan Aksak, któren pierwszy uderzył i pierwszy popłoch rozniósł. Z takim też tylko wojskiem, starym i wyćwiczonym, mógł książę na podobne puszczać się fortele i ucieczkę zmyślać, która w każdych innych szykach mogła na prawdziwą się zmienić. Ale za to drugi ten dzień daleko cięższą jeszcze skończył się dla Krzywonosa klęską. Pobrano wszystkie polowe działa, mnóstwo chorągwi, między nimi kilkanaście koronnych wziętych przez Zaporożców pod Korsuniem. Gdyby piechoty Koryckiego, Osińskiego i armaty Wurcla mogły za jazdą nadążyć, wzięto by za jednym zamachem i tabor. Ale nim nadeszły, zrobiła się noc i nieprzyjaciel oddalił się już znacznie, tak że go niepodobna było dosięgnąć. Wszelako Zaćwilichowski zdobył połowę taboru, a w nim ogromne zapasy broni i żywności. Czerń już po dwakroć porywała

Krzywonosa chcąc go księciu wydać i zaledwie obietnicą natychmiastowego powrotu do Chmielnickiego zdołał się z jej rąk uratować. Uciekał też z pozostałą połową taboru, zdziesiątkowany, zbity, zrozpaczony, i nie oparł się aż w Machnówce, dokąd nadszedłszy Chmielnicki kazał go w chwili pierwszego gniewu za szyję do armaty na łańcuchu przykuć.

I dopiero gdy pierwszy gniew minął, wspomniał hetman zaporoski, że przecie nieszczęsny Krzywonos cały Wołyń krwią oblał, że Połonne zdobył, tysiące dusz szlacheckich na tamten świat wysłał, a ciała zostawił bez pogrzebu, i wszędy był zwycięski, dopóki się z Jeremim nie spotkał. Za te zasługi ulitował się nad nim hetman zaporoski i nie tylko od armaty go zaraz kazał odczepić, ale do dowództwa go przywrócił i na Podole na nowe zdobycze i rzezie wysłał.

A tymczasem książę ogłosił swemu wojsku tyle pożądany wypoczynek. W ostatniej bitwie poniosło też i ono znaczne straty, zwłaszcza przy szturmach jazdy na tabor, zza którego bronili się Kozacy równie zacięcie, jak zręcznie. Poległo wówczas do pięciuset żołnierza. Pułkownik Mokrski, ciężko ranny, wkrótce ducha wyzionął; postrzelony był, lubo nieszkodliwie, i pan Kuszel, i Polanowski, i młody pan Aksak, a pan Zagłoba, któren oswoiwszy się z tłokiem, mężnie razem z innymi stawał, uderzony dwukrotnie cepem, rozchorzał na krzyże i ruszyć się nie mogąc, na powózce Skrzetuskiego jak martwy leżał.

Pomieszał więc los zamiar jechania do Baru, bo nie mogli ruszyć zaraz, tym bardziej że książę pana Skrzetuskiego na czele kilku chorągwi aż pod Zasław wysłał, by tam zebrane kupy czerni wydusił. Poszedł rycerz, słowa o Barze przed księciem nie wspomniawszy, i przez pięć dni palił i ścinał, póki okolicy nie oczyścił.

Na koniec i ludzie strudzili się już bardzo nieustanną walką, dalekimi pochodami, zasadzkami, czuwaniem, postanowił więc wracać do księcia, o którym miał wiadomość, że do Tarnopola się udał.

Wigilią powrotu, zatrzymawszy się w Suchorzyńcach nad Chomorem, rozłożył pan Jan chorągwie po wsi, a sam stanął na nocleg w chacie chłopskiej, ponieważ zaś wielce był niewywczasem i pracą wyczerpany, zasnął zaraz i spał kamiennym snem całą noc.

Nad ranem, wpół senny jeszcze, wpół przebudzony, jął majaczyć i marzyć. Dziwne obrazy poczęły mu się przesuwać przed oczyma. Więc zdawało mu się naprzód, że jest w Łubniach, jakby z nich nigdy nie wyjeżdżał, że śpi w swojej izbie w cekhauzie i że Rzędzian, jako zwykle rankiem, krząta się koło jego odzieży i do wstawania mu ją przygotowywa.

Z wolna jednakże jawa poczęła rozpraszać przywidzenia. Przypomniał sobie rycerz, iż jest w Suchorzyńcach, nie w Łubniach — jedna tylko postać pacholika nie rozpływała się we mgłę. I widział go ciągle pan Skrzetuski siedzącego pod oknem na zydlu i zajętego smarowaniem rzemieni u pancerza, które od upału pokurczyły się były znacznie.

Wszakże ciągle jeszcze myślał, że to senna mara broi, więc przymknął na nowo oczy.

Po chwili otworzył je. Rzędzian siedział ciągle pod oknem.

— Rzędzian! — krzyknął pan Jan — tyżeś to, czyli twój duch?

A chłopak przestraszył się nagłego wołania, więc pancerz upuścił z brzękiem na podłogę, ręce rozstawił i rzekł:

— O dla Boga! czego to jegomość tak krzyczy? Zaś tam jaki duch! Żyw jestem i zdrowy.

— I wróciłeś?

— Albo to mnie jegomość wypędzał?

— Pójdź tu do mnie, niech cię uścisnę!

Wierny pacholik przypadł do pana i za kolana objął,

a zaś pan Skrzetuski całował go w głowę z radością wielką i powtarzał:

— Żyw jesteś! żyw jesteś!

— O mój jegomość! od radości mówić nie mogę, że też jegomościne ciało jeszcze w zdrowiu oglądam... O dla Boga!... ino jegomość tak wrzasnął, że ażem pancerz upuścił... Rzemieniska się pokurczyły... widać nijakiej posługi jegomość nie miał... Chwałaż ci, Boże, chwała... o moje panisko kochane!

— Kiedyżeś przyjechał?

— A dziś w nocy.

— I czemużeś mnie nie obudził?

— O! miałbym budzić?! Rano przyszedłem szatki wziąć...

— Skądeś przyjechał?

— A z Huszczy.

— Cóżeś tam robił? co się z tobą działo? Mów, opowiadaj!

— To, widzi jegomość, przyjechali Kozacy do Huszczy pana wojewodę bracławskiego rabować i palić, a ja tam już pierwej byłem, bom tam z ojcem Patronim Łaską przyjechał, któren mnie od Chmielnickiego do Huszczy zabrał; bo jego do Chmielnickiego pan wojewoda z listami przysłał. Więc ja się z nim zabrałem z powrotem, a teraz Kozacy Huszczę spalili i ojca Patroniego za jego serce ku nam zamordowali, co by pewnie i pana wojewodę potkało, gdyby się tam znajdował, choć on także błahocześciwy i wielki ich dobrodziej...

— Mówże tedy jasno i nie mieszaj, bo zrozumieć nie mogę. Toś ty u Kozaków, u Chmiela, przesiadywał czy jak?

— Jużci, że u Kozaków. Bo jak mnie ogarnęli w Czehrynie, tak mnie mieli za swego i trzymali. Niech no się jegomość ubiera... Mój Boże, a takie wszystko poniszczone, że i w rękę nie ma co wziąć! Bodajże cię!... Mój jegomość, już też niech się jegomość nie sierdzi, żem ja tego listu, co jegomość z Kudaku pisał, w Rozłogach nie oddał, ale mi go ten złodziej Bohun wydarł; i gdyby nie ów gruby szlachcic, to i żywota bym zbył.

— Wiem, wiem. Nie twoja wina. Ten gruby szlachcic jest w obozie. On mi wszystko opowiadał tak właśnie, jak było. A też i pannę Bohunowi wykradł, która w dobrym zdrowiu w Barze żywie.

— O! to chwała Bogu! wiedziałem też, że jej Bohun nie dostał. To już pewno weselisko niezadługo.

— Pewnie, że tak. Stąd zaraz ruszymy wedle ordynansu do Tarnopola, a stamtąd do Baru.

— Bogu najwyższemu dzięki. Chybaż on się powiesi — ów Bohun — ale już jemu czarownica przepowiadała, że on tej, o której myśli, nigdy nie dostanie i że Lach ją posiędzie, a ten Lach to pewnie jegomość.

— Skądże ty o tym wiesz?

— Bom słyszał. Muszę już ja dokumentnie wszystko jegomości opowiedzieć, a jegomość niech się tymczasem ubiera, bo też i śniadanie dla nas warzą. Owóż, jakem wyjechał tą czajką z Kudaku, takeśmy jechali okrutnie długo, bo pod wodę, a do tego popsowała nam się czajka i trzeba było naprawiać. Jedziemy tedy, jedziemy, mój jegomość, jedziemy...

— Jedziecie, jedziecie!... — przerwał zniecierpliwiony pan Jan.

— I przyjechaliśmy do Czehryna. A co mnie tam spotkało, to już jegomość wie.

— To już wiem.

— Owoż leżę ja w stajni, świata bożego nie widzę. A wtem przyszedł Chmielnicki, zaraz po odjeździe Bohunowym, z okrutną siłą zaporoską. A że to poprzednio pan hetman wielki pokarał czehryńców za afekt dla Zaporożców i wiele ludzi było w mieście pobitych i poranionych, więc oni myśleli, że ja także z tych, i dlatego nie tylko mnie nie dobili, ale jeszcze dali wygodę, opatrunek i Tatarom wziąć nie dozwolili, chociaż oni im na wszystko pozwalają. Przyszedłszy ja tedy do przytomności, myślę, co mam robić? A ci złodzieje pod Korsuń przez ten czas poszli i tam panów hetmanów pobili. O mój jegomość, co moje oczy widziały, tego nie wypowiedzieć! Oni zaś nic nie ukrywali, wstydu nijakiego nie znając i że to za swego mię mieli. A ja myślę: uciekać czy nie uciekać? Alem widział, że bezpieczniej zostać, póki się lepsza okazja nie trafi. Kiedy to zaczęli zwozić spod Korsunia makaty, rzędy, srebra, kredensy, klejnoty... oj! oj! mój jegomość — mało że mi się serce nie rozpukło i oczy z głowy nie wylazły. To ci tacy zbóje sześć łyżek srebrnych za talera, a potem za kwartę wódki sprzedawali, a guz złoty albo zapinkę, albo trzęsienie od czapki to mogłeś i za pół kwarty dostać. Tak ja sobie myślę: co mam po próżnicy siedzieć?... niechże skorzystam! Da-li Bóg wrócić kiedy do Rzędzian, na Podlasie, gdzie rodziciele mieszkają, to im oddam, bo oni tam mają proces z Jaworskimi, co już pięćdziesiąt lat trwa, a nie ma za co go dłużej prowadzić. Więc nakupiłem, mój jegomość, tyle wszelakiego dobra, żem na dwa konie ładować musiał mając to sobie za pocieszenie w smutkach moich, bo mi za jegomością okrutnie było tęskno.

— Oj, Rzędzian, zawsześ jednaki! Ze wszystkiego musisz mieć korzyść.

— Że mnie Bóg pobłogosławił, to cóż złego? Ja przecie nie kradnę, a że mnie jegomość dał trzosik na drogę do Rozłogów, to oto jest! Moje prawo oddać, bom też do Rozłogów nie dojechał.

Tak mówiąc pacholik odpiął pas, wyjął trzosik i położył go przed rycerzem, a pan Skrzetuski uśmiechnął się i rzekł:

— Kiedy ci tak dobrze szło, toś pewnie ode mnie bogatszy, ale już trzymaj i ten trzosik.

— Dziękuję pokornie jegomości. Zebrało się trochę — boża łaska! Będą się rodziciele cieszyli i dziaduś, co ma dziewięćdziesiąt lat. A już Jaworskich to chyba do ostatniego grosza sprocesują i z torbami ich puszczą. Jegomość też skorzysta, bo już tego pasa kropiastego, co mi jegomość w Kudaku obiecał, nie będę przypominał, choć mi się bardzo udał.

— Boś już przypomniał! o taki synu! Prawdziwy z ciebie *lupus insatiabilis!* Nie wiem ja, gdzie ten pas, aleć skorom obiecał, to dam, nie ten, to inny.

— Dziękuję pokornie jegomości — rzekł pacholik obejmując pańskie kolana.

— Mniejsza z tym! Prawże dalej, coć spotkało.

— Bóg tedy dał korzyść między rozbójnikami. Jeno tym się trapiłem, żem nie wiedział, co się z jegomością dzieje, i tym, że Bohun pannę zagarnął. Aż tu dają znać, że on w Czerkasach leży, ledwie żyje, bo przez kniaziów poszczerbion. Tak ja do Czerkas: jak to jegomość wie, że umiem plaster przyłożyć i rany opatrzyć. A już mnie z tego znali. Tak mnie tam Doniec pułkownik wysłał i sam ze mną pojechał, bym onego zbója opatrywał. Dopieroż mi ciężar z serca spadł, bom się dowiedział, że nasza panna uszła z onym szlachcicem. Poszedłem tedy do Bohuna. Myślę: pozna, nie pozna? A on w gorączce leżał, więc z początku nie poznał. Później zaś poznał i mówi mi: „Tyś z listem do Rozłogów jechał?” Rzeknę: „Ja”. A on znowu: „Tom ja ciebie w Czehrynie rozszczepił?” „Tak jest”. „To ty (prawi) służysz panu Skrzetuskiemu?” Dopiero kiedy nie zacznę łgać: „Nikomu ja już (mówię) nie służę. Więcej ja krzywd niż dobrego w tej służbie zaznał, więc wolałem na swobodę do Kozaków pójść, a waszmości już dziesięć dni pilnuję i do zdrowia doprowadzę!” Więc on uwierzył i do wielkiej ze mną konfidencji przyszedł. Dowiedziałem się też od niego, że Rozłogi spalone, że kniaziów dwóch zabił, a inni zasłyszawszy o tym chcieli naprzód do naszego księcia iść, ale że nie mogli, więc do wojska litewskiego uciekli. Ale najgorzej, jak tego grubego szlachcica wspomniał, to tak zębami, mówię jegomości, zgrzytał, jakby kto orzechy gryzł.

— Długo chorował?

— Długo, długo, bo zrazu mu się rany goiły, potem się zaś otwierały, gdyż się z początku nie zaszanował. Mało ja się to nocy przy nim wysiedziałem (żeby go usiekli!), jak przy kim dobrym. A trzeba jegomości wiedzieć, żem ja sobie na zbawienie duszy poprzysiągł, że mu za moją krzywdę zapłacę, i tego ja, mój jegomość, dotrzymam, choćbym całe życie miał za nim chodzić, bo mnie niewinnego tak sponiewierał i potłukł jako psa, a ja też nie żaden cham jestem. Już on musi zginąć z mojej ręki, chyba go kto inny wcześniej zabije. To mówię jegomości, że ze sto razy miałem okazję, bo często nikogo przy nim nie było prócz mnie. Myślałem sobie tedy: zali mam go pchnąć czy nie? — Ale mi było wstyd tak go żgać w łożu leżącego.

— To ci się chwali, żeś go *aegrotum et inarmem* nie mordował. Chłopska byłaby to sprawa, nie szlachecka.

— Ano, widzi jegomość, ja też tak samo myślałem. Jeszczem sobie wspomniał, że jak mnie z domu rodziciele wyprawiali, tak mnie dziaduś przeżegnał i powiada: „Pamiętaj, kpie, żeś szlachcic, i ambicję miej, wiernie służ, ale poniewierać się nie daj". Mówił też, że jak szlachcic po chłopsku sobie postąpi, to Pan Jezus płacze. A jam spamiętał termin i tego się wystrzegam. Musiałem więc okazji poniechać. A tu konfidencja coraz to większa! Nieraz pyta mnie: „Czym ja tobie nagrodzę?" To ja: „Czym waszmość będziesz chciał". I nie mogę się skarżyć, opatrzył mnie hojnie, a ja też wziąłem, bo myślę sobie: po co ma w zbójeckich rękach zostawać? Przez niego i inni też mi dawali, bo mówię jegomości, że tam żaden tak kochany nie jest jako on, i od Niżowych, i od czerni, chociaż w całej Rzeczypospolitej nie masz szlachcica, któren by taki kontempt dla czerni miał, jak on...

Tu Rzędzian począł głową kręcić, jakby sobie coś przypominał i czemuś się dziwił, a po chwili tak dalej mówić począł:

— Dziwny to jest człek i trzeba przyznać, że ma wcale szlachecką fantazję. A tę pannę to on miłuje! miłuje! mocny Boże! Jak tylko trochę ozdrowiał, przychodziła do niego Dońcówna, żeby mu to wróżyć. I wróżyła, ale nic dobrego. Bezecna to olbrzymka, z diabłami w komitywę wchodzi... ale dziewczysko hoże. Jak się zaśmieje, to przysiągłbyś, że kobyła na łące rży. Zębiska białe pokazuje, taka mocna, że pancerz może rozedrzeć, a jak chodzi, aż się ziemia trzęsie. I widać z dopuszczenia bożego coś sobie do mnie upatrzyła, że jej się uroda moja podobała. To, bywało, nie przejdzie koło mnie, żeby mnie za łeb albo za rękaw nie pociągnąć albo nie szturchnąć — i nieraz mówi: „Chodź!" A jam się bał, żeby mi czarny gdzie na osobności karku nie skręcił, bo zaraz by wszystko, com zebrał, przepadło. Więc jej odpowiadam: „Mało to masz innych!" A ona: „Udałeś mi się, chociażeś dzieciuch! udałeś mi się". „Poszła precz, basetlo!" To ona znów: „Udałeś mi się! udałeś mi się!"

— I widziałeś wróżby?

— Widziałem, słyszałem. Dymiska jakieś, syki, piski, jakieś cienie, ażem truchlał. Ona zaś w środku stojąc, brwi czarne w kozła postawi i powtarza: „Lach przy niej! Lach przy niej! czyłu! huku — czyłu!... Lach przy niej!" To znów pszenicy na sito nasypie i patrzy, a ziarnka to tak chodzą jak robactwo i: „Czyłu! huku! czyłu! Lach przy niej!" Ej! mój jegomość! żeby to nie taki zbój, to by żal było patrzeć na tę jego desperację po każdej wróżbie. Bywało, zblednie jak giezło, na wznak padnie, ręce nad głową załamie i zawodzi, i skowyta, i prosi się, i przeprasza panienkę, że jako gwałtownik do Rozłogów przyszedł, że braci jej pobił: „Gdzie ty, zazula? gdzie ty, jedyna? (prawi) — ja by na ręku ciebie nosił, a teraz nie żyć mnie bez ciebie!... Już ja cię (prawi) ręką nie tknę, twój rab będę, byle oczy na cię patrzyły". To znów pana Zagłobę wspomni i zgrzyta, i zębami łoże kąsa, póki go sen nie obali, ale jeszcze i przez sen jęczy a wzdycha.

— Ale nigdy mu dobrze nie wróżyła?

— Już potem nie wiem, mój jegomość, bo on ozdrowiał, a ja się też od niego odczepiłem. Przyjechał ksiądz Łasko, więc mnie Bohun to zrobił, że mogłem z nim do Huszczy jechać. Oni tam, zbóje, wiedzieli, że dobra wszelakiego trochę mam, a jam też nie ukrywał, że jadę rodzicieli wspomóc.

— I nie zrabowali cię?

— Może byliby to uczynili, ale szczęściem, Tatarów wtedy nie było, a Kozacy nie śmieli dla strachu przed Bohunem. Zresztą już oni mnie całkiem za swego mają. Kazał mi przecie sam Chmielnicki słuchać a donosić, co się będzie u wojewody bracławskiego mówiło, jeśli się jacy panowie zjadą... Niech mu tam kat świeci! Przyjechałem tedy do Huszczy, aż tu przyszły podjazdy Krzywonosowe i ojca Łaska zabiły, a jam połowę swojego dobra zakopał, a z połową tu uciekłem zasłyszawszy, że jegomość gromi koło Zasławia. Bogu najwyższemu niech będzie chwała, żem jegomości w dobrym zdrowiu i humorze zastał i że się jegomości weselisko szykuje... To już będzie koniec wszystkiego złego. Mówiłem ja tym złodziejom, co na księcia, naszego pana, szli, że już nie wrócą. Mają teraz! Może też i wojna się już skończy.

— Gdzie tam! Teraz się z samym Chmielnickim dopiero zacznie.

— A jegomość będzie po weselu wojował?

— Zaś myślałeś, że mnie tchórz po weselu obleci?

— Ej, nie myślałem! Wiem ja, że kogo obleci, to jegomości nie obleci, jeno tak się pytam, bo jak rodzicielom odwiozę to, com zebrał, chciałbym też z jegomością pójść. Może też Bóg mi dopomoże z mojej krzywdy się Bohunowi wypłacić, bo kiedy zdradą nie przystoi, to gdzież ja jego znajdę, jeśli nie w polu. On się nie będzie chował...

— Takiś zawzięty?

— Każdy niech będzie przy swoim. A ja, jakom sobie

obiecał, tak i do Turek bym za nim pojechał. Już nie może inaczej być. A teraz ja z jegomością do Tarnopola pojadę, a potem na wesele. Ale czemu to jegomość do Baru na Tarnopol jedzie? Wżdyć to nie po drodze.

— Bo muszę chorągwie odprowadzić.

— Rozumiem, mój jegomość.

— Teraz daj co zjeść — rzekł pan Skrzetuski.

— Już ja o tym myślałem. Brzuch to grunt.

— Zaraz po śniadaniu ruszymy.

— To i chwała Bogu, choć koniska mam zmizerowane okrutnie.

— Każę ci dać powodnego. Będziesz już na nim jeździł.

— Dziękuję pokornie jegomości — rzekł Rzędzian uśmiechając się z zadowoleniem na myśl, że licząc trzosik i pas kropiasty, trzeci to już go dar spotyka.

Rozdział XXXIII

Jechał więc pan Skrzetuski na czele chorągwi książęcych do Zbaraża, nie do Tarnopola, bo przyszedł nowy ordynans, że tam ma iść, a po drodze opowiadał wiernemu pacholikowi swoje własne przygody, jako w niewolę na Siczy był pojman, jako długo w niej przebył i ile przecierpiał, zanim go Chmielnicki wypuścił. Szli wolno, bo choć wozów i ciężarów nie prowadzili, wszelako droga wypadła im krajem tak zniszczonym, że o żywność dla ludzi i koni z największym trudem trzeba się było starać. Gdzieniegdzie spotykali gromady ludzi wynędzniałych, zwłaszcza kobiet z dziećmi, które Boga prosiły o śmierć lub nawet o niewolę tatarską, gdyż przynajmniej jeść by im w pętach dawano. A był to przecież czas żniw w tej bujnej, mlekiem i miodem płynącej ziemi, ale podjazdy Krzywonosowe zniszczyły wszystko, co się tylko zniszczyć dało, a resztki mieszkańców żywiły się korą drzewną. Dopiero w pobliżu Jampola weszli rycerze w kraj wojną jeszcze nie tyle zmordowany i już mając wywczasy lepsze i spyży obfitość, szli śpiesznymi pochodami ku Zbarażowi, do którego w pięć dni od wyruszenia z Suchorzyniec dojechali.

W Zbarażu zjazd był wielki. Książę Jeremi zatrzymał się tam z całym wojskiem, a prócz tego zjechało się żołnierstwa i szlachty niemało. Wojna wisiała w powietrzu, o niej tylko mówiono; miasto i okolica roiły się zbrojnym ludem. Partia pokojowa w Warszawie, podtrzymywana w nadziejach swych przez pana Kisiela, wojewodę bracławskiego, nie wyrzekła się wprawdzie jeszcze układów i zawsze wierzyła, iż można będzie nimi burzę zażegnać, ale zrozumiała jedno, że układy natenczas tylko skutek mieć mogą, gdy na poparcie ich stanie potężna armia. Toteż konwokacja odbyła się wśród gróźb wojennych i grzmotów, jakie zwykły burzę poprzedzać. Ogłoszono pospolite ruszenie, ściągano wojska kwarciane, a choć kanclerz i regimentarze jeszcze wierzyli w pokój, przecie humor wojenny przeważał w duszach szlacheckich. Pogromy dokonane przez Wiśniowieckiego rozpaliły wyobraźnię. Umysły płonęły żądzą zemsty nad chłopstwem i żądzą odwetu za Żółte Wody, za Korsuń, za krew tylu tysięcy męczeńską śmiercią zmarłych, za hańbę i upokorzenia... Imię strasznego księcia rozbłysło słonecznym blaskiem sławy — było na wszystkich ustach, we wszystkich sercach, a z tym imieniem w parze rozlegało się od brzegów Bałtyku aż po Dzikie Pola złowrogie słowo: Wojna!

Wojna! wojna! Zwiastowały ją i znaki na niebie, i rozpłomienione twarze ludzkie, i błyskania mieczów, i nocne wycia psów przed chatami, i rżenie koni krew wietrzących. Wojna! Herbowy lud po wszystkich ziemiach, powiatach, dworach i zaściankach wyciągał stare zbroice i miecze z lamusów, młodzież śpiewała pieśni o Jeremim, a niewiasty modliły się przed ołtarzami. I ruszyły się zbrojne ludyszcza, zarówno w Prusiech, Inflantach, jak w Wielkopolsce i rojnym Mazowszu, aż hen! do bożych szczytów tatrzańskich i ciemnych borów Beskidu.

I wojna leżała w sile rzeczy. Rozbójniczy ruch Zaporoża i ludowe powstanie ukraińskiej czerni potrzebowały jakichś wyższych haseł niż rzeź i rozbój, niż walka z pańszczyzną i z magnackimi latyfundiami. Zrozumiał to dobrze Chmielnicki i korzystając z tlejących rozdrażnień, z obopólnych nadużyć i ucisków, jakich nigdy w onych surowych czasach nie brakło, socjalną walkę zmienił w religijną, rozniecił fanatyzm ludowy i zaraz w początkach przepaść między oboma obozami wykopał — przepaść, którą nie pergaminy i układy, ale krew tylko mogła wypełnić.

I pragnąc z duszy układów, siebie tylko i własną potęgę chciał ubezpieczyć — a potem?... Co miało być potem, hetman zaporoski nie myślał, w przyszłość nie patrzył i nie dbał o nią.

Nie wiedział jednak, że owa stworzona przezeń przepaść tak jest wielka, iż żadne układy nie wyrównają jej nawet na taki czas, jakiego on sam, Chmielnicki, mógł potrzebować. Bystry polityk nie odgadł, iż nie będzie mógł w spokoju krwawych owoców swego żywota spożywać.

A jednak łatwo to było zgadnąć, że gdzie naprzeciw siebie staną uzbrojone krocie, tam pergaminem do spisywania aktów będą błonia, a piórami miecze i włócznie.

Toczyły się tedy wypadki siłą rzeczy ku wojnie i nawet ludzie prości, instynktem tylko wiedzeni, odgadywali, że nie może być inaczej, a w całej Rzeczypospolitej coraz więcej oczu zwracało się na Jeremiego, któren od początku wojnę na śmierć i życie głosił. W cieniu tej olbrzymiej postaci nikli coraz bardziej kanclerz i wojewoda bracławski, i regimentarze, a między nimi potężny książę Dominik, głównym mianowany wodzem. Nikła ich powaga, znaczenie i malała karność dla władzy, którą piastowali. Kazano wojsku i szlachcie ściągać ku Lwowu, a potem ku Glinianom, jakoż i szły coraz większe zastępy. Ściągała się kwarta, za nią ziemianie pobliższych województw, ale zaraz nowe wypadki poczęły grozić powadze Rzeczypospolitej. Oto nie tylko mniej karne chorągwie pospolitego ruszenia, nie tylko prywatne, ale i regularne kwarciane, stanąwszy na miejscu zboru, wypowiadały posłuszeństwo regimentarzom i wbrew rozkazom ruszały do Zbaraża, aby się oddać pod rozkazy Jeremiego. Tak naprzód uczyniły województwa kijowskie i bracławskie, których szlachta już przedtem w znacznej części pod Jeremim służyła, za nimi poszły ruskie, lubelskie, za nimi wojska koronne — i już nietrudno było powiedzieć, że wszystkie inne pójdą ich śladem.

Pominięty a zapomniany umyślnie Jeremi siłą rzeczy stawał się hetmanem i naczelnym wodzem całej potęgi Rzeczypospolitej. Szlachta i wojsko oddane mu duszą i ciałem czekało tylko jego skinienia. Władza, wojna, pokój, przyszłość Rzeczypospolitej spoczęły w jego ręku.

I rósł jeszcze z każdym dniem, bo każdego dnia nowe waliły do niego chorągwie, i tak zolbrzymiał, że cień jego począł padać nie tylko na kanclerza i regimentarzy, ale na senat, na Warszawę i całą Rzeczpospolitą.

W niechętnych mu kołach kanclerskich w Warszawie i w regimentarskim obozie, w otoczeniu księcia Dominika i u wojewody bracławskiego poczęto przebąkiwać o jego niepomiernej ambicji i zuchwałości; przypominano sprawę o Hadziacz, jako to zuchwały kniaź przyjechał w cztery tysiące ludzi do Warszawy i wszedłszy do senatu, gotów był rąbać wszystkich, samego króla nie wyłączając.

„Czegóż od takiego człowieka się spodziewać i jakimże musi być teraz — mówiono — po owym Ksenofontowym odwrocie z Zadnieprza, po wszystkich przewagach wojennych i tylu wiktoriach, które go tak niezmiernie wsławiły? W jakąż nieznośną pychę musiał go wznieść ów fawor żołnierstwa i szlachty? Kto mu się dziś oprze? Co się stanie z Rzeczpospolitą, gdy jeden obywatel do takiej potęgi dochodzi, że może deptać wolę senatu, odejmować władzę wyznaczonym przez Rzeczpospolitą wodzom? Zali on istotnie królewicza Karola koroną ozdobić zamierza? Mariusz on jest, to prawda, ale daj Bóg, żeby w nim nie było Marka Koriolana lub Katyliny, gdyż pychą i ambicją obydwom wyrównywa".

Tak mówiono w Warszawie i w kołach regimentarskich, szczególnie u księcia Dominika, z którym emulacja Jeremiego niemałe już szkody Rzeczypospolitej przyniosła — a ów Mariusz siedział tymczasem w Zbarażu, chmurny, niezbadany. Świeże zwycięstwa nie rozpromieniły mu twarzy. Gdy, bywało, nowa jaka chorągiew kwarciana albo powiatowa pospolitego ruszenia przytoczyła się do Zbaraża, to wyjeżdżał naprzeciw, jednym rzutem oka oceniał jej wartość i zaraz w zadumę popadał. Żołnierze z krzykiem garnęli się do niego, padali przed nim na kolana wołając: „Witaj, wodzu niezwyciężony! Herkulesie słowieński! do gardła stać przy tobie będziem!" — on zaś odpowiadał: „Czołem waszmościom! na Chrystusowym my wszyscy ordynansie, a moja szarża za niska, bym był szafarzem krwi waszmościów!" — i wracał do siebie, od ludzi uciekał, w samotności z myślami się łamiąc. Tak upływały dnie całe. A tymczasem miasto wrzało rojami coraz to nowego żołnierstwa. Pospolitacy pili od rana do nocy, chodząc po ulicach, wyprawiając hałasy i burdy z oficerami cudzoziemskiego autoramentu. Regularny żołnierz czując również cugle dyscypliny rozwolnione używał na winie, jedle i kościach. Codziennie nowi goście, więc nowe uczty i zabawy z mieszczankami. Wojska zawaliły wszystkie ulice, stały i po wsiach okolicznych, a co za rozmaitość koni, oręża, ubiorów, piór, kolczug, misiurek, barw rozmaitych województw! Rzekłbyś: odpust jaki walny, na który połowa Rzeczypospolitej zjechała. Leci więc czasem kareta pańska, pozłocista lub purpurowa, koni przy niej sześć lub ośm z piórami, pajucy z węgierska lub po niemiecku, nadworni janczarowie, Kozacy, Tatarzy; tam znów kilku towarzyszów świecących jedwabiem i aksamitami, bez pancerzy, rozpiera tłumy końmi anatolskimi lub perskimi. Trzęsienia u czapek i zapinki pod szyją migają ognikami od brylantów i rubinów — a wszystko ustępuje im z drogi dla powagi znaku. Tam znów przed gankiem puszy się oficer od łanowej piechoty, w świeżym, błyszczącym kolecie, z długą trzciną w ręku i pychą na twarzy, a mieszczańskim sercem w piersi; ówdzie migają grzebieniaste hełmy dragonów, kapelusze niemieckiej piechoty, rogatywki pospolitego ruszenia, kapuzy, kołpaki rysie. Czeladź w rozmaitych barwach uwija się jak w ukropie na posługach. Tu i owdzie ulica zapchana wozami; tam wozy wchodzą dopiero, skrzypiąc niemiłosiernie, wszędy pełno krzyków, nawoływań: „Z drogi", przekleństw czeladzi, zwad, bójek, rżenia koni. Co mniejsze uliczki tak zawalone słomą, sianem, że i przecisnąć się niepodobna.

A wśród tych świetnych strojów migających wszystkimi barwami tęczy, śród jedwabiów, aksamitów, tyftyków, altembasów, migotania brylantów jakże dziwnie wyglądają pułki Wiśniowieckiego, wynędzniałe, obdarte, wychudzone, w zardzewiałych pancerzach, spłowiałych barwach i podartych mundurach! Towarzysze spod najpoważniejszych znaków wyglądają jak dziady, gorzej czeladzi innych pułków, ale wszyscy czołem przed tymi łachmanami, przed tą rdzą i tą mizerią, bo to znamiona bohaterów. Wojna, zła matka, własne dzieci jako Saturn pożera, a których nie pożre, to poobgryza jak pies kości. Te spłowiałe barwy — to dżdże nocne, to pochody wśród nawałności elementów albo słonecznej spiekoty; ta rdza na żelazie to krew nie starta, swoja albo nieprzyjacielska, albo obie razem. Toteż wiśniowiecczycy wszędzie rej wiodą. Oni opowiadają po szynkowniach i kwaterach, a inni tylko słuchają. I czasem którego ze słuchających aż porwie spazm za gardło, rękami po lędźwiach się uderzy i krzyknie: „A niechże waściów kule biją! chybaście diabły, nie ludzie!" A wiśniowiecczycy: „Nie nasza to zasługa, ale takiego wodza, któremu równego nie wydał jeszcze *orbis terrarum*". Więc wszystkie uczty kończą się okrzykami: „*Vivat* Jeremi! *vivat* książę wojewoda! wódz nad wodze i hetman nad hetmany!..."

Szlachta, gdy się popije, wypada na ulice i z rusznic a muszkietów pali, a że wiśniowiecczycy ostrzegają ją, że do czasu tylko swoboda, że przyjdzie chwila, gdy książę ich weźmie w ręce i taką dyscyplinę zaprowadzi, o jakiej jeszcze nie słyszeli, więc tym bardziej owego czasu używają: „*Gaudeamus*, póki wolno! — wołają. — Gdy pora na posłuch przyjdzie, będziem słuchali, bo jest kogo, bo to nie «dziecina», nie «łacina», nie «pierzyna»!" I nieszczęśliwy książę Dominik najgorzej zawsze wychodził, bo mełły go na otręby języki żołnierskie. Opowiadano, jako się po całych dniach modli, a wieczorem wisi na uchu dzbana i co na brzuch splunie, to jedno oko otworzy i pyta: „Co takiego?" Mówiono także, że na noc „jalapam" zażywa i że tyle bitew widział, ile ma ich na kobiercach holenderską sztuką wyhaftowanych. Już tam nikt go nie bronił i nikt nie żałował, a najbardziej kąsali ci, którzy w jawnej z karnością wojskową stanęli niezgodzie.

Wszelako i nad tymi jeszcze celował w przekąsach i wyśmiewaniu pan Zagłoba. Już on się był ze swego bólu w krzyżach wyleczył i teraz był w swoim żywiole. Ile zaś zjadał i wypijał, daremnie spisywać, bo rzecz wiarę ludzką przechodzi. Chodziły za nim i otaczały go ustawicznie kupy żołnierzy i szlachty, a on rozprawiał, opowiadał i drwił z tych, którzy go podejmowali. Patrzył też z góry, jako stary żołnierz, na owych, którzy szli na wojnę, i z całą wyższością doświadczenia mawiał im:

— Tyle waszmościów moderunki wojny zaznały ile mniszki mężów; szaty macie świeże i larendogrą pachną, ale choć to piękny zapach, wszelako w pierwszej bitwie postaram się od waszmościów pod wiatr trzymać. Oj! kto nie wąchał wojennego czosnku, nie wie, jakie on łzy wyciska! Nie przyniesie jejmość rano piwa grzanego ani polewki winnej! Poopadają waszmościom brzuchy, zeschniecie się jak twaróg na słońcu. Możecie mnie wierzyć. Eksperiencja grunt! Bywało się w różnych okazjach, bywało! zdobyło się niejedną chorągiewkę, ale już to muszę waszmościom powiedzieć, że żadna nie przyszła mi tak ciężko, jako ta pod Konstantynowem. Niech diabli porwą tych Zaporożców! Siódme poty, mówię waszmościom, ze mnie poszły, nimem za ratyszcze uchwycił. Spytajcie pana Skrzetuskiego, tego, który Burdabuta zabił, on to na własne oczy widział i admirował. Ale też teraz krzyknijcie jeno Kozakowi nad uchem: „Zagłoba!" — obaczycie, co wam powie. Ale co tu waszmościom prawić, którzyście jeno *muscas* po ścianach packą bili, więcej nikogo.

— Jakże to było? jakże? — pytali młodzi.

— A cóż to waszmościowie chcecie, żeby mi się język od kręcenia się w gębie zapalił jako oś w wozie?

— To trzeba polać! wina! — wołała szlachta.

— Chyba że tak! — odpowiadał pan Zagłoba i rad, że znalazł wdzięcznych słuchaczów, opowiadał im wszystko *ab ovo*, od podróży do Galaty i od ucieczki z Rozłogów aż do zdobycia chorągwi pod Konstantynowem, oni zaś słuchali z otwartymi ustami, czasem mruczeli, gdy sławiąc własne męstwo, zanadto ich niedoświadczenie poniewierał, ale zapraszali i poili co dzień w innej kwaterze.

Bawiono się tedy wesoło i huczno w Zbarażu, aż się stary Zaćwilichowski i inni poważniejsi dziwili, że książę tak długo na owe gody pozwalał; on zaś siedział ciągle w swojej kwaterze; widać umyślnie żołnierstwu folgę dał, by przed nowymi bojami wszystkiego dobrego zażyło.

Tymczasem przyjechał Skrzetuski i zaraz wpadł jak w wir, jak w ukrop jaki. Chciało się też i jemu odpoczynku w kole towarzyszów posmakować, ale jeszcze bardziej chciało mu się do Baru, do kochanej jechać i wszystkich zgryzot dawnych, wszystkich obaw i utrapień w jej słodkim objęciu zapomnieć. Więc nie zwłócząc, do księcia szedł, by zdać sprawę z wyprawy pod Zasław i pozwolenie na wyjazd uzyskać.

Znalazł księcia zmienionego do niepoznania, aż się widokiem jego przeraził — i w duchu się pytał: „Tenże to jest wódz, któregom pod Machnówką i Konstantynowem widział?" — Bo też przed nim stał człowiek brzemieniem trosk pochylony, z wpadłymi oczyma i spieczonymi usty, jakoby ciężką chorobą wewnętrzną trapiony. Zapytany o zdrowie odrzekł krótko i sucho, że jest zdrowy, rycerz zaś dłużej pytać nie śmiał; więc zdawszy sprawę z podjazdu zaraz jął prosić, by mógł na dwa miesiące chorągiew opuścić, dopóki by się nie ożenił i żony do Skrzetuszewa nie odwiózł.

Na to książę jakby się ze snu obudził. Zwykła mu dobroć rozlała się po chmurnym obliczu i przygarnąwszy pana Skrzetuskiego rzekł:

— Koniec więc twojej męki. Jedź, jedź, niech cię błogosławi Bóg. Sam bym chciał być na twym weselu, bom to i Kurcewiczównie, jako córce Wasyla, i tobie, jako przyjacielowi, powinien, ale w tych czasach już mi to niepodobieństwo się ruszyć. Kiedy chcesz jechać?

— Wasza książęca mość, choćby dziś!

— To jedź jutro. Nie możesz sam jechać. Dam ci trzystu Wierszułłowych Tatarów, abyś zaś ją bezpiecznie odprowadził. Z nimi najprędzej dojedziesz, a potrzebni ci będą, bo tam kupy hultajstwa się włóczą. Dam ci i list do pana Jędrzeja Potockiego, ale nim go napiszę, nim Tatarzy przyjdą, nim się wreszcie ty wybierzesz, do jutra wieczór zejdzie.

— Jak wasza książęca mość rozkaże. Ale jeszcze śmiem prosić, aby Wołodyjowski i Podbipięta mogli także ruszyć ze mną.

— Dobrze. Przyjdźże jeszcze jutro na pożegnanie i błogosławieństwo. Chciałbym też i twojej kniaziównie jaki upominek posłać. Zacna to krew. Bądźcieże szczęśliwi, boście siebie warci.

Rycerz już klęczał i obejmował kolana ukochanego wodza, któren jeszcze powtórzył kilkakrotnie:

— Niech ci Bóg szczęści! niech ci Bóg szczęści! No, przyjdź jeszcze jutro.

Ale rycerz nie podnosił się i nie odchodził, jakby chciał jeszcze o coś prosić, na koniec wybuchnął:

— Wasza książęca mość!

— A co jeszcze powiesz? — pytał łagodnie książę.

— Wasza książęca mość wybaczy śmiałości, ale... mnie się serce kraje... i od żalu wielkiego śmiałość przychodzi: co waszej książęcej mości jest? Zali troski gnębią czy choroba?

Książę położył mu rękę na głowie.

— Ty tego wiedzieć nie możesz! — rzekł ze słodyczą w głosie. — Przyjdź jeszcze jutro.

Pan Skrzetuski wstał i odszedł ze ściśniętym sercem.

Wieczorem przyszedł do jego kwatery stary Zaćwilichowski, a z nim mały Wołodyjowski, pan Longinus Podbipięta i pan Zagłoba. Zasiedli za stołem, a wtem Rzędzian wszedł do izby niosąc kusztyki i antałek.

— W imię Ojca i Syna! — zawołał pan Zagłoba. — To widzę, waści pachół zmartwychwstał.

Rzędzian zbliżył się i za kolana go objął.

— Nie zmartwychwstałem ja, alem nie umarł, dzięki pono temu, żeś mnie jegomość ratował.

A pan Skrzetuski na to:

— I do Bohuna potem na służbę przystał.

— To będzie miał w piekle promocję — rzekł pan Zagłoba, a potem zwracając się do Rzędziana: — Nie musiałeś ty tam w tej służbie rozkoszy zażyć; naści talera na pociechę.

— Dziękuję pokornie jegomości — rzekł Rzędzian.

— On! — zawołał pan Skrzetuski — to frant na cztery nogi kuty. U Kozaków łup wykupował, a co ma, tego byśmy obaj z waćpanem nie kupili, choćbyś waćpan wszystkie swoje posiadłości w Turczech sprzedał.

— To tak? — rzekł pan Zagłoba. — Trzymajże sobie mego talera i rośnij, lube drzewko, bo jeśli nie na Bożą Mękę, to choć na szubienicę się przydasz. Dobrze temu pachołkowi z oczu patrzy. (Tu pan Zagłoba chwycił za ucho Rzędziana i targając je lekko, mówił dalej:) Lubię frantów i toć prorokuję, że wyjdziesz na człowieka, jeśli bydlęciem nie zostaniesz. A jak cię tam twój pan, Bohun, wspomina, co?

A Rzędzian uśmiechnął się, bo mu pochlebiły słowa i kares, i odparł:

— O mój jegomość, a jak on jegomości wspomina, to aż skry zębami krzesze.

— Idź do diabła! — zawołał z nagłym gniewem pan Zagłoba. — Co mi tu będziesz bredził!

Rzędzian wyszedł, oni zaś poczęli rozmawiać o jutrzejszej podróży i o szczęśliwości niezmiernej, jaka pana Jana czeka. Miód poprawił wprędce humor panu Zagłobie, który zaraz zaczął Skrzetuskiemu domawiać i o chrzcinach napomykać, to znowu o zapałach pana Jędrzeja Potockiego dla kniaziówny. Pan Longinus wzdychał. Pili i radowali się w duszy. Aż wreszcie rozmowa weszła na koniunktury wojenne i na księcia. Skrzetuski, który kilkanaście dni w obozie nie był, pytał:

— Powiedzcież mi waszmościowie, co się naszemu księciu stało? Toż to inny człowiek. Już ja tego wszystkiego nie rozumiem. Bóg mu dawał wiktorię za wiktorią. Że go tam przy regimentarstwie pominęli, to i cóż? to za to teraz wszystko wojsko do niego się wali, tak że bez niczyjej łaski hetmanem zostanie i Chmielnickiego zetrze... a on widać czegoś się trapi i trapi!...

— Może mu się pedogra zaczyna — rzecze pan Zagłoba — jak mnie czasem w wielkim palcu łupnie, to przez trzy dni mam melankolię.

— A ja wam, brateńki, powiem — rzekł kiwając głową pan Podbipięta. — Nie słyszałem ja tego sam od księdza Muchowieckiego, alem słyszał, że tak komuś mówił, dlaczego książę udręczon... Ja tam sam nie mówię: łaskawy to pan, dobry i wielki wojownik... co mnie tam jego sądzić, ale jakoby ksiądz Muchowiecki... zresztą czy ja wiem, czy co?

— No, patrzcieże waszmościowie na tego Litwina! — zawołał pan Zagłoba. — Nie mam ja dworować z niego, kiedy on ludzkiej mowy nie zna! Cóżeś waszmość chciał powiedzieć? Kołujesz, kołujesz jako zając wedle kotliny, a w sedno nie możesz utrafić.

— Cóżeś waszmość naprawdę słyszał? — spytał pan Jan.

— At! kiedy bo to... jakoby mówili, że książę za dużo krwi rozlał. Wielki to wódz, ale miary w karaniu nie zna i teraz podobno wszystko widzi czerwono — w dzień czerwono i w nocy czerwono, jakoby go czerwony obłok otaczał...

— Nie praw waść głupstw! — huknął z gniewem stary Zaćwilichowski. — Babskie to plotki! Nie było dla hultajstwa lepszego pana czasu pokoju, a że dla buntowników litości nie zna, to i cóż? To zasługa, nie grzech. Jakichże to mąk, jakich kar byłoby zanadto dla tych, którzy tę ojczyznę we krwi utopili, którzy Tatarom własny lud w niewolę wydawali nie chcąc znać Boga, majestatu, ojczyzny, zwierzchności? Gdzie mi waszmość pokażesz monstra podobne? gdzie takie okrucieństwa, jakich się oni dopuszczali nad niewiastami i małymi dziećmi? gdzie takie zbrodnie potworne? I na to pala a szubienicy zanadto?! Tfu, tfu! waść masz żelazną rękę, ale serce niewieście. Widziałem, jakeś stękał, gdy Pułjana przypiekali, i mówiłeś, że wolałbyś go był na miejscu ubić. Ale książę nie jest baba, wie, jak nagradzać, jak karać. Co mi tu waść będziesz koszałki prawił!

— Toż ja mówiłem, ojcze, że nie wiem — tłumaczył się pan Longinus.

Ale staruszek sapał jeszcze długo i ręką po mlecznej czuprynie się gładził, i mruczał:

— Czerwono! hm! czerwono!... to zaś coś nowego! W głowie temu, co to wymyślił, zielono, nie czerwono!

Nastała chwila ciszy, tylko przez okna dochodził wrzask hulaszczej szlachty.

Mały Wołodyjowski przerwał panujące w izbie milczenie.

— Cóż wy, ojcze, myślicie? co może być naszemu panu?

— Hm! — rzekł starzec. — Ja mu nie konfident, więc nie wiem. Nad czymś on się namyśla, sam ze sobą się łamie. Duszne to jakieś walki, nie może być inaczej — a im dusza większa, tym męka cięższa...

I nie mylił się stary rycerz, bo oto w tej chwili ów książę, wódz, zwycięzca leżał w prochu w swojej kwaterze przed krucyfiksem i toczył jedną z najzaciętszych walk w swym życiu.

Straże na zamku zbaraskim obwoływały północ, a Jeremi ciągle jeszcze rozmawiał z Bogiem i z własną duszą wyniosłą. Rozum, sumienie, miłość dla ojczyzny, duma, poczucie własnej siły i wielkich przeznaczeń zmieniły się w jego piersi w zapaśników i wiodły ze sobą bój zacięty, od którego pękała pierś, pękała głowa i ból targał wszystkie jego członki. Oto wbrew woli prymasa, kanclerza, senatu, regimentarzów, wbrew woli rządu szły do tego zwycięzcy wojska kwarciane, szlachta, cudze chorągwie prywatne, słowem, cała Rzeczpospolita oddawała mu się w ręce, uciekała się pod jego skrzydła — losy swoje powierzała jego geniuszowi i przez najlepszych swych synów wołała:

„Ratuj, bo ty jeden ratować możesz!" Jeszcze miesiąc, jeszcze dwa, a pod Zbarażem stanie sto tysięcy wojowników gotowych na bój śmiertelny ze smokiem wojny domowej. Tu obrazy przyszłości oblane jakimś niezmiernym światłem sławy i potęgi poczęły się przesuwać przed oczyma kniazia. Zadrżą ci, którzy go pominąć i upokorzyć chcieli — a on porwie te żelazne hufce rycerstwa i powiedzie je w stepy ukraińskie do takich zwycięstw, do takich tryumfów, o jakich dzieje jeszcze nie słyszały. I kniaź czuje w sobie siłę odpowiednią — z ramion strzelają mu skrzydła, jakby skrzydła świętego Michała Archanioła. Oto zmienia się w tej chwili w jakiegoś olbrzyma, którego zamek cały, cały Zbaraż, cała Ruś objąć nie może. Na Boga! on zetrze Chmielnickiego! on zdepce bunt — on spokój ojczyźnie powróci! Widzi rozległe błonia, krocie wojsk, słyszy huk armat... Bitwa! bitwa! pogrom niesłychany, niebywały! Krocie ciał, krocie chorągwi zaściełają step zbroczony, a on tratuje po cielsku Chmielnickiego i trąby grają zwycięstwo, a głos leci od mórz do mórz... Kniaź zrywa się i ręce do Chrystusa wyciąga, a naokół jego głowy płonie jakieś czerwone światło. „Chryste! Chryste! — woła — Ty wiesz! Ty widzisz, iż ja to uczynić potrafię, rzeknij mi, iżem powinien!"

Ale Chrystus głowę na piersi zwiesił i milczy, taki bolesny, jakby go dopiero przed chwilą rozpięto. „Na chwałę to Twoją! — woła książę *«non mihi! non mihi! sed nomini Tuo da gloriam!»* Na chwałę wiary i Kościoła, całego chrześcijaństwa! O Chryste! Chryste!" I nowy obraz mknie przed oczami bohatera. Nie na zwycięstwie nad Chmielnickim kończy się ta droga. Kniaź, bunt pożarłszy, jego się ciałem jeszcze utuczy, jego siłami zolbrzymieje, krocie Kozaków do kroci szlachty przyłączy i pójdzie dalej: na Krym uderzy, straszliwszego smoka w jego własnej jamie dosięgnie, krzyż zatknie tam, gdzie dotąd nigdy dzwony wiernych na modlitwę nie wzywały.

Albo też pójdzie w te ziemie, które raz już kniazie Wiśniowieccy kopytami końskimi stratowali, i granice Rzeczypospolitej, a z nimi Kościoła, do ostatnich krańców ziemi rozciągnie...

Gdzie to koniec tego pędu? gdzie koniec sławy, siły, potęgi? — Nie masz go wcale...

Do komnaty zamkowej wpada białe światło miesiąca, ale zegary biją późną godzinę i kury pieją. Dzień zejdzie już niedługo, ale będzie-li to dzień, w którym obok słońca na niebie nowe słońce na ziemi zaświeci?

. . . .

Tak jest! — Dzieckiem byłby książę, nie mężem, gdyby tego nie uczynił, gdyby dla jakich bądź powodów przed głosem tych przeznaczeń się cofał. Oto czuje już pewien spokój, który widocznie na niego zlał Chrystus miłosierny — niechże będzie za to pochwalon! — Już myśli trzeźwiej, lżej i oczyma duszy położenie ojczyzny i wszystkich spraw jasno ogarnia. Polityka kanclerza i tych tam panów z Warszawy, również jako wojewody bracławskiego, jest zła i dla ojczyzny zgubna. Zdeptać naprzód Zaporoże, ocean krwi z niego wytoczyć, złamać je, zniweczyć, zgnieść, zwyciężyć, a potem dopiero przyznać pokonanym wszystko — ukrócić wszelkie nadużycia, wszelkie uciski, zaprowadzić ład, spokój; mogąc dobić — do życia wrócić — oto droga jedynie tej wielkiej i wspaniałej Rzeczypospolitej godna. Może dawniej, dawniej, można było obrać inną — dziś — nie. Do czegóż mogą bowiem doprowadzić układy, gdy naprzeciw siebie stoją krocie tysięcy zbrojnych, a choćby je zawarto — jakąż siłę mieć mogą? Nie! nie! to senne mary, to urojenia, to wojna rozciągnięta na wieki całe, to morze łez i krwi na przyszłość!... Niech się uchwycą tamtej jedynej drogi, wielkiej, szlachetnej, potężnej — a on niczego więcej nie będzie ni chciał, ni pożądał. Osiędzie na powrót w swych Łubniach i będzie czekał cicho, póki go przeraźliwe trąby Gradywa na nowo do czynu nie powołają...

Niech się uchwycą! — Ale kto? Senat? sejmy burzliwe? kanclerz? prymas czy regimentarze? Kto prócz niego tę wielką myśl rozumie? i kto wykonać ją może? Niech się znajdzie taki — to zgoda!... Ale gdzie jest taki? kto ma siłę? — On jeden — nikt więcej! — Do niego idzie szlachta, do niego ściągają wojska, w jego ręku miecz Rzeczypospolitej. Przecie Rzeczpospolitą, nawet gdy pan jest na tronie, a cóż dopiero, gdy pana nie ma, rządzi wola tegoż narodu. Ona to *suprema lex!* A wypowiada się nie tylko na sejmach, nie tylko przez posłów, senat i kanclerzy, nie tylko przez pisane prawa i manifesty, ale jeszcze silniej, jeszcze dobitniej, jeszcze wyraźniej — czynem. Kto tu rządzi? Stan rycerski — a oto ten stan rycerski ściąga się do Zbaraża i mówi mu: „Tyś jest wodzem". Cała Rzeczpospolita bez wotów władzę mu oddaje siłą faktów i powtarza: „Tyś jest wodzem". I on miałby się cofać? Jakiejże jeszcze nominacji potrzebuje? Od kogo ma jej czekać? Czy od tych, którzy Rzeczpospolitą zgubić — a jego upokorzyć usiłują?

Za co? za co? Czy za to, że gdy wszystkich ogarnęła panika, że gdy hetmani w jasyr poszli, wojska zginęły, panowie kryli się po zamkach, a Kozak postawił nogę na piersi Rzeczypospolitej, on jeden tylko zepchnął tę stopę i podnosił z prochu zemdlała głowę tej matki — poświęcił dla niej wszystko, życie, fortunę, uratował od hańby, od śmierci — on zwycięzca?!

Kto tu zasłużeńszy, niech tedy bierze tę władzę? Komu się słuszniej należy, niech w tego rękach spocznie. On chętnie zrzeknie się tego ciężaru, chętnie Bogu i Rzeczypospolitej powie: „Puśćcie sługę w pokoju", bo oto znużon już bardzo i sił zbawion, a przy tym i tego pewien, że pamięć jego ni grób nie zaginie.

Ale gdy nie masz nikogo takiego — po dwakroć

i trzykroć byłby dziecięciem, nie mężem, gdyby tej władzy, tej słonecznej drogi, tej świetnej, ogromnej przyszłości, w której jest ratunek Rzeczypospolitej, jej sława, potęga, szczęście, miał się wyrzekać.

I dlaczego?

Kniaź znowu głowę dumnie podniósł i płonący wzrok jego padł na Chrystusa, ale Chrystus głowę na piersi zwiesił i milczał taki bolesny, jakby go dopiero przed chwilą rozpięto...

Dlaczego? Bohater skronie rozpalone rękoma przycisnął... Może i jest odpowiedź. Co znaczą te głosy, które wśród złotych i tęczowych widzeń sławy, wśród szumu przyszłych zwycięstw, śród przeczuć wielkości i potęgi tak nieubłaganie wołają mu do duszy: „Ach! stój, nieszczęsny!" Co znaczy ów niepokój, który nieustraszoną pierś jego dreszczem jakiejś trwogi przejmuje? Co znaczy, że gdy on najjaśniej i najdowodniej okazuje sobie, że władzę wziąć powinien, coś mu tam w przepaściach sumienia szepce: „Sam się łudzisz, duma cię uwodzi, szatan pychy królestwa ci obiecuje?"

I znów straszna walka zawrzała w duszy księcia, znów porwał go wicher trwogi, niepewności i zwątpień.

Co czyni szlachta, która do niego zamiast do regimentarzów ciągnie? Prawo depce. Co czyni wojsko? Dyscyplinę łamie. I on, obywatel, on, żołnierz, ma stawać na czele bezprawia? ma je swoją powagą okrywać? ma pierwszy dawać przykład niekarności, samowoli, nieposzanowania praw, i to wszystko dlatego tylko, by władzę o dwa miesiące pierwej zagarnąć, boć jeśli królewicz Karol na tron obrany będzie — to i tak ta władza go nie minie? On to ma dawać tak straszliwy przykład wiekom potomnym? Cóż bowiem się stanie? Dziś tak uczyni Wiśniowiecki, jutro Koniecpolski, Potocki, Firlej, Zamojski lub Lubomirski! A gdy każdy bez uwagi na prawo i karność, gwoli własnej ambicji działać rozpocznie, gdy dzieci pójdą wzorem ojców i dziadów, jakaż to przyszłość czeka ów kraj nieszczęsny? Robactwo samowoli, nierząd, prywaty toczą już i tak pień tej Rzeczypospolitej; pod siekierą wojny domowej próchno się sypie, uschłe gałęzie z drzewa odpadają — co się stanie, gdy ci, którzy chronić je powinni i strzec jak źrenicy oka — sami ogień podkładać będą? Co się stanie? Jezu! Jezu!

Chmielnicki też dobrem publicznym się osłania i nie czyni nic innego, jeno przeciw prawu i zwierzchności powstaje.

Kniazia dreszcz przeszedł od stóp do głowy. Ręce załamał: „Zali ja mam być drugim Chmielnickim — o Chryste!"

Ale Chrystus głowę na piersi zwiesił i milczał taki bolesny, jakby go dopiero przed chwilą rozpięto.

Kniaź szarpał się dalej. Jeśli on władzę weźmie, a kanclerz, senat i regimentarze zdrajcą i buntownikiem go ogłoszą — to co będzie? Druga wojna domowa? — A przy tym czy to Chmielnicki jest największym i najgroźniejszym wrogiem tej Rzeczypospolitej? Wszak nieraz biły w nią jeszcze większe potęgi, wszak gdy dwieście tysięcy żelaznych Niemców szło pod Grunwaldem na pułki Jagiełłowe, gdy pod Chocimem pół Azji stanęło do boju, zguba jeszcze bliższą się zdawała — a cóż się stało z tymi wrogimi potęgami? Nie! Rzeczpospolita wojen się nie lęka i nie wojny ją zgubią! Ale czemuż to wobec takich zwycięstw, takiej utajonej siły, takiej sławy ona, która pogromiła Krzyżaków i Turków... taka jest słaba i niedołężna, że przed jednym Kozakiem przyklękła? że sąsiedzi rwą jej granice, że wyśmiewają ją narody, że głosu jej nikt nie słucha, o gniew jej nie dba, a wszyscy zgubę przewidują?

Ach! to właśnie duma i ambicja magnatów, to czyny na własną rękę, to samowola tego przyczyną. Wróg najgorszy to nie Chmielnicki, ale nieład wewnętrzny, ale swawola szlachty, ale szczupłość i niekarność wojska, burzliwość sejmów, niesnaski, rozterki, zamęt, niedołęstwo, prywata i niekarność — niekarność przede wszystkim. Drzewo gnije i próchnieje od środka. Rychło czekać, jak pierwsza burza je zwali — ale parrycyda ten, kto do takiej roboty ręce przykłada, przeklęty ten, kto przykład daje, przeklęty on i dzieci jego do dziesiątego pokolenia!...

Idźże teraz, zwycięzco spod Niemirowa, Pohrebyszcz, Machnówki i Konstantynowa; idź, kniaziu-wojewodo, idź, odejmij władzę regimentarzom, zdepcz prawo i zwierzchność i dawaj przykład potomnym, jak w matce targać wnętrzności.

Strach, rozpacz i obłąkanie wybiło się na twarzy kniazia... Krzyknął okropnie i chwyciwszy się rękami za czuprynę padł w proch przed Chrystusem.

I kajał się kniaź, i bił dostojną głową w kamienną posadzkę, a z piersi jego wydobywał się głuchy głos:

— Boże! bądź miłościw mnie grzesznemu! Boże! bądź miłościw mnie grzesznemu! Boże! bądź miłościw mnie grzesznemu!...

Różana jutrznia wstała już na niebie, a potem przyszło złote słońce i oświeciło salę. W gzymsach począł się świergot wróbli i jaskółek. Kniaź wstał i poszedł zbudzić pacholika Żeleńskiego śpiącego z drugiej strony drzwi.

— Biegaj — rzekł mu — do ordynansowych i każ im zwołać tu do mnie pułkowników, którzy stoją w zamku i w mieście, tak kwarcianych, jak i z pospolitego ruszenia.

We dwie godziny później sala poczęła się napełniać wąsatymi i brodatymi postaciami wojowników. Z książęcych ludzi przyszedł stary Zaćwilichowski, Polanowski, Skrzetuski z panem Zagłobą, Wurcel, oberszter Machnicki, Wołodyjowski, Wierszułł, Poniatowski, wszyscy niemal oficerowie aż do chorążych prócz Kuszla, któren był ku Podolu na podjazd wysłany. Z kwarty byli obecni Osiński i Korycki. Wielu znaczniejszej szlachty z pospolitego ruszenia nie można było z pierzyn powyciągać, ale przecie i tych zebrała się garść niemała — a między nimi personaci z różnych ziem, od kasztelanów aż do podkomorzych... Brzmiały szmery, rozmowy i szumiało jak w ulu, a wszystkie oczy były zwrócone na drzwi, przez które miał się książę ukazać.

Wtem umilkło wszystko. Książę wszedł.

Twarz miał spokojną, pogodną — i tylko zaczerwienione bezsennością oczy i ściągnięte rysy świadczyły o przebytej walce. Ale przez ową pogodę, a nawet słodycz przewijała się powaga i nieugięta wola.

— Mości panowie! — rzekł. — Dzisiejszej nocy rozmawiałem z Bogiem i własnym sumieniem, co mnie uczynić należy: oznajmuję przeto waszmościom, a wy oznajmijcie całemu rycerstwu, iż dla dobra ojczyzny i zgody potrzebnej w czasach klęski poddaję się pod komendę regimentarzów.

Głuche milczenie zapanowało w zgromadzeniu.

W południe tegoż dnia, na podwórcu zamkowym stało trzystu Wierszułłowych Tatarów, gotowych do drogi z panem Skrzetuskim, a na zamku książę wyprawiał obiad starszyźnie wojskowej, który zarazem miał być pożegnalną ucztą dla naszego rycerza. Posadzono go tedy przy księciu, jako „pana młodego", a za nim zaraz siedział pan Zagłoba, gdyż wiedziano, iż jego to sprawność i odwaga ocaliły „pannę młodą" z ostatniej toni. Książę był wesół, bo brzemię z serca zrzucił, i wznosił kielichy na pomyślność przyszłego stadła. Ściany i okna drżały od okrzyków rycerzy. W przedpokojach czyniła wrzawę służba, między którą Rzędzian rej wodził.

— Mości panowie! — rzekł książę — niechże ten trzeci kielich będzie dla przyszłej konsolacji. Walne to gniazdo. Daj Bóg, aby jabłka nie popadały daleko od jabłoni. Niech z tego Jastrzębca godne rodzica Jastrzębczyki się rodzą!

— Niech żyją! niech żyją!

— Na podziękowanie! — wołał Skrzetuski wychylając ogromny kielich małmazji.

— Niech żyją! niech żyją!

— *Crescite et multiplicamini!*

— Jużeś to waszmość z pół chorągiewki powinien wystawić! — rzekł śmiejąc się staruszek Zaćwilichowski.

— Zaskrzetuszczy wojsko z kretesem! już ja go znam! — krzyknął Zagłoba.

Szlachta ryknęła śmiechem. Wino szło do głów. Wszędy widać było czerwone twarze, ruszające się wąsy, a humory stawały się z każdą chwilą lepsze.

— Kiedy tak — wołał rozochocony pan Jan — to już się waszmościom muszę przyznać, że mi kukułka dwunastu chłopczysków wykukała.

— Dalibóg! wszystkie bociany od roboty pozdychają! — wołał pan Zagłoba.

Szlachta odpowiedziała nowym wybuchem śmiechu i śmiali się wszyscy, aż się sala jakoby grzmotem rozlegała.

Wtem w progu sali ukazało się jakieś posępne widmo okryte kurzem — i na widok stołu, uczty i rozpromienionych twarzy zatrzymało się we drzwiach, jakby wahając się, czy wejść dalej.

Książę dostrzegł je pierwszy, brwi zmarszczył, oczy przesłonił i rzekł:

— A kto tam? A! to Kuszel! Z podjazdu! Co słychać? jakie nowiny?

— Bardzo złe, mości książę — rzekł dziwnym głosem młody oficer.

Nagła cisza zapanowała w zgromadzeniu, jakby je kto urzekł. Kielichy niesione do ust zawisły w połowie drogi, wszystkie oczy zwróciły się na Kuszla, na którego zmęczonej twarzy malowała się boleść.

— Lepiej byś tedy ich waść nie powiadał, gdym przy

kielichu wesół — rzekł książę — ale gdyś już zaczął, to dokończ.

— Mości książę, wolałbym i ja nie być puszczykiem, bo mi ta wiadomość przez usta nie chce się przecisnąć.

— Co się stało? Mów!

— Bar... wzięty!

KONIEC TOMU PIERWSZEGO